D1261726

CHARLES AZNAVOUR

DÉPARTEMENT CHANSON
Fayard / Chorus
Sous la direction de Fred Hidalgo

Déjà parus dans ce département

Brel, Brassens, Ferré
Trois hommes dans un salon
de François-René Cristiani et Jean-Pierre Leloir (2003)

Il était une fois la chanson française
(des origines à nos jours)
de Marc Robine (2004)

Nougaro, la voix royale
de Christian Laborde (2004)

Nougaro, l'homme aux semelles de swing
de Christian Laborde (2004)

Cabrel, Goldman, Simon, Souchon
Les Chansonniers de la table ronde
de Fred Hidalgo (2004)

Georges Moustaki
La Ballade du Métèque
de Louis-Jean Calvet (2005)

Vivre et chanter en France
Tome 1 : 1945-1980
de Serge Dillaz (2005)

Hubert-Félix Thiéfaine
Jours d'orage
de Jean Théfaine (2005)

Le Roman de Daniel Balavoine
de Didier Varrod (2006)

Le Monde et cætera
Chroniques 1992-2005
d'Yves Simon (2006)

Daniel Pantchenko
avec Marc Robine

Charles Aznavour

ou

le destin apprivoisé

Fayard / Chorus

À Claudie et Lou
À Hélène Triomphe-Robine

Je ne suis pas guéri de mes années d'enfance
Charles AZNAVOUR

Charles sera l'honneur du peuple arménien,
et une gloire pour la France…
Missak MANOUCHIAN

Un destin, cela s'apprivoise : fût-il féroce
et hostile à l'homme, comme un fauve enragé !
Charles AZNAVOUR

AVANT-PROPOS
par Daniel Pantchenko

C'est une histoire de passion, d'amitié et de fidélité. Au début des années 60, à treize ou quatorze ans, je suis tombé tout droit dans la marmite Aznavour. J'ai adoré *Les Deux Guitares*, *Plus heureux que moi*, *Fraternité*, *Le Carillonneur*, et, au fil des super 45 tours, bien d'autres chansons plus ou moins connues, que j'ai apprises par cœur et chantées à tue-tête pour mon propre plaisir. En 1964, je me suis offert mon premier 33 tours, un album où je trouvais – comme disait Brassens – qu'il n'y avait « rien à jeter » (*Hier encore*, *Le Temps*, *Il te suffisait que je t'aime*, *Avec*, *Tu t'amuses...*) sauf, peut-être, son tube d'ouverture, *Que c'est triste Venise*, vraiment trop ressassé alors par les radios...

Au grand étonnement de Charles Aznavour (à qui j'ai un jour vendu la mèche), mon Ukrainien de père ne l'appréciait pas vraiment. À chacun de ses passages à la radio ou à la télévision, il lançait un systématique : « Tue-moi ou je meurs ! » Il accusait néanmoins une faiblesse certaine pour *Tu t'laisses aller*, que ma mère aimait bien aussi. Peu importe, j'étais quant à moi totalement mordu, d'autant que je découvris bientôt d'autres merveilles avec les rééditions de titres anciens nommés *Pour faire une jam*, *Sa jeunesse*, *On ne sait jamais*, *J'aime Paris au mois de mai*... Et puis, le temps a passé, j'ai éprouvé d'autres émotions chansonnières, tout en repiquant régulièrement au chanteur de mon adolescence, en particulier au cours de ces dix dernières années.

C'est en entrant à la revue *Chorus*, en 1992, que j'ai rencontré Marc Robine; auparavant, nous nous étions croisés, mais là, nous avons appris à nous connaître. Et à nous estimer aux plans professionnel et humain. Certes, nous étions très différents de par notre parcours, notre manière de vivre, nos goûts, et il nous est arrivé aussi de nous affronter verbalement en réunion de rédaction – au grand bonheur de nos camarades! –, tout cela se terminant le plus souvent par des éclats de rire. Car, sur le fond, la déontologie journalistique, la rigueur du travail, nous avons toujours été en parfait accord. Et tout autant sur Aznavour... qui s'est trouvé être l'un des artistes que nous aimions profondément tous les deux.

En 1994, lorsque Marc Robine a réalisé pour *Chorus* un dossier sur Charles, l'idée d'un futur ouvrage a germé dans sa tête et il en a parlé aussitôt à Fred Hidalgo, rédacteur en chef de la revue et coéditeur de ses livres précédents; il en avait déjà consacré plusieurs à des chanteurs (Cabrel, Julien Clerc, Georges Brassens [1]), venait de terminer une monumentale *Anthologie de la chanson française* [2] et travaillait depuis plusieurs années à son *Grand Jacques, le roman de Jacques Brel* [3], qui allait sortir en 1998. Quelques mois après son décès, victime d'une maladie fulgurante, le 26 août 2003 [4], nous avons lu le début de son manuscrit, un premier

1. Parus respectivement chez Le Club des Stars/Seghers, Paroles et Musique/Seghers et Hidalgo Éditeur/Fixot en 1987, 1988 et 1991.

2. Chez Albin Michel/EPM en 1994.

3. Chez Chorus/Anne Carrière.

4. Voir son ouvrage posthume *Il était une fois la chanson française*, paru en mars 2004 chez Fayard/Chorus.

jet d'une grosse centaine de pages, qu'il avait commencé à écrire sur Aznavour. Spontanément, par esprit d'équipe, j'ai suggéré de le terminer à plusieurs, ce qui s'est avéré une fausse bonne idée, pour des raisons pratiques et surtout de goûts personnels. J'ai alors décidé, d'un commun accord avec sa femme Hélène Triomphe-Robine et Fred Hidalgo, de tenter l'aventure. Nous étions en mai 2004.

Il nous restait à convaincre Charles Aznavour de participer à une biographie le concernant, ce qu'il avait toujours refusé depuis la monographie d'Yves Salgues parue chez Seghers en 1964, dans la collection *Poètes d'aujourd'hui*. Ce n'était pas gagné d'avance, l'intéressé ayant exprimé à plusieurs reprises en public sa défiance envers les biographies « non écrites par le chanteur lui-même, le plus souvent insipides ou aux allures d'annuaire. J'ai eu droit aussi à ce genre de livres et je n'en voulais plus [1]... » Mais, grâce à Gérard Davoust, son associé des Éditions Raoul-Breton, passionné de chansons comme nous et enthousiasmé par la teneur et la densité du manuscrit de Marc Robine, Charles s'est prêté volontiers au jeu de l'interview, et sans la moindre réserve [2] malgré un emploi du temps encore bien chargé.

Car, ne l'oublions pas, à plus de quatre-vingts ans (il est né le 22 mai 1924), Charles Aznavour est aujourd'hui le chanteur français vivant le plus connu dans le monde, qu'il a sillonné en tous sens. Fils d'immigrés arméniens, débutant à neuf ans au théâtre, à douze au cinéma, c'est à la seule force de la volonté, du courage et d'un professionnalisme sans faille, qu'il est devenu l'artiste phare que l'on admire aujourd'hui. Ce livre raconte donc en détail comment cet homme d'exception

1. À Marc Legras, pour *Chorus* n° 55 (printemps 2006).
2. Tous les propos de Charles Aznavour figurant dans cet ouvrage sans indication de source ont été spécialement recueillis par Daniel Pantchenko.

a « apprivoisé » un destin (le titre est de Marc Robine), pourtant peu favorable au départ. En remontant le cours de son histoire personnelle, voire familiale, il m'a semblé nécessaire de croiser incidemment celui de l'Histoire tout court, de la France à l'Arménie en passant par les grands bouleversements mondiaux. Une place importante est aussi accordée à l'analyse sensible des chansons, ne serait-ce que pour **favoriser** la découverte de quelques-unes des dizaines de perles méconnues que recèle l'œuvre de Charles Aznavour. Enfin, plutôt que multiplier à l'infini les interviews, je m'en suis tenu plus particulièrement aux professionnels et artistes proches ou ayant joué un rôle clé dans la carrière de « Monsieur Aznavour » qui – sans le savoir lui-même – tutoyait déjà, de temps immémorial, la légende...

Que signifie, en réalité, le nom Aznavour en arménien ? Pour Charles, c'est Lenoble... Spécialiste éminent de la question, le professeur Jean-Pierre Mahé [1] émet un avis beaucoup plus nuancé : « C'est vrai et faux à la fois. Il faut comprendre la terminaison "ian" comme un génitif pluriel : des Untel, des Aznavours. Les noms arméniens fonctionnent en général ainsi. Le mot Aznavour lui-même vient probablement d'un nom propre : l'un des ancêtres de la famille devait s'appeler Aznavour. Il découle d'un mot simple, « azn », qui signifie la race ; donc un Aznavour est effectivement quelqu'un d'une noble origine, mais ce nom s'emploie aussi dans un autre sens, lié au folklore et aux légendes sur l'Arménie. Dans les montagnes d'Arménie, il existe des grosses pierres dont les gens disent : "C'est la tombe de l'Aznavour !" Pour les Arméniens, ces gros blocs

1. Membre de l'Institut, directeur d'études à l'École pratique des hautes études, diplômé d'arménien de l'INALCO (Institut national des langues et civilisations orientales)...

de rochers, les Aznavours, étaient à la fois des géants et leurs ancêtres. L'acception Lenoble, l'étymologie littérale, me paraît donc restrictive, et la personne qu'on appelle Aznavour constitue plutôt – à mon avis – un personnage de légende qui représente un géant, ancêtre des Arméniens.» Quelle meilleure introduction imaginer pour ce livre...

I

ENFANTS D'APATRIDES

Chapitre premier

En cette année 1924

En ce temps-là, la guerre était encore présente dans tous les esprits. Une guerre effroyable – sans doute la plus terrible de l'histoire de l'Humanité – au point que l'on finirait par l'appeler la Grande Guerre, comme si, par comparaison, les précédentes n'avaient été que broutilles. Mais, en matière d'horreur, celle-ci avait pris une dimension particulière, au point de se vouloir mondiale. Au fil des mois, des années, pas moins de trente-cinq nations s'étaient jetées dans la tourmente, mobilisant plus de soixante-cinq millions d'hommes, dont un sur trois rentrerait dans ses foyers mutilé : qui la gueule cassée, qui les poumons rongés par les gaz de combats, qui manchot, cul-de-jatte, aveugle ou estropié, traînant au cœur de sa chair des petits morceaux de ferraille dont il souffrirait le reste de sa vie. Une vie qui, pendant quatre ans, n'avait pas compté bien cher, et que près de neuf millions d'entre eux avaient perdue, tombés comme des chiens couverts de vermine dans la boue et les immondices des tranchées, cloués à coups de mitrailleuses sur les plages brûlantes des Dardanelles, torpillés en haute mer par d'invisibles sous-marins, foudroyés en plein vol à l'aube sanglante d'une aviation naissante, ou tout simplement fusillés pour l'exemple lors des mutineries collectives de 1917. Chiffres effarants, auxquels il faut ajouter les treize millions de civils – dont un million cinq cent mille Arméniens – morts sous les bombardements de leurs villes, en déportation ou du fait des famines et des épidémies qui accompagnent souvent les conflits de cette envergure.

Au total, la France, l'Allemagne et l'Autriche y avaient laissé, chacune, plus de dix pour cent de leur population masculine active. Un déficit humain qui ne serait jamais comblé et changerait de manière définitive les grands équilibres géopolitiques de la planète. Au-delà de la mort et de la souffrance des hommes, quatre empires avaient été démantelés (allemand, austro-hongrois, russe et ottoman), provoquant la création d'une quinzaine de nouveaux États indépendants, l'agrandissement territorial de plusieurs autres et une nouvelle répartition des zones d'influences coloniales. Quant au bilan matériel, pratiquement impossible à chiffrer avec exactitude, il s'avérait des plus lourd. Pour la seule France, un rapide recensement estimait l'ampleur du désastre à huit cent douze mille immeubles détruits, quelque cinquante-quatre mille kilomètres de routes à refaire, cinq mille cinq cents kilomètres de voies ferrées, deux mille kilomètres de canaux et des milliers de ponts à reconstruire. Plus trois millions d'hectares de terre cultivable dévastés pour de longues années ; ce qui, s'ajoutant à l'interminable litanie des pertes humaines, contribuerait grandement à la future désertification des campagnes.

Restait maintenant à relever les ruines, à panser les blessures de part et d'autre, et à tâcher de tourner la page. En un mot : tenter de se remettre à vivre... quitte à s'en étourdir.

Vivre, oui. Avec la rage fiévreuse de ceux qui cherchent à oublier. À la folie de la guerre et de la mort succède donc celle de la vie que l'on brûle comme une torche, dans une soudaine ivresse de liberté, de couleurs, de bruits et de mouvement. Ainsi ces années 20 seront-elles déclarées «folles» par ceux qui se souviendront de leur rythme étourdissant, de leurs fastes et de cette brillance à tout prix, où le strass pouvait se mêler au diamant le plus pur, pourvu que tout étincelât. Paris, résonnant des éclats sonores de mille fêtes, s'enivrait d'être le point de convergence des talents les plus divers du moment. Peintres, musiciens, écrivains, danseurs, architectes, décorateurs, poètes, sculpteurs, etc. : les intellectuels du monde entier semblaient s'être donné rendez-vous entre Montmartre et Montparnasse.

En cette année 1924, les élégantes avaient adopté l'allure de *La Garçonne*, le roman à scandale de Victor Margueritte – ce qui donnerait au fantaisiste Dréan l'occasion de chanter *Elle s'était fait couper les ch'veux*, et à Mistinguett celle de lui répondre : *Depuis qu'j'ai fait couper mes ch'veux* – et les plus audacieuses d'entre elles (les plus fortunées, sans doute) se piquaient d'apprendre à conduire et à piloter. L'époque se voulait synonyme de modernité, de vitesse et de progrès : pendant que les aviateurs Pelletier-Doisy et Besin réalisaient la première liaison Paris-Tokyo, la Croisière noire de Citroën s'élançait sur les pistes africaines pour tenter de rallier Madagascar. Dans le même temps, Étienne Oehmichen bouclait le kilomètre en hélicoptère, la compagnie belge Sabena ouvrait la première ligne aérienne régulière entre Rotterdam et Bâle via Bruxelles, et le zeppelin LZ 126 du commandant Eckener accomplissait l'inimaginable exploit de traverser l'Atlantique d'une seule traite, reliant les rives du lac de Constance à New York en un peu plus de quatre-vingt-une heures de vol. Enfin, pour clore en beauté cette année qui avait vu les premiers Jeux Olympiques d'hiver se tenir à Chamonix, et les VIIes Olympiades d'été réunir à Paris plus de trois mille athlètes représentant quarante-deux nations (dont le célèbre nageur américain Johnny Weissmuller, à la veille d'incarner le personnage de Tarzan au cinéma), l'as des meetings aériens, Marcel Doret, pulvérisait aux derniers jours de décembre le record du monde de vitesse sur mille kilomètres, avec une moyenne inouïe frisant les deux cent vingt-deux kilomètres à l'heure.

Dans un tout autre domaine, les troupes franco-anglaises commençaient l'évacuation de la Ruhr, et Lénine s'éteignait quelques semaines avant que Hitler ne soit condamné à cinq années de forteresse pour une tentative manquée de coup d'Etat, l'automne précédent. Une détention réduite à quelques mois, qu'il mettrait à profit pour écrire *Mein Kampf.*

Telle était donc l'année 1924. De manière plus ou moins spectaculaire, des pages d'Histoire se tournaient, marquées parfois de coïncidences frappantes, comme pour mieux borner le temps de manière symbolique. Ainsi, une certaine conception de la littérature disparaissait-elle avec Anatole France [1], tandis qu'André Breton publiait son *Manifeste du surréalisme*; tout comme mouraient Puccini et Gabriel Fauré à l'heure où Gershwin faisait entrer le jazz dans les salles de concert avec sa *Rhapsody in Blue.* Coïncidence encore, ou plutôt petit clin d'œil du destin, c'est en cette année 1924 que Thomas Mann publiait *La Montagne magique*, livre mythique qui serait porté à l'écran cinquante-sept ans plus tard par Hans W. Geissendörfer, et offrirait l'un de ses plus beaux rôles à l'acteur Charles Aznavour.

1. Pour mémoire, rappelons qu'en cette même année 1924 disparaissaient Franz Kafka et Joseph Conrad.

En ce milieu des « années folles », partagée entre les derniers feux du Caf'conc', le renouveau de l'opérette, l'apparition des premiers music-halls et le succès des revues à grand spectacle, la chanson française est littéralement dominée par les écrasantes personnalités de Mistinguett et de Maurice Chevalier. Mais, à côté des vieilles gloires comme Mayol, Eugénie Buffet, Esther Lekain, Dranem, Georgel, Yvette Gilbert ou Aristide Bruant[1], une nouvelle génération commence à s'affirmer, de Berthe Sylva à Gaby Montbreuse en passant par Lys Gauty, Lucienne Boyer, Yvonne George, Emma Liebel… sans oublier Damia – dont la carrière remonte déjà aux années d'avant-guerre – qui apparaît chaque jour davantage comme l'une des plus grandes interprètes de son temps. Et alors que l'immense Fréhel, « l'inoubliable inoubliée », fait son grand retour après un exil douloureux et mouvementé d'une dizaine d'années, Georgius s'impose définitivement comme « l'amuseur public n° 1 ».

Damia, Fréhel, Berthe Sylva, Yvonne George et bientôt Marie Dubas… À quelques exceptions près, les femmes chantent le drame, les amours déchirées, les départs sans retour, la rue, le trottoir et les difficultés d'une vie quotidienne frottée au noir charbon du réalisme et de la tragédie, les hommes se cantonnant aux domaines plus légers, de la fantaisie la plus débridée à l'insipide romance sentimentale. Un partage tacite des rôles qui volera en éclats, bien des années plus tard, sous l'influence – entre autres – d'un jeune auteur-compositeur au physique à rebours des canons de beauté de l'époque et à la voix d'écorché vif : Charles Aznavour. L'homme blessé qui fera entrer la chanson réaliste dans l'univers masculin et dont cette confidence,

1. Il donne son ultime récital à l'Empire quelques semaines à peine avant de s'éteindre dans son château de Courtenay, le 11 février 1925.

lâchée au détour d'une chanson, deviendra la principale marque de fabrique :

> *J'ai l'amour à fleur de cœur*
> *Et des joies crevées d'angoisse*[1]...

Quoiqu'il s'en défende, ses textes recèleront – consciemment ou non – de fréquents indices autobiographiques. Qu'il ne les ait pas toujours signés n'y change pas grand-chose; comme si les quelques paroliers avec lesquels il a travaillé s'étaient attachés à le peindre de l'intérieur, avec la même fidélité, la même lucidité et la même exactitude qu'il apporte à décrire ses passions, drames, échecs, espoirs, coups de cœur, coups de sang, et à se pencher sur ses souvenirs et ses racines. Certes, le « je » est souvent ou en partie (difficile à évaluer) un « jeu » au sens théâtral, la manière de s'approprier un personnage, mais son omniprésence à l'énoncé de quelques titres est éloquente à cet égard : *Je ne peux pas rentrer chez moi*, *J'en déduis que je t'aime*, *Je te donnerai*, *Si je n'avais plus*, *J'aime Paris au mois de mai*, *Je t'aime comme ça*, *Si j'avais un piano*, *Moi, j'fais mon rond*, *Je cherche mon amour*, *J'entends ta voix*, *Je hais les dimanches*, *Je n'oublierai jamais*, *Je n'ai pas vu le temps passer*, *J'ai vu Paris*, *J'ai perdu la tête*, *Je m'voyais déjà*, *Idiote, je t'aime*, *Je reviens, Fanny*, *Je te réchaufferai*, *Je ne crois pas*, *Je n'ai plus quinze ans*, *J'ai vécu*, *Non, je n'ai rien oublié*, *Je t'attends*, *Je t'aimais tant*, *Je ne ferai pas mes adieux*, *Je rentre chez nous*, *Je me raccroche à toi*, *Je n'aurais pas cru ça de toi*, *Je t'aime tant*, *Je te regarde*, *Je t'aime A.I.M.E.*, *Je danse avec l'amour*, *Je voyage*, *Je n'entends rien*, etc. Sans négliger l'usage de ces nombreux pronoms personnels et autres adjectifs possessifs qui, finalement, nous ramènent toujours au même sujet : *Sur ma vie*, *Viens au creux de mon*

1. *L'Amour à fleur de cœur*, Charles Aznavour, 1956.

épaule, *Ma main a besoin de ta main*, *Dis-moi*, *Quand tu viens chez moi, mon cœur*, *Quand tu dors près de moi*, *Ma mie*, *Que Dieu me garde*, *Quand tu m'embrasses*, *Mon émouvant amour*, *Plus heureux que moi*, *Et moi, dans mon coin*, *Me voilà seul*, *Jolies mômes de mon quartier*, *Emmenez-moi*, *Mes emmerdes*, *Au clair de mon âme*, *Embrasse-moi*, *Toi contre moi*, *Toi et moi*, etc.

Ainsi, d'une chanson l'autre, l'homme ne craint pas de parler de lui-même au point de donner le titre d'*Autobiographie* à un album entier et à une émouvante évocation du milieu des exilés arméniens de son enfance :

> *J'ai ouvert les yeux sur un meublé triste,*
> *Rue Monsieur-le-Prince, au Quartier latin,*
> *Dans un milieu de chanteurs et d'artistes*
> *Qu'avaient un passé, pas de lendemain…*
> *Des gens merveilleux, un peu fantaisistes,*
> *Qui parlaient le russe et puis l'arménien* [1].

Chanteurs et artistes, certes, mais aussi cuisiniers et petites mains, pour survivre au quotidien. Et surtout apatrides, pour l'état civil. Un terme volontairement empreint de méfiance et d'humiliation, avec son préfixe privatif, au milieu de la bruyante cacophonie des nationalismes triomphants. Comme si le fait d'être brutalement chassé de chez lui avait à jamais privé l'exilé de ses racines et de sa mémoire.

1. *Autobiographie*, Charles Aznavour/Georges Garvarentz, 1980.

Chapitre 2

Ils sont tombés

Danton assurait, dit-on, que l'on n'emporte pas sa patrie « à la poussière de ses souliers ». Mais, d'une certaine manière, ne l'emporte-t-on pas dans le refrain d'une chanson, un motif de broderie, la saveur particulière d'un plat, un objet usuel inconnu sous d'autres cieux ou dans les prénoms aux consonances lointaines que l'on donne à ses enfants ? Comme Shahnourh ou Varinag, en l'occurrence, lorsque l'on vient d'Arménie par des chemins détournés et douloureux, fuyant toujours un peu plus loin, toujours un peu moins nombreux, les persécutions multiples qui accablent votre peuple et les massacres auxquels il faudra bien un jour reconnaître le nom de génocide.

Malgré tout, la vie continue et si loin que puisse vous emporter l'exil, des enfants nés où ils pouvaient viennent prendre autour de la table familiale les places de ceux qui sont restés là-bas, n'ayant pas pu ou pas voulu partir à temps, et celles de ceux que la mort a fauchés en cours de route.

Des enfants... Une fille, tout d'abord, baptisée Aïda et née à Salonique, le 13 janvier 1923, au cours d'une escale du bateau éloignant la famille Aznavourian de l'hécatombe aveugle orchestrée par la Turquie pour tenter de rayer les Arméniens de la carte du monde. Puis un garçon : Charles Varinag, né le 22 mai 1924 à la maternité de la clinique Tarnier, sise au 89 de la rue d'Assas, dans le VIe arrondissement de Paris. Un garçon qui, quelque vingt ans plus tard, francisera son nom, par commodité professionnelle, raccourcissant Aznavourian en Aznavour mais qui n'oubliera jamais ses racines douloureuses ni la modestie de ses origines. Pourtant, la famille Aznavourian connaît des débuts matériellement difficiles en France, comparés aux situations des branches paternelle et maternelle dans leurs pays d'origine : la Géorgie et la Turquie.

Missak Aznavourian, le grand-père paternel, était en effet l'un des cuisiniers particuliers du tsar Nicolas II, avant la révolution d'Octobre. Une bonne place assortie d'un salaire confortable où, par faveur personnelle du souverain de toutes les Russies, le maître queux pouvait chaque soir rapporter aux siens les reliefs de la table impériale : ce qui engendrait un ordinaire somptueux, caviar à la clé. Bon vivant, originaire de Tiflis (l'actuelle Tbilissi), en Géorgie, ce grand-père s'habillait avec une élégance raffinée et chantait avec talent les mélodies traditionnelles de son pays en s'accompagnant au târ, instrument au long manche, richement orné, formé d'une peau tendue sur une caisse étroite et profonde en forme de huit très pincé, et dont le nombre de cordes varie de cinq à quatorze. Un instrument dont il transmettrait l'amour à son fils Mischa : le père de Charles et d'Aïda, né le 26 mai 1897 à Akhaltskhi, dans le Petit Caucase.

Côté maternel, le sieur Baghdassarian tenait commerce de tabac à Izmit, petite ville de Turquie nichée au fin fond de la mer de Marmara, où il vivait avec sa famille dans une maison d'une vingtaine de pièces. Son négoce prospérait, le tabac turc, noir comme du goudron et lourdement parfumé, constituant déjà l'une des principales richesses de la région. Des bateaux aux ventres ronds et aux voiles triangulaires le convoyaient jusqu'à Istanbul d'où on l'expédiait vers le monde entier, particulièrement vers la France et l'Angleterre où les fumeurs de pipes l'appréciaient fort.

L'errance des exilés leur donne parfois d'étranges rendez-vous à travers le temps et les frontières. Ainsi Knar Baghdassarian, la fille aînée du négociant d'Izmit, envoyée à Istanbul pour y poursuivre ses études, sera-t-elle l'élève du grand poète Kevork Garvarentz, l'auteur de *Haratch Nahadagh*, l'hymne national révolutionnaire arménien. Et le fils de celui-ci, Georges, deviendra le compositeur attitré de Charles Aznavour (fils de Knar, donc) et, plus tard encore, l'époux attentionné d'Aïda.

Entre-temps, et comme tant d'autres, les trois familles auront été prises et décimées dans la tourmente du génocide organisé par les autorités turques. Un génocide dont les garants de l'Histoire officielle ont longtemps minimisé l'importance; comme s'il ne s'agissait que d'une énorme bavure, d'une violence sans doute excessive mais relativement compréhensible dans le contexte de la Première Guerre mondiale. Les raisons le plus souvent invoquées pour expliquer – si ce n'est justifier – cette extermination à l'échelle du pays entier, sont le plus souvent de trois ordres : religieux d'abord, puisque les Arméniens ne sont pas musulmans mais chrétiens et, de surcroît, fortement attachés à leur foi; nationaliste, ensuite, car, bien que leur pays ait été annexé de longue date par la Turquie (et en partie par la Russie, à partir de 1828), les Arméniens ne seront jamais considérés – et ne se considéreront jamais –

comme des Turcs à part entière, et très peu d'entre eux choisiront (par calcul, prudence ou intérêt) de renoncer à leur nationalité d'origine pour épouser celles de leurs vainqueurs ; militaire, enfin, puisqu'en raison de la partition artificielle de leur territoire, de nombreux Arméniens de Géorgie servent dans les armées tsaristes lorsqu'éclate la Grande Guerre.

Arguments qui ne sont que de mauvais prétextes, les massacres de 1915 ne constituant que le prolongement inévitable et meurtrier d'une politique de « désarménisation » systématique de la Turquie entreprise dès 1878. Pour les seules années 1894-95-96, plus de trois cent mille Arméniens furent massacrés à la suite des soulèvements de Zeytoun et de Van, dont trois mille brûlés vifs, le jour de Noël 1895, dans la cathédrale d'Urfa. Au cours des mois qui suivirent, des dizaines de milliers de conversions forcées furent arrachées à une population terrorisée, déclenchant une première vague d'émigration massive. Mais le pire – si l'on ose dire – restait à venir. Après de nouveaux massacres sporadiques, causant quelque trente mille morts dans la région d'Adana pour l'unique année 1909, l'extermination programmée du peuple arménien atteignit son paroxysme à partir du 24 avril 1915. Une boucherie d'une sauvagerie inouïe qui se soldera par plus d'un million et demi de victimes : hommes, femmes, enfants, vieillards, déportés, affamés, sabrés, fusillés, violés, noyés et, pour finir, brûlés vifs à Dier-es-Zor.

Comme tous les peuples martyrs – pour lesquels l'oubli, l'indifférence et le silence représentent une manière insidieusement douloureuse de mourir une seconde fois –, les Arméniens demeurent extrêmement attachés à leur mémoire. Il leur faudra pourtant attendre près de soixante-dix ans pour qu'un tribunal symbolique (le Tribunal des peuples, réuni à la Sorbonne en avril 1984) reconnaisse enfin à la face du monde qu'il s'agissait bien d'un « génocide[1] ».

Un carnage méticuleux, dont personne ne se soucia alors et dont Charles Aznavour et Georges Garvarentz dresseront le sinistre bilan dans une bouleversante chanson, *Ils sont tombés*, créée le 25 avril 1975 à la salle Pleyel. Soixante ans exactement après le début de l'horreur[2]. Ce soir-là, comme tous les ans à la même date, la communauté arménienne de France se réunit pour commémorer le souvenir des victimes dont chaque famille continue à porter le deuil douloureux et secret. Parti le matin même pour une nouvelle tournée américaine, Aznavour a enregistré la chanson la nuit précédente, et Garvarentz, son beau-frère, s'est chargé d'apporter la bande magnétique. À la fin de la soirée, alors que chacun s'apprête à se lever pour regagner ses foyers, le rideau s'ouvre une dernière fois. À l'exception d'un micro unique sur pied, la scène est vide. Dans le silence, la voix du chanteur s'élève soudain, chargée d'une émotion imparable :

Ils sont tombés, sans trop savoir pourquoi,
Hommes, femmes et enfants qui ne voulaient que vivre,
Avec des gestes lourds comme des hommes ivres,
Mutilés, massacrés, les yeux ouverts d'effroi.
[...]
Ils sont tombés pour entrer dans la nuit
Eternelle des temps, au bout de leur courage
La mort les a frappés sans demander leur âge,
Puisqu'ils étaient fautifs d'être enfants d'Arménie

---

1. Selon la définition du dictionnaire Robert, un génocide est la « destruction méthodique d'un groupe humain ».

2. Le génocide commença le 24 avril 1915 à Constantinople où six cents notables arméniens furent arrêtés et exécutés.

Dans la salle, les réactions sont indescriptibles. Chacun s'est levé, la gorge nouée. Des larmes coulent, roulant sur les joues des hommes et diluant le maquillage des femmes. Quelques années plus tard, Charles Aznavour sera reconnu par tous comme l'ambassadeur itinérant de sa nation meurtrie ; mais déjà, ce soir-là, à Pleyel, en un peu plus de quatre minutes, il est devenu non pas le porte-parole, mais la voix profonde de tout un peuple.

Chapitre 3

Naissances

Autre tourmente dévastatrice, la Révolution russe tient également son rôle dans le destin des Aznavourian. Au lendemain de la mort du tsar, Missak, le grand-père cuisinier, quitte à jamais sa Géorgie natale pour tenter fortune sur les rivages du Bosphore, laissant derrière lui femme et enfants. Moins de trois ans après les massacres d'avril, une telle décision peut surprendre et sembler relever de la plus folle imprudence, mais la guerre touche à sa fin et, depuis quelque temps, à la suite des revers militaires essuyés par l'axe germano-turc et de l'occupation d'une partie du pays par les armées alliées, les persécutions contre les Arméniens se sont un peu calmées. Pour l'heure, les soldats et la police de Mehmet Resat et les extrémistes du mouvement Jeune-Turc ont sans doute mieux à faire que traquer des civils sans défense.

À Tiflis, malgré le départ du père, la vie poursuit son cours et Mischa Aznavourian – qui va sur ses vingt ans – s'est intégré à une troupe de comédiens, chanteurs, danseurs et musiciens dont les opérettes commencent à rencontrer un assez joli succès. La paix revenue, une tournée s'organise pour aller jouer à Istanbul, et le fils quitte à son tour la maison familiale, son târ sous le bras et la tête bourdonnant déjà des bravos à venir. Une absence prévue seulement pour quelques mois, qui se transformera en exil sans retour.

Dans un premier temps, les choses se passeront plutôt bien, puisque le spectacle connaît un tel succès que la troupe doit jouer les prolongations et s'installer à Istanbul. En fait, elle y restera un peu plus de deux ans, jusqu'à ce qu'une providentielle tournée en Bulgarie et en Grèce l'éloigne in extremis d'une Turquie soudain reprise par ses vieux démons massacreurs. Dans l'intervalle, Mischa a rencontré le grand amour de sa vie : Knar Baghdassarian, la petite orpheline d'Izmit, dont toute la famille a disparu dans la tourmente d'avril 1915.

En cette année 1921, Knar, née le 10 novembre 1902, est encore mineure lorsque Mischa lui propose de l'épouser. Les registres attestant de sa naissance et de son baptême ayant été détruits dans l'incendie de la cathédrale d'Izmit, personne ne pourra mettre en doute l'authenticité des faux papiers la vieillissant de deux ans, et qu'elle produira lors de la cérémonie, la veille du départ de la troupe où Mischa a réussi à la faire engager comme choriste. Si bien que ce sont deux jeunes mariés en partance pour le plus romantique des voyages de noces qui s'embarquent avec leurs camarades saltimbanques à bord du *Genova*, un paquebot battant pavillon italien. Le bâtiment n'est sans doute plus très jeune ni très confortable, mais, aux yeux des centaines de familles qui s'y entassent, encombrées de ballots noués à la hâte et de valises cerclées de ficelle rassemblant leurs maigres trésors, il conservera toujours la beauté sans prix de la liberté et de l'espoir. Car, pour tous, le cauchemar s'estompe au fur et à mesure que s'éloigne la côte turque ; et, au-delà de l'horizon, s'esquissent les promesses d'une nouvelle vie. Une vie pas forcément facile, comme pourront le constater les Aznavourian lorsqu'ils seront établis à Paris, mais une vie – quand même – où les angoisses du lendemain n'arboreront plus les masques terrifiants de la torture et de la mort.

Une vie nouvelle qui, d'ailleurs, est déjà en train de se manifester dans le ventre de Knar lorsque la troupe débarque à Salonique après avoir copieusement sillonné la Bulgarie. Ainsi Aïda Aznavourian – la sœur aînée de Charles – naîtra-t-elle en Macédoine, en 1923, dans cette ville fondée en l'honneur de Thessalonikê – la sœur d'Alexandre le Grand – et où, par un curieux caprice du destin, avait été créé (en 1908) le mouvement Jeune-Turc comptant parmi les bourreaux les plus acharnés de son peuple.

Quelques mois plus tard, la tournée touchant à sa fin, Mischa Aznavourian – désormais chargé de famille – décide de pousser jusqu'en France où de nombreux Russes se sont réfugiés au lendemain de la révolution d'Octobre [1]. D'autant qu'après un bref séjour à Istanbul, son père a fini par s'installer à Paris où il a ouvert un restaurant à l'enseigne du *Caucase*, 3, rue Champollion, en plein Quartier latin. Un endroit où se retrouvent régulièrement, pour communier dans une même nostalgie, tout ce que la capitale compte de Russes blancs : grands-ducs devenus chauffeurs de taxis, ex-princesses reconverties dans la lecture des lignes de la main et la cartomancie, étudiants faméliques vivant d'espoirs, de crédit et d'expédients, et musiciens de l'exil cherchant l'oubli dans la vodka et les mélodies en modes mineurs.

1. L'une des explications à ce phénomène étant sans doute le fait que le français était la langue officiellement parlée à la cour du tsar.

Sans oublier, bien sûr, beaucoup d'Arméniens fraîchement débarqués sur les bords de la Seine :

On parlait de ceux morts près du Bosphore,
Buvait à la vie, buvait aux copains
Les femmes pleuraient, et jusqu'aux aurores
Les hommes chantaient quelques vieux refrains
Qui venaient de loin, du fond d'un folklore
Où vivaient la mort, l'amour et le vin[1]

Mais, si tout ce beau monde boit sec – et du raide! –, il ne faudrait pas croire qu'il s'agisse d'ivrognerie. Non. Tout au plus de mélancolie... Comme l'écrira finement Aznavour, dans un livre consacré à ses souvenirs : « Ce n'est pas la boisson qui fait parler (ou chanter) l'Arménien; ce sont les paroles qui le font boire. Ça revient au même, me direz-vous. Eh bien, non[2]! »

Après une courte escale à Marseille où les dépose le paquebot venant de Grèce, Mischa, Knar et Aïda Aznavourian se retrouvent donc à Paris où ils s'installent dans un petit meublé, au numéro 36 de la rue Monsieur-le-Prince, à quelques centaines de mètres du *Caucase*. Une seule pièce, augmentée d'une alcôve meublée d'un grand lit en fer, séparée du reste par un rideau, et, pour compléter ce maigre ensemble, un cabinet de toilette sans eau courante; en ces années 20, l'usage cantonne encore le robinet collectif, avec son petit réceptacle de fonte, sur le palier, et les W.-C. entre deux étages. On est loin du confort de la grande maison d'Izmit, mais l'ambiance familiale demeure au beau fixe et, quelques mois à peine après l'arrivée à Paris, Knar est à nouveau enceinte. Mischa, lui, s'est fait embaucher

1. *Autobiographie*, chanson citée.
2. *Aznavour par Aznavour*, Editions Fayard (Paris, 1970).

par son père et, chaque soir, sitôt son service terminé, il empoigne son târ et chante pour distraire les clients ; ce qui lui rappelle son récent passé de cabotin et ses triomphes de jeune premier dans des rôles de prince d'opérette ou des pièces comme *Les Secrets du harem*. Un passé, une vocation, un amour des planches, des projecteurs et des bravos dont il n'arrivera jamais vraiment à se défaire, mais qu'il sacrifiera sans l'ombre d'une hésitation – malgré son réel talent – pour subvenir aux besoins de sa famille. Aussi vivra-t-il, bien des années plus tard, par l'incomparable réussite de son fils interposée, une consécration de ses rêves sacrifiés.

Ce fils qui arrive le 22 mai 1924… et auquel sa mère voudrait donner le prénom de Shahnourh. Sans doute peu sensible au romantisme de l'exil, la sage-femme de service ce jour-là, à la clinique Tarnier, prendra sous son bonnet de simplifier ce nom qu'elle n'arrive pas à prononcer correctement, et encore moins à orthographier sur le registre de la maternité. Ainsi Shahnourh deviendra-t-il Charles : Charles Varinag Aznavourian, pour faire bonne mesure et, quand même, ne pas éluder tout à fait ses origines arméniennes.

Si certains enfants se sentent supplantés dans l'affection de leurs parents par l'arrivée d'un petit frère ou d'une petite sœur, au point d'en éprouver – provisoirement du moins – un certain sentiment de jalousie, le problème ne se posera jamais chez les Aznavourian, et Aïda adoptera immédiatement le nouveau venu, de seize mois son cadet. Une tendresse, une complicité et une solidarité exceptionnelles les lieront dès leur plus jeune âge et, au-delà des bêtises partagées et assumées ensemble devant les réprimandes parentales, c'est ensemble qu'ils découvriront et affirmeront leur vocation commune pour le métier de saltimbanque ; qu'ils feront leurs premières armes dans des spectacles d'amateurs et glaneront leurs premiers cachets en participant à ces crochets chantants si nombreux à l'époque, qu'ils suivront – avec plus ou moins d'assiduité – les cours de l'École du spectacle, qu'ils s'en iront sur les routes pour leurs premières tournées, et commenceront à imposer modestement le nom d'Aznavour sur des tréteaux sans prestige, avec l'obstination de ceux qui ont « ça » dans le sang et ne doutent pas un instant de leur bonne étoile. Si, dans un premier temps, la beauté d'Aïda (rebaptisée « Aznamour » par un producteur facétieux) lui assure un succès plus rapide qu'à son frère, nulle rivalité ne viendra les désunir lorsque le nom de Charles commencera à éclipser celui de sa sœur.

Pour l'instant, et bien qu'ils aient été on ne peut plus précoces dans leur vocation, foulant leurs premières scènes à l'âge où d'autres ne connaissent pas toujours le sens du mot « théâtre », Charles et Aïda, émerveillés, assistent seulement aux répétitions de la petite troupe d'amateurs avec laquelle leurs parents jouent régulièrement des pièces en arménien. Des spectacles d'un jour, montés en quelques nuits de fièvre, après les heures de travail de chacun. Outre le fait de jouer le drame ou la comédie, de chanter et danser lorsqu'il s'agit d'opérettes, chacun met la main à la pâte, car la troupe n'est pas riche et la recette (souvent maigre, voire déficitaire) permet tout juste de payer la location de la salle et l'impression des billets. Alors, chacun y va de sa contribution, selon ses moyens : tandis que les hommes construisent les décors et fabriquent les accessoires, les femmes – dont beaucoup sont couturières à domicile – déploient des trésors d'imagination pour confectionner les costumes avec des chutes de tissu ou des habits de récupération. Quand tout est fin prêt, la représentation unique se déroule dans une belle salle, telle que la Mutualité ou la salle Iéna. Pas question de présenter un spectacle au rabais pour fête de patronage : la quasi-totalité de la communauté arménienne de Paris sera là, un public de connaisseurs, exigeant, et qui n'ignore pas que le mot « amateur » puise d'abord son sens et sa substance dans le verbe « aimer ».

Ainsi, tous ces gens dont certains auraient sans doute pu être de grands artistes, si la chance y avait un tant soit peu consenti, vivaient-ils au quotidien leur passion pour le théâtre, le spectacle, les lumières, le maquillage, les grandes envolées lyriques, les applaudissements, les chansons, la musique et la danse. Une part de rêve contagieuse dont Charles et Aïda attraperont très tôt le virus, et dont ni l'un ni l'autre ne guériront.

Devenu l'un des artistes les plus populaires de la planète, le chanteur Aznavour réservera toujours une tendresse particulière à ces cabotins superbes qui ont ébloui son enfance et auxquels il dédiera plusieurs couplets de son *Autobiographie*.

Chapitre 4

Des apprentis artistes qui déménagent

À force d'économies, Mischa Aznavourian, qui rêve de voler de ses propres ailes, finit par ouvrir son restaurant, baptisé Le Caucase comme celui de son père. Pour arrondir la somme nécessaire, il a bien fallu vendre les quelques bijoux que Knar avait réussi à sauver du naufrage de sa famille, mais l'endroit est superbe, situé au 23 de la rue de la Huchette, à l'emplacement exact d'un des plus célèbres théâtres de poche actuels de Paris.

Pour faire bonne mesure, la famille a déménagé et s'est installée au 73 de la rue Saint-Jacques dans un appartement composé d'un salon, de deux chambres et d'une cuisine, qui semble presque vaste et luxueux, comparé au sombre petit meublé de la rue Monsieur-le-Prince, même si les toilettes et l'eau courante sont toujours sur le palier.

Désormais en âge d'aller à l'école, Aïda – après un court passage chez les sœurs de la rue de la Harpe – fréquente la communale de la rue Saint-Jacques, à quelques sauts de marelle d'institutions prestigieuses comme la Sorbonne ou le Collège de France ; de son côté, Charles doit traverser le boulevard Saint-Michel pour se rendre chez les frères de la rue Gît-le-Cœur. Chaque matin, avant de gagner sa classe, il s'arrête à l'église Saint-Séverin, située presque en face du logis familial, le temps de revêtir l'aube des enfants de chœur et de servir la messe en échange d'un grand bol de chocolat chaud que lui prépare le curé. Ajoutée au fait de fréquenter une école de frères (donc catholique), cette assiduité peut paraître paradoxale quand on considère que les Aznavourian – et Charles, aujourd'hui encore – se sont toujours réclamés de la religion grégorienne ; mais les deux rites relèvent l'un et l'autre du christianisme et ne diffèrent, au fond, que sur des points de détail. Et puis, le bol de chocolat n'est peut-être pas complètement étranger à l'affaire...

Cette période heureuse ne durera qu'un temps : au Caucase, les affaires ne fructifient guère. Non que le restaurant marche mal ; au contraire, il ne désemplit pas, et les clients s'y attardent volontiers jusqu'aux petites heures de la nuit pour écouter l'orchestre tzigane que Mischa a fait venir à grands frais de Hongrie. Lui-même, d'ailleurs, n'oublie jamais de prendre son târ pour entonner quelques vieilles mélodies russes qui chavirent le cœur et l'âme de tous ces exilés venus communier dans le vin et la vodka en évoquant les jours anciens et d'incertaines splendeurs passées. Car tous ne sont pas princes... même si chacun affecte d'en afficher le ton et l'inguérissable nostalgie. Les manières aussi, hélas ! Telle cette vieille habitude aristocratique de ne pas s'encombrer de problèmes aussi vulgaires que le fait de régler une addition. Et puis, il y a les vrais fauchés : pour la plupart des étudiants de la Sorbonne voisine qui ont entendu dire – ce genre de rumeurs circule vite – que le patron est la générosité même et qu'il accorde des ardoises pharaoniques à ceux qui n'ont pas de quoi s'offrir un vrai repas ailleurs.

Or, cette fois, la rumeur n'excède pas la réalité, et nombreux sont ceux qui usent et abusent de la prodigalité souriante et sans calcul de Mischa Aznavourian, lui devant souvent de pouvoir poursuivre leurs études. Sans parler des artistes de la petite troupe du théâtre arménien qui répètent maintenant de plus en plus au Caucase, après la fermeture, et pour lesquels Mischa ne manque jamais de déployer victuailles et bouteilles afin que personne ne s'en retourne le ventre vide. On chante, danse, rit et joue la comédie dans une sorte d'euphorie merveilleuse et communicative, et lorsque la fête s'achève, aux premières lueurs de l'aube, il n'est bien entendu pas question de présenter la note à ces amis. Bref, le restaurant est régulièrement plein, mais l'argent ne rentre guère et, à ce rythme-là, il faudra bientôt mettre la clef sous la porte.

Chez les Aznavourian, les fluctuations de la fortune s'accompagnent souvent d'un déménagement ; et, lorsque le père reprend un petit bistrot de la rue du Cardinal-Lemoine avec les trois sous sauvés de la faillite du Caucase, la famille abandonne l'appartement de la rue Saint-Jacques pour un deux-pièces sombre et humide jouxtant l'estaminet. Pour autant, les choses ne changent guère et les copains continuent de venir répéter et festoyer sur le compte de la maison, précipitant, sans même en avoir conscience, la ruine définitive de Mischa. À l'inverse, pour les enfants, l'installation rue du Cardinal-Lemoine s'avère une véritable aubaine. En face du café paternel se tient en effet l'École du spectacle : une école d'un genre particulier où les horaires, aménagés de manière extrêmement souple, permettent aux artistes en herbe de se libérer pour d'éventuelles répétitions, ou d'être dispensés de cours le matin, lorsqu'ils ont joué la veille au soir. Surtout, c'est dans ce vivier d'enfants de la balle que les metteurs en scène en quête de très jeunes acteurs viennent dénicher les talents naissants qui correspondent aux rôles qu'ils ont définis.

Lorsque l'un de ces metteurs en scène arrive, la cloche de l'école sonne, les cours s'interrompent et les enfants se précipitent dans la cour, se bousculant pour être le premier ; ils s'alignent comme à la parade en prenant l'air avantageux, prêts à affronter, en véritables petits cabotins, le regard expert de l'homme de l'art.

Donnez-moi dix répliques et quelques projecteurs
Vous verrez mes moyens[1] *!*

Dix répliques... sans doute moins... mais prononcées avec une espèce d'accent petit nègre qui suffit à créer l'illusion, et voilà Charles, le visage barbouillé de fond de teint marron foncé, engagé pour tenir le rôle d'un enfant noir dans une pièce intitulée *Émile et les détectives*, au Studio des Champs-Élysées. Une comédie qui n'aura pas laissé un souvenir impérissable dans les annales du théâtre, mais qui représente le premier engagement digne de ce nom pour le futur interprète de tant de films à succès et le chanteur aux dizaines de millions de disques vendus à travers le monde. Nous sommes alors en 1933, et il a tout juste neuf ans.

Rejoignant ceux d'Aïda qui commence alors à chanter, ses maigres cachets sont scrupuleusement remis à sa mère pour aider tant bien que mal à faire bouillir la marmite familiale. En effet, l'établissement de Mischa court une nouvelle fois droit à la faillite, et l'on a beau engager au mont-de-piété tout ce qui peut encore se monnayer – un vieux samovar, quelques souvenirs de famille.., un bric-à-brac sans véritable valeur autre que sentimentale –, les fins de mois deviennent de plus en plus difficiles à boucler.

1. *Le Cabotin*, Charles Aznavour/Georges Garvarentz, 1968.

Pourtant l'humour, la bonne humeur et la dignité ne perdent pas leurs droits chez les Aznavourian, et lorsqu'un familier en visite s'étonne maladroitement de la disparition du samovar, on lui répond, comme si de rien n'était, qu'il est provisoirement « chez ma tante ». Une expression quand même moins désespérante que « au clou », et que la famille finira par adopter avec une sorte de fatalisme sans aigreur, comme pour mieux dédramatiser le problème ; au gré des bonnes et des mauvaises passes, on s'empressera d'aller rechercher « chez ma tante » les quelques objets gagés, en sachant fort bien qu'il faudra les y rapporter dès que l'argent manquera à nouveau.

Dans les mois et les années qui suivront son premier engagement, Charles se produira dans *Un bon petit diable* de Pierre Humble (théâtre du Petit Monde), *Beaucoup de bruit pour rien* (théâtre de la Madeleine, 1935), *L'Enfant* de Victor Margueritte (Odéon) ; et, toujours en 1935, il jouera (au théâtre Marigny) le personnage du futur Henri IV dans *La Reine Margot* d'Edouard Bourdet, aux côtés de partenaires aussi prestigieux qu'Yvonne Printemps et Pierre Fresnay. Un rôle pour lequel il devra se teindre en roux et recourir à ses dons innés d'imitateur pour emprunter un semblant d'accent béarnais. Mais les emplois d'enfants ne durent qu'un temps, et Charles se retrouve bientôt à la charnière difficile où on le juge trop grand pour jouer les personnages juvéniles et encore trop petit pour être crédible en jeune homme. Il lui faudra donc patienter jusqu'en 1941 pour renouer avec le théâtre, sous la direction de Jean Dasté qui lui confiera le rôle-titre de la pièce *Arlequin magicien*, de Jacques Copeau. Entre-temps, il aura continué à soutenir les finances défaillantes de ses parents en exerçant mille petits métiers et, surtout, en raflant tous les premiers prix des crochets chantants auxquels il se présentera avec cette ténacité qui constitue, déjà à l'époque, l'un des traits marquants de son caractère. Aïda se classant régulièrement juste derrière lui, la famille entière vivra essentiellement, pendant plusieurs mois, de ce que gagnent les deux adolescents.

Les tentatives de Charles ne se soldent pas toujours par des succès et il lui arrive d'essuyer quelques rebuffades ; telle cette audition ratée au Petit Casino, où l'on refuse de l'engager comme chanteur sous prétexte qu'il est trop jeune. Il n'a, en effet, qu'une douzaine d'années, mais, pour un enfant de son âge, il se montre déjà d'une maturité rare, et – pour tout dire – d'un culot monstre. Ainsi, alors qu'il fait le tour des éditeurs de musique du faubourg Saint-Martin, comme un professionnel aguerri venant consulter les nouveautés pour renouveler un peu son répertoire, n'hésite-t-il pas à pousser la porte du petit local du passage de l'Industrie où Vincent Scotto compose pratiquement sans relâche. L'auteur de *Sous les ponts de Paris*, *La Petite Tonkinoise* ou *J'ai deux amours*, qui, depuis plus d'un quart de siècle, règne en maître incontesté sur la chanson française – au point que l'on a pris l'habitude de dire : « une chanson de Scotto », en omettant de mentionner le nom du parolier –, le reçoit très courtoisement, sans paraître s'offusquer de son jeune âge, et lui confie un lot de partitions avant de le laisser repartir.

Aïda, la première, décrochera un engagement fixe dans une troupe régulière : celle de Pierre Prior, un fantaisiste originaire du Midi, chantant en provençal et exerçant, parallèlement à la direction de sa troupe et à l'organisation de ses spectacles, la profession d'éditeur de musique.

Prior et ses Cigalounettes : tout un programme ! Précisément, en ces temps où les spectacles de music-hall ne se résument pas encore au récital fleuve d'une vedette unique, mais offrent au public un large éventail de numéros tant visuels que sonores, les acrobaties alternent avec les danses, les sketches, les imitations et les chansons. Les Cigalounettes étant une troupe d'enfants, ceux-ci assurent la première partie du spectacle, chacun prenant, après l'entracte, un instrument pour accompagner la prestation de Pierre Prior dont le tour de chant s'entrecoupe d'histoires marseillaises racontées « avé l'assent ». L'ambiance est plutôt familiale et, en dehors des tournées, les enfants passent le plus clair de leur temps au domicile des Prior où, entre deux répétitions, ils suppléent à l'entretien de la maison, au ravaudage des costumes de scène, à la préparation des instruments et des accessoires, et à l'expédition des petits formats : ces partitions que les chanteurs des rues vendent aux badauds qui s'arrêtent les écouter.

N'ayant jamais pu supporter d'être longtemps séparée de son « Petit Frère [1] », Aïda profite de la première défection pour le faire engager au sein de la troupe. Une nouvelle fois, les dons d'imitateur de Charles lui servent de sésame, et, outre qu'il sait jouer du métallophone, danser et exécuter des sauts périlleux, il se voit confier la tâche de parodier Charlie Chaplin et Mayol. Le grand Mayol ! L'une des vedettes les plus populaires de l'avant-guerre (la première, bien sûr), dont le toupet frisé et le brin de muguet à la boutonnière traînent encore dans toutes les mémoires, et les succès comme *Viens, Poupoule !*, *La Mattchiche* ou *Elle vendait des p'tits gâteaux*, sur toutes les lèvres. Mayol qui vient un soir le féliciter en personne à l'issue du spectacle, le comblant de joie (« C'est bien, ça, petit ! Continue ! »), provoquant sans le savoir un sentiment de déception qui ne s'estompera jamais tout à fait : « Je l'avais vu en photo,

1. Aïda Aznavour-Garvarentz publiera, en 1986, aux éditions Robert Laffont, un livre de souvenirs justement intitulé *Petit Frère*.

mince et surmonté de son petit toupet blond. Il est devant moi, gras et chauve comme un galet.»

Délaissant de plus en plus – faute de temps – les cours de l'École du spectacle, Charles et Aïda resteront près d'un an dans la troupe de Pierre Prior, et effectueront avec elle leurs premières tournées, sur la Côte d'Azur et en Belgique, pour un cachet de cinq francs chacun par représentation. Cachet dont ils remettent toujours l'essentiel à leur mère, car les affaires paternelles ont à nouveau viré à la débâcle, et Mischa a dû bazarder son café. Plus que jamais la situation s'avère préoccupante : tout ce qui peut être gagé réside déjà depuis longtemps «chez ma tante» et, tandis que son mari cherche un emploi à n'importe quel prix en faisant le tour des restaurants dont il connaît plus ou moins vaguement les patrons, Knar réalise des prodiges pour nourrir son monde et effectue des travaux de couture à domicile, cousant sans relâche, souvent jusqu'au milieu de la nuit, des robes que ses enfants vont livrer, chaque matin, avant de se rendre chez les Prior.

Corollaire habituel, la faillite du bistrot s'accompagne d'un nouveau déménagement : abandonnant la rive gauche, la famille s'installe rue de Béarn, à un jet de pierre de la place des Vosges. N'ayant pas encore subi les restaurations qui en feront l'un des quartiers les plus chics de Paris, l'endroit se révèle sinistre et l'appartement, bas de plafond et tapissé de papier vert olive, pareil à un grenier sombre. Pour Charles, cependant, ce changement d'environnement marquera l'occasion d'une découverte importante : celle de la musique juive, aux modes mineurs peu éloignés des sonorités des mélodies russes ou arméniennes auxquelles son oreille a été formée depuis la plus tendre enfance. Le quartier est, en effet, peuplé d'une forte population d'origine israélite chez laquelle il retrouve la même chaleur conviviale que dans la colonie des exilés arméniens, le même sens de l'hospitalité sans façons et de la fête improvisée, le même amour des chansons où la gaieté se teinte de nostalgie et la mélancolie de joie de vivre. Très vite, il se sent parfaitement à l'aise au milieu de ces nouveaux voisins dont l'histoire douloureuse ressemble tant à celle de son peuple ; ce dont certaines de ses compositions à venir conserveront d'évidentes influences.

Pierre Prior ayant fini par se résigner – à contrecœur – à dissoudre une troupe qu'il n'avait plus les moyens d'entretenir, Charles passe une audition à l'Alcazar où il est engagé par Henri Varna pour jouer pendant trois mois dans la revue *Vive Marseille.* Le genre est alors fort en vogue et de nombreuses brasseries possédant leur orchestre maison, il ne se passe guère de journée sans que l'une d'elles organise son propre concours pour attirer la clientèle ; chaque prix s'assortissant bien sûr d'une récompense sonnante et trébuchante : cinquante ou cent francs au premier, trente ou cinquante francs au second selon l'importance et le standing de l'établissement.

C'est quasiment à la même époque que Charles Aznavour débute au cinéma. Modestement, bien sûr : dans *La Guerre des gosses*, de Jacques Daroy, en 1936, et surtout, deux ans plus tard, dans un film qui deviendra presque mythique : *Les Disparus de Saint-Agil*, de Christian-Jaque. Une œuvre à l'atmosphère étrange et inquiétante, dont les dialogues sont signés Jacques Prévert et dont la distribution réunit trois des « gueules » les plus impressionnantes du moment : Eric von Stroheim, Michel Simon et Robert Le Vigan. Accessoirement, Saint-Agil reste également marqué par la prestation d'un autre débutant qui fera lui aussi – mais dans un genre différent – une belle carrière dans la chanson :

Marcel Mouloudji[1], le futur héros de *Nous sommes tous des assassins*, le film d'André Cayatte, en 1952.

Entre ses engagements d'acteur et ses succès de chanteur amateur, Charles se familiarise donc avec les joies, les difficultés et les ficelles d'un métier qu'il porte littéralement dans ses fibres, depuis toujours :

> *Je suis né pour jouer*
> *Donnez-moi un tréteau minable et sans chaleur*
> *Je vais me surpasser*
> *Je suis un cabotin dans toute sa splendeur*
> *Mais j'ai ça dans le sang*

D'ailleurs – c'est un trait qui ne trompe pas –, Aznavour n'emploie jamais le mot « cabotin » au sens péjoratif que lui donnent généralement les dictionnaires[2]. Au sommet même de sa gloire, il lui conservera une magie intacte :

> *Soit dit sans vanité, je connais ma valeur*
> *Et si pour vous, peut-être,*
> *Je suis un cabotin dans toute sa splendeur,*
> *Je reste fier de l'être*

Pour l'heure, cependant, il ne se satisfait guère de cette expérience acquise sur le tas. Il voudrait enrichir son bagage technique au contact de vrais professeurs : apprendre à mieux chanter, mieux danser, mieux jouer la comédie.

1. Né deux ans avant Charles, Mouloudji apparut également comme lui dans *La Guerre des gosses*. En revanche, *Les Disparus de Saint-Agil* était déjà sa huitième expérience cinématographique, après trois films en 1936 (dont *Jenny*, de Marcel Carné), trois en 1937 (dont déjà un long métrage de Christian-Jaque : *À Venise, une nuit*).

2. Selon *Le Robert* : « Cabotin : 1. Mauvais acteur. 2. Personne qui cherche à se faire remarquer par des manières prétentieuses et peu naturelles. »

Un rêve – il le sait – que les pauvres moyens de la famille Aznavourian ne lui permettront jamais d'assouvir. Devant sa détermination, son père se résout à demander à un compatriote fortuné de lui accorder une bourse d'étude. En homme pragmatique, celui-ci n'entend pas gaspiller son argent pour former un saltimbanque, c'est-à-dire un traîne-misère, un crève-la-faim, mais si le garçon envisage de poursuivre de vraies études, il acceptera volontiers de faire jouer la solidarité arménienne pour l'aider à saisir sa chance. Ainsi Charles se retrouve-t-il, nanti de sa bourse, à l'École centrale de T.S.F. où – respectant le contrat moral qui le lie à son mécène – il travaille avec application, sans toutefois parvenir à dissimuler le fait qu'il s'ennuie copieusement.

Un ennui dont il n'aura pas à souffrir trop longtemps, car, en ces premiers mois de 1939, les bruits de bottes commencent à se faire entendre du côté de la frontière allemande.

Chapitre 5

La « drôle de guerre »

À leur grande surprise, Lord Chamberlain, Premier Ministre britannique, et Édouard Daladier, successeur de Léon Blum à la présidence du Conseil, reçoivent l'accueil triomphal d'une foule en liesse, au lendemain de la signature des accords de Munich, lorsqu'ils rentrent dans leurs pays respectifs. Eux qui s'en revenaient l'oreille basse, avec le sentiment amer – et vaguement honteux – d'avoir sacrifié la Tchécoslovaquie sur l'autel d'une improbable paix, laissant Hitler envahir les Sudètes en toute impunité, s'attendaient à se faire huer à leur descente d'avion. Pourtant, près d'un demi-million de Parisiens – la plus grande manifestation populaire depuis la célébration de l'Armistice, le 11 novembre 1918 – se massent sur le parcours de la voiture conduisant le chef du gouvernement de l'aéroport du Bourget jusqu'au siège du ministère de la Guerre, pour lui crier leur soulagement et leur reconnaissance. Car « la paix est sauvée ! », ainsi que le clame l'ensemble de la presse du jour, toutes tendances politiques confondues. Et même si certains ne sont pas dupes qu'on n'a fait que repousser provisoirement la menace que constitue Hitler, les quelques mois de répit ainsi gagnés sont vécus par tous comme une véritable délivrance. De fait, personne n'a envie de mourir pour les Sudètes, pas plus que pour Dantzig quelques mois plus tard. La précédente guerre reste encore trop proche, trop présente dans les mémoires ; et les blessures qu'elle a laissées encore trop vives : vingt ans presque jour pour jour se sont écoulés entre la signature de l'Armistice et ces nouvelles menaces de conflit – soit à peine une génération. Assez, sans doute, pour reconstruire les bâtiments détruits, refaire les routes et rétablir les ponts sur les rivières ; bien peu pour relever les ruines du cœur des hommes, des femmes, des mères, des veuves, des orphelins...

L'inévitable se produit pourtant aux premiers jours de septembre 1939, lorsque les chars de la Wehrmacht franchissent la frontière polonaise – sans déclaration de guerre préalable –, obligeant la France et l'Angleterre à tenir des engagements dont leurs gouvernements réciproques pressentent parfaitement les conséquences tragiques, ainsi que le soulignent les propos désabusés d'Alexis Saint-Léger, l'un des principaux responsables de notre diplomatie : « Il est extrêmement douteux, c'est le moins que l'on puisse dire, que la France et la Grande-Bretagne puissent gagner la guerre. Néanmoins, il faut en tenter la chance qui serait encore plus faible si la France laissait détruire la Pologne. » On est loin – on le voit – des rodomontades de Paul Reynaud (« Nous vaincrons parce que nous sommes les plus forts ! ») ou de l'enthousiasme bruyant manifesté par Ray Ventura et ses Collégiens (*On ira pendre notre linge sur la ligne Siegfried*[1]).

1. 1939. Adaptation française par Paul Misraki de *The Washing on the Sigfried Line*, de Jimmy Kennedy et Michael Carr.

En quelques jours, et malgré la neutralité réaffirmée de certains pays comme la Belgique (qui décrète néanmoins la mobilisation générale dès le 3 septembre), l'Europe entière bascule dans la guerre ; même si, dans un premier temps, rien de vraiment sérieux ne semble se passer, l'automne puis l'hiver s'écoulant presque paisiblement dans une France retranchée derrière sa ligne Maginot. Bref, jamais en reste d'une fanfaronnade, les bellicistes dépités parlent déjà de « guerre en dentelles ». Si bien que tout le monde se trouve littéralement pris de court lorsque les choses se précisent soudain et que, le 10 mai 1940, à cinq heures quarante-cinq du matin, les troupes allemandes attaquent simultanément la Belgique et les Pays-Bas. Quoique surprises, la France et l'Angleterre réagissent aussitôt, franchissant la frontière à leur tour ; mais en une petite quarantaine de jours, tout est dit. Tandis que les Anglais sont rejetés à la mer et rembarquent comme ils le peuvent dans la plus indescriptible des pagailles, abandonnant dans la poche de Dunkerque quelque deux mille canons et plus de cinq cent mille tonnes de matériel, l'armée française est vaincue, la ligne Maginot contournée et enfoncée, l'ensemble du gouvernement replié à Bordeaux.

À la débâcle s'ajoute l'exode. Du jour au lendemain, plus de dix millions de civils ayant à peine pris le temps d'entasser quelques biens, des provisions de bouche et un bric-à-brac de première urgence, se retrouvent sur les routes, fuyant l'avance allemande à pied, à bicyclette, en voiture à bras, en automobile (il faudra bientôt se résoudre à les abandonner faute d'essence), ou en trains lorsque ces derniers ne sont pas encore réquisitionnés par l'autorité militaire pour des convois de renforts, de munitions et de ravitaillement qui, de toute façon, arriveront trop tard. Millions de civils, donc, lancés au hasard d'une fuite incertaine et hallucinée, auxquels s'ajoutent quotidiennement des milliers de déserteurs rescapés d'unités débandées, de régiments détruits, de divisions en lambeaux.

Lorsque, le 14 juin 1940, les fantassins de la IVe armée allemande entrent sans coup férir dans un Paris déclaré « ville ouverte » depuis le matin même, Charles Aznavour fait partie des rares curieux qui se risquent dans les rues désertées pour les regarder passer. Pour les Aznavourian, considérés comme apatrides par les fonctionnaires d'un gouvernement aujourd'hui réfugié à plusieurs centaines de kilomètres de son siège officiel, il n'a jamais été question de partir : le chemin de l'exil s'est arrêté une fois pour toutes à Paris et, quoi qu'il advienne désormais, il n'abandonneront plus la ville qui les a accueillis. Tout au plus y poursuivront-ils leur errance d'un quartier l'autre, au fil de ces déménagements qui continuent de se succéder à un rythme soutenu. Ainsi ont-ils encore changé d'adresse à deux reprises au cours des quelques mois précédents.

La première fois, c'est pour s'installer dans un logement tombant en ruine, situé juste au-dessus d'un garage abandonné de la rue La Fayette. Une sorte de squatt avant la lettre, dans un immeuble destiné à être démoli, dont le plancher en pente semble à chaque instant devoir s'effondrer sous le poids des quelques meubles et du piano, et dont les murs présentent par endroits des lézardes telles que l'on peut facilement y passer le bras. L'endroit est dangereux, mais cela n'empêche pas de s'y sentir bien et d'y inviter les amis pour d'interminables soirées où l'on chante autour de quelques bouteilles de vin, et où l'on danse sur le vieux parquet branlant. Parmi les habitués de ces petites fêtes intimes et chaleureuses, un couple d'Arméniens dont la femme répond au joli prénom de Mélinée ; plus âgée qu'Aïda d'une petite dizaine d'années, elle est devenue, depuis quelque temps, sa meilleure amie. Lui se prénomme Missak, et son modeste emploi de tourneur chez Citroën ne l'empêche pas d'être poète et de publier dans différentes revues les vers qu'il compose aussi bien en français qu'en arménien. Il est né le 1er septembre 1909 à Agyamian, en Turquie où son père, Gévorka, est tombé le fusil à la main, et où sa mère, Vardouï, est morte de faim ; si ses proches l'appellent « Manouche », c'est désigné d'une grosse flèche noire sur une affiche couleur de sang que son nom – Manouchian – trouvera sa place dans l'Histoire.

« Lorsque j'ai connu Manouchian, écrira Mélinée en 1974 [1], je vivais dans une petite chambre du 8 de la rue de Louvois que me louait, pour une somme modique, l'oncle de Knar Aznavourian (la mère de Charles Aznavour). J'étais au quatrième étage et je n'avais qu'une petite fenêtre qui donnait sur un couloir. C'était une pièce très petite, à peine meublée, mais qui me fut très utile puisque je devais la garder jusqu'en novembre 1943. Cette chambre a sa petite histoire. Elle devait plus tard servir de refuge à des familles traquées et à des camarades poursuivis... » Quelques pages plus loin, Mélinée Manouchian précise : « Nous étions, dès avant la guerre, très amis, Manouche et moi, avec la famille Aznavourian. Manouche surtout, avait une profonde estime pour Knar. Celle-ci se faisait beaucoup de soucis pour élever ses enfants. Un jour, Manouche lui dit qu'elle n'avait pas à s'en faire pour son fils, car il était certain qu'il avait un

1. *Manouchian*, Les Éditeurs français réunis. L'ouvrage sera réédité en 1977, avec une postface de Frank Cassenti au sujet de son remarquable film *L'Affiche rouge*, où Roger Ibañez (le frère de Paco Ibañez, bien connu des amateurs de chanson poétique) tient le rôle de Manouchian, et les comédiennes Jenny Ferreux et Malka Ribowska celui de Mélinée en 1934 et 1975.

très grand avenir. En 1940, alors qu'il se trouvait à Colpo, Missak écrivit sur une carte postale qu'il avait envoyée à Knar : "Charles sera l'honneur du peuple arménien, et une gloire pour la France." » Une « simple » phrase qui aura des vertus apaisantes sur les inquiétudes maternelles de Knar.

Mais l'heure est encore lointaine où la Résistance fera parler d'elle dans le fracas des explosions et des détonations, des sabotages et des exécutions de traîtres, et où les FTP-MOI [1] auront, selon le vers d'Aragon, leurs « portraits sur les murs de nos villes ». Hormis quelques opérations en Scandinavie – en Norvège en particulier –, cette guerre, officiellement déclarée depuis le 3 septembre 1939, ne ressemble à rien ; et Roland Dorgelès – qui a connu les tranchées de 14-18 – résume bien le sentiment général lorsqu'il parle de « drôle de guerre ». Il est loin d'être le seul à ironiser sur ce qui s'apparente davantage à de grandes manœuvres dissuasives qu'à un véritable conflit armé : ainsi les Anglais – traduisant littéralement l'image de l'auteur des *Croix de bois* – parlent-ils de *Funny War*, tandis que les Allemands se réjouissent de cette « guerre assise » (*Sitzkrieg*), qui leur donne le temps d'achever leur préparation. Quant aux Américains, forts de leur non intervention, ils se gaussent ouvertement de cette *Phoney War* (« guerre bidon »).

De fait, pour l'ensemble de la population, la vie continue comme si de rien n'était. Mischa Aznavourian ayant trouvé à s'embaucher comme maître d'hôtel dans un restaurant de la rue La Fayette, la situation matérielle de la famille s'améliore sensiblement. Au printemps 1940, on abandonne le garage désaffecté et son logement bancal pour un appartement

1. FTP-MOI : sigle désignant les Francs-Tireurs Partisans de la Main-d'Œuvre Immigrée, et les différenciant des Francs-Tireurs Partisans Français (FTPF).

plus confortable, situé à quelques centaines de mètres de là, au numéro 22 de la rue de Navarin, en remontant vers Pigalle. Un deuxième étage sur cour, composé d'un salon, de deux chambres, d'une entrée, d'une cuisine et d'un cabinet de toilette; plus une toute petite pièce dont Charles fait immédiatement son domaine privé. Pour la première fois, Aïda et lui (ils ont respectivement dix-sept et seize ans) disposent chacun de leur chambre : un luxe inouï.

Bien que les finances familiales soient – provisoirement – dans une meilleure passe, Charles, trouvant insuffisant ses différents cachets, se fait engager comme vendeur de journaux par les Messageries de presse. Un travail à la fois lucratif et qui permet de se frotter à la vie animée des différents quartiers où son sens aigu de l'observation enregistre le moindre détail. Sans en avoir encore conscience, le futur auteur commence à mûrir en lui ; un auteur qui, même lorsqu'il parlera d'amour, ne puisera guère son inspiration dans la rêverie romantique, mais aux sources d'un réalisme sans détours ni faux-semblants. Un chantre lucide du quotidien qui, dès ses premières chansons, n'hésitera jamais à nommer les choses par leur nom, sans hypocrisie, c'est-à-dire sans éluder la passion physique ni l'usure des sentiments, ce qui lui vaudra de sérieux démêlés avec les censeurs de tous acabits.

Dans cet emploi du temps chargé, les cours de l'École centrale de T.S.F. passent progressivement au second plan, et Aïda – qui imite à la perfection la signature de leur mère – se trouve de plus en plus souvent obligée de lui fournir des billets d'excuse. Tout bien pesé, ils savent l'un et l'autre que l'avenir de Charles n'est pas dans un obscur travail de technicien, mais sur le devant de la scène, dans la lumière des projecteurs, face aux bravos du public. Même si, pour y parvenir, le chemin promet d'être encore long et semé de multiples embûches.

Chapitre 6

Paris occupé

Triste jour que ce 16 avril 1940 où Knar et les deux enfants accompagnent Mischa à la gare d'Austerlitz ! Mischa qui s'est engagé, quelques jours auparavant, et s'apprête à rejoindre son unité. Bien qu'il lui en coûte d'abandonner ainsi les siens, c'est sa façon à lui de s'affirmer Français et de s'acquitter de ce qu'il estime être sa dette envers le pays qui l'a accueilli lorsqu'il n'était qu'un émigrant fuyant sa terre natale pour tenter de sauver la vie de la femme qu'il aimait et de la fille qu'elle lui avait donnée. Dix-sept années se sont écoulées depuis lors, et s'il n'en maîtrise pas encore parfaitement la langue, il considère ce pays comme sa seconde patrie et lui voue une reconnaissance aussi profonde que sincère. D'ailleurs, n'a-t-il pas un fils de nationalité française à part entière, puisque né à Paris ? Un fils qui, seul, a eu droit au masque à gaz distribué par les pouvoirs publics aux premiers jours de la guerre ; comme si le reste de la famille – apatride pour l'état civil – pouvait se passer de respirer pendant les alertes !

Aussi, derrière l'indiscutable sentiment de gratitude que Mischa porte à la France, et sa haine farouche de tout ce qui ressemble à une dictature (il n'aime déjà pas plus Staline que Hitler… d'où quelques chaudes discussions avec son ami Manouchian), chemine sans doute l'idée que son engagement dans l'armée française favorisera certainement sa naturalisation et celle des siens.

Rue de Navarin, la nouvelle a fait l'effet d'une bombe. Jamais encore la famille n'avait été séparée et, en dépit de la situation souvent difficile et des multiples revers de fortune, chacun a toujours puisé son énergie, son optimisme et un évident bonheur de vivre dans l'affection, la solidarité et la solidité du clan. Or, voici que Mischa, la bonté même, et dont les chansons habitent toutes les fêtes, s'en va de son propre chef, le târ en bandoulière, participer à cette chose cruelle, triste et laide, qui s'appelle la guerre. Le cœur sans doute moins léger que dans la chanson, mais le bagage tout aussi mince, il rejoint son affectation à Septfonds, dans le Tarn-et-Garonne ; une unité composée en majorité de volontaires étrangers, originaires d'Europe centrale ou des premiers contreforts de l'Asie : Juifs, Russes, Roumains, Grecs et – bien sûr – Arméniens. Dès son arrivée au camp, ses qualités de cuisinier et son expérience de restaurateur le désignent naturellement pour être chef cuistot : un rôle dont il s'acquitte à la satisfaction générale en remplaçant le rata sans âme, ordinaire habituel du soldat, par des plats aux saveurs épicées, plus conformes aux goûts et traditions de ces exilés. Et puis, le soir, une fois son service terminé, il accorde son târ et chante des airs de son pays, des complaintes juives, des mélodies russes ou des chansons grecques apprises lors de son séjour à Salonique. Si bien qu'entre sa cuisine, sa musique et le fait qu'il parle à peu près correctement la plupart de leurs langues respectives, tous ces émigrés aux destins éparpillés retrouvent en lui une partie de leurs racines perdues. En quelques jours,

Mischa devient donc le soldat le plus populaire du camp, et, sa bonne humeur viscérale faisant le reste, la guerre ne lui paraît bientôt plus aussi terrible que ce qu'il avait pu redouter.

Une illusion qui ne durera que trois semaines jusqu'à ce que la « Chienne » se réveille d'un coup et montre enfin son vrai visage, c'est-à-dire son mufle d'horreur. Quelques jours avant le 10 mai, le régiment du deuxième classe Aznavourian a en effet été appelé au front et, la censure militaire accomplissant soigneusement sa besogne, personne ne sait plus où il se trouve. Or, les nouvelles sont des plus alarmantes et, derrière les communiqués triomphants des états-majors et les comptes rendus trompeurs d'une presse aux ordres, se devine déjà l'idée d'une situation peu brillante pour les Alliés. Encore ne peut-on imaginer l'ampleur du désastre ni la rapidité avec laquelle ces derniers seront balayés.

Après un long silence, alors que la défaite se confirme et que les premiers réfugiés prennent déjà les chemins de l'exode, une lettre arrive enfin, datée du 20 mai, sans aucune précision d'origine. En quelques mots affectueux, Mischa rassure les siens sur son état de santé : il n'est ni mort, ni blessé, ni prisonnier, et compte tenu des circonstances, les choses pourraient aller plus mal. Soudain son ton devient plus grave : « Quoi qu'il arrive, quoi que l'on puisse vous raconter, et même si l'on vous en donne l'ordre, n'abandonnez pas la maison. Surtout, ne vous lancez pas sur les routes [1] ! »

Pour Knar et les enfants, qui n'auront plus d'autres nouvelles de lui, cette ultime missive de Mischa prend la valeur sacrée d'un testament. « Quoi qu'il arrive… », ils

1. Correspondance privée de la famille Aznavourian, citée par Aïda Aznavour-Garvarentz dans *Petit Frère*.

n'abandonneront jamais l'appartement de la rue de Navarin ; si Mischa doit revenir de guerre – ou plutôt lorsqu'il reviendra, car aucun d'entre eux ne veut se laisser aller, un seul instant, à imaginer le pire –, c'est là, bien sûr, qu'il courra les rejoindre. Tous connaissent trop intimement les déchirures de ces familles dispersées par la folie meurtrière des massacres, les fuites aveugles et les déportations, pour risquer qu'il en soit à nouveau ainsi.

À dire vrai, Charles n'a pas spécialement peur. À un peu plus de seize ans, il travaille depuis si longtemps pour aider à subvenir aux besoins de la famille, qu'il a acquis une maturité exceptionnelle pour un adolescent de son âge. Suite au départ de son père, c'est lui qui, au prix de mille petits métiers et d'une débrouille de tous les instants, rapporte l'essentiel de l'argent avec lequel sa mère réalise quotidiennement des miracles pour continuer à nourrir son monde :

Les enfants de la guerre
Ne sont pas des enfants,
Ils ont l'âge des pierres,
Du fer et du sang.
Sur les larmes des mères
Ils ont ouvert les yeux
Par des jours sans mystère
Et sur un monde en feu[1].

Bien sûr, certaines de ses combines s'apparentent à de petits trafics, mais, à ses yeux, la faim justifie parfois les moyens, et les scrupules restent un luxe de ventres bien remplis. Et puis, certaines occasions sont vraiment trop

1. *Les Enfants de la guerre*, Charles Aznavour, 1966.

belles, trop tentantes. Comme, par exemple, cette histoire de vélos...

Parmi les milliers de Parisiens qui ont préféré fuir leur ville avant l'arrivée des Allemands, beaucoup se sont précipités vers les gares afin d'attraper au vol l'un des rares trains que l'autorité militaire n'avait pas encore réquisitionnés. Pour aller plus vite et porter davantage de bagages, nombre d'entre eux ont pris leurs bicyclettes et, au moment du départ, les ont abandonnées sur place. De sorte qu'agglomérés les uns contre les autres en d'inextricables fouillis de cadres, de pédales, de roues et de guidons, d'énormes tas de vélos encombrent les parvis des principales gares de Paris. Des bécanes que nul ne viendra plus réclamer et qu'il serait bien dommage d'abandonner aux services de voirie qui, tôt ou tard, finiront par les enlever. Aussi Charles se charge-t-il, avec quelques copains, de leur éviter une partie de la besogne, en récupérant quelques dizaines de machines qu'ils entreposent dans un coin sûr, pour les retaper avant de les revendre.

Dans un tout autre ordre d'idée – Aïda et lui ayant toujours pris soin de conserver, pour leurs menus frais personnels, une petite partie des cachets qu'ils gagnaient, avant de les remettre à leur mère –, il investit toutes ses économies dans l'achat de barrettes de chocolat et de minuscules flacons de parfum bon marché. Camelote qu'il revend aux occupants qui arrivent maintenant par convois entiers. Profitant de leur ignorance de la valeur réelle des choses, dans cette ville qu'ils découvrent avec une sorte d'émerveillement – tant règne le mythe du « gai Paris » –, il se poste aux endroits où les camions sont obligés de ralentir ou de s'arrêter et se présente à hauteur des ridelles, l'air faussement décontracté, pour proposer sa marchandise à des prix faisant plusieurs fois la culbute par rapport à l'investissement initial. D'autant qu'on le paie en marks et que l'administration allemande a d'emblée imposé un taux de change favorisant sa monnaie. Couronnée de bénéfices plus que confortables, l'entreprise ne dure qu'un temps : en moins de trois semaines, le stock est liquidé et, compte tenu des restrictions et du système de rationnement qui commence à se mettre en place, il s'avère impossible de le reconstituer.

Sans se laisser démonter, Charles et ses copains du square Montholon se recyclent alors dans la lingerie fine dont les soldats de la Wehrmacht – toujours ce fantasme du « gai Paris » – se montrent très friands. Petites culottes et bas de soie, froufrous criards et de qualité incertaine qu'ils rapporteront à leurs femmes ou à leurs fiancées à l'occasion de leurs premières permissions ; à moins qu'ils n'aient entre-temps préféré les offrir à de jeunes Parisiennes peu farouches – futures tondues de la Libération – en échange de quelques heures de plaisir. Pour ce genre d'articles, pas de problème d'approvisionnement : rencontré par hasard dans un bar, un fournisseur énigmatique leur procure toute la marchandise nécessaire sans qu'ils aient à s'inquiéter outre mesure de sa provenance.

Cette fois, les combines de ces grands gamins débrouillards frisent le marché noir ; mais aucun d'entre eux n'en a vraiment conscience. Tout au plus parlent-ils de « système D ». Non sans une certaine fierté, aucun n'ayant l'impression de mal faire en soutirant de l'argent à l'ennemi et en le roulant sur la qualité de la marchandise. Pour un peu, ils se laisseraient presque aller à penser que leurs petites arnaques constituent une forme de résistance.

Trop lucide pour se chercher ce genre d'excuses idéologiques, Charles, dont la famille fréquente régulièrement le couple Manouchian, sait très bien ce que le mot peut signifier, et il n'est pas du genre à tenter de s'approprier ne serait-ce que des miettes de l'héroïsme d'autrui. Il sait aussi qu'il faut tâcher de trouver chaque jour de quoi manger et subvenir aux besoins les plus pressants de celles dont il se sent la responsabilité morale et matérielle depuis le départ de son père. Aussi, une fois devenu un personnage public de tout premier plan, ne cherchera-t-il jamais à éluder ou à enjoliver cette partie de sa jeunesse, n'hésitant pas à livrer, sans la moindre fausse honte, le détail de ses petits trafics d'adolescent roublard dans le livre de souvenirs qu'il publiera en 1970 [1].

Par une chaude soirée de juillet 1940, Mischa Aznavourian fait son retour au logis. L'homme qui pousse enfin la porte de chez lui est méconnaissable : barbu, épuisé, accoutré de vêtements civils disparates et presque en haillons, mais souriant de bonheur et toujours flanqué de son éternel târ. Après les effusions d'usage, chacun le presse de questions et son récit figure une hallucinante odyssée ; voilà près d'un mois qu'il marche, pratiquement sans manger ni dormir, se cachant le jour et ne se déplaçant que de nuit pour éviter les patrouilles, ne prenant que quelques heures d'un repos précaire dans des granges éventrées par les bombardements et les tirs d'artillerie, grappillant de rares fruits dans des vergers dévastés par le passage des chars. Son unité ayant été encerclée et capturée par la Wehrmacht, ceux qui, comme lui, ont réussi à s'enfuir se comptent sur les doigts d'une main. La plupart d'entre eux auront été repris dès le lendemain ou les jours suivants ; mais à force de ténacité, de courage, de chance aussi, Mischa, soutenu par la volonté farouche de retrouver les siens, aura réussi à déjouer tous les pièges et à se glisser sans être vu jusqu'à la rue de Navarin.

---

1. *Aznavour par Aznavour*, *op. cit.*

Du coup, le maigre repas familial prend ce soir-là des allures de festin et, pour la première fois depuis trois mois, des rires et des chansons résonnent chez les Aznavourian. Pour le clan à nouveau au complet, la vie est belle ! Lavé, changé, rasé de frais, Mischa n'est pas en reste : presque insouciant en apparence, il pince les cordes de son vieux târ et entonne ses airs préférés en dégustant un verre de vin d'une bouteille que Charles a dénichée nul ne sait où.

Le lendemain matin, renouant avec ses vieilles habitudes, Mischa descend respirer un peu l'atmosphère du quartier. Il rend visite à quelques amis, et lorsqu'il rentre chez lui, à l'heure de déjeuner, il a trouvé du travail : un emploi de maître d'hôtel et de chanteur chez Raffi, un restaurant arménien situé au numéro 8 de la rue de Maubeuge. Malgré une clientèle souvent composée d'uniformes vert-de-gris, l'endroit jouera un rôle non négligeable dans la résistance arménienne dont il constituera l'une des plus précieuses sources de renseignements. Dans un premier temps, en effet, les théories raciales nazies épargnent les Arméniens, considérés comme aryens, sans doute en raison de leur religion qui se rattache au christianisme. Les officiers allemands qui viennent passer la soirée chez Raffi n'ont donc aucune raison particulière de s'y sentir mal à l'aise ni de se gêner pour parler librement, laissant parfois échapper des bribes d'informations qui ne seront pas perdues pour tout le monde. D'autant que, s'il ne parle pas l'allemand, Mischa a suffisamment fréquenté d'amis juifs pour comprendre parfaitement le yiddish, qui s'en approche d'assez près.

Par ailleurs, à la suite de la rupture du pacte de non agression germano-soviétique, et de l'invasion éclair de l'URSS en juin 1941, le Raffi deviendra progressivement le point de rendez-vous des soldats de la Légion arménienne de l'armée du général Vlassov. Une unité formée en grande partie de pseudo-« volontaires » – assez cousins des « malgré-nous » d'Alsace et de Lorraine –, souvent enrôlés de force pour servir la propagande allemande dans le but de montrer à la face du monde que les républiques satellites de l'Union soviétique, comme la Géorgie, l'Ukraine ou l'Arménie, n'attendent qu'une occasion favorable pour secouer enfin le triple joug de Moscou, de Staline et du bolchevisme. Parmi ces soldats de fortune qui viennent chez Raffi retrouver le goût de leur cuisine, écouter les airs de leur pays natal et goûter le plaisir de parler leur langue avec des compatriotes, il n'est pas toujours facile de différencier les authentiques volontaires des autres : ceux qui, n'ayant guère eu d'autre choix pour sauver leur peau, détestent leur condition présente et n'aspirent qu'à déserter à la première occasion. Il faut donc une bonne dose de psychologie – et de prudence ! – pour repérer ces derniers, les aborder à coup sûr et leur proposer de bénéficier des filières d'évasion vers la zone libre.

Nombre d'entre eux seront hébergés quelque temps dans l'appartement de la rue de Navarin en attendant de s'enfuir vers leur nouveau destin. Du coup, certains jours, on se retrouve un peu à l'étroit dans le trois pièces-et-demi transformé en havre clandestin. Cela ne va pas sans poser de gros problèmes d'intendance car, si chacun s'arrange comme il peut, dormant par terre et se lavant à tour de rôle au robinet de la cuisine, il devient matériellement impossible de nourrir tout le monde avec les faibles rations correspondant aux tickets d'alimentation prévus pour une famille de quatre personnes. Déjà qu'en temps normal (si l'on peut dire...) ces rations permettent à peine de ne pas mourir de faim ! Mais Charles – toujours aussi débrouillard – ne tarde pas à se révéler d'une habileté redoutable dans l'art de maquiller les cartes de rationnement, transformant les tickets de pain de cinquante grammes en bons de deux cent cinquante ou de trois cent cinquante à l'aide d'un subtil mélange d'encre et de poussière qu'il patine ensuite avec une petite brosse. Dupes ou non, les boulangers ne protestent pas, et l'ordinaire s'en voit considérablement amélioré. Reste le problème des vêtements : faire disparaître les uniformes des déserteurs – chose encore assez facile – et, d'abord, leur procurer des habits civils. Un véritable casse-tête que le « système D » et surtout les réseaux de résistance aideront à résoudre au cas par cas.

À propos de la fréquentation par les SS du restaurant où travaille Mischa, Mélinée Manouchian confirme que cela « lui permettait, parfois, de nous rapporter des conversations où nous pouvions puiser de précieux renseignements. Knar elle-même participa à la Résistance en tant qu'auxiliaire. Tout le monde croyait que le patron de Mischa travaillait avec les nazis, mais nous hésitions à le juger. Toujours est-il qu'il nous aida à prendre des contacts avec des soldats soviétiques enrôlés de force dans la Wehrmacht. » Elle souligne ensuite l'attitude formidable des grands enfants du couple : « Nous constations qu'il y avait beaucoup de SS qui venaient dîner dans ce restaurant. Un jour, Charles et sa sœur, Aïda, entendirent de nos bouches le mot poison. Les pauvres furent pris d'un terrible doute quant au sort qui était réservé à un petit chien qu'ils possédaient et qui se promenait toujours dans nos jambes. Ils en parlèrent à leur mère et lui demandèrent si nous n'avions pas projeté de supprimer leur ami. Knar eut quelques difficultés à les rassurer. En général, ils devinaient pas mal de choses, mais ils ne disaient jamais rien. Ils étaient d'une discrétion exemplaire [1]. »

1. *Manouchian, op. cit.*

Tous les tracas, les petits truquages, les petites combines, les trafics qui occupent une bonne partie des journées de Charles, et tous les risques pris avec l'insouciance joyeuse d'un Gavroche venant ramasser des balles, en chantonnant, à quelques mètres seulement des lignes des « sabre-peuple » – selon l'expression de Jean-Baptiste Clément[1] –, n'empêchent pas le jeune saltimbanque de poursuivre obstinément l'apprentissage de son métier. Sur le tas, comme il se doit ; puisque, d'évidence, cela reste la meilleure école possible en la matière. Ainsi décroche-t-il de petits engagements qui, s'ils ne lui rapportent guère, lui permettent d'enrichir son expérience et de se frotter régulièrement à différents publics. S'il est un domaine sur lequel la guerre n'a a priori aucune incidence notable, c'est bien celui du spectacle, et, de ce côté-là au moins, le travail ne manque pas.

Dès le 8 juillet 1940 – trois semaines après l'entrée des Allemands dans la capitale –, le journal *Le Matin* incite ses lecteurs à renouer avec l'image d'Épinal du « gai Paris » : « Que Paris redevienne Paris et la province suivra ! » Encouragements rapidement suivis d'effet, puisque moins de quinze jours plus tard le même quotidien s'autorise à affirmer que « presque tous les cinémas sont ouverts ». Théâtres, cabarets, boîtes de nuit, dancings, restaurants chics et music-halls n'ont rien à leur envier et, avant la fin de l'été, Paris a recouvré l'essentiel de son animation nocturne et mondaine, se pliant ainsi, consciemment ou non, au désir exprimé par Hitler de voir la « Ville Lumière » servir au « repos du guerrier ». De fait, les spectacles abondent et à côté des revues brillantes, avec paillettes et femmes

1. In *La Semaine sanglante*, chanson de Jean-Baptiste Clément, sur un timbre de Pierre Dupont. Rappelons que J.-B. Clément (1836-1903) est également l'auteur de l'immortel *Temps des cerises*.

nues – qui incitent le chroniqueur du journal pétainiste *La France au travail* à écrire avec un fieffé cynisme : « Si nous avons perdu Metz et d'autres villes, Willemetz nous reste, et cela nous console [1] » –, de nombreux cabarets où le champagne coule à flots ouvrent leurs portes dans les mois qui suivent le début de l'Occupation, malgré les restrictions et le couvre-feu.

Dire que, seuls, des soldats ou des officiers allemands en goguette fréquentent alors les lieux de spectacle serait néanmoins très exagéré : outre ces derniers et leurs amis collaborateurs – plutôt clients des endroits luxueux et des boîtes à la mode –, beaucoup de Parisiens se pressent dans les théâtres et les music-halls populaires. L'espace d'une pièce ou de quelques chansons, ils y cherchent un peu de chaleur, de réconfort, de rêve et d'oubli, histoire de mieux supporter les difficultés de la situation nouvelle.

Charles n'éprouve – loin s'en faut – aucune sympathie pour l'occupant et ses valets de la collaboration, l'ambiance familiale chez les Aznavourian tournant résolument à la résistance, entre leur amitié pour le couple Manouchian et le fait de planquer des déserteurs arméniens. C'est néanmoins dans le cadre élégant d'un de ces cabarets, prospérant grâce à l'argent facile des vainqueurs et des profiteurs de guerre en tous genres, que Charles Aznavour dénichera un premier engagement. Un contrat de quinze jours au Jockey,

1. Albert Willemetz (1887-1964), auteur de nombreuses revues et opérettes à succès (dont *Phi-Phi*) et de certaines des plus fameuses chansons de Mistinguett (*Mon Homme*, *En douce*, *La Belote*) ou de Maurice Chevalier (*Valentine*, *Dans la vie faut pas s'en faire*). Bien qu'il ait été beaucoup joué sous l'Occupation (l'importance de son œuvre – 150 revues et 102 opérettes – en faisant l'un des piliers du genre), cet ancien secrétaire de Clemenceau ne se compromit jamais ouvertement avec l'occupant et ne fera pas partie des artistes considérés comme collaborateurs à la Libération.

une boîte de Montparnasse dans laquelle Aïda se produira quelque temps.

Ce genre d'endroit fermant tard, bien après l'heure du couvre-feu et du dernier métro, il faut, pour rentrer chez soi, disposer d'un *ausweiss* afin de circuler dans les rues désertes et sans lumière, domaine alors des patrouilles allemandes. Une inquiétude permanente pour ceux qui doivent absolument se risquer dehors pour des motifs plus ou moins avouables – voire franchement clandestins –, car l'oubli du précieux laissez-passer délivré par la Kommandantur équivaut à l'arrestation immédiate. Dès que la Résistance entreprendra de se lancer dans l'action violente, les attentats et le sabotage, c'est le plus souvent parmi ces égarés d'une nuit que seront choisis, à titre de représailles, les otages promis au peloton d'exécution. L'attente du petit jour, dans la cellule bondée d'un commissariat de quartier où personne n'ose s'abandonner au sommeil – chacun guettant la moindre nouvelle et le moindre bruit de bottes –, se révèle donc une épreuve terrifiante que Charles affrontera quelques fois lorsqu'il aura négligé de faire renouveler son *ausweiss* ou qu'il l'aura stupidement oublié chez lui. D'autant que son physique typé et son nez volumineux (l'époque, on le sait, ne cultivant pas la nuance en matière de critères raciaux) le font souvent passer pour Juif, au risque de le voir désigner d'office parmi les premières victimes si la malchance voulait que cette nuit-là, justement, un Allemand ait été abattu.

Grâce aux multiples facettes de son talent qui lui permettent de se produire aussi bien comme comédien que comme chanteur ou homme à tout faire au sein d'une revue (il peut danser, se livrer à des acrobaties, interpréter des sketches ou se payer le culot de remplacer au pied levé le pianiste en ne sachant tapoter sur le clavier que d'un seul doigt), Charles Aznavour trouvera maintes occasions d'échapper à l'atmosphère délétère d'un Paris vivant sous le joug, dans l'angoisse, l'humiliation et les privations constantes.

Paris la guerre,
Paris misère,
Paris décomposé qu'on viole,
Paris qui n'a plus la parole,
Vaincu, souffrant et humilié[1].

Années de plomb qui inspireront au grand poète Léon-Paul Fargue ce jeu de mots désabusé : « Tracas, Famine, Patrouille », en réponse à la fameuse devise du gouvernement de Vichy.

1. *J'ai vu Paris*, Charles Aznavour, 1977.

Chapitre 7

L'étoffe d'un acteur

La première tournée à laquelle se joint Charles Aznavour, au début de l'hiver 40, est une revue à base de tableaux vivants avec des jeunes femmes aux trois quarts nues, censées représenter les différentes provinces de France. Il chante et danse en première partie du spectacle puis, l'entracte passé, présente chaque région… c'est-à-dire chaque fille.

Après quelques répétitions et une première au théâtre de Belleville, la troupe part pour une tournée de plusieurs mois aux quatre coins de la zone occupée; il n'est évidemment pas question d'obtenir l'autorisation de franchir la ligne de démarcation. Quand même assez fournie, la troupe se déplace avec son propre orchestre que dirige le pianiste Jean Cazenave : une vieille connaissance de Charles qui a eu l'occasion de le croiser lors de galas communs, à l'époque déjà lointaine de Prior et ses Cigalounettes. Ils deviennent rapidement inséparables et unissent leurs efforts pour tenter de séduire deux des jolies danseuses de la troupe, pas des plus farouches à vrai dire. Dès Sedan, première étape de la tournée, c'est chose faite, et d'autant plus facilement que la minceur des cachets oblige ces saltimbanques sans le sou à partager leurs chambres dans les hôtels minables où ils descendent. Les chambres sans chauffage et les glaciales nuits d'hiver ardennaises offrent une incitation supplémentaire à des rapprochements intimes assez éloignés de l'amour, mais qui procurent sur le moment le délicieux bien-être de la chaleur partagée.

Elle s'appelle Christiane. Pour Charles, qui n'a guère qu'un peu plus de seize ans, il s'agit d'une première fois ; de celles qui, même au plus noir de décembre, subliment les rigueurs du climat :

Y avait des printemps même en plein hiver,
Au fond de tes yeux,
Au creux de ton lit, le ciel était bleu.
[...]
C'était hier,
Tu étais belle
Et moi j'étais jeune, peut-être un peu sot[1]...

À partager ainsi la même chambre, nuit après nuit, plusieurs semaines durant, une certaine forme d'amour s'installe, et le jeune couple fait presque figure de ménage officiel au sein de la troupe dont le spectacle connaît un succès non négligeable – surtout dans les villes de garnison où les tableaux de femmes nues attirent de nombreux soldats. Un public dont Charles se passerait volontiers, car son nez finit toujours par attirer l'attention, et il ne se trouve guère de jour sans qu'il soit convoqué à la Kommandantur locale pour y justifier de ses origines. À force de devoir prouver qu'il n'est pas juif, il s'est muni d'une copie de son certificat de baptême, délivrée par l'Église arménienne de Paris, et ne sort plus sans le précieux document. Une

1. *Mais c'était hier*, Charles Aznavour, 1976.

mesure humiliante à plus d'un titre pour quelqu'un qui, comme lui, compte de nombreux amis d'enfance parmi la communauté israélite de Paris. Mais si, pour l'instant, on ne parle pas encore de déportation, un « statut des Juifs » a été instauré le 3 octobre 1940 par le gouvernement de Vichy : un ensemble de mesures limitant considérablement leurs droits civiques et leur interdisant l'accès à l'ensemble de la fonction publique comme à de nombreuses professions, dont pratiquement tous les métiers du spectacle. Ainsi le cinéaste René Clair, pour prendre ce seul exemple, sera-t-il contraint à l'exil après avoir été déchu de ses droits civiques et de sa nationalité française. Dès lors, être juif et participer aux représentations de la revue exposerait Charles Aznavour à une arrestation immédiate quasi certaine.

Outre ces incessants tracas administratifs, le chanteur commence à en avoir assez de l'ambiance de la tournée, de son idylle qui ne l'intéresse plus et de la somme considérable de travail que l'on exige de lui en échange d'un cachet de misère. Les choses se gâtent encore le jour où, excédé lui aussi, Jean Cazenave rend son tablier et prend le premier train pour Paris. Bien qu'il ne soit qu'un piètre pianiste, ne tapotant que d'un doigt, Charles se voit contraint de le remplacer, ce qui l'oblige à une gymnastique incessante entre la scène – où il continue à chanter, danser, présenter ses sketches et les tableaux vivants – et une fosse d'orchestre déjà désertée par plus de la moitié des musiciens, lassés les uns après les autres, évaporés au fil des étapes.

Après avoir tenu ce rythme épuisant pendant quelques jours, pour montrer sa bonne volonté, mais bien décidé à ne pas se laisser exploiter plus longtemps, il exige une substantielle augmentation. Celle-ci lui est refusée, prétexte idéal pour abandonner à son tour une troupe qui désormais, n'est plus que l'ombre d'elle-même.

Le lendemain il retourne rue de Navarin, sans le sou et ne possédant pour tout bagage que le complet bleu élimé qu'il porte ; pour couronner le tout, on lui a volé sa malle, ses tenues de scène et l'ensemble de ses affaires à la gare d'Orléans. Mais ni les désillusions, ni les avanies de la tournée n'ont entamé ses ambitions et sa foi en son métier :

Je garde dans ma bouche
Le goût des fruits amers
[...]
Je reviens chez mon père
Sans le moindre regret.
Si c'était à refaire,
Je recommencerais[1]...

Oui, il recommencera. Encore et encore... sachant très bien que celui qui n'a pas tout tenté n'a rien tenté du tout. Il recommencera avec acharnement, serrant les dents sous les mauvais coups, les bides et les insultes, jusqu'à ce que le destin finisse par plier devant son obstination, son orgueil et sa rage de réussir : « Je ne crois pas à la destinée pure. Je crois aux gens qui la forcent, ou qui la forgent. Pour réussir, je n'ai eu qu'un moteur, un ressort, une clef : la colère... C'est bon, la colère ; ça vient à bout de tout ! » Dès cette époque, le jeune cabotin s'est « forgé » une conviction qui ne le quittera plus et l'aidera à surmonter les nombreux échecs et rebuffades à venir, avant d'imposer ses exigences. Une position qui explique, entre autres choses, sa détermination farouche, une fois devenu vedette à part entière, à être et rester en toutes circonstances l'artiste le mieux payé de France.

1. *L'Enfant prodigue*, Jacques Plante/Charles Aznavour, 1959.

Pour l'heure, le retour au bercail est peu glorieux, mais la famille le fête dignement, heureuse de se retrouver à nouveau réunie et prête à faire face à toutes les difficultés de la vie et à tous les problèmes du monde. Une famille merveilleuse sans laquelle, malgré son courage inouï et son implacable volonté, le jeune Charles aurait sans doute fini par renoncer et ne serait jamais devenu Aznavour : « C'est à ma famille que je dois d'avoir pu encaisser les sarcasmes, les critiques et les vexations qui m'ont escorté durant les premières années de ma carrière. Chaque fois que je suis revenu à la maison, avec encore dans les oreilles les sifflets, les injures et les chahuts du public, ils étaient là, mes parents, prêts à m'écouter et à me réconforter. Un homme est perdu s'il n'a pas de port, s'il n'a pas d'abri. Moi je les ai eus : ma mère, mon père et ma sœur [1]. »

À quelque temps de là, passant une audition au théâtre Gramont, Charles Aznavour est remarqué par Jean Tissier, qui ouvre un cours de comédie au Théâtre des Variétés. À cette occasion, il fait la connaissance d'un jeune acteur d'origine italienne : José Quaglio. Camarade de conservatoire de Gérard Philipe, José se souvient [2] de cette expérience commune : « Jean Tissier nous a proposé de suivre son cours ; gratuitement, bien entendu, car nous étions sans le sou. Charles étant un excellent camarade, nous sommes rapidement devenus amis ; nous nous voyions beaucoup en dehors de l'école et j'allais parfois chez ses parents où je sympathisai avec sa sœur Aïda qui jouait également la comédie.

---

1. In *Aznavour par Aznavour*, ouvrage déjà cité.
2. Propos recueillis par Marc Robine pour le dossier Aznavour de *Chorus* n° 7 (printemps 1994).

« Un jour, nous apprîmes que Jean Dasté montait une jeune compagnie, baptisée La Saison Nouvelle, un peu sur le modèle des "Copiaux" de Jacques Copeau, dont il était le gendre. Nous avons tourné un peu plus d'un an et demi avec cette troupe à travers l'Oise, la Bourgogne, la Charente et la Normandie, et ce fut une expérience inoubliable. La grande qualité de Dasté, c'est qu'il ne se contentait pas de nous apprendre à jouer la comédie dans une salle. Les spectacles étaient préparés à Paris, au théâtre de l'Atelier où ils étaient créés pour une représentation unique, soit en matinée, soit un jour de relâche, puis nous allions les jouer en province pendant plusieurs semaines ou plusieurs mois.

« C'était une école complète où nous faisions tout : les décors, les costumes, etc. Non seulement nous construisions les décors nous-mêmes, mais il fallait en plus les transporter à la main. Car les tournées se faisaient en cars à gazogène, que l'on était parfois obligés de pousser dans les côtes un peu raides. Quand il n'y avait pas de car, on voyageait en train et il fallait alors porter les décors à la gare avec des brouettes. Puisque les cours étaient gratuits, nous n'étions pas payés pour jouer. En tournée, on nous offrait le logement, la nourriture et les déplacements, et c'est tout.

« Le lieu de la représentation était souvent une grange qui n'avait été nettoyée que le matin même ; mais nous n'avions que dix-sept ou dix-huit ans et c'était une vie formidable. Surtout grâce à la présence de Jean Dasté, Madeleine Geoffroy qui le secondait, Jean Vilar qui nous rendait de fréquentes visites et Étienne Decroux, notre professeur de mime [1].

1. Bien que son nom ne soit guère familier aux oreilles du grand public, Étienne Decroux fut l'une des figures essentielles du mime moderne, dont il bouleversa les règles, la technique, la philosophie et l'esthétique. Parmi ses élèves les plus célèbres, citons Marcel Marceau et Jean-Louis Barrault auquel il donne la réplique dans *Les Enfants du paradis*, le chef-d'œuvre de Marcel Carné.

Charles n'est donc pas un acteur de circonstance, à l'instar de beaucoup de chanteurs qui profitent de leur renommée pour faire quelques films ; c'est un comédien qui a appris son métier et qui a joué dans plusieurs pièces.

« La première de celles que nous avons montées, sous la direction de Jean Dasté, fut *Arlequin magicien*, de Copeau, puis *L'Amour africain* de Mérimée, *Les Fâcheux* de Molière et *Arlequin poli par l'amour*, de Marivaux. Ce qui représente déjà une formation assez sérieuse.

« Charles était extrêmement doué comme acteur, mais il avait déjà la passion de la musique et, dès que l'occasion se présentait, il se mettait au piano pour jouer et chanter. Pourtant, aucun d'entre nous, à l'époque, n'imaginait qu'il se dédierait entièrement à la chanson. Pour nous, c'était avant tout un comédien. Cela se sent dans sa manière de chanter : il travaille ses textes en profondeur, comme un acteur travaillant une pièce. Il n'y a pas besoin de le voir sur scène pour s'en rendre compte. Cela n'est pas une question de gestes, mais de simple mise en scène des paroles. Rien qu'à l'écoute, il est évident qu'Aznavour a mis à profit toute cette rigueur et ce contrôle qu'il a appris du théâtre. Ce qui explique également les choses étonnantes qu'il a pu réaliser, par la suite, au cinéma. »

Aussi enrichissante qu'ait pu être cette expérience au sein de La Saison Nouvelle, et malgré tout ce que le jeune comédien-chanteur a pu apprendre au contact de personnalités aussi exceptionnelles que celles de Jean Dasté, Jean Vilar ou Étienne Decroux, c'est une rencontre d'apparence anodine qui se révélera déterminante dans la vie de Charles Aznavour en cette année 1941 : celle d'un jeune pianiste avec lequel, par un imprévisible concours de circonstances, il sera amené à monter un duo chantant, dans la lignée de ceux formés au début des années 30 par Jacques Pills et Georges Tabet, ou Charles Trenet et Johnny Hess.

Née de la bévue d'une présentatrice lors d'un spectacle où chacun d'eux devait se produire seul, l'association Pierre Roche-Charles Aznavour durera huit ans et orientera définitivement la carrière de ce dernier vers la chanson, l'amenant à écrire ses premières œuvres sur des musiques de Roche au lieu de continuer à courir les éditeurs du faubourg Saint-Martin, et – surtout – à renoncer aux emplois subalternes d'homme à tout faire qui, s'ils permettent plus ou moins de vivoter dans le monde du spectacle en se berçant de l'illusion de devenir un artiste, ne constituent que des voies de garage où viennent parfois s'égarer des talents prometteurs.

II

ROCHE ET AZNAVOUR

Chapitre 8

Le duo du Club de la chanson

De manière tout à fait fortuite, c'est Aïda qui se trouve à l'origine de la rencontre entre Pierre Roche et son frère. Aïda, qui a décroché un engagement d'un an au Concert Mayol où elle se produit en « vedette habillée » dans un spectacle essentiellement composé de femmes fort dénudées. À cette occasion, Lucien Rimels, le directeur artistique des lieux, estimant qu'Aznavourian – et même Aznavour – n'est pas un nom de scène propre à accrocher l'attention du public, lui choisit le pseudonyme d'Aznamour. Un nom qu'elle trouve ridicule, mais auquel elle finit par se résigner ; il faut bien vivre... et l'on n'a pas tous les jours la chance de signer un contrat d'un an dans un établissement aussi prestigieux dont l'histoire reste à jamais associée aux noms d'Yvette Guilbert, de Paulus, Dranem, Raimu, Damia, Ouvrard, Fernandel, Marie Dubas, etc. Sans oublier, bien sûr, le grand Mayol lui-même.

Un soir, après son numéro, elle lie connaissance avec un groupe de jeunes artistes dont la plupart sont auteurs-compositeurs et ont monté une sorte de petite boîte à chanson, dans un local exigu de la rue du Cardinal-Mercier, courte impasse proche de la place Clichy. Toujours à l'affût de nouveaux talents, les animateurs de ce Club de la Chanson ont décidé d'aller voir de plus près cette Aïda Aznamour dont les affiches couvrent depuis peu les murs des stations de métro. Sa prestation les ayant séduits, ils lui proposent d'organiser pour elle une soirée spéciale dans leur local, le jour de relâche du Concert Mayol ; une soirée au cours de laquelle se produiront également Francis Blanche, Alix Combelle, Jane Sourza et surtout Léo Marjane, l'étoile montante du moment, dont Radio-Paris diffuse quotidiennement le déjà célèbre *Je suis seule ce soir.*

Le courant de sympathie mutuelle aidant, Aïda prend l'habitude de revenir au Club les jours où elle ne chante pas, et finit par y entraîner Charles. Celui-ci y rencontre Jean-Louis Marquet, le directeur du lieu, qui se produit également dans un numéro de raconteur d'histoires, qu'il abandonnera pour devenir l'imprésario du duo Roche et Aznavour, puis celui de Charles seul lorsque ce dernier décidera de voler de ses propres ailes.

Outre Marquet, l'équipe dirigeante se compose de deux adjoints : Lawrence Riesner et Pierre Saka, et d'un président d'honneur : le pianiste-compositeur Pierre Roche. Leur commun souci du moment consiste à organiser le déménagement du Club vers de nouveaux locaux, plus vastes et beaucoup mieux situés, qu'ils viennent de louer au 55 bis de la rue de Ponthieu, à deux pas des Champs-Élysées. Un déménagement qui, vu les restrictions de l'époque et les maigres ressources de la bande, s'effectuera en voiture à bras. Assez libre de son temps, Charles propose de les aider et, pour préparer l'inauguration, chacun se transforme en menuisier, peintre, électricien, décorateur, laveur de carreaux et roi du bricolage.

Au jour dit, tout est prêt, et plus de quatre cents invités représentant le gratin du métier se pressent pour découvrir le nouveau Club de la Chanson... et engloutir le somptueux buffet préparé au prix de trésors d'imagination et de débrouillardise, en se saignant aux quatre veines. Succès mondain mais dont les retombées matérielles se révéleront pratiquement négligeables car, comme d'ordinaire, le «Tout-Paris» a bien d'autres chats à fouetter que d'essayer de découvrir de nouveaux talents. Des talents qui, de toute façon, finiront par venir à lui, s'ils ne sombrent pas en cours de route, et auxquels il sera toujours temps de manifester quelque intérêt lorsqu'ils auront essuyé les plâtres, avalé les couleuvres et évité les peaux de bananes qui encombrent le chemin de la réussite. Un cocktail amer d'ignorance, de vanité, d'indifférence et de bêtise que, plus que tout autre, Charles Aznavour aura le temps de boire jusqu'à la lie.

Par rapport à l'ancienne formule qui tenait essentiellement du cabaret, la grande innovation du Club de la Chanson nouvelle manière provient d'une sorte d'école du spectacle où les débutants peuvent apprendre à chanter et à danser. Fort de son expérience d'acteur, Charles suggère même un cours d'interprétation; et les élèves les plus prometteurs peuvent régulièrement juger de leurs progrès en participant aux soirées quotidiennes qui commencent à drainer un public de plus en plus nombreux. Quant aux habitués qui animent le Club de façon régulière, ou passent plus ou moins à l'improviste, le temps d'un bonjour amical et d'une ou deux chansons, leurs talents sont aussi variés que leurs personnalités : de Francis Blanche à Django Reinhardt et d'Édouard Ruault (le futur Eddie Barclay) à Henri Crolla, en passant par Gérard Calvi, André Darricaut (futur Darry Cowl), Pierre Cour, Gérard Séty, etc.

En raison du couvre-feu fixé à minuit, l'établissement reste ouvert jusqu'à l'aube afin que les clients ou les amis de passage ayant étourdiment oublié l'heure ne risquent pas d'ennuis avec les patrouilles allemandes, car tous ne sont pas forcément munis d'un *ausweiss* en règle. Chaque nuit est ainsi prétexte à d'interminables «jam-sessions» au cours desquelles il n'est pas rare de voir Django ou Crolla sortir leurs guitares, Barclay se mettre au piano et tout un chacun improviser ce qui lui traverse l'esprit. Charles s'en souviendra, à plus de quinze années de distance, avec une fièvre intacte :

Car quand on est dans cette ambiance
Les mots n'ont aucune importance
Le principal c'est qu'ça balance
Pour faire une jam
[...]
C'est l'heure de l'improvisation
Des chorus et des citations... [1]

En dehors des soirées quotidiennes de la rue de Ponthieu, le Club de la Chanson organise également, à intervalles réguliers, des galas dans des salles plus traditionnelles où son équipe assure la première partie du spectacle, la seconde étant le plus souvent réservée à des artistes déjà confirmés comme Léo Marjane ou Roland Gerbeau. Ce soir-là, pourtant, la vedette du programme se nomme Pierre Roche, et Charles Aznavour doit passer en fin de première partie. Quand arrive son tour, Lyne Jack, la présentatrice, qui les a tellement vus travailler ensemble au Club, où ils font répéter les élèves du cours d'interprétation, se trompe et les appelle ensemble : «Mesdames et Messieurs, voici maintenant Charles Aznavour et Pierre Roche!»

1. *Pour faire une jam*, Charles Aznavour, 1957.

Cueillis à froid, les deux hommes se regardent, ne sachant trop comment réagir, puis l'instinct professionnel l'emporte sur toute autre considération : Pierre Roche se glisse derrière le piano tandis qu'Aznavour entre en scène. À force de faire travailler leurs élèves ensemble, ils se trouvent sans difficulté un bout de répertoire commun sur lequel ils improvisent quelques harmonies ; ainsi, ce soir-là, interprètent-ils trois chansons : *C'était une histoire d'amour*[1], *Débit de lait, débit de l'eau*[2] et *L'Amour naît souvent de ces riens*, une composition de Pierre Roche. Le public, ravi, leur fait un véritable triomphe, sans savoir qu'il vient d'assister à la naissance d'un duo historique dont les voix se feront entendre jusqu'aux États-Unis et au Québec.

Précision amusante : si tous deux s'accordent sur les détails de cette soirée qui devait transformer leurs vies et orienter leurs carrières pour de longues années, ni Roche ni Aznavour ne s'entendent sur l'endroit où eut lieu l'événement. Dans les souvenirs du premier, la scène se passe à Presles, en Seine-et-Oise ; dans son livre de souvenirs, Aznavour la situe à Beaumont-sur-Oise. Les deux villes ont beau n'être distantes que d'une poignée de kilomètres, il fallait quand même en avoir le cœur net : vérification faite, il semblerait que les chanteurs aient meilleure mémoire que les pianistes.

L'association scellée dans l'euphorie de ce premier succès, Jean-Louis Marquet propose de lui trouver des contrats et d'organiser ses tournées ; bientôt, les demandes concrètes se précisent, car le travail ne manque guère dans un métier plus ouvert que jamais, où le chômage n'existe pour ainsi dire pas et où les nouveaux talents trouvent assez facilement

1. Henri Contet/J. Jal, 1943 ; interprétée par Édith Piaf.

2. Paroles de Charles Trenet et Francis Blanche, musique de Charles Trenet et Albert Lasry, 1943 ; interprétée par Charles Trenet.

à s'exprimer. Outre la fringale de divertissement du public (pas seulement parisien) et la multiplication des spectacles en tous genres, le nombre d'artistes ayant choisi de s'exiler ou de se taire – pour ne pas donner de gages à l'occupant –, ou frappés d'interdiction en raison de leurs origines juives, a passablement éclairci les rangs de la profession et laissé de nombreuses places à prendre.

Ainsi, de cabarets en bals populaires, de restaurants chics en attractions dans les cinémas, et de passages en vedettes dans des boîtes sans attrait, en levers de rideau dans des théâtres ayant connu des jours meilleurs, le duo se met-il à écumer la zone occupée (la ligne de démarcation restant toujours infranchissable). De Lille à Lorient et de Laval aux Sables-d'Olonne, en passant par Le Havre, Saint-Nazaire, Saumur, Nantes, Le Mans ou la banlieue plus ou moins lointaine, les engagements se succèdent donc à un rythme régulier. Mal payés – le plus souvent – et laissant à peine de quoi se nourrir, une fois réglés tous les frais de déplacement, de séjour et d'imprésario, ces petits contrats ne permettent sans doute pas de se construire une véritable popularité, ni d'étayer les fondations d'une carrière solide que seule une bonne salle parisienne peut offrir. Ils offrent néanmoins aux deux complices la possibilité de vivre enfin de leur métier, certes d'une façon précaire, mais qui marque une première étape essentielle sur le chemin de la réussite. Ne serait-ce que pour la disponibilité que cela procure : délaissant les petits métiers alimentaires, ils peuvent désormais consacrer une bonne part de leur temps à écrire et à composer, se constituant rapidement un répertoire original et plaçant même leurs premières chansons auprès d'autres interprètes. De fait, si Charles continue à courir les éditeurs, ce n'est plus pour prospecter leurs catalogues, à la recherche d'œuvres susceptibles de lui convenir, mais comme auteur-compositeur au talent plein de promesses, en quête d'avances sur ses futurs droits. Car si le chanteur Aznavour mettra de longues années avant d'imposer sa voix voilée et son physique hors normes à un public amateur de séducteurs patentés – grands, beaux et resplendissants de santé derrière leurs sourires ravageurs et leurs timbres caressants –, l'auteur de chansons, lui, sera très vite reconnu comme l'un des plus doués de sa génération.

Chapitre 9

Le contraste

Difficile de trouver deux individus plus dissemblables, au physique, par les manières comme par le caractère, que Pierre Roche et Charles Aznavour ; mais la réussite d'un duo ne réside-t-elle pas souvent dans le contraste, voire l'opposition entre ses composants, l'exemple le plus caricatural, devenu un archétype au cinéma, restant celui de Laurel et Hardy ? Certes, il n'est pas question ici de cinéma, encore moins de l'époque du muet où tout devait être dit, donc compris, au premier coup d'œil ; il s'agit au contraire d'un art reposant par essence sur le son, le verbe et la musique. Ce qui n'enlève rien au caractère un peu singulier, sinon intrigant, de l'association de ces deux jeunes gens que tout sépare, à commencer par l'âge.

Lors de leur rencontre en 1941, Charles n'a que dix-sept ans ; Roche (né en 1919), déjà vingt-deux. Un écart que le temps réduira, mais qui, à l'époque, marque la différence entre un adolescent et un homme à sa majorité. En théorie du moins, car, dans la pratique, la vie ayant mûri le fils d'émigrés désargentés beaucoup plus rapidement que le jeune bourgeois de Beauvais, c'est le plus jeune des deux qui paraît le plus dégourdi et, en tout cas, le plus débrouillard. Le plus agité, aussi; la fébrilité perpétuelle de Charles contraste étonnamment avec le calme et la nonchalance quasi aristocratique de Pierre Roche. Grand, élégant, réservé, flegmatique, le front déjà bien dégarni, l'un abrite ses yeux de myope derrière des lunettes d'écaille rondes; petit, nerveux, le poil sombre et dru, la mise souvent voyante, le geste décidé encore un peu sec, le verbe abondant et la répartie facile du vrai titi parisien, l'autre planque son regard d'aigle derrière son nez trop fort.

Contraste d'allures et de tempéraments qui se manifeste jusque dans leurs aptitudes artistiques et leurs attitudes scéniques : Pierre Roche s'asseoit derrière son piano, légèrement en retrait par rapport au premier plan; Charles Aznavour, debout au milieu du rond de lumière, semble empoigner le public à bras-le-corps. Au-delà de leurs différences, Roche et Aznavour se complètent à merveille et, tandis que le piano du premier assure à l'ensemble un swing irrésistible, le mariage de leurs voix et la perfection de leur mise en place, ajoutés au dynamisme et à l'humour de leurs compositions, entraînent le spectateur dans un tourbillon de rythmes et de fantaisie digne de soutenir la comparaison avec l'illustre modèle dont ils revendiquent ouvertement l'héritage : Charles et Johnny, le duo monté par Charles Trenet et Johnny Hess au début des années 30.

Une filiation affichée qui ne doit rien au hasard ni à un quelconque opportunisme : Aznavour ne cessera jamais d'affirmer haut et clair son admiration pour Trenet, même lorsqu'il sera devenu à son tour une vedette de réputation internationale et un modèle pour les auteurs-compositeurs débutants. Cette admiration sans restriction l'incitera d'ailleurs (comme nous le verrons) à investir une partie de sa fortune personnelle pour racheter les Éditions Raoul-Breton après la mort de Madame Breton, au début des années 90.

Héritage de Trenet ou non, le public ne boude pas son plaisir et, partout où le duo se produit, il rencontre un succès prometteur. Mais, en ces temps de pénurie, les engagements tendent à se raréfier et les cachets stagnent souvent en dessous du minimum vital. Dès lors, faute de moyens, les tournées des deux compères sont parfois un peu « folkloriques », et le bon vieux système D doit pallier leur carence financière. D'autant que, les bombardements ayant détruit de nombreux ponts et sérieusement endommagé le réseau ferré, les voyages en train deviennent des expéditions incertaines au cours desquelles les retards s'accumulent. Ne pouvant risquer de ne pas honorer leurs maigres contrats, Roche et Aznavour iront donc jusqu'à voyager à bicyclette pour une série de galas les conduisant de Saumur au Mans en passant par Angers et Laval. Une bicyclette pour deux, puisque Roche, seul, possède un tel engin, Charles ayant depuis longtemps revendu le dernier vélo de son petit trafic d'antan. L'un s'assied en amazone sur le cadre lorsque l'autre pédale… Il faut vraiment avoir le cœur bien accroché et une foi immense en son métier – pour économiser l'hôtel, ils dorment dans des granges… – pour trouver encore l'énergie de chanter des refrains fantaisistes devant le public repu de ces cabarets sans grâce où les collaborateurs locaux et les nouveaux riches du marché noir viennent faire bombance et sabler le champagne en compagnie de leurs amis allemands !

Une situation paradoxale dont Charles ne sera jamais dupe. S'il reçoit en souriant les bravos de ce public devant lequel il s'incline pour saluer à la fin de sa prestation, il sait fort bien tout ce qui se trame dans l'ombre, grâce aux informations régulières que Mélinée Manouchian communique à sa famille. Sans compter que le réseau d'aide aux déserteurs arméniens – dont son père constitue un rouage essentiel – fonctionne à plein, et que l'appartement de la rue de Navarin ne désemplit guère. Au point, que pour laisser la place – c'est-à-dire sa chambre et son lit – à ces fugitifs qui doivent fréquemment attendre plusieurs semaines avant de trouver une occasion de franchir la ligne de démarcation, il s'est installé dans l'appartement de Pierre Roche, près du square Montholon. On y mène d'ailleurs joyeuse vie, car Roche et Aznavour, indépendamment de leur amour partagé pour la chanson, de leurs différences de styles et de caractères, cultivent sans réserve une passion commune pour les jeunes et jolies femmes :

> *Je suis amoureux de vous toutes, mesdames,*
> *Pour chacune de vous mon petit cœur s'enflamme*
> *Simplement, gentiment*
> *Follement, ardemment*
> *Vous faites mon bonheur*[1]...

Admiratrices d'un soir, jeunes danseuses ou chanteuses débutantes, les bonnes fortunes se succèdent à un rythme étourdissant; si Pierre Roche fait figure de séducteur-né, Aznavour, ni grand ni beau, charme par l'espèce d'intensité magnétique qui émane de lui. Il inspire d'ailleurs des sentiments souvent complexes, dissimulant son extrême timidité envers les femmes – et envers elles seulement; pour le reste, rien ne saurait le décontenancer – derrière un paravent d'assurance et d'agressivité qui tend à fausser la première impression qu'il dégage.

Parmi ces idylles d'un jour, certaines débouchent sur des liaisons plus conséquentes, voire sur de véritables histoires d'amour. Un soir de novembre 1942, au Petit Chambord,

1. *Je suis amoureux*, Charles Aznavour/Pierre Roche, 1947.

un restaurant-cabaret où les deux jeunes gens chantent régulièrement en échange d'un bon repas chaud accompagné d'une bouteille de vin, Charles fait la connaissance de Micheline. Âgée de seize ans, elle se prépare à passer une audition, dans l'espoir d'un engagement comme chanteuse, par Jean Rena, le directeur artistique du lieu. Profitant avec adresse de sa déjà longue expérience professionnelle (à dix-huit ans, il exerce son métier de saltimbanque depuis plus de la moitié de sa vie), Charles séduit rapidement la petite débutante et, déjouant la vigilance de sa mère qui la chaperonne de près, lui propose un rendez-vous pour le lendemain :

Viens, donne tes seize ans
Au bonheur qui prend forme
Pour que ton corps d'enfant
Peu à peu se transforme [1]

Mais Micheline n'est pas de ces filles qui s'abandonnent au premier flirt; nullement insensible au charme du chanteur, elle désire autre chose qu'une simple aventure sans lendemain. Une liaison solide, qui mettra de longs mois à se concrétiser et restera platonique – au grand désespoir du jeune homme – bien après que les fiançailles officielles auront été célébrées. Malgré cette frustration qui le pousse à continuer sa vie de bâton de chaise en compagnie de Pierre Roche et de Jean-Louis Marquet, Charles Aznavour est amoureux. Profondément amoureux comme on peut l'être à dix-huit ans, avec ce mélange d'innocence, de maladresse, de sincérité, de candeur et de vulnérabilité qui laisse au cœur des marques indélébiles que les passions suivantes ne parviendront jamais à effacer totalement.

1. *Donne tes seize ans*, Charles Aznavour/Georges Garvarentz, 1963 (extrait du film *Du mouron pour les petits oiseaux*).

Un mariage, un enfant, un divorce... Quelques années plus tard, le constat d'échec n'en sera que plus désolant. Sans amertume aucune, mais avec un sentiment de gâchis, vaguement nostalgique, qui se mêle le plus souvent aux choses inabouties et aux bonheurs mort-nés :

Nous nous sommes aimés
Dix ans trop tôt
Et je pense souvent
Avec mélancolie
Que le premier serment
Vous marque pour la vie [1]

1. *Dix ans trop tôt*, Charles Aznavour/Georges Garvarentz, 1991.

Chapitre 10

L'Affiche rouge

Pour les Arméniens qui, jusque-là, n'avaient pas été particulièrement inquiétés par les autorités allemandes, la situation se gâte soudain à partir de 1942. À Hambourg, le *generalbevollmächtigter* Julius Ritter prononce un discours au cours duquel il affirme que « les Arméniens ne sont pas des Aryens » et qu'il faut « les considérer comme des Israélites » – avec les conséquences tragiques que cela entraîne à une époque où la « solution finale » est déjà largement entrée en application.

L'instigateur de ce revirement, qui fait peser une menace mortelle sur la communauté, est un ami personnel d'Hitler. Bien qu'ayant rang de général SS, il affecte de préférer le costume civil d'un fonctionnaire anonyme au sinistre uniforme noir, se donne volontiers le titre honorifique de « docteur » et ne se sépare jamais de son chien : un énorme molosse jaune qui vaut tous les gardes du corps. Sous cet aspect passe-partout – et donc assez difficile à repérer – se dissimule en fait le responsable de l'organisation du S.T.O. pour la France : ce fameux Service du travail obligatoire [1]

1. Selon les termes d'un accord passé entre Pierre Laval et l'occupant nazi, en juin 1942, un prisonnier de guerre français serait libéré chaque fois que

de sinistre mémoire, qui contribuera beaucoup à grossir les maquis de la Résistance par le nombre de réfractaires qu'il suscite. Reste qu'en août 1943, plus de six cent mille travailleurs sont déjà partis pour l'Allemagne – le plus souvent de force –, à l'instigation de ce comptable de la mort que les résistants surnomment « Le Négrier ».

Le 28 septembre 1943 à 9 heures du matin, Ritter est abattu dans sa voiture, rue Pétrarque – une petite voie tranquille derrière le Trocadéro –, par trois membres des FTP-MOI armés de pistolets : Léo Kneler, Marcel Rayman et Celestino Alfonso. Un commando placé sous l'autorité directe de Missak Manouchian, bien que celui-ci n'ait pas participé physiquement à l'opération, ayant rendez-vous ce même jour à la gare de Mériel, dans l'Oise, avec Joseph Epstein, responsable de l'ensemble des FTP de la région Ile-de-France. Une rencontre confirmée par les agents de la BS 2 (la Brigade spéciale n° 2 des Renseignements généraux, placée sous les ordres du commissaire Barrachin), qui filent Manouchian depuis quelques jours. Ce matin-là, ils l'ont pris en chasse dès son domicile de la rue de Plaisance, l'accompagnant à son insu jusqu'au rendez-vous avec son supérieur hiérarchique que leur rapport identifie comme « Estain Joseph, né le 16 octobre 1910, au Bouscat[1]. »

---

trois travailleurs iraient volontairement mettre leurs bras au service de l'Allemagne. C'est le principe de la « relève ». En réalité, il s'agit d'un marché de dupes et d'une réquisition qui n'ose pas dire son nom, puisque pour plus de sept cent vingt mille travailleurs entrés en Allemagne (la plupart du temps sous la contrainte, après l'instauration du S.T.O.), cent onze mille prisonniers seulement seront libérés. Devant le peu d'enthousiasme soulevé par cette idée de « relève » et le manque de volontaires prêts à tenter l'aventure, Pierre Laval ne tardera pas à signer un décret transformant le volontariat en astreinte, et la « relève » en Service du travail obligatoire.

1. Source citée par Stéphane Courtois, Denis Peschanski et Adam Rayski, dans leur ouvrage *Le Sang de l'étranger – Les immigrés de la M.O.I. dans la Résistance* (Éditions Fayard, Paris, 1989).

Ainsi le groupe Manouchian était-il déjà très étroitement surveillé, et tout près de tomber, avant même l'attentat qui coûta la vie au docteur Ritter. De cette constatation – et des responsabilités qui peuvent en découler – naîtront, bien des années plus tard, de vigoureuses polémiques qu'il ne nous appartient pas de débrouiller ici; toujours est-il qu'à l'exception de Léo Kneler qui sera le seul à passer entre les mailles du filet, toute « l'Équipe spéciale » des FTP-MOI sera localisée au cours des semaines suivantes, et finalement arrêtée vers la mi-novembre.

Filé quotidiennement depuis le 24 septembre, malgré son extrême prudence et les précautions dont il s'entoure, et sentant de manière instinctive le piège policier se mettre en place autour de lui – au point de s'en ouvrir à quelques proches, dont Cristina Boïco, la responsable du service de renseignement de la MOI –, Missak Manouchian sera capturé au matin du 16 novembre en compagnie de Joseph Epstein, lors d'un de leurs rendez-vous hebdomadaires. Désormais, personne ne peut plus rien pour lui ni pour les vingt et un camarades avec lesquels il affrontera le peloton d'exécution, le 21 février 1944, au terme d'un procès conduit dans une atmosphère de haine et de racisme intenses, alimentés par la fameuse « affiche rouge » placardée à des milliers d'exemplaires sur les murs de toutes les villes de France [1], la zone libre n'existant plus depuis le 11 novembre 1942. Une histoire qu'Aragon [2] retracera avec des mots

1. D'un format relativement réduit afin d'en faciliter la circulation et la diffusion dans la France entière, cette « affiche rouge » est également un tract au dos duquel figure un texte de propagande commençant par ces mots : « Voici la preuve que si les Français pillent, volent, sabotent et tuent, ce sont toujours les étrangers qui les commandent. Ce sont toujours des juifs qui les inspirent. C'est l'armée du crime contre la France, c'est le complot de l'anti-France, c'est le rêve mondial du sadisme juif... »

2. *Le Roman inachevé*, 1956.

de braise et dont Léo Ferré fera l'une de ses plus belles chansons :

> *Ils étaient vingt et trois*[1] *quand les fusils fleurirent*
> *Vingt et trois qui donnaient leur cœur avant le temps,*
> *Vingt et trois étrangers et nos frères pourtant,*
> *Vingt et trois amoureux de vivre à en mourir,*
> *Vingt et trois qui criaient la France en s'abattant.*

Un poème fortement inspiré par l'ultime lettre de Manouchian à sa femme, écrite à Fresnes au matin du 21 février et dont certains extraits sont reproduits presque mot pour mot : « Bonheur ! À ceux qui vont nous survivre et goutter[2] la douceur de la liberté et de la Paix de demain. [...] Au moment de mourir, je proclame que je n'ai aucune haine pour le peuple allemand et contre qui que ce soit. [...] Bonheur ! À tous ! J'aurais bien voulu avoir un enfant de toi comme tu le voulais toujours. Je te prie donc de te marier après la guerre, sans faute, et d'avoir un enfant pour mon bonheur et pour accomplir ma dernière volonté. Marie-toi avec quelqu'un qui puisse te rendre heureuse. [...] Aujourd'hui, il y a du soleil. C'est en regardant au soleil et à la belle nature que j'ai tant aimé que je dirai Adieu ! À la vie et à vous tous ma bien chère femme et mes bien chers

1. Dans sa volonté de rendre un hommage global aux vingt-trois condamnés à mort de « l'Équipe spéciale » de Manouchian, Aragon se laisse volontairement aller à commettre une petite erreur factuelle : en effet, seuls les vingt-deux hommes seront fusillés ce 21 février au Mont-Valérien. L'unique femme du groupe, Olga Bancic, responsable du dépôt d'armement, sera déportée en Allemagne pour être décapitée à la hache, à Stuttgart, le 10 mai 1944.

2. Nous avons tenu à respecter, ici, l'orthographe de l'ultime lettre de Manouchian telle qu'elle fut communiquée quelques années plus tard par sa femme Mélinée.

amis… » Ainsi s'exprimait Missak Manouchian à l'heure de marcher à la rencontre du peloton d'exécution. Une heure où il n'est plus temps de prendre des poses ni de choisir le jour sous lequel on préfère se montrer; une heure où chaque mot révèle sa personnalité profonde. De fait, Manouchian était un homme sans haine ni rancune; un intellectuel et un poète que l'idée même de la mort répugnait – pour l'avoir côtoyée de trop près et de manière trop atroce dans sa Turquie natale –, mais que la guerre et les crimes commis par les nazis et leurs complices avaient précipité à son corps défendant dans la Résistance, la clandestinité et les actions de commando. Un « amoureux de vivre à en mourir » – pour reprendre le vers d'Aragon – que les circonstances avaient placé en état de légitime défense et qui vivait cette violence comme une déchirure constante; jusqu'à trouver le courage de préciser, à l'heure d'être passé par les armes : «Je n'ai aucune haine pour le peuple Allemand et contre qui que ce soit. […] Le peuple Allemand et tous les autres peuples vivront en paix et en fraternité après la guerre qui ne durera plus longtemps. » Une dignité et une élévation de sentiments qui contrastent de façon éclatante avec l'immonde portrait dressé par le « journaliste » collaborateur Hervé Thévenin dans le *Pariser Zeitung* du 19 février 1944 : « Manouchian, une des plus sombres et cruelles figures de la bande. Arménien, né en Turquie, qui tient à garder une sinistre vedette par son rôle de chef. De chef et d'indicateur surtout, cet homme de trente-huit ans faisait exécuter les ordres venus d'Alger, de Londres ou de Moscou par des comparses beaucoup plus jeunes. Il se tenait dans l'ombre et éduquait dans la science du crime des jeunes dévoyés. Le regard fuyant, un front bas et têtu, habité par la haine : voilà un des chefs de l'"Armée de la Libération". »

Une fois pris, chacun des membres du groupe Manouchian sera longuement torturé pour essayer de lui arracher des noms, des adresses de complices ou de simples sympathisants, des lieux de réunions, de planques ou de caches d'armes... Aucun d'entre eux ne parlera, sauvant ainsi la vie à des dizaines, des centaines de personnes, parmi lesquelles la famille Aznavourian. Car, même au cœur des pires épreuves, il faut continuer de penser aux vivants. Sitôt connue l'arrestation de Manouchian, les Aznavourian s'efforcent de retrouver Mélinée pour la mettre à l'abri. D'autant que la BS 2 la cherche de son côté et a installé des souricières autour des deux planques habituelles de son mari : le domicile de la rue de Plaisance et un local situé rue de Louvois, presque en face de la Bibliothèque nationale, où s'entreposent les tracts et les journaux clandestins de la MOI. Comme Mélinée s'y rend pratiquement chaque jour, Knar Aznavourian décide de l'attendre dès l'heure du premier métro, à la sortie de la station Quatre-Septembre, pour l'intercepter avant qu'elle n'aille se jeter dans le piège tendu par les hommes de Barrachin.

La conduisant à l'appartement de la rue de Navarin, elle y restera cachée, dans le plus grand secret, bien après l'exécution de son mari. Mélinée y partagera la chambre d'Aïda, dont l'amitié affectueuse lui sera d'un précieux réconfort, lui évitant sans doute de perdre la raison ou de se laisser aller à un geste désespéré. Dans *Petit Frère*, où elle consacre des pages très émouvantes à Mélinée[1] et à Missak Manouchian, Aïda tient à préciser : « Si je raconte ces faits dans un livre consacré à notre famille, c'est que Manouche faisait partie de notre vie et qu'il en est sorti tragiquement et glorieusement, nous causant autant de peine que s'il avait

1. Mélinée Manouchian est décédée le 6 décembre 1989.

été l'un de nos parents. Et aussi parce que, pour des raisons qui ne sont ni bonnes ni belles, certains ont tout fait pour ternir sa mémoire, occulter son souvenir. Sa veuve, celle qu'il a aimée plus que tout au monde et qui a partagé ses espoirs et ses dangers, en sait quelque chose ! » Dans un chapitre de son livre intitulé « De nouveau chez les Aznavourian [1] », celle-ci en témoigne aussi affectueusement : « Déjà, chez Knar, la petite Aïda avait été pour moi d'un grand réconfort. Elle était d'une gentillesse infinie et s'occupait de moi comme elle aurait fait d'une petite sœur. Le soir, nous dormions dans le même lit, elle me racontait des histoires. Elle me confiait ses petits secrets relatifs à ses amours enfantines, en me faisant bien promettre de ne pas en parler à sa mère. C'était vraiment bien peu de choses, mais cela m'occupait assez pour que les soirées, qui étaient le moment le plus angoissant, se passent le mieux possible. Ainsi, elle me faisait parler et parlait elle-même jusqu'à ce que je m'endorme. »

Le 21 février 2004, lors d'un hommage rendu au mont Valérien [2] « À l'occasion du 60e anniversaire de l'exécution de Missak Manouchian et de ses compagnons », le président de l'association organisatrice rappelait notamment : « Il y a quelque chose de grandiose dans l'engagement de Missak et de Mélinée Manouchian, et de façon générale dans l'engagement de tous les Arméniens. Une spécificité exemplaire : ces combattants étaient les rescapés du génocide. Ils avaient déjà tout perdu et ils n'étaient même pas poursuivis en tant qu'Arméniens par l'occupant. Ils n'avaient même pas eu le temps de fonder une famille que l'amour de la France les a plongés dans un autre combat.

1. *Manouchian*, *op. cit.*

2. Sous l'égide de l'Association nationale des volontaires, anciens combattants et résistants arméniens, créée en 1917, et le conseil de coordination des organisations arméniennes de France.

Mélinée résumait volontiers sa vie à deux phrases : la Première Guerre l'avait rendue orpheline – comme Missak, lui aussi orphelin –, et la Seconde Guerre l'avait rendue veuve. Cette chère Mélinée attendra encore quarante ans avant de devenir citoyenne française et d'être élevée à la distinction de chevalier de la Légion d'honneur par le président Mitterrand. Comme Diran Vosguéritchian, un des artisans de la déroute allemande de Mende, qui sera honoré et deviendra aussi Français en 1985.»

Bien que passant le plus clair de son temps en compagnie de Pierre Roche chez lequel il a pratiquement élu domicile depuis que son lit sert aux clandestins du moment, Charles – qui, lorsqu'il n'est pas en tournée, rend des visites quotidiennes à sa famille – vit au cœur de cette atmosphère dramatique propre à toutes les résistances. Une atmosphère imprégnée d'espoir et d'angoisse mêlés, d'humilité, de silences et de sacrifices, de solidarité et de courage sans forfanterie. Une atmosphère nourrie d'immenses chagrins et de petites victoires d'apparence dérisoire, comparées à l'hallucinante puissance de l'ennemi, mais dont l'inlassable répétition et l'accumulation finiront par triompher de tout. Ainsi partagera-t-il la douleur des siens et le désespoir de Mélinée lorsque tombera la nouvelle de l'exécution de Manouchian. Bien que, par pudeur, il ne se soit jamais étendu ensuite sur le sujet, un lointain pacte de fidélité continue de le lier à l'ami depuis si longtemps disparu. C'est, en effet, Missak Manouchian qui lui a appris à jouer aux échecs, comme le note Aïda, la «grande sœur» de Charles : «Ce devait être un bon professeur : cinquante ans après, Charles y joue toujours... Souvent, dans les minutes qui précèdent son entrée en scène, alors que la rumeur du public impatient monte par vagues jusqu'aux coulisses, à cette heure de vérité et de solitude, il s'enferme dans sa loge, seul avec son échiquier. Il l'emporte toujours avec lui, partout à travers le monde. Avec son dictionnaire de rimes, ce sont, je crois, ses plus fidèles compagnons [1]. »

En marge de l'affaire Manouchian, la filière d'aide aux déserteurs arméniens – dont Mischa Aznavourian constitue l'un des rouages essentiels grâce à son poste chez Raffi – est maintenant parfaitement rodée et fonctionne à plein. Elle commence cependant à présenter d'inquiétants signes de fuites, comme si les Renseignements généraux avaient fini par découvrir de quoi il retourne, mais laissaient provisoirement filer, dans l'espoir de remonter tout le réseau pour mieux le démanteler d'un coup. L'urgence du péril va se préciser le jour où un provocateur infiltré est formellement identifié comme tel avant que les hommes du maquis ne l'éliminent.

Cette fois, l'alerte a été chaude et Mischa décide de mettre sa filière en sommeil. Pour plus de sécurité, la famille se sépare. Dans un premier temps, le père et le fils s'installent dans un petit hôtel sis au 22 de la rue de Navarin, juste en face de leur domicile. Cela leur permet d'épier par la fenêtre les mouvements de la rue et de repérer les éventuels observateurs trop curieux. De fait, la Gestapo débarque plusieurs fois à l'improviste, ne trouvant au gîte que Knar et Aïda qui, en actrices consommées, jouent leur rôle de femmes innocentes, abandonnées depuis longtemps par « leurs hommes » dont, bien entendu, elles ignorent absolument tout. Ce genre de subterfuge ne peut durer qu'un temps et, bientôt, la plus élémentaire prudence incite Mischa à écarter les siens d'un danger chaque jour plus pressant. Aïda et sa mère iront donc à Yvetot, chez un

1. Aïda Aznavour-Garvarentz, *Petit Frère*, *op. cit.*

ami sûr, lui-même prenant la direction de Lyon. Mélinée Manouchian raconte : « Il partit donc chez des cousins de Knar qui se trouvaient à Lyon. Il fit bien, car la Gestapo vint le chercher peu de temps après. [...] Je fus également obligée de partir, car l'endroit devenait dangereux. Par ailleurs, il était préférable de ne pas rester trop longtemps à la même place. [...] Après plusieurs semaines, je pus revenir chez Knar et reprendre mon travail auprès des prisonniers soviétiques [1]. »

Quant à Charles, il se partagera entre l'appartement de Roche et le logis familial désert qu'il ne fréquente plus qu'avec une extrême prudence, s'étant ménagé un moyen de repli par les toits au cas où il se ferait surprendre par la Gestapo ou les Brigades spéciales.

1. *Manouchian*, *op. cit.*

Chapitre 11

Paris libéré

6 juin 44. À peine Knar et Aïda arrivent-elles en Normandie que les Alliés débarquent à quelques dizaines de kilomètres de ce qu'elles croyaient être un havre de sécurité. Du jour au lendemain, leur prétendu refuge se transforme en épicentre de la guerre. Aux mouvements de troupes, aux combats acharnés et aux bombardements incessants s'ajoute la nervosité hargneuse des Allemands, partagés entre le sentiment que le vent de l'Histoire commence à tourner, l'urgence de concentrer leurs forces pour tenter de renverser le cours des choses, et la volonté d'éradiquer les foyers de résistance qui les harcèlent de plus en plus. Sans compter l'hystérie de leurs sbires, collaborateurs de tous acabits qui sentent qu'il leur faudra bientôt rendre des comptes et se hâtent de régler les leurs, de la manière la plus sanglante et la plus expéditive.

Dans cette tourmente, la vie humaine ne pèse plus rien, et le péril est encore plus grand qu'à Paris où l'on sait au moins d'où les coups peuvent venir. Mieux vaut donc essayer de rentrer. Les deux femmes prennent la route pour refaire le chemin inverse. À pied, cette fois, car les transports ferroviaires se révèlent désormais inutilisables, l'acheminement des renforts et du matériel militaire réquisitionnant les derniers trains qui roulent encore. Cent quatre-vingts kilomètres à pied ! Chacune traînant sa valise au long de routes encombrées de colonnes allemandes épuisées et démoralisées, qui montent au front sous le pilonnage constant de l'aviation alliée. Cent quatre-vingts kilomètres d'une marche harassante, sans presque manger, ni boire, ni dormir, pour arriver rue de Navarin, les pieds en sang, et y retrouver une fois de plus la Gestapo venue chercher Mischa.

Le restaurant Chez Raffi venant tout juste d'être fermé et son patron arrêté, le père de Charles est activement recherché. Mais les différents fronts craquent de toutes parts. La Résistance armée plante des banderilles mortelles dans le flanc de l'occupant, désorganisant de plus en plus son infrastructure militaro-policière et son pouvoir de riposte. Des lézardes béantes laissent entrevoir, à l'intérieur même de la forteresse nazie, la fin prochaine d'un Reich qui se croyait parti pour durer mille ans. Ainsi, le 20 juillet 1944, une bombe placée au cœur du quartier général de Hitler, à Rastenburg, manque de peu son objectif. En dépit de ce contretemps, et malgré une reprise en main énergique du haut commandement militaire allemand qui se traduit par sept mille arrestations, cent quarante-cinq exécutions et des centaines de déportations, la fin s'annonce. Dès lors, la Gestapo et la Milice ont d'autres chats à fouetter que de continuer à traquer un petit maître d'hôtel arménien, relativement inoffensif comparé au commando de partisans qui vient d'exécuter Philippe Henriot (le secrétaire d'État à l'Information, responsable de la propagande vichyste), aux trois mille cinq cents maquisards retranchés dans le massif du Vercors, à leurs cinq cents compagnons d'armes qui tiennent le plateau des Glières, et aux dix mille hommes de mont Mouchet, répartis entre La Truyère et Saint-Genès.

Par ailleurs, dans son refuge lyonnais, Mischa Aznavourian n'a guère tardé à découvrir que la région se révélait au moins aussi dangereuse que Paris. Aux ordres d'individus comme Klaus Barbie ou Paul Touvier, gestapistes et miliciens occupent le haut du pavé, secondés dans leur sinistre besogne par la crème des mouchards, une partie du « milieu » et la kyrielle des trafiquants à la petite semaine, prospérant sur le marché noir, la rapine et la confiscation des biens de leurs victimes. En dépit des efforts de la Résistance locale, la ville et ses environs restent l'un des plus solides bastions de la collaboration crapuleuse, et la chasse à l'homme y va bon train. Conscient qu'il sera, somme toute, plus en sécurité au cœur d'une ville où il sait pouvoir compter sur de solides amitiés et des fidélités éprouvées, Mischa décide donc lui aussi de rentrer chez lui. Sans imaginer un seul instant que sa femme et sa fille ont elles-mêmes abandonné leur illusoire refuge normand et l'attendent rue de Navarin, il s'accorde – par sécurité – une pause de quelques jours dans un petit hameau de Bourgogne, avant de reprendre définitivement le chemin de Paris.

Par un de ces hasards heureux qui jalonnent décidément la vie de la famille Aznavourian – la joie et le bonheur de vivre refusant toujours, chez eux, de capituler devant le désespoir, même aux heures les plus sombres de l'angoisse ou de la précarité –, Mischa retrouve les siens en pleine fête. Une fête que son retour rend bien sûr encore plus joyeuse, plus intense, plus inoubliable !

Le matin même, il n'y avait rien à se mettre sous la dent dans le garde-manger familial, et chacun se désolait d'être sans nouvelles du père… Et voilà qu'à l'heure du dîner, toute la famille se retrouve à nouveau réunie autour d'une table garnie d'assiettes pleines! Comment, dans de telles conditions, ne pas cultiver le sens du miracle? En fait de miracle – pour la nourriture, du moins –, il ne s'agit là encore que de la débrouillardise et du courage de Charles, parti quelques heures plus tôt à la recherche de victuailles pour assurer la subsistance des siens.

Paris vit alors des heures d'une infinie pagaille. Les Alliés – on le sait, désormais – ne sont plus qu'à quelques jours de Paris, et la légendaire 2e division blindée de Leclerc campe déjà aux portes de Chartres. Sans l'avouer ouvertement, les Allemands organisent leur repli alors que, pris de panique, les collaborateurs et profiteurs divers se préparent, tels des rats, à abandonner le navire. Les plus compromis plient bagages et tentent de passer à l'étranger avec leur magot; d'autres tournent casaque et se bricolent dans l'urgence un vague passé de résistant de la vingt-cinquième heure. Les premiers règlements de comptes de la Libération se profilant dans cette atmosphère de fin de règne, miliciens et gestapistes ne s'embarrassent plus d'interrogatoires et de simulacres de procès pour éliminer sommairement ceux qui ont le malheur de tomber entre leurs mains ou de constituer des témoins gênants. Telle une ville assiégée par ses futurs libérateurs, Paris connaît donc des jours de grande confusion où la terreur entache plus que jamais l'espoir des uns, et où l'ignominie des autres tente de juguler son inévitable débâcle en lâchant la bonde à sa folie meurtrière. Plus prosaïquement, le ravitaillement – déjà pas brillant – se voit totalement désorganisé : dans l'expectative, la plupart des commerçants ont choisi de fermer boutique pour mieux spéculer sur l'avenir. On ne trouve donc quasiment plus rien à manger… à moins d'être un as de la débrouille ou un caïd du marché noir – les deux allant souvent de pair, comme l'on s'en doute.

Devenu l'immense vedette que l'on sait, sollicitée par des nuées d'interviewers, Charles Aznavour – nous l'avons dit – n'a jamais tenté de dissimuler les mille et un trafics auxquels il a dû se livrer pour subvenir aux besoins des siens durant l'occupation. Mieux, il n'hésite pas à employer lui-même les termes « marché noir » dans son livre de souvenirs[1]. Deux mots qui, plus d'un demi-siècle après la fin de la guerre, continuent à susciter une certaine répugnance. Encore faut-il savoir différencier ceux qui ont su se débrouiller pour dénicher de-ci, de-là, de quoi ne pas mourir de faim, et les trafiquants sans scrupules qui ont érigé de monstrueuses fortunes en pactisant avec l'occupant ou en organisant méthodiquement la famine de leurs concitoyens. Sur ce point, Charles a toujours eu la conscience nette, et l'on peut même affirmer aujourd'hui que, sans lui, sa famille ne serait sans doute pas sortie intacte de la tourmente. Même si sa pudeur l'empêche toujours de l'admettre autrement qu'au détour d'un vers :

J'ai fait la guerre
À ma manière[2]

Pour l'heure, donc, la vie d'un homme vaut beaucoup moins que le prix d'un kilo de pommes de terre. Aussi, lorsque Charles quitte l'appartement familial en annonçant qu'il va tâcher de trouver quelque chose à manger, sa fiancée, Micheline, essaie-t-elle vainement de le faire renoncer à ce projet où – l'un et l'autre le savent – il risque sa vie. Micheline vit désormais avec lui, Knar et Aïda, dans l'appartement de la rue de Navarin où elle partage le lit d'Aïda : il ne saurait être question – conventions de l'époque obligent ! – qu'une

1. *Aznavour par Aznavour*, *op. cit.*
2. *À ma manière,* Charles Aznavour, 1994.

fiancée comme il faut dorme avec son futur époux avant qu'ils ne soient dûment mariés. Les arguments de la jeune fille en larmes découlent du plus pur bon sens : se faire prendre – ou, pis, tuer – au hasard d'une mauvaise rencontre serait stupide, en effet, à quelques jours de la Libération. D'autant plus stupide qu'en dépit des multiples dangers encourus, la famille semble avoir traversé la guerre et l'occupation sans trop de dommages (« semble », car à cet instant on reste toujours sans nouvelles de Mischa). Charles répond avec un égal bon sens que les Alliés ne sont pas encore là, que leur arrivée peut encore prendre un certain temps, et que, s'il ne tente rien, c'est la famille entière qui risque de mourir… de faim !

Lorsqu'il revient deux heures plus tard, il titube comme un homme ivre, croulant sous la masse d'un énorme sac de pommes de terre de cinquante kilos. Pratiquement son propre poids qu'il porte sur ses épaules : de quoi tenir un bon bout de temps, même après en avoir donné quelques kilos à Roche et à des familles amies confrontées aux mêmes problèmes de survie quotidienne. Pour célébrer l'événement et conjurer l'angoisse qui les a étreintes durant son absence, les femmes improvisent une petite fête où, pour la première fois depuis longtemps, chacun peut manger à satiété. C'est dans cette ambiance euphorique que Mischa, un peu incrédule, pousse la porte du logis familial pour tomber dans les bras des siens, au milieu des rires et des larmes.

Voilà le clan Aznavourian à nouveau au complet ; désormais, rien ne le séparera plus. Il faut néanmoins conserver une certaine prudence et une extrême vigilance. Pour inévitable qu'elle paraisse, la Libération n'est pas encore acquise, et nul n'est à l'abri d'une rafle de dernière minute ou de représailles d'autant plus aveugles qu'elles deviennent inutiles. Mischa continuera donc à se cacher, rien, dans les faits et gestes de la famille, ne devant laisser deviner son retour.

Charles, quant à lui, passe toujours l'essentiel de son temps en compagnie de Pierre Roche, bien que les deux compères n'aient plus d'engagements, les cabarets où ils se produisaient ayant tous fermé leurs portes en attendant que la situation se décante. Pas question non plus de tourner en province alors que la moitié du pays est transformée en champ de bataille ou en terrain d'opérations. Du coup, ils profitent de ce désœuvrement forcé pour écrire, composer, répéter et peaufiner leur numéro. L'argent ne rentre plus du tout, la dèche sévit cruellement, mais, en dépit de ces difficultés quotidiennes, Charles est un jeune homme heureux : il vient d'avoir vingt ans et vit son amour avec Micheline comme un éblouissement naïf.

Le 26 août 1944, le général de Gaulle pénètre dans Paris enfin revenu à la vie. Paris qui, lassé d'attendre l'arrivée – sans cesse annoncée et différée – des troupes anglo-américaines, est entré en insurrection et s'est pratiquement libéré seul, grâce au soulèvement héroïque des FFI (Forces françaises de l'intérieur) rejointes in extremis par les chars de la 2e division blindée de Leclerc. Paris renouant, après quatre longues années d'humiliations, de privations et de terreur, avec cette tradition d'insurgé qui a toujours caractérisé son histoire :

J'ai vu Paris jouer sa vie
Paris ras-le-bol des brimades
Et juché sur ses barricades
Paris redevenir Paris[1]

À leur tour les chars américains rejoignent la capitale libérée dans une indescriptible atmosphère de liesse populaire. Des Champs-Élysées à l'Opéra en passant par la place de la

1. *J'ai vu Paris*, Charles Aznavour, 1977.

Concorde et les grands boulevards, les rues sont noires d'une foule compacte qui s'agrippe aux véhicules des vainqueurs pour les acclamer, les toucher, les étreindre, leur donner des baisers et leur crier la reconnaissance éperdue d'un peuple entier renaissant à l'espoir. Eux, du haut de leur superbe, lancent vers la foule tout ce qu'ils peuvent lui offrir : paquets de cigarettes ou de chewing-gum, tablettes de chocolat, boîtes de lait, de café ou de corned-beef... Autant de trésors inestimables pour ces gens privés de tout depuis plus de quatre ans.

Une illusion d'abondance revenue qui, hélas, ne durera guère, car, malgré la liberté retrouvée, la vie ne reprendra que très lentement son cours normal. Pour certains produits de première nécessité – tels que l'essence –, les derniers tickets de rationnement ne disparaîtront qu'au début des années 50...

On se réorganise néanmoins tant bien que mal. Mischa peut enfin se montrer au grand jour, ce qui donne lieu, évidemment, à une nouvelle fête mémorable où sont conviés tous les amis survivants de la communauté arménienne. Nombre d'entre eux – comme Missak Manouchian – manquent en effet à l'appel. Chacun compte douloureusement ses deuils; mais, selon le vers de Paul Valéry, « Il faut tenter de vivre ! » et tâcher de panser ses blessures. Même si cela n'a jamais signifié « oublier » :

Je ne suis pas guéri de mes années d'enfance
Qui viennent me hanter chaque jour un peu plus
Quand revivent en moi des voix qui se sont tues
Et me serrent la gorge et blessent mes silences[1]

« Tenter de vivre ! » L'avenir est à ce prix; et celui de Charles Aznavour s'ouvre grand devant lui.

1. *Je ne suis pas guéri de mes années d'enfance*, Charles Aznavour, 1981.

Chapitre 12

Libération… et feu de paille

Dans les jours, les semaines qui suivent la libération de Paris, cabarets, boîtes de nuit, théâtres, music-halls et cinémas rouvrent leurs portes. Les libérateurs ne restent pas longtemps : la guerre est encore loin d'être terminée, il leur faut reprendre leur progression vers l'est : Strasbourg, l'Allemagne, Berlin… Dans l'immédiat, ils ont soif de divertissements en tous genres. Or, à force de travail et de répétitions, le duo Roche et Aznavour se révèle parfaitement rodé : mise en place impeccable, complicité scénique totale, leur numéro tranche sur ceux des autres duettistes par l'originalité de leur répertoire qui ne doit plus rien aux modèles du genre – Pills et Tabet, Charles et Johnny, ou Gilles et Julien. Tout ce qu'ils interprètent est désormais de leur plume, reposant sur un swing très dynamique, des chansons rapides et pleines d'une fantaisie qui flirte parfois avec la loufoquerie, comme *Le Feutre taupé* ou *Oublie Loulou*.

Qui plus est, alors que, sous l'impulsion de Pierre Dac qui préside le Comité d'épuration des artistes, s'organise la chasse aux collaborateurs, bien peu peuvent se targuer, à l'époque, de n'avoir jamais chanté ou joué pour l'occupant. Ayant continué d'exercer leur art pendant les années noires, la plupart des vedettes d'avant-guerre sont priées de se faire oublier quelque temps ; les plus compromises se voient même frappées d'interdiction professionnelle les proscrivant radicalement pour plusieurs mois, voire plusieurs années, des scènes de music-hall, des théâtres, des cabarets, des plateaux de cinéma, des stations de radio et des studios d'enregistrement. Certaines carrières ne s'en relèveront jamais, et toute une génération de nouveaux venus profitera de ces places disponibles pour s'affirmer rapidement dans le métier et faire éclater des talents aussi originaux que ceux de Georges Ulmer, d'Yves Montand ou des Compagnons de la Chanson. Si l'expression n'avait servi pour désigner, quelques années plus tard, le renouveau du cinéma français, on serait tenté d'affirmer que la chanson française connaît alors une véritable « nouvelle vague ».

Jeunes, dynamiques, drôles, séduisants, décontractés, parfaitement au point et n'ayant rien à se reprocher sur le terrain de la collaboration, Roche et Aznavour vont pleinement saisir cette abondance d'opportunités qui s'offrent aux nouvelles têtes au lendemain de la Libération. Les cabarets pullulent et, devant leurs premiers succès, les patrons de boîtes se les arrachent. C'est à L'Heure bleue, un night-club assez chic situé au pied de Pigalle, tenu par Fred Payne, qu'ils se produisent le plus régulièrement. En quelques semaines, leur cachet se retrouve multiplié par cinq pour atteindre quinze mille francs par soirée. Une somme alors plus que rondelette : il faut un peu moins de quatre francs pour acheter un kilo de pain, quatre-vingt-dix francs pour un kilo de jambon, et cinq cent douze francs pour louer un fauteuil d'opéra [1]. Bientôt ils peuvent faire imprimer leurs premières affiches et leurs portraits commencent à orner les murs de Paris, ce qui ajoute encore à leur renommée naissante.

Ainsi Roche et Aznavour mèneront-ils, pendant quelques mois, une vie assez éblouissante. L'argent rentre sans problème, l'euphorie et l'abondance ont succédé presque sans transition à l'angoisse et aux privations d'hier. L'appartement de la rue de Navarin accueille des fêtes animées où le vin coule à flots et où les rires se mêlent aux chansons. L'avenir n'a jamais été aussi prometteur, d'autant plus que Jacques Canetti – le plus grand « découvreur » de talents de l'époque – vient de leur proposer d'enregistrer leurs chansons pour les disques Polydor dont il est le directeur artistique.

Personne n'a peut-être jamais pesé autant que lui sur le métier, cumulant les casquettes de producteur de disques, directeur de théâtre (mythique Trois Baudets !), organisateur de tournées (nationales et internationales) et programmateur de plusieurs stations de radio (Radio-Cité à Paris, Radio-Alger et Radio-France en Afrique du Nord). Si l'on ajoute à cela un flair à nul autre pareil, et une obstination de dogue pour imposer ses découvertes en dépit des inévitables rebuffades rencontrées par certains de ses poulains, son palmarès laisse pantois. De Charles Trenet, Édith Piaf, Lucienne Delyle ou Agnès Capri, lancés avant-guerre sur les ondes de Radio-Cité, à Serge Reggiani qu'il pousse à chanter, vers la fin des années 60, en passant par Félix Leclerc, Georges Brassens, Jacques Brel, Boris Vian, Philippe Clay, Guy Béart, Léo Ferré, Leny Escudero, Les Frères Jacques, Francis Lemarque, Catherine Sauvage,

1. Sources *Quid.*

Ricet-Barrier, Jacqueline François, Michel Legrand, Mouloudji, Juliette Gréco, Dario Moreno, Henri Salvador, Anne Sylvestre, Jeanne Moreau, Jacques Higelin ou Serge Gainsbourg, tous doivent quelque chose à Canetti.

En 1945, bien sûr, son « tableau de chasse » ne brille pas encore à ce point (la plupart de ces artistes ne commenceront leur carrière qu'au cours des années 50, voire 60), mais son influence et son prestige sont déjà énormes et sa proposition représente une chance inespérée pour les deux amis.

Ils graveront ainsi huit faces de 78 tours avec le soutien musical du quintette d'Henri Lecca. Huit titres signés Charles Aznavour pour les paroles, et Pierre Roche pour la musique : *Voyez, c'est le printemps !*, *J'ai bu*, *Départ express (Destination inconnue)*, *Le Feutre taupé*, *Tant de monnaie*, *Je n'ai qu'un sou*, *Je suis amoureux* et *Boule de gomme*. Si Charles Aznavour a toujours affirmé à juste titre que son « maître », Trenet, ne l'avait jamais influencé dans l'écriture, on notera quand même un sérieux cousinage d'esprit dans le premier morceau printanier. Très rythmé couleur jazz, comme de nombreuses mélodies composées par Pierre Roche, il conjugue une thématique de vitalité typique de la jeunesse et chère au « fou chantant » (*Boum*, *Y'a d'la joie*, etc.), jusqu'à en reprendre des mots-clés (« Voyez, déjà sont revenues les hirondelles / C'est l'printemps »), ainsi que des symboles pittoresques (« Le bâton blanc des agents bourdonne gaiement », et subséquemment « Oyez, les gazouillis et la fraîche musique / Du printemps / Dirait, dans sa moustache le garde-champêtre / Bon enfant »).

J'ai bu, lui, sera popularisé par Georges Ulmer après qu'Yves Montand l'aura eu refusé : « La fin ne lui convenait pas, raconte Aznavour. Il l'aurait préférée beaucoup plus dramatique ! Moi, je pensais que ce n'est pas parce qu'on boit que la fin doit tourner au drame. Si tous les poivrots se tuaient!... À l'époque, j'étais très entier; dix ou quinze ans plus tard, ou aujourd'hui, j'aurais écrit la fin qu'il souhaitait. J'étais un peu cucul... Je me suis dit : "Puisqu'il veut qu'il meure, je ne lui donnerai pas la chanson!" Et ça s'est passé comme ça! Ulmer a aimé *J'ai bu* et il l'a chanté... Nous étions vraiment des intimes, avec Georges, mais nous n'aurions jamais pensé à lui, puisqu'il écrivait lui-même [1].»

Mené à un tempo rapide, *Départ express* colle idéalement à nos duettistes, entre goût viscéral de l'aventure et du partir à la découverte («J'ai tout quitté sans chagrin sans regrets / Puisque les voyages forment la jeunesse»), de la rencontre amoureuse et de la modernité – à la fois fascinante et inquiétante – en marche : «L'train en roulant faisait un vacarme infernal...» Un mélange de romanesque et de gentille fantaisie qu'on retrouvera, déclinée de multiples façons au gré des chansons.

Titre sans doute le plus connu de cette première expérience discographique, *Le Feutre taupé* (que le chanteur reprendra en 1956 avec trois autres chansons : *J'ai bu*, *Tant de monnaie*, *Il pleut*) s'inscrit complètement dans cette folie douce endiablée, un tantinet surréaliste, onomatopées en prime, qui – on l'a vu – a tout de suite emballé Piaf. Il faut dire que la chute des couplets «Avec des pailles» et les fameux «Doubi, doubi, doubi, douba» (ou approchants), sonnent de façon particulièrement savoureuse.

Modernité encore (voire technicité) oblige, *Tant de monnaie* innove, mais ne connaîtra pas le succès du gainsbourien *Poinçonneur des Lilas* conçu dix ans pile plus tard (en 1958). Il commence en revanche de façon étonnamment semblable :

1. Propos recueillis le 29 août 1987 par Daniel Pantchenko, en vue d'un article paru (le 22 septembre 1987) dans le quotidien *L'Humanité*.

Je suis releveur d'appareils automatiques
À toutes les heur's j'ai des pièces métalliques
J'les entends qui sonnent, écoutez-les sonner
Quand elles s'entrechoqu'nt c'est moi qui suis choqué.

Outre le fait que ce *Tant de monnaie* soit suivi d'un paradoxal *Je n'ai qu'un sou*, sensiblement moins inspiré d'ailleurs, on notera le recours assez systématique à l'élision, procédé que l'auteur Aznavour proscrira rigoureusement par la suite. Boogie-woogie assez délirant, *Boule de gomme* l'utilise en bonne logique, par sa structure enlevée, dans une amusante fable sentimentale (« Je vais vous conter son histoire / Libre à vous de ne pas y croire ») imprégnée par un symbole très américain, le *ch'wing gum* (il est aussi question de dancing, de whisky et de Coca-Cola), une pincée d'années à peine après le débarquement allié et la Libération. Pour éclairer la lanterne de ceux qui auraient nourri encore quelques doutes sur la philosophie existentielle des deux compères, *Je suis amoureux* met, au passage, les pendules à l'heure :

J'aurais voulu être fidèle
Vivre comme un mari modèle
Mais mon cœur est inconstant
[...]
Je suis amoureux de vous toutes mesdam's

Autre étape significative dans l'évolution de leur carrière : le metteur en scène Raymond Bernard les engage pour jouer et chanter dans son film *Adieu, Chérie*, aux côtés des vedettes Danielle Darrieux, Louis Salou et Pierre Larquey.

Tout semble donc aller pour le mieux dans le meilleur des mondes, mais il ne s'agit là que d'un feu de paille. Sans que Roche et Aznavour, emportés par leurs virées nocturnes, leurs bringues dans les bars à la mode, leurs conquêtes faciles et leurs réveils pâteux, y prennent garde, la situation générale est en train d'évoluer. Passé la libération de Paris, la guerre a encore duré près de neuf mois avant que l'armistice ne soit définitivement signée, le 8 mai 1945, dans un Berlin en ruines. Avec le temps, l'euphorie collective a singulièrement décru; chacun réalise qu'à l'évidence, le retour à la paix ne réglera pas, du jour au lendemain, tous les problèmes matériels et toutes les privations dont souffre encore la population. Il faut désormais songer à reconstruire, réorganiser, panser les plaies; ce qui implique, pour un temps, de cesser de s'étourdir. La clientèle des boîtes se raréfie donc assez brutalement, et la plupart d'entre elles doivent plier boutique aussi vite qu'elles étaient apparues au lendemain de l'arrivée des libérateurs. Pour Roche et Aznavour, le réveil prend un goût plutôt amer qui leur laisse une gueule de bois bien plus carabinée que celles auxquelles les avait habitués leur vie de patachons. Dans un premier temps, leurs cachets chutent de manière vertigineuse, puis les engagements s'espacent au point que les deux hommes restent parfois plusieurs semaines sans chanter. Ils se rabattent alors vers les petites salles de province :

Les minables cachets, les valises à porter,
Les p'tits meublés et les maigres repas[1]

Bientôt, pour survivre, ils acceptent n'importe quel contrat, à n'importe quel prix. Le temps de la vache enragée est revenu, et Charles devra réapprendre à vivre d'expédients pendant plusieurs années.

Pourtant, il travaille avec cette incroyable rage d'y arriver qui ne le quittera jamais. Noircissant des quantités de papier, biffant sans relâche, guettant le mot juste, cernant l'image,

1. *Je m'voyais déjà*, Charles Aznavour, 1960.

traquant la rime, peaufinant la césure, il passe des nuits entières à écrire des chansons qu'il tentera, le lendemain, de placer chez tel ou tel éditeur dans l'espoir que celui-ci, à son tour, saura convaincre un « grand » de l'intégrer à son répertoire. Pour augmenter ses chances, il multiplie les genres, usant de la gravité autant que de l'humour pour être tour à tour lyrique, réaliste, romantique ou souriant.

J'ai tout essayé, pourtant, pour sortir de l'ombre :
J'ai chanté l'amour, j'ai fait du comique et d'la fantaisie[1]

Si tout cela paraît parfaitement décourageant, si ce travail acharné ne semble guère porter ses fruits dans l'immédiat, il n'est pourtant pas inutile. Outre qu'il devient familier des couloirs des maisons d'édition où on le reçoit avec bienveillance et sympathie, Charles y apprend ce formidable métier d'auteur à façon qui lui permettra, plus tard, d'écrire pour des gens aussi différents qu'Édith Piaf, Gilbert Bécaud, Johnny Hallyday, Sylvie Vartan, Les Compagnons de la Chanson, Juliette Gréco, Marcel Amont, Philippe Clay, Fernandel, Maurice Chevalier, Eddie Constantine ou Georges Guétary.

Malgré la présence permanente de Micheline qui vit officiellement rue de Navarin, Charles continue de partager sa vie entre l'appartement de ses parents et celui de Pierre Roche. Il dort, fait la bringue et travaille chez son compagnon, mais rend chaque jour visite à sa famille et à sa fiancée. Une fiancée dont la chasteté irréprochable commence à lui peser ; surtout lorsqu'ils décrochent une petite tournée commune en province – puisque Micheline chante également – et que celle-ci s'obstine à vouloir faire chambre à part. Aussi se hâte-t-il, chaque soir, de

1. *Idem.*

rejoindre cet infatigable séducteur de Roche pour partir ensemble à la recherche de conquêtes d'une nuit. Ces tromperies quotidiennes le mettent mal à l'aise, lui qui reste profondément amoureux de sa fiancée et déteste, par surcroît, le mensonge. Mais il a vingt ans, déborde de vitalité et paraphrase ainsi Pascal dans ses Mémoires : « La nature a ses raisons que les fiancées ignorent[1]. » Avant d'ajouter plus loin avec une parfaite honnêteté (n'est-il pas merveilleux de justifier le mensonge par l'honnêteté !) : « Autant que je vous le dise une bonne fois pour toutes : à Paris, en province, à l'étranger, chez Roche ou ailleurs, je n'ai jamais su m'élever jusqu'aux raffinements de l'amour platonique. »

Le jour est fait pour travailler,
Se fatiguer, se surmener le jour ;
Mais la nuit, mais la nuit
Est faite pour l'amour[2]

Tout Aznavour tient là, lui qui fut le premier – et longtemps le seul – à introduire le réalisme érotique dans la chanson populaire. Sans doute avait-on connu d'autres auteurs avant lui pour évoquer, plus ou moins explicitement, les choses du sexe dans leurs couplets ; il suffit de relire certains troubadours, Ronsard, Voltaire, Alexis Piron et les Gaillardises du XVIIIe siècle[3], ou – dans un tout autre registre – d'écouter les chansons « polissonnes » de l'âge d'or du Caf'conc' et le répertoire des carabins. Mais il ne s'agit pas du tout de la même chose : Aznavour ne donne ni dans le libertinage précieux, ni dans l'allusion contournée,

1. *Aznavour par Aznavour* (*op. cit.*).
2. *Oui mais la nuit*, Charles Aznavour/Philippe-Gérard, 1952.
3. Voir l'*Anthologie de la chanson française – Des trouvères aux grands auteurs du XIXe siècle*, de Marc Robine (EPM-Albin Michel, 1994).

encore moins dans la paillardise affichée ou la gaudriole gratuite. Simplement, il parle de l'amour comme il vient : c'est-à-dire comme il finit toujours, inévitablement, par se concrétiser. Avec des caresses, de la sueur, des gémissements, des cris, de la jouissance et – pourquoi pas ? – de l'impudeur et des morsures. Un amour qui constitue avant tout une invitation au bonheur et au plaisir partagé, et se contrefiche de toutes les hypocrisies :

> *Tu veux, brûlant ta peau,*
> *La tendre déchirure*
> *Faite par le plaisir,*
> *Pour t'étourdir de joie*
> *Tu veux*[1]...

Les exemples abondent, à tous les stades de son œuvre, qui vaudront parfois de sérieux déboires avec la censure des chansons comme *Après l'amour*[2], vivement « déconseillée » à l'antenne, en 1955, pour quelques vers que l'on jugerait bien anodins de nos jours :

> *Après l'amour,*
> *Nous ne formons qu'un être,*
> *Après l'amour,*
> *Quand nos membres sont lourds,*
> *Au sein des draps froissés*
> *Nous restons enlacés...*

Au-delà des censeurs officiels, certains de ses proches se sentiront eux-mêmes bousculés par la franchise de ses propos. Piaf, pas vraiment sainte-nitouche et ne craignant

1. *Tu veux*, Charles Aznavour, 1964.
2. *Après l'amour*, Charles Aznavour, 1956.

guère d'afficher ses amants d'un jour, lui confiera, troublée : « T'es gonflé, tout de même ! Tes chansons sont remplies de trucs qu'on ne peut pas dire sur une scène : "L'amour jaillit lorsque je m'abandonne…", "Je mords dans son épaule[1]…", etc. Dis-moi, le môme, tu serais pas un peu cinglé, par hasard[2] ? » De même Gilbert Bécaud, avec lequel il cosignera de nombreuses chansons, transformera-t-il « pour tisser ma jouissance » en « pour tisser ma souffrance[3] », lorsqu'il chantera *Je veux te dire adieu*. Un petit coup de scalpel bien-pensant sur lequel Aznavour revient aujourd'hui en souriant : « Le mot "jouissance" le gênait. Moi, les mots ne m'ont jamais gêné, ce sont les actes qui me gênent. » Ce qu'il résume désormais d'une assez jolie formule : « Disons que, jusque-là, on se contentait de faire l'amour dans le noir, et qu'un jour j'ai allumé la lumière[4]. »

Charles chargeait naturellement les mots d'un érotisme que ses interprètes refusaient même d'entrevoir : « Je demandais à Piaf : "Je ne comprends pas pourquoi ça vous gêne !" Elle chantait *J'ai dansé avec l'amour*, et me disait : "Il n'y a rien dedans !" C'était vrai, mais je trouvais déjà le titre évocateur : *J'ai dansé avec l'amour*, pour moi, ça signifiait une partie de plumard ! Elle ne le voyait pas comme ça. […] Alors, pourquoi ça choquait plus qu'un livre ? C'est qu'un livre, on le feuillette dans son lit, en douce ; il fait partie des choses cachées. On n'est pas obligé de le lire devant tout le

1. *C'est un gars*, Charles Aznavour/Pierre Roche, 1949.

2. Propos rapportés par Yves Salgues dans sa monographie sur Aznavour (Seghers, Poésie & Chansons, 1964).

3. « Moi, je n'ai rien accepté de changer, précise Charles Aznavour (à Daniel Pantchenko, 1987). Je leur ai laissé changer leurs mots. »

4. Propos recueillis par Marc Robine pour *Chorus* n° 7.

monde ; ça ne s'entend pas, on ne sait pas ce que vous pensez. Une chanson, tout le monde l'entend sur les ondes [1]… »

Une bonne part du « ton Aznavour » réside donc dans sa manière, dénuée de toute tartuferie, de regarder l'amour en face. Une liberté d'expression qui choquera à différentes périodes de sa carrière : « Cela s'est produit avec *Après l'amour*, bien sûr, se souvient le chanteur [2], avec *Donne tes seize ans*, *Comme ils disent*, avec *Tu t'laisses aller* aussi… Je ne sais pas pourquoi, c'était très curieux : les dames n'étaient pas contentes, et pourtant ce sont elles qui ont acheté le plus de disques… Car moi, je n'écris pas pour choquer : j'écris pour surprendre. *Après l'amour*, je l'ai écrite pour surprendre dans la chanson. En littérature, en cinématographie, on abordait ces sujets-là, alors je me disais : “Pourquoi pas dans la chanson ?” Finalement, c'était un puritanisme ridicule, un ghetto de puritanisme. Pourquoi avait-on droit à des toiles de femmes nues de Renoir, à des sculptures de Mayol, qui sont des chefs-d'œuvre, à des films où Mme Edwige Feuillère se dévêtait pour la première fois à l'écran où ensuite on s'est dévêtu de plus en plus ? Pourquoi certaines œuvres littéraires refusées ailleurs – comme celles de Miller – ont-elles été acceptées en France et soudain, la chanson, elle, n'y avait pas droit ? Quel était ce tabou ? Ce tabou venait des auteurs de chansons eux-mêmes qui avaient évité ces sujets (probablement ne les sentaient-ils pas !) et placé des jalons : “Dans la chanson, on ne dit pas ça !” Le public et les médias s'y étaient habitués ; moi, j'ai voulu un petit peu briser ces barrières. Et je les ai bien brisées, puisqu'on m'a suivi jusque dans le monde entier, même si cela aura pris quinze à dix-huit ans avant que les gens n'y viennent vraiment. »

---

1. À Daniel Pantchenko (1987).
2. *Idem.*

Chapitre 13

Sous l'aile de Piaf

L'année 1946 restera marquée par deux événements de première importance pour Charles Aznavour : l'un d'ordre strictement privé, son mariage avec Micheline; l'autre, déterminant sur le plan professionnel, sa rencontre avec Édith Piaf, dans l'entourage de laquelle il passera plus ou moins les huit années suivantes de sa vie.

Le mariage devant être célébré à l'église arménienne de Paris, Micheline a dû apprendre quelques mots d'arménien pour pouvoir répondre à l'officiant. Elle a confectionné elle-même sa longue robe blanche, avec l'aide de Knar et d'Aïda, et rayonne de bonheur et de beauté. Les deux familles, qui se pratiquent maintenant depuis plusieurs années, partagent sa félicité sans mélange. Seul Charles semble ne pas s'abandonner pleinement à l'enthousiasme des siens à mesure que la date de la cérémonie se rapproche. Non qu'au dernier moment il n'ait plus envie d'épouser cette chaste fiancée qu'il aime et désire depuis si longtemps, mais ses éternels problèmes d'argent le préoccupent et – pour une fois – assombrissent son humeur. Depuis le temps que Roche et lui n'ont pas trouvé d'engagement, il n'a pratiquement plus un sou en poche et se sent humilié à l'idée de ne pouvoir offrir à sa femme la cérémonie fastueuse dont il rêvait pour elle, avec monceaux de fleurs, tapis précieux, chœurs, musique, etc. Lorsqu'il s'en ouvre au prêtre qui doit les unir, celui-ci le rassure : comme il doit marier juste avant eux un couple de jeunes gens fortunés, il laissera fleurs et tapis en place, et les Aznavourian auront quand même de belles épousailles.

Ainsi Charles se mariera-t-il, selon ses propres mots, « avec les fleurs des autres ! » ; un de ces mille petits détails qui, à l'heure où le succès se laissera enfin apprivoiser, nourriront cette soif de reconnaissance qui le poussera à vouloir grimper toujours plus haut, jusqu'à conquérir le monde entier.

Avec les cachets de la première tournée suivant le mariage, le jeune couple loue une minuscule chambre de bonne, au cinquième étage d'un immeuble de la rue de Louvois. Sans eau, sans gaz, sans électricité, sans chauffage et sans fenêtre sur l'extérieur, l'endroit n'a rien d'un palace ; il est si exigu, même, qu'une fois le lit installé, Charles va bricoler une planche rabattable qui lui servira de table de travail. Un bien piètre nid d'amour dont les cloisons épaisses comme des feuilles de papier à cigarette laissent filtrer les moindres bruits du voisinage :

> *La bohème, la bohème,*
> *Ça voulait dire : on a vingt ans*
> *La bohème, la bohème*
> *Et nous vivions de l'air du temps*[1]*...*

Si ce manque de confort et de place n'affecte pas trop Charles qui, de toute façon, ne vit pas souvent chez lui, il rend Micheline dépressive, et elle retourne s'installer chez

1. *La Bohème*, Jacques Plante/Charles Aznavour, 1965.

ses beaux-parents dès que son chanteur de mari décroche une tournée de quelques jours. De même, le jeune couple retournera habiter plusieurs mois rue de Navarin dès que Micheline donnera les premiers signes évidents d'une grossesse.

Ce jour tant attendu
S'était levé pour nous
Tu étais étendue
Moi, j'étais comme un fou
Deux cœurs battaient en toi
Au rythme de mon cœur[1]...

L'enfant sera une fille : Patricia Seda Aznavourian, qui utilisera son second prénom, Seda, quand elle choisira de se lancer à son tour dans la chanson. Lorsqu'elle naît, le 21 mai 1947, la situation matérielle de Roche et Aznavour s'est sensiblement améliorée. D'abord parce qu'ils ont rencontré Piaf, qui les a pris sous son aile au point de les emmener en tournée ; ensuite parce que Georges Ulmer, dont la chanson *Pigalle* promet de devenir un tube mondial, a obtenu entre-temps le Grand Prix du Disque avec *J'ai bu*, leur composition bientôt reprise par de nombreux autres interprètes, tel le fantaisiste Henri Genès.

Si ce succès par personne interposée ne leur apporte guère de nouveaux engagements, du moins leur cote d'auteurs-compositeurs grimpe-t-elle dans les maisons d'édition et auprès de leurs confrères. Reconnus dorénavant comme des faiseurs de tubes en puissance, les voilà sollicités par tous ceux qui croient aux recettes miracles et espèrent décrocher un nouveau *J'ai bu*. Surtout, les éditeurs leur accordent à présent de plus confortables avances sur droits d'auteurs.

1. *Ce jour tant attendu*, Charles Aznavour/Alec Siniavine, 1960.

Mais, l'intérêt que leur porte Piaf demeure toutefois l'essentiel.

En 1946, Édith Piaf n'a pas encore atteint sa dimension planétaire de star – qui fera d'elle, au début des années 50, la vedette internationale la mieux payée avec Frank Sinatra – mais, à l'échelle de la France, elle est sans l'ombre d'un doute l'artiste la plus populaire du moment. Quelques mois plus tôt, elle a sorti le futur plus grand succès de toute sa carrière : *La Vie en rose*[1]. Chanson mythique ! L'une des plus souvent reprises et traduites, à ce jour, sur tous les continents, dont le titre constitue parfois les seuls mots de français que connaissent certains habitants de contrées reculées. En cette année 1946, Mistinguett s'acheminant vers ses soixante-treize ans, Tino Rossi et Maurice Chevalier ayant connu d'assez sérieux démêlés avec le Comité d'épuration des artistes de Pierre Dac au lendemain de la Libération, seul Charles Trenet paraît alors en mesure de disputer à Piaf une partie de cette adulation qu'elle suscite de la part d'un public aux yeux duquel elle incarnera à jamais la « Môme ». Un partage néanmoins sans rivalité, l'un et l'autre évoluant dans des registres si différents qu'ils ne peuvent vraiment se faire d'ombre : l'un incarne, depuis l'avènement du Front populaire, la voix de la fantaisie, de la joie de vivre, des premiers congés payés et du soleil sur les routes de France ; l'autre, celle du drame, de la tragédie, de la malchance quotidienne et des amours fichues d'avance. L'une chante la rue, l'autre *La Route enchantée* : la nuance est de taille.

D'ailleurs, ce soir-là, Piaf et Trenet se trouvent ensemble en compagnie de leur éditeur commun, Raoul Breton, lui-même accompagné de son épouse, personnage extraordinaire qui reprendra les affaires de son mari à sa mort, en 1959, et

1. *La Vie en rose*, Louiguy/Édith Piaf, 1946.

que les gens du métier surnomment la « Marquise ». Francis Blanche et Pierre Cour produisent alors une émission de radio en public, diffusée en direct depuis la salle Washington, un petit théâtre qui sert également de studio aux émissions de Jean Nohain. Le principe est celui du music-hall : quelques débutants plus ou moins confirmés se succèdent sur scène, jusqu'à ce que la vedette du jour ferme le ban. Entre deux numéros, Francis Blanche assure les présentations et anime le plateau, accompagné au piano par un grand escogriffe agité et grimaçant, abritant sa myopie derrière de véritables culs de bouteilles : Darry Cowl.

Comme n'existent dans cette petite salle ni entrée latérale ni loges ni coulisses, tout le monde pénètre par la même porte, et les artistes, installés au premier rang en attendant leur tour, sont donc obligés d'assister à l'intégralité du spectacle. À l'idée d'avoir Piaf, Trenet et les deux Breton à quelques petits mètres de son micro, Charles Aznavour se sent paralysé par le trac. D'autant que l'exiguïté du plateau donne l'impression que le piano disparaît dans les plis du rideau de fond de scène, et que Roche lui semble si lointain qu'il a l'impression de se produire seul. Surmontant son début de panique, il attaque *Le Feutre taupé* comme on se jette à l'eau, sans oser affronter du regard les premiers rangs. Dès la fin du morceau, Piaf, hilare, donne elle-même le signal des applaudissements, et Charles sait que c'est gagné. Il peut se détendre et enchaîner sur quelque chose de moins trépidant, *Il pleut*, un thème aux échos verlainiens, susceptible de séduire à la fois Piaf et Trenet. Pour des raisons foncièrement différentes, d'ailleurs : Trenet, parce qu'il a déjà fait preuve de son attachement au « Prince des poètes » en mettant en musique sa *Chanson d'automne* (sous le titre de *Verlaine*) – l'un des plus gros succès des années de guerre, au point que la Résistance s'en servira comme message codé pour annoncer le débarquement de Normandie, et Piaf parce qu'elle s'est toujours montrée sensible à ce qui parle de la rue sans fausse affectation :

Dans mon cœur aux rêves perdus
Sur mon amour comme dans la rue
Et sur mes peines sans issue
Il pleut[1]

Nouveaux applaudissements et, là encore, Édith mène la claque.

Troisième et dernière chanson : *Départ express*, une histoire de train et de rencontre furtive comme les aime la Môme depuis le temps où Raymond Asso lui écrivait ses premiers succès. Si bien que, lorsque les deux compères sortent de scène au milieu des bravos, Piaf fait signe à Charles de venir la voir à la fin de l'émission.

Édith n'a même pas soupçonné la présence de Roche, coincé derrière son piano, le prenant sans doute pour un accompagnateur lambda. En revanche, elle ne tarit pas d'éloges sur Charles et s'en ouvre à Jean-Louis Jaubert, son compagnon du moment : « Tu sais, Loulou, il a une drôle de gueule et la voix d'un type à qui l'on vient d'arracher ses poumons. Il semble pleurer ses chansons ; mais j'ai rarement vu un gars ayant autant de tripes[2]. »

Amant de cœur depuis quelques mois, Jaubert est surtout l'un des fondateurs des Compagnons de la Chanson ; Piaf, sans posséder le palmarès éblouissant d'un Jacques Canetti, se révèle l'une des plus grandes lanceuses de talents de l'après-guerre. Elle dont l'immense générosité n'a rien

1. *Il pleut*, Charles Aznavour/Pierre Roche, 1946.
2. Propos rapportés par Gérard Bardy in *Aznavour, Sur ma vie*, Éd. Pygmalion, 1977.

d'une légende, et qui ne connaît que trop les difficultés rencontrées par ceux qui débutent sans appuis dans ce métier, n'a rien oublié de ce qu'elle devait à ses pygmalions : Raymond Asso et Paul Meurisse. Aussi s'attachera-t-elle toujours à essayer de rendre la pareille à ceux qui auront la chance – et le talent ! – de l'émouvoir, de la faire rire et de la séduire. Sa première grande découverte s'appellera Montand, qu'elle impose ici en vedette américaine de son spectacle au théâtre de l'Étoile, en octobre 1944. Au cours des années suivantes suivront Félix Marten, Eddie Constantine, Claude Léveillée, Georges Moustaki, Charles Dumont, Théo Sarapo, etc. Dans l'immédiat, amoureuse de Jaubert, la Môme a décidé de s'occuper des Compagnons de la Chanson, et les a engagés en première partie de ses tournées. Justement, la prochaine tournée d'Édith Piaf et des Compagnons part dans un peu moins de trois semaines à destination du nord de la France et de la Belgique, puis de la Suisse. Déjà prévue, l'étape suivante sera l'Amérique, en 1947, où Louis Barrier, l'imprésario d'Édith, vient de signer un double contrat pour Montréal et New York.

De but en blanc, Piaf, qui fonctionne au coup de cœur et à l'impulsion, propose à Charles d'assurer son lever de rideau de la tournée qui s'annonce. Après l'avoir reçu à plusieurs reprises dans son appartement de la rue de Berry, elle lui porte cependant des sentiments mitigés : elle croit en son talent et sent bien qu'il recèle en lui un immense potentiel qui ne demande qu'à éclater au grand jour, mais le bonhomme l'agace pour un rien. Elle aime son culot et son côté ficelle de gosse tôt livré à lui-même et à la rue, mais elle ne peut s'empêcher de le rembarrer plus souvent qu'à son tour, lui qui ne réclame rien, quand tant de pique-assiettes se prélassent à ses dépens, formant une véritable cour prête à se plier à ses caprices les plus fantasques, du moment que c'est elle qui régale sans compter. Une cour dont elle ne peut se passer, surtout aux petites heures de la nuit – tant elle craint la solitude –, et qui finira par la ruiner.

Un mot résume d'ailleurs mieux que tout ce qu'Édith Piaf pense de Charles Aznavour à l'époque où il végète dans son sillage : elle l'appelle son « Génie-con ». Il y a dans cette expression une tendresse manifeste, mais pas l'ombre d'une trace de complaisance. Du reste, alors qu'elle aurait pu rapidement le mettre à l'abri du besoin en le prenant pour parolier – comme elle le fit pour beaucoup d'autres de bien moindre talent, Piaf elle-même n'ayant pas chanté, loin s'en faut, que des chefs-d'œuvre –, elle fera souvent la fine bouche devant les chansons qu'il lui propose, lui en refusant beaucoup au point de laisser passer *Je hais les dimanches*, finalement créé avec succès par Juliette Gréco [1]. De même, et bien qu'elle lui ait offert ses levers de rideau, ne l'imposera-t-elle jamais, sur scène, de tout le poids de son autorité, comme elle sut imposer Les Compagnons de la Chanson, par exemple, qu'elle annonçait elle-même, telle une simple présentatrice de music-hall, n'hésitant pas non plus à casser sa propre entrée en venant les rejoindre, au milieu de leur tour, pour chanter *Les Trois Cloches* [2] avec eux.

Pourtant, l'intérêt et l'affection qu'elle porte à son « Génie-con » restent indéniables, même si, parfois, elle ne lui adresse plus la parole pendant plusieurs jours, comme pour l'ignorer en représailles d'il ne sait quels griefs. À

1. Selon une fiche de l'INA (où l'on ne peut plus visionner le film), elle aurait interprété *Je hais les dimanches* avec Aznavour à la télévision dans l'émission *Trente-six chansons* du 16 décembre 1956. Mais Charles avoue ne pas s'en souvenir.

2. Du Suisse Jean Villard-Gilles, 1946 (noté alors Jean Villard sur la pochette).

preuve : c'est elle qui le forcera à se faire remodeler le nez – trop marqué pour un aspirant chanteur de charme – et qui paiera l'opération de chirurgie esthétique. Elle entrera même dans une fureur noire lorsque Charles, plus tard, parlera de la rembourser. Telle était la Môme : d'une générosité extrême, elle ne supportait pas l'idée qu'on pût l'en remercier.

Tant qu'il évoluera dans son entourage, Aznavour occupera donc les fonctions multiples d'homme à tout faire, tour à tour secrétaire, chauffeur, régisseur, éclairagiste, souffre-douleur et confident. En fait, il semble bien que Piaf ne pouvait guère se passer de lui et qu'elle ne l'a peut-être pas davantage poussé dans le métier pour le conserver plus longtemps auprès d'elle. En tout bien tout honneur, d'ailleurs, car Charles Aznavour – contrairement à ceux pour lesquels cela devenait une carte de visite – n'a jamais été l'amant d'Édith Piaf.

Chapitre 14

L'Amérique… par le Québec

Le principe de la tournée, qui commence par un spectacle à Tourcoing, est simple ; en ce temps-là, même pour une vedette de l'importance d'Édith Piaf, le music-hall s'apparente encore à une sorte d'artisanat. La technique est réduite au strict minimum et les artistes se déplacent sans éclairage ni système de sonorisation, se reposant sur ce qu'ils trouveront – ou ne trouveront pas – sur place. Il n'y a pas si longtemps – dix ans très exactement – que Jean Sablon a imposé l'usage du microphone, et Piaf, dont la voix peut emplir n'importe quel théâtre sans nécessiter d'amplification, a longtemps chanté sans micro. Elle peut encore le faire et n'y manquera pas lorsque les circonstances l'y obligeront. On voyage donc léger. Et comme il n'y a eu ni répétition d'ensemble, ni filage [1], c'est la chanteuse qui, sur place, avant la première représentation, indique à

1. Terme de métier qui signifie jouer le spectacle dans son intégralité – de préférence dans la salle où il doit être donné – sans marquer d'autres arrêts que ceux prévus pour les changements de numéro, comme si le public était présent. C'est, en quelque sorte, l'ultime répétition de travail avant « la générale » qui, elle, se déroule alors en présence d'un public d'invités.

Roche et Aznavour comment les choses vont se dérouler. Le présentateur local – lorsqu'il y en a un – les annonce, et ils disposent de cinq chansons pour ouvrir le spectacle ; puis Édith entre en scène et présente les Compagnons qu'elle rejoint pour *Les Trois Cloches*, juste avant l'entracte. À la reprise, c'est Charles qui est chargé d'annoncer Piaf avant de courir jusqu'à la régie pour s'occuper de ses éclairages. Ce qui provoquera plus tard ce commentaire d'un directeur de théâtre atrabilaire : « Je ne peux tout de même pas engager l'électricien de Piaf ! »

Si le spectacle est bien accueilli partout où il se donne, l'ambiance des premiers jours frise la tension au sein même de la troupe : le fossé est trop profond entre ces noceurs impénitents que sont Roche et Aznavour, et ces anciens « Compagnons de France », fraîchement démobilisés du Théâtre aux armées, qui se donnent des allures de parangons de vertu, de chasteté et de sobriété. « Ils étaient plus rigolos que nous, nous venions plus ou moins du scoutisme, concède aujourd'hui Fred Mella[1], le soliste des Compagnons, mais nous n'étions pas des enfants de chœur non plus. Simplement, nous devions respecter une discipline de groupe et nous ne pouvions pas avoir la même liberté que des duettistes. »

Cette tension initiale s'estompera, quand la tournée abordera la Suisse, pour des raisons tout bonnement matérielles : devant la cherté de la vie en Helvétie, il est décidé de louer des chambres collectives pour réduire au maximum les dépenses. Ainsi, par la force des choses, Roche et Aznavour se retrouvent-ils à accueillir dans leur chambre Fred Mella, avec lequel ils sympathisent rapidement. Dès lors, la glace est rompue, Fred et Charles demeureront à

1. Propos recueillis par Daniel Pantchenko.

jamais liés par une profonde amitié, et les Compagnons de la Chanson deviendront, au fil des années, les plus fidèles interprètes des chansons d'Aznavour. « Avec Charles, on s'est toujours suivis, confirme Fred Mella [1]. En dehors des Compagnons, je le revoyais à titre amical, et notre amitié n'a pas bougé. Nous poursuivons une conversation que nous avons entamée il y a soixante ans. Notre premier sujet, c'est la famille (en plus, Charles est le parrain de ma fille), et il y a évidemment le métier, les voyages, les souvenirs, les choses que nous aimons. Par exemple, en littérature, on échange des livres, on se passe nos auteurs. [...] À l'époque de la tournée avec Piaf, Pierre se mettait souvent au piano et Charles chantait, comme ça, pour le plaisir. C'est lui qui m'a fait découvrir Léo Ferré, avec *L'Inconnue de Londres*. On vivait une vie formidable de jeunes, on se marrait beaucoup… »

Lorsque la tournée s'achève, Piaf et les Compagnons s'apprêtent à s'envoler pour l'Amérique du Nord, mais il n'est pas prévu que Roche et Aznavour soient du voyage. Pourtant, la Môme elle-même les met au défi de franchir le pas, promettant de leur donner un coup de main sur place s'ils avaient assez de culot pour risquer l'aventure.

La tentation est grande, à la mesure du rêve que représente l'Amérique pour ces enfants de la guerre et de la Libération, nourris de swing, de cinéma hollywoodien et d'images de voitures étincelantes, longues comme des jours sans pain. Et puis, Édith les a touchés dans leur susceptibilité de jeunes mâles : « Vous n'avez quand même pas peur de partir à l'aventure ?… Ne vous dégonflez pas ! Soyez des hommes, quoi ! » Une façon bien à elle de les tester pour voir ce qu'ils ont vraiment dans le ventre, sachant que les occasions

1. Idem.

manquées dans ce métier ne se représentent guère. Car la réussite ne se réduit pas au seul talent : elle comporte sa part d'opportunisme, dont celui de savoir saisir sa chance, fût-elle maquillée, lorsqu'elle surgit.

Mais, piqués au vif ou alléchés comme des gamins, cela ne change rien à une double réalité : leur trésorerie est une nouvelle fois en berne et le voyage coûte horriblement cher. Charles – qui, sur le plan matériel, s'affirme décidément beaucoup plus terre à terre que Pierre Roche – a d'ailleurs fait les comptes : même sans acheter les billets de retour, il leur faudrait au bas mot un peu plus de cent quatre-vingt mille francs pour payer l'avion et se loger quelques jours à New York en attendant de trouver un éventuel engagement. Autant dire une fortune[1]. Pourtant, depuis qu'Édith leur en a parlé, ils ne pensent plus qu'à ça : l'Amérique !

L'obstination de Charles n'ayant d'égale que son sens de la débrouillardise, c'est encore lui, finalement, qui trouvera la solution, grâce à la complicité amusée de Raoul Breton qui leur consentira une avance quasi pharaonique sur *C'est un gars*, une chanson destinée – comme par hasard – à Édith Piaf. Devant le chiffre annoncé, l'éditeur manque d'abord de s'étrangler, mais, comprenant le pari des deux compères, accepte de leur délivrer la somme non sans bougonner pour la forme : « Vous êtes complètement fous ! Et moi, je suis tout aussi fou que vous ! »

Moins d'une semaine plus tard, en septembre 1948, Pierre Roche et Charles Aznavour se retrouvent dans un de ces vols long-courriers qui assurent la ligne de l'Atlantique Nord. Destination New York !

Dans leur enthousiasme, l'impression de vivre un rêve éveillé se confond avec le sentiment de partir à la conquête

1. À titre indicatif, quelques mois plus tard, le prix d'une 2 CV Citroën sera d'un peu moins de deux cent mille francs.

du Monde. Une euphorie que va se charger de doucher le premier fonctionnaire venu, au bureau de contrôle des passeports. Tombant des nues lorsqu'on leur demande de présenter leurs visas, ils réalisent soudain que, dans leur inconscience, ils ne se sont même pas inquiétés de ce genre de formalités. Et comme ni l'un ni l'autre ne parle anglais, cela ne facilite guère les explications. Alors que, sous leurs yeux envieux, les autres passagers franchissent sans encombre le portique qui les sépare de la Terre promise aussi sûrement qu'un océan, on les entraîne vers une pièce vitrée où officie un autre fonctionnaire qui parle quelques mots de français. Si l'homme affiche quelque patience, chaque réponse des deux compères semble les enfoncer sans cesse davantage : ils n'ont pas d'argent (tout au plus une poignée de dollars…), pas de billet de retour, pas d'adresse à New York, et, pour tout dire, aucune raison valable d'y venir. Il y a bien Piaf, mais l'officier n'a visiblement jamais entendu parler d'elle et, de toute façon, ils ne savent absolument pas où elle peut être descendue.

Heureusement, Charles connaît le nom de son agent aux États-Unis, un certain Fisher dont les bureaux sont à Broadway. Le fonctionnaire consent à téléphoner pour s'entendre répondre que Miss Piaf existe bien, mais qu'elle est pour l'instant en tournée au Canada où, justement, Mister Fisher l'accompagne. Quant à la secrétaire qui a pris la communication, elle est affreusement *sorry*, mais elle ne connaît aucun Mister Roche, et encore moins de Mister Aznavourian. Fin de non-recevoir.

Le temps passant, et la journée tirant à sa fin, il faut trouver une solution, les deux clandestins ne pouvant pas camper indéfiniment dans les locaux du service d'immigration de l'aéroport. L'officier décide donc de les faire conduire à Ellis Island, le centre de tri, de transit et – accessoirement – de détention provisoire où débarquent chaque jour les milliers d'émigrants, venus à pleins bateaux de l'Europe entière. Milliers d'hommes, de femmes, de vieillards et d'enfants fuyant toutes les misères et les persécutions, tous les désastres et les échecs, dans l'espoir d'un avenir meilleur à l'ombre de la statue de la Liberté, le Rêve américain brillant au-dessus du port de New York comme un gigantesque miroir aux alouettes. Milliers de voyageurs d'entrepont ou de troisième classe, encombrés de ballots noués à la diable et de valises fatiguées, cerclées de cordelettes ou de lambeaux de foulards. Milliers de destins en attente, parqués pour y être triés dans le gigantesque hall d'Ellis Island où, après un bref interrogatoire et une visite médicale rapide mais pointilleuse, la plupart d'entre eux obtiendront le sésame libérateur leur ouvrant les portes de leur nouvelle patrie et de leur nouvelle vie. Milliers d'émigrants quotidiens qui, au fil des ans, se chiffreront par millions.

Les malchanceux, les cas douteux, les malades, les refoulés sont quant à eux isolés dans de vastes cellules collectives, en attendant d'être réexpédiés vers leur point de départ par le premier bateau en partance, ou confrontés – dans le meilleur des cas – à un juge qui statuera sur leur sort. Pierre Roche et Charles Aznavour seront de ceux-là et passeront les trois premières nuits de leur escapade américaine derrière les barreaux d'une cellule d'Ellis Island qu'ils partagent avec une quarantaine d'autres pensionnaires de toutes nationalités. Au matin du quatrième jour, ils sont enfin transférés au tribunal où ils ont la chance de tomber sur un juge compréhensif qui leur accorde un visa provisoire de quelques semaines. À leur charge de revenir le faire prolonger dès qu'ils auront trouvé un travail ou un engagement sérieux.

Sitôt libres, ils foncent à Broadway, chez Fisher, pour essayer d'avoir des nouvelles d'Édith qui, malheureusement, n'arrivera pas avant plusieurs jours. Dans l'attente, il faut se débrouiller pour survivre en faisant durer le plus possible les quelques dollars qui leur restent en poche. Se nourrir, pour quelques cents, de hot-dogs et de Coca-Cola, et surtout dénicher un hôtel bon marché, si possible pas trop éloigné de Broadway, le quartier où semble s'être concentré tout le *business* du spectacle, des plus grands théâtres aux plus petits clubs en passant par les salles de cinéma, les maisons d'édition, les bureaux des imprésarios et les sièges des firmes discographiques.

Vivant d'expédients – Charles est très fort au poker, et le charme de Roche fonctionne toujours aussi bien auprès des filles qui, devant leur dégaine de chiens perdus et affamés, les invitent de bon cœur à venir chez elles dévaliser leurs frigos –, ils dépensent leurs ultimes dollars à se gorger de jazz et de swing dans les petites boîtes qui pullulent à proximité de leur hôtel. Malgré leur insouciance naturelle, la situation devient franchement critique : s'il ne trouvent pas rapidement du travail, le visa provisoire accordé par le juge va bientôt arriver à expiration et ne sera pas renouvelé. Et Piaf, qui n'arrive toujours pas !

Leur première chance se présentera au détour d'une rue, à deux pas de Central Park, où ils tombent par hasard sur un couple de danseurs d'origine arménienne, connu à Paris et qui leur promet de leur organiser aussitôt une audition dans un cabaret de Greenwich Village dont le patron est l'un de leurs amis. Rendez-vous pris, Roche et Aznavour se présentent au Café Society où ils sont engagés au bout de trois chansons, au tarif de base de trois cent cinquante dollars la semaine. Affaire d'autant plus alléchante que le patron – Barney Josephson – leur signe illico un contrat renouvelable de trois semaines, et leur promet cent dollars de mieux par semaine supplémentaire. Seule ombre au tableau : leur prestation n'est prévue qu'à la fin décembre, et nous n'en sommes qu'aux premiers jours de l'automne ; d'ici là, il faut tenir.

Une bonne nouvelle n'arrivant jamais seule, dit-on, Édith Piaf est enfin de retour à New York. Les deux amis se précipitent à son hôtel, sur Park Avenue, où la chanteuse n'en croit pas ses yeux. Si sa générosité n'a rien d'une légende, son potentiel de mauvaise foi se révèle tout aussi inépuisable : « Qu'est-ce que vous fichez ici, bande de cons ? Vous êtes fous à lier ! – Mais, Édith, c'est vous qui nous avez mis au défi de venir... – Non mais, regardez-les ! Vous êtes complètement zinzins ! Et puis, de quoi allez-vous vivre ? »

La douche est plutôt froide. Toute à ses nouvelles amours avec Marcel Cerdan, Édith ne veut pas les avoir dans ses jambes à New York. Car, cette fois, c'est du sérieux ! Elle est vraiment très amoureuse du boxeur qui vient de s'emparer du titre de champion du monde des poids moyens [1]. Outre la gentillesse naturelle de Cerdan qui tranche de manière étonnante avec la force et la violence exceptionnelles qu'il est capable de déployer sur un ring, ce qui épate le plus Édith, c'est que les gens le reconnaissent et le saluent dans la rue sans se retourner sur elle, encore inconnue, pour l'instant, du grand public américain. Elle qui a l'habitude d'imposer ses protégés aux forceps, aux directeurs de salles et aux organisateurs de tournées – lesquels ne peuvent rien refuser à Madame Piaf –, s'émerveille de s'afficher pour la première fois de sa vie avec un homme dont la renommée dépasse largement la sienne. Avec son côté midinette, Édith boit du petit-lait et voit vraiment la vie en rose depuis qu'elle a rencontré Cerdan.

1. Le 21 septembre 1948, à Jersey City, il a battu par K.-O. technique l'Américain Tony Zale, pourtant donné archi-favori par les bookmakers de la place. Marcel Cerdan disparaît le 28 octobre 1949 dans le crash de l'avion qui l'emmène rejoindre Piaf à New York (où elle chante alors au *Versailles*).

De ce fait, *C'est un gars*[1], la fameuse chanson que lui destinent Roche et Aznavour, qui leur a valu l'avance de Raoul Breton, ne pouvant mieux tomber, Piaf l'intègre aussitôt à son répertoire :

Mon Dieu ! je ne suis plus la même
Quand il me murmure : Je t'aime
Je trouve ça si merveilleux
Qu'il y a des larmes dans mes yeux
C'est beau l'amour qui se promène
Quand un beau gars en tient la chaîne

Édith a beau avoir sévèrement douché l'optimisme des duettistes, une promesse reste une promesse. Quoique assez explosifs, ses coups de gueule ne durent jamais bien longtemps. Si elle ne s'attendait pas à trouver Roche et Aznavour à New York à son retour du Canada, elle a quand même parlé d'eux au patron[2] d'une boîte de Montréal : le Quartier latin. L'occasion de gagner de quoi tenir quelque temps en attendant la fin de l'année et le contrat du Café Society.

Pour s'assurer qu'ils n'essuieront pas une nouvelle rebuffade, Édith charge Louis Barrier, son propre impré-sario, de négocier l'affaire. En quelques coups de téléphone, celui-ci leur obtient un engagement de quatre semaines à raison de trois cent cinquante dollars l'une, à condition qu'ils puissent débuter dans les cinq jours. Ce qui leur laisse à peine le temps de se retourner, de boucler leurs bagages et de faire leurs adieux avant de sauter dans un avion et de

1. *C'est un gars* (Charles Aznavour/Pierre Roche), que Piaf n'enregistrera qu'en 1950.

2. Gustave Longtin, ancien chanteur d'opéra, a été le premier à ouvrir à Montréal, en décembre 1946, une boîte dans le style du cabaret parisien, d'où son nom de Quartier latin.

s'installer dans leur nouveau décor. Comme ils n'ont guère le choix, ils acceptent avec reconnaissance et s'envolent trois jours plus tard pour Montréal.

Ainsi, pour Roche et Aznavour, la conquête de l'Amérique commence-t-elle vraiment par le Québec.

Chapitre 15

Un duo s'achève

En 1948, « La Belle Province » – ainsi que les Québécois nomment leur pays – n'a pas encore accouché du talent exceptionnel d'un Félix Leclerc qui, à trente-quatre ans, travaille comme présentateur à Radio-Canada. Gilles Vigneault, Raymond Lévesque et Pauline Julien fêtent tout juste leurs vingt printemps. Si le premier se destine à devenir professeur et les deux autres comédiens, aucun d'entre eux ne songe encore à chanter. Quant aux autres figures marquantes, Claude Léveillée, Jean-Pierre Ferland ou Robert Charlebois, les trois n'ont respectivement que seize, quinze et quatre ans. Autant dire que la chanson québécoise, dont l'influence sur la chanson française comptera tant au cours des décennies à venir, se trouve encore en pleine gestation ; écartelée le plus souvent entre les tenants d'un modèle traditionnel fortement imprégné de folklore (telle La Bolduc) et les imitateurs du modèle américain qui inventent une espèce de country & western à la canadienne. Elle s'apprête pourtant, sans le savoir, à saluer l'émergence d'un véritable père fondateur dont le pas immense défrichera des sentiers inexplorés et dont la stature de géant abritera de son ombre féconde l'éclosion des générations à venir. Cet homme, bien sûr, s'appelle Félix Leclerc, celui qui donnera à jamais la parole à tout un peuple dont, jusque-là, l'accent prête encore à sourire ; Félix Leclerc dont les premières chansons restent confidentielles, limitées à un tout petit cercle de parents et d'amis, et qui ne sera découvert que deux ans plus tard par l'infatigable Jacques Canetti.

En attendant, en matière de chanson d'expression française, le Québec vit surtout à l'écoute de ce qui résonne de ce côté-ci de l'Atlantique, et les tournées des quelques artistes hexagonaux qui se risquent à franchir l'océan y sont reçues à bras ouverts. En réalité, ceux-ci s'avèrent si peu nombreux qu'ils apparaissent tous comme des vedettes d'envergure et se trouvent accueillis avec chaleur, enthousiasme et sympathie. Roche et Aznavour profiteront donc pleinement de cet intérêt et découvriront par la même occasion la formidable gentillesse d'un peuple qui a élevé l'affabilité et le sens de l'hospitalité au rang de vertus cardinales. Si bien que leurs débuts se présentent sous les meilleurs auspices. Dès leur descente d'avion à l'aéroport de Dorval, ils sont attendus par un reporter de la CKVL, l'une des principales radios locales, et on les annonce, sur l'affiche du Quartier latin [1], à partir du 20 novembre 1948,

1. Pour la petite histoire et en finir avec un malentendu situant le Quartier latin à Québec plutôt qu'à Montréal, précisons qu'après leur passage initial au Quartier latin de Montréal (rue de la Montagne), Roche et Aznavour se sont produits durant « plusieurs semaines », en juillet-août 1949, dans « un club de nuit de Champigny, en banlieue de Québec », également nommé le Quartier latin : une salle de L'Ancienne-Lorette, près de Québec (une affiche les y présente comme les « fameux duettistes français de Paris » en ajoutant : « ils sont épatants »), gérée en fait par Gérard Thibault qui avait décidé de prolonger ainsi le succès qu'ils venaient d'obtenir dans son fameux cabaret de Québec, *Chez Gérard* (source : *Chez Gérard – La petite scène des grandes vedettes*, Gérard Thibault et Chantal Hébert, Éd. Spectaculaires, Québec, 1988).

comme (venant) « directement de Paris, les protégés de Piaf », « les fameux duettistes français de Paris », en ajoutant bien sûr : « Ils sont épatants ! »

Dans un tel contexte, la salle affiche archicomble le soir de leur première. Tout le gratin québécois semble s'être déplacé pour les voir, les écouter… et leur faire un triomphe. À la fin de leur prestation, le public emballé leur offre une ovation debout comme ils n'en ont encore jamais connue dans leur courte carrière. Les jours suivants, grâce à une presse plus que flatteuse, leur tour de chant se joue à guichets fermés, et le patron du cabaret envisage de prolonger leur contrat d'une semaine, en rajoutant cent dollars à leur cachet.

Au vrai, leur succès est tel que leur séjour dans la « Belle Province » va finalement durer, d'un contrat à l'autre, un ans et demi[1] ! L'argent qui rentre à nouveau, les bars de nuit, les filles qui les raccompagnent à leur hôtel… les deux compères renouent vite avec la vie de patachons qu'ils menaient à Paris aux plus belles heures de la Libération.

Quelques jours avant la fin de leur engagement au Quartier latin, le patron d'un boîte un peu douteuse de Montréal vient les voir dans leur loge pour leur proposer un bail de plusieurs mois chez lui. Il s'appelle Edmond Martin et son accent marseillais tranche fort sur celui des Québécois. L'homme a vu du pays et si ses affaires l'ont conduit successivement au Caire, au Moyen-Orient et à Chicago, avant qu'il ne jette l'ancre à Montréal, c'est qu'il est tout bonnement interdit de séjour en France. Bref, il est tout sauf un enfant de chœur, malgré ses airs affables et ses manières directes. L'établissement qu'il possède s'appelle le Faisan doré : un nom qui ne s'invente pas lorsque l'on trimbale un tel pedigree. L'endroit n'a rien d'un cabaret ;

1. Et non deux ans et demi, comme indiqué par erreur dans *Le Temps des avants* (p. 161).

il s'agit plutôt d'une sorte de dancing populaire avec sa longue piste en bois entourée de cordes qui l'apparentent à un ring, son bar clinquant et ses fresques criardes courant le long des murs. Habitué au décor cossu du Quartier latin, Charles commence par refuser la proposition, mais Martin insiste : il est prêt à leur offrir quatre cents dollars par semaine pendant au moins trois mois. Surtout, il s'engage à effectuer toutes les transformations que le chanteur jugera nécessaires pour améliorer la salle. L'affaire est donc conclue à condition de supprimer les cordes, de réduire l'espace par un jeu de rideaux, d'installer des éclairages moins crus et des projecteurs pour mettre la scène en valeur, d'acheter un bon piano pour Pierre Roche et d'exiger le port de la cravate pour les hommes.

D'ailleurs, Edmond Martin a le temps de se retourner, puisque Roche et Aznavour ne sont pas libres dans l'immédiat. La fin de cette année 1948 approchant, il n'est pas question de chanter trois mois au Faisan doré s'ils veulent rejoindre New York pour les fêtes. Au mieux pourront-ils débuter vers la mi-janvier. Mais Martin se révèle décidément un homme obstiné, qui ne souffre pas que l'on puisse discuter ses décisions. Puisqu'il reste quelque temps avant le début du contrat au Café Society[1], il insiste pour que Roche et Aznavour débutent chez lui dès le lendemain de leur dernière au Quartier latin, soit quatre jours plus tard, le 13 décembre. Ils ont beau se récrier en songeant aux transformations à faire, Martin assure que tout sera fin prêt… Et, de fait, le jour dit, tout est prêt.

Les derniers ouvriers n'ont fini leur ouvrage que quelques heures avant l'arrivée des premiers spectateurs, mais la salle

1. Roche et Aznavour sont retournés à New York le 27 décembre pour chanter trois semaines au Café Society, ce qui leur a valu un passage télé et une critique élogieuse dans le magazine *Variety*.

est méconnaissable et la clientèle n'a plus grand-chose à voir avec celle qui, quelques jours auparavant, venait guincher dans l'ex-dancing plus ou moins bien famé.

En tout et pour tout (parenthèse new-yorkaise de cinq semaines au Café Society comprise), Roche et Aznavour investiront un peu plus de cinq mois le Faisan doré, jusqu'à la fin mai 1949. Ils s'y réinstalleront d'ailleurs à compter du 17 octobre suivant, participant à des émissions de radio hebdomadaires, le vendredi soir, en direct du cabaret. D'évidence, par-delà l'écho direct de leurs prestations, ce lieu va marquer une étape décisive dans leurs carrières et leurs vies respectives. Aznavour y écrira le texte de *Sa jeunesse* dans les coulisses (la musique naîtra sept ou huit ans plus tard) et y rencontrera celui qu'il appelle son « cousin du Canada », Jacques Normand, « l'enfant terrible des ondes » québécoises, animateur emblématique du lieu jusqu'en 1952, année de sa fermeture. Vedette de la station de radio CKVL, mais aussi chanteur, ceui-ci enregistrera plusieurs disques, notamment des titres du tandem Roche-Aznavour : *Il faut de tout pour faire un monde*, *En revenant du Québec* et *Retour*. C'est en fait sur sa recommandation, après les avoir vus au Quartier latin, que le patron du Faisan doré les aura engagés, tout comme il convaincra Jacques Canetti, en mai 1950, d'auditionner un certain Félix Leclerc [1]... Bref, si le Faisan doré s'est révélé extrêmement bénéfique au deux Français, il n'en est pas moins certain que ce sont eux qui ont lancé l'endroit, passé en quelques semaines du stade de parquet populeux à celui de cabaret à la mode, capable de présenter un plateau complet à une clientèle de plus en plus soignée.

1. Différents ouvrages ont été publiés sur Jacques Normand après son décès en 1998 (voir le site de référence sur la chanson québécoise : www.qim.com/index.html).

Avec le temps, devant le succès rencontré au Québec[1] et le confort matériel dont ils jouissent désormais, les deux amis envisagent de s'établir sur place. D'autant que Pierre Roche y a rencontré sa future femme : une jeune beauté d'à peine seize printemps, nommée Jocelyne Deslongchamps, qui entamera elle aussi une carrière dans la chanson (des deux côtés de l'Atlantique) sous le pseudonyme d'Aglaé. Quant à Charles, maintenant qu'il a les moyens de s'offrir une voiture et de ne plus loger à l'hôtel, mais dans un bel appartement, il a décidé de faire venir Micheline et Aïda. Sa fille Patricia est restée à Paris en compagnie de ses grands-parents, Knar et Mischa, auxquels Charles envisage également, dans un second temps, de payer le voyage, histoire que toute la famille se retrouve à nouveau réunie et que les Aznavourian prennent souche au Canada.

Ce projet n'a rien d'une chimère, puisque, peu après son arrivée à Montréal, Aïda est engagée à son tour au Faisan doré dont le programme s'étoffe progressivement. Et, tout comme Roche, là voici amoureuse, au point de se marier.

Dans ce climat idyllique, il devient pourtant évident que le couple de Charles bat de l'aile. Micheline ne supporte plus de ne pas partager l'essentiel de la vie de son époux (son travail, ses sorties nocturnes, les heures qu'il passe à écrire et à composer, les tournées qu'il effectue sans elle, etc.) et souffre visiblement de ne pas voir sa fille. Au fil des jours, des mois, les disputes se multiplient et l'on commence à évoquer le mot divorce. Alors, pour tenter d'apaiser les

1. Le 18 mai 1949, Charles Trenet, qui avait chanté à Québec près d'un mois Chez Gérard, le cabaret de Gérard Thibault, écrivit à celui-ci : « Je vous engage à engager les duettistes Roche et Aznavour, ils sont excellents et font leurs jolies chansons eux-mêmes. Vous verrez le succès qu'ils auront... » Le conseil sera immédiatement suivi d'effet, puisque Roche et Aznavour y seront programmés dès le 28 mai et jusqu'au 2 juillet 1949 (puis à nouveau du 13 mars au 1er avril 1950).

ressentiments qui s'accumulent, Micheline repart seule pour la France où Charles promet de la rejoindre bientôt afin de faire le point.

Lui-même, au bout de tout ce temps, commence à ressentir la nostalgie de Paris, et Roche, quant à lui, voudrait présenter sa jeune femme à ses parents. Ils décident donc d'effectuer un voyage retour de quelques semaines pour humer à nouveau l'air du pays, régler certaines affaires et donner quelques spectacles, si possible, avant de revenir s'installer définitivement au Québec où les propositions ne cessent d'affluer.

Le départ est fixé au 1er mai 1950. Si Aïda, retenue par divers contrats ainsi que par son mari, reste seule à Montréal, Charles lui a promis qu'il reviendrait dans le courant de l'été. Il part d'ailleurs avec son billet de retour en poche. Cette fois, plus question de mendier le prix d'un aller simple auprès d'un éditeur mi-complaisant, mi-amusé ; la traversée (voyage de noces pour Pierre et Jocelyne) bénéficiera des cabines confortables d'un magnifique transatlantique, comme il convient à ceux qui reviennent au pays natal en vainqueurs :

Je suis parti de ville en ville
Par les sentiers, sur les chemins
Vers le hasard de mon destin
Fragile
[...]
Bonjour ma mère
Je reviens au pays

Outre ce *Retour* de tonalité plutôt mélancolique, le duo grave trois autres chansons en cette année 1950 (*Les Cris de ma ville*, *En revenant de Québec* et *Il pleut*) toutes imprégnées, d'une manière ou d'une autre, par la vie urbaine et l'importance des racines. En mars 2005 [1], lors d'une « entrevue » radiophonique, Monique Giroux – la « Madame Chanson » de Radio-Canada – interrogera Charles Aznavour sur une phrase à ses yeux un peu « étonnante » de son livre autobiographique daté de 2003 (*Le Temps des avants*) : « Je regrette de ne pas être né dans un petit village de France. » Réponse de l'intéressé : « Celui qui est né dans un village – quel qu'il soit : de France, d'Italie, du Québec... –, il a le droit de revenir chez lui de temps en temps, et de se ressourcer auprès de son village. Il est allé à la maternelle avec des enfants du pays, ils ont joué, ils se sont battus, ils se sont aimés, ils ont fait peut-être leur service militaire ensemble, et un jour ils se sont séparés : les uns sont allés à l'université, les autres se sont mis à la terre... certains ont réussi et ont fini par acheter une maison dans leur propre village (ça, je le vois de plus en plus), sont retournés aux sources et ont retrouvé les amis. C'est une chose formidable ! Je ne l'ai jamais eue et je ne l'aurai jamais [...]. Parce que je suis né à Paris, parce qu'on n'avait pas les moyens, parce qu'on déménageait beaucoup ! Je ne connais même pas mes voisins ! Je n'ai connu qu'un seul voisin ; je ne sais pas ce qu'il est devenu. [...] Mes amis, ce sont surtout des enfants de concierges : ce sont eux qui étaient dans la rue. On se faisait des boîtes avec des roulements à billes, on dévalait les rues à toute allure, et on risquait de tuer les passants [*petit rire*]. Ce sont les seuls souvenirs que j'ai ; je n'ai plus les souvenirs des gens, sauf d'une personne qui est dans le livre... »

Après sa fille et ses parents, Charles réservera l'une de ses toutes premières visites parisiennes à Édith Piaf. Comme

1. Le dimanche 27 mars, lors de l'émission *Rencontres-Chanson* que Monique Giroux anime sur l'Espace Musique de Radio-Canada (http://www.radio-canada.ca/radio2/artistes/231.shtml).

d'habitude, celle-ci – incapable de faire le tri entre l'affection sincère qu'elle lui porte et l'agacement prodigieux qu'il lui inspire – le reçoit comme un chiot dans un jeu de quilles. Quand il lui parle de ses projets de retourner bientôt au Québec, elle explose : « Une carrière, c'est en France qu'elle se bâtit, quand on est français ; pas ailleurs ! » Charles a beau arguer des ovations debout, des engagements qui se succèdent, des nombreuses émissions de radio, des disques qui se vendent bien, etc., Édith balaie d'un revers de main tout ce qu'il peut avancer : « Et tu crois que le monde s'est arrêté parce que deux cloches ont eu du succès dans un pays où le métier artistique n'existe même pas ?... Allez, tu vas me faire le plaisir d'oublier tes conneries ; et, pour commencer, tu vas t'installer ici ! » À Paris, bien sûr, mais surtout chez elle – ce qui implique, *de facto*, la consommation définitive de la rupture avec Micheline ; rupture de toute façon déjà acquise :

Il ne nous reste rien que regrets et remords
Rien qu'un amour déjà mort
Nous ne sommes, quoi qu'on fasse
Que deux êtres face à face
Qui vivent comme des étrangers [1]

En revanche, la seconde rupture exigée par Édith paraît beaucoup plus difficile à accepter, puisqu'il s'agit de se séparer de Roche. Dans leur duo, Piaf, qui n'avait même pas remarqué la présence de son comparse, la première fois, à la salle Washington, ne s'est jamais intéressée qu'à Aznavour. Là, elle se montre catégorique : « Tu vas rompre avec Roche ! Quand on fait une carrière, on la fait seul, comme un homme ! »

1. *Comme des étrangers*, Charles Aznavour, 1961.

La mort dans l'âme, Aznavour – qui sent bien qu'Édith Piaf a raison – s'en va exposer le problème à son acolyte tout en redoutant une explication houleuse. Certes, celui-ci ne saute pas de joie, mais, d'une certaine manière – bien que rien ne soit venu troubler la profonde amitié qui les unit –, leur relation professionnelle atteignait aussi son terme naturel. Charles éprouvait la nostalgie de Paris et, malgré les mirages québécois, il avait finalement décidé de rester (le coup de gueule de Piaf ne constituant que l'étincelle salvatrice servant à clarifier une situation déjà plus ou moins acquise, mais encore difficile à admettre). Quant à Pierre Roche, depuis son mariage avec Jocelyne Deslongchamps, le cœur de sa vie battait désormais au Canada. Ainsi, la dissolution du duo Roche/Aznavour marque-t-elle plus la divergence logique, acceptée, inéluctable, de deux parcours, qu'une véritable rupture. Les deux hommes resteront d'ailleurs très liés malgré des carrières aux profils fort différents, Charles ne manquant jamais de rendre visite à Pierre lorsque ses tournées le mèneront au Québec, et – la mode rétro aidant – Roche apparaissant parfois en invité surprise dans les spectacles d'Aznavour : « Belle époque ! L'époque des tandems est toujours fantastique ! Surtout lorsqu'on est restés en bons termes [1]. » Une période où l'artiste reconnaît volontiers que les deux loustics consacraient une large partie de leur temps et de leur énergie à d'autres activités que l'écriture : « On a dû écrire trente-cinq ou quarante chansons, ce qui n'est finalement pas énorme. Mais on était volages : on ne faisait pas qu'écrire, on courait aussi. Pour gagner notre vie, il fallait courir les cachets ; alors, on courait les cachets, on courait les filles, et de temps en temps on écrivait. On vivait, quoi ! Pour avoir une vie bien équilibrée

1. Propos recueillis par Daniel Pantchenko (1987).

plus tard, je crois qu'il faut qu'elle soit un peu folle au début, sans trop d'excès [1]. »

En tout cas, un duo s'achève et une page se tourne. Une page occupant huit années de deux vies. Désormais, Charles va devoir se battre seul. Seul contre tous. Seul contre une invraisemblable hostilité. Et ce qui l'attend ressemble à bien des égards à l'Enfer.

1. *Idem.*

III

À LA FORCE DU COUPLET

Chapitre 16

Chez Piaf

Comme prévu, Charles Aznavour s'installe chez Piaf, à Boulogne. Une banlieue contrastée, touchant d'un côté au XVIe arrondissement et au bois du même nom – dans les allées duquel passent d'élégants cavaliers et des joueurs de polo – et se terminant, de l'autre, parmi les hauts murs et les bistrots ouvriers qui entourent les usines Renault. En principe, cela s'appelle Boulogne-Billancourt ; mais, côté cossu, on trouve moins désespérant d'oublier Billancourt pour ne retenir que Boulogne.

L'ancienne chanteuse des rues, qui – en dépit de fortunes gagnées et gaspillées – gardera toute sa vie un sens de l'inconfort et de la simplicité quasiment atavique, s'y est offert un vaste hôtel particulier comme pour mieux narguer, au beau milieu de leur fief, ceux qu'elle appellera toujours « les rupins ». Une façon de prendre sa revanche sur les années de misère de son enfance et sur l'espèce de condescendance pincée que lui témoignaient les bourgeois, à ses débuts, dans les cabarets des beaux quartiers. Cela dit, elle a investi la place en irréductible saltimbanque, y installant sa tribu dans un décor d'une fantaisie hasardeuse, mâtinée d'un goût pour le moins extravagant :

certaines pièces sont quasiment vides, d'autres, telle sa chambre à coucher – inspirée de celle de Marie-Antoinette –, croulant sous les dorures, les tentures et les bibelots.

Comme il n'est pas et ne sera jamais « Monsieur Piaf », Charles loge dans une sorte de réduit au rez-de-chaussée, bigrement proche d'une loge de concierge. Parmi ses multiples fonctions de factotum, il lui arrive aussi – il est vrai – de jouer les concierges quand on sonne à la porte d'Édith et que, parmi sa cour, personne ne daigne prendre la peine de se lever pour aller ouvrir.

Officiellement, Charles est là pour écrire des chansons, Piaf ayant toujours aimé avoir ses auteurs-compositeurs à portée de main pour travailler avec eux selon son envie, c'est-à-dire, le plus souvent, au beau milieu de la nuit. Mais il lui sert également de chauffeur, d'éclairagiste, de secrétaire... Car Édith ne peut se passer de lui, tout en le rembarrant régulièrement sous les prétextes les plus futiles, et en lui reprochant ses moindres absences. Leurs relations s'avèrent à la fois complexes et ambiguës. Elle refuse presque systématiquement les chansons qu'il peut lui présenter, quitte à s'en mordre les doigts après coup en l'accablant alors d'une colère qui masque mal sa mauvaise foi. Ainsi sera-t-elle furieuse lorsque Juliette Gréco obtiendra le premier prix du Concours de Deauville et le grand prix de la SACEM avec *Je hais les dimanches*, chanson qu'Aznavour lui avait proposée en priorité et dont elle n'avait pas voulu [1]. « Édith, confirme Charles Aznavour aujourd'hui,

1. Au total, en huit ans de relations plus ou moins assidues, Édith Piaf n'enregistrera que huit chansons de Charles Aznavour : *Il pleut* (1948) de Roche et Aznavour, comme *C'est un gars* et *Il y avait* (1950) ainsi que *Rien de rien* (1951) ; *Plus bleu que tes yeux* (Aznavour seul,1951) ; *Une enfant* (Aznavour et Chauvigny,1951) ; *Jezebel* (W. Shanklin et Aznavour,1951) ; *Je hais les dimanches* (Florence Véran et Aznavour,1951). Par ailleurs, Piaf avait auparavant enregistré une chanson de Roche sans Aznavour, dont elle écrivit elle-même les paroles : *Un homme comme les autres* (1947).

était une femme de mauvaise et de bonne foi en même temps. Elle me reprochait d'avoir donné cette chanson à Juliette, faisant mine de ne pas se souvenir qu'elle me l'avait refusée, mais elle le savait parfaitement. Et nous le savions tous les deux. C'est pour ça que je m'entendais bien avec Piaf, c'est parce que je la connaissais bien ! »

À traîner dans les boîtes de Montmartre pour tenter d'y décrocher un engagement, Charles retombe un soir par hasard sur Jean-Louis Marquet, un ancien copain du Club de la Chanson qui, au tout début de sa collaboration avec Pierre Roche, avait proposé d'être l'imprésario du duo. Marquet partage à présent un petit appartement de la rue Villaret-de-Joyeuse avec un jeune couple qui, comme Charles, court le cacheton sans grand succès. Lui s'appelle Richard Marsan ; lorsqu'il se résoudra à abandonner la scène, il deviendra l'un des plus grands directeurs artistiques des années 60 à 80, réalisateur de la plupart des meilleurs albums de Léo Ferré [1] et découvreur de Bernard Lavilliers. Elle, Florence Véran, est une pianiste de formation classique qui a choisi de s'orienter vers la chanson au détriment d'une prometteuse carrière de concertiste ; elle composera les musiques de plusieurs jolis succès, tels *Je hais les dimanches* ou *Le Noyé assassiné* [2], écrits par Charles Aznavour.

Les quatre jeunes gens forment bientôt une joyeuse bande ; dès que Piaf lui accorde quelques heures de liberté, Charles file retrouver ses copains en compagnie desquels il brûle des nuits entières à refaire le monde et à échafauder des rêves de gloire, tout en buvant sec :

1. Léo Ferré lui dédiera une très belle chanson, *Richard,* sur son album *Il n'y a plus rien* de 1973.

2. 1952. La seconde vaudra à Philippe Clay le prix Charles-Cros 1955.

Je bois pour oublier mes années d'infortune
[...]
Je bois pour m'enivrer et vomir mes principes
Libérant de mes tripes
Ce que j'ai sur le cœur[1]

En fait d'oubli et d'illusion, l'alcool donne à Charles une lucidité douloureuse ; d'échec en rebuffade et de bide en humiliation, il touche au désespoir. Parfois, il se sent à deux doigts de jeter l'éponge ; jusqu'au jour où cette terrible lucidité le pousse à coucher noir sur blanc – lui qui est avant tout un homme de mots – le bilan de tout ce gâchis, pour tenter d'y trouver une explication et peut-être un remède, sans pour autant s'apitoyer sur son sort, ce qui n'est ni dans son caractère, ni dans ses habitudes. Rentrant aux trois quarts ivre d'une nuit de bamboche passée en compagnie de Jean-Louis Marquet, Florence Véran et Richard Marsan, il s'affale sur sa table de travail et déverse le trop-plein de frustrations qui l'étouffe.

À son réveil, il relit ce texte jeté d'une traite que, de son propre aveu[2], il conservera toujours comme une espèce de talisman : « Quels sont mes handicaps ? Ma voix, ma taille, mes gestes, mon manque de culture et d'instruction, ma franchise, mon manque de personnalité.

« Ma voix : impossible de la changer. Les professeurs que j'ai consultés sont catégoriques. Ils m'ont déconseillé de chanter. Je chanterai pourtant, quitte à m'en déchirer la glotte. D'une petite dixième, je peux obtenir une étendue de près de trois octaves. Je peux avoir les possibilités d'un chanteur classique, malgré le brouillard qui voile mon timbre.

« Ma taille : un mètre soixante-quatre reste un mètre soixante-quatre. Impossible d'y remédier. Je ne suis pas en

1. *Je bois*, Charles Aznavour/Georges Garvarentz, 1987.
2. Dans *Aznavour par Aznavour*, *op. cit.*

caoutchouc. Le seul essai que j'ai fait pour gagner quelques centimètres s'est soldé par un désastre. Les *elevator shoes* que j'ai essayées aux États-Unis ont fait croire aux impresarios que j'avais deux pieds-bots. La seule solution : accepter ma faible taille et la faire oublier aux autres.

« Mes gestes : sont ceux des petits. Courts, secs, étriqués. Je dois arrondir mes mouvements des bras, marcher plus lentement. Je vais me baisser en passant sous une porte de plus d'un mètre soixante-dix, comme les grands, afin de me débarrasser d'un complexe qui risque de me nuire.

« Mon manque de culture : j'ai décroché mon certificat d'études avec beaucoup de peine. Je n'apprends rien tout seul, et je n'en ai pas le courage. J'apprends en écoutant les autres.

« Ma franchise : je suis incorrigible. Je continue à hurler pour une injustice et je dis merde à n'importe qui quand j'en ai envie.

« Mon manque de personnalité : pour me faire remarquer, malgré ma petite taille, je m'habille d'une manière excentrique. On me remarque, mais on sourit.

« De l'enfant maigre, timide, peureux et vulnérable, il me faut tirer un être fort. Tout en conservant les principes moraux que m'ont inculqués mes parents, tout en restant capable de laisser éclater mon cœur, tout en restant capable de tendresse et de larmes.

« Je dois me construire pour me réaliser. Je dois refuser d'accepter le présent et me tourner vers l'avenir. Mais ne rien renier du passé. Mes bases, c'est toute la chanson française ; mes racines, le folklore mondial et la poésie orientale, surtout arménienne. »

S'il se sent requinqué d'avoir ainsi clarifié les choses, Charles n'est pourtant pas au bout de ses peines et de son amertume, car le pire reste à venir. Tant qu'il évoluera dans l'entourage rapproché d'Édith Piaf, les charognards du métier n'oseront pas trop ouvertement s'en prendre à lui ; de même, la presse le ménagera quand elle n'affectera pas, tout simplement, de l'ignorer. Mais le jour où, lassé des perpétuels caprices et des perpétuels griefs de la Môme, il claquera la porte de l'hôtel de Boulogne pour ne plus revenir, le bruit se répandra comme une traînée de poudre : « Piaf a enfin viré ce con d'Aznavour ! » Et les chiens seront lâchés ; ils mordront dur, méchamment, et pour faire mal.

Pour l'instant, Édith s'apprête à retourner chanter à New York, Charles à ses côtés. Elle est programmée pour plusieurs semaines au Versailles, l'un des cabarets les plus sélects de Manhattan : l'endroit même où elle s'était pratiquement évanouie en scène, le 28 octobre 1949, quelques heures après avoir appris la mort accidentelle de Marcel Cerdan. Malgré l'insistance de Louis Barrier et de ses proches, Édith avait tenu à chanter, dédiant son tour de chant à Marcel devant un public pétrifié par l'émotion. Une bonne partie de la légende américaine d'Édith Piaf s'était forgée ce soir-là, et le Versailles devenait désormais l'une des étapes essentielles de ses tournées internationales.

Cette fois, son nouveau chevalier servant s'appelle Eddie Constantine. Un splendide gaillard à la gueule ravagée de faux dur de cinéma et à l'humour décontracté, avec qui Charles s'entend à merveille et pour lequel il écrira *Et bâiller et dormir*[1], un titre collant parfaitement à cette nonchalance mi-naturelle, mi-étudiée, carte de visite de l'Américain.

Au cours de ce même séjour aux États-Unis, Édith décide que Charles doit absolument se faire remodeler le nez. Comme toujours chez elle – l'exécution de ses décisions, voire de ses lubies, ne pouvant souffrir le moindre délai –,

1. Charles Aznavour/Jeff Davis, 1953.

l'opération doit se réaliser sur-le-champ. Rendez-vous est donc pris pour la fin de la semaine dans l'une des meilleures cliniques de New York; et, pour éviter que Charles ne se défile à la dernière minute, la chanteuse a demandé à Louis Barrier de donner une confortable avance à Irwing Goldman, le chirurgien en charge de l'opération.

« En réalité, raconte Charles, c'est Lou Levy, éditeur très important aux États-Unis, qui avait indiqué à Édith le nom du chirurgien. Il était alors "le" chirurgien, celui qui opérait toutes les vedettes de Hollywood (il m'avait montré son album, avec des noms que je ne citerai pas, puisqu'il ne fallait pas le faire) et Lou a négocié le prix avec lui pour que Piaf paie le moins cher possible. Finalement, c'est comme s'il en avait lui-même payé la moitié... »

Une opération qui, par-delà son caractère plastique, aurait pu, à l'époque, susciter certaines interrogations. Rédactrice en chef d'une publication spécialisée dans l'histoire de la chirurgie esthétique (*L'Agora*), la Québécoise Hélène Laberge évoque, dans un article d'avril 2001, les préjugés alors provoqués par « les caractères ethniques du nez » : « J'avais connu Charles Aznavour à la fin des années 40, au moment où je vivais à Paris. Je me rappelle que, dix ans plus tard, au Québec, alors que j'étais avec des amis, il est venu se joindre à nous pour bavarder de choses et d'autres. Il venait de se faire refaire le nez. Et laissez-moi vous dire qu'au début des années 50, c'était plutôt rare. Or Aznavour, qui est d'origine arménienne, était né avec un nez superbe, un beau nez aquilin, mais ça lui causait parfois quelques ennuis. Il racontait : "Avant, si j'avais le malheur de stationner trop longtemps à une lumière verte, je me faisais engueuler par les policiers, mais, à partir du moment où je me suis fait arranger le nez, un nez mignon, un peu retroussé, très sympathique, l'attitude des policiers envers moi a changé, et même l'attitude des gens dans la rue a changé... »

Et Hélène Laberge rappelle qu'au début du siècle sévissaient des idéologies eugénistes en Europe et racistes aux États-Unis : « Commençaient à se répandre en même temps de nouvelles idées scientifiques sur l'hérédité, le caractère ethnique et la race. L'anatomiste Blumenbach avait, dès la fin du XVIIIe siècle, développé une théorie de classification qui fut généralement bien reçue. Cette classification, on le sait, décrivait la race européenne comme le type racial parfait, toutes les autres étant vues comme des races ayant dégénéré par rapport à ce type idéal. [...] Les immigrants fondateurs des États-Unis, qui s'appelaient eux-mêmes *The Old Stock*, regardèrent débarquer avec suspicion les nouveaux immigrants (*New Stock*) à la lumière des théories de Darwin et de Mendel, et de l'eugénisme qui en découlait. » Rappelant que, selon ces théories, « les traits héréditaires ne pouvaient être modifiés par les facteurs environnementaux, et qu'il fallait donc "conserver les traits positifs et éliminer les négatifs" », elle ajoute : « Ça a beaucoup contribué à la volonté de cacher ses origines ethniques... C'est assez pénible de constater une telle attitude de la part de gens qui, après tout, étaient eux-mêmes des immigrants... »

Quoi qu'il en soit, lorsque Aznavour sort de la clinique, il est méconnaissable : il porte un énorme pansement sur le haut du visage, assorti d'une sorte de coque en plâtre, percée de drains, destinée à protéger son nouvel appendice durant la cicatrisation. De plus il parle du nez, justement, et ne reconnaît plus sa voix; un véritable cauchemar pour un chanteur. Ne pouvant plus travailler dans ces conditions, ni même présenter Édith ou régler ses éclairages, il revient en France plus tôt que prévu, seul et démoralisé comme jamais.

Chapitre 17

En solo

Un mois plus tard, lorsque la chanteuse rentre à son tour, Charles est enfin débarrassé de ses pansements et commence à s'habituer à son nouveau physique. À Boulogne, la vie reprend son cours ; dans la tumultueuse saga amoureuse d'Édith Piaf, l'épisode Eddie Constantine touche à sa fin. Pas du fait d'Édith, mais de l'Américain, marié et père de famille en Californie, qui a décidé de faire venir sa femme et sa fille à Paris. Pour autant, les deux anciens amants restent bons amis et jouent ensemble une comédie musicale écrite par Marcel Achard et Marguerite Monnot : *La P'tite Lili*, dont la première a lieu le 3 mars 1951, au théâtre de l'ABC.

La pièce remporte un succès et tient plusieurs mois à l'affiche. Il est même prévu de la reprendre à la rentrée suivante, après une pause au cours de laquelle Édith doit sacrifier au rituel des tournées d'été. De nombreux galas sont prévus dans toute la France, et Charles Aznavour renoue donc avec ses multiples rôles de chauffeur, porteur de valises, présentateur, éclairagiste, souffre-douleur et accessoirement chanteur en lever de rideau. Un rythme d'autant plus épuisant que, chaque jour, les étapes se traduisent par d'interminables heures de conduite. Jusqu'à ce 24 juillet 1951 où Charles manque un virage et pulvérise la grosse Traction 15 CV contre un arbre. Édith, qui dormait sur la banquette arrière, est éjectée sur le coup ; ils s'en sortent tous deux sans la moindre égratignure, mais l'alerte a été chaude. À l'avenir, ils n'auront pas toujours autant de chance. Cinq ans plus tard, Charles manquera de se tuer en percutant de plein fouet un camion aux environs de Brignolles, évitant de très peu la paralysie générale et l'amputation d'un bras. Pour Piaf, la rémission sera beaucoup plus courte : à peine trois semaines après ce premier accident, la scène se reproduit presque à l'identique. Sauf que, cette fois, Charles somnole à l'arrière de la voiture, Édith étant à la « place du mort », à côté du conducteur, son nouvel amant : l'ancien champion cycliste André Pousse. Sérieusement blessée, elle en conservera longtemps de violentes douleurs aux bras et dans la poitrine, qu'elle tentera d'oublier en s'adonnant à la morphine.

Quelques mois après avoir refermé la parenthèse Pousse, Édith – toujours à la recherche du grand amour qu'elle n'a qu'entrevu avec Cerdan – annonce à son entourage, stupéfait, qu'elle va se marier. Non pas avec l'un de ces jeunes inconnus, au talent et à l'avenir prometteurs, qui occupent le plus souvent son ordinaire, mais avec un homme tranquille de cinq ans son aîné, déjà vedette confirmée à l'époque où elle chantait encore dans les cours et dans les rues : le séduisant Jacques Pills[1]. Belle prestance, physique avantageux, sympathique et doté d'un solide métier, Pills a bien survécu à la séparation du duo qu'il formait avec

1. Jacques Pills et Édith Piaf se marieront civilement à Paris, le 29 juillet 1952. La cérémonie religieuse aura lieu deux mois plus tard, à New York, le 20 septembre, en présence de Marlene Dietrich qui sera le témoin d'Édith.

Georges Tabet au début des années 30. S'il n'est plus à proprement parler une vedette de premier plan, il n'en poursuit pas moins avec élégance et charme une jolie carrière internationale, accompagné sur scène par un jeune pianiste débordant d'idées et d'énergie : un certain François Silly, que le monde entier connaîtra bientôt sous le nom de Gilbert Bécaud.

Pour Charles Aznavour qui continue à évoluer dans le sillage d'Édith – et malgré toute l'admiration qu'il a pu lui porter du temps de Roche et Aznavour –, Jacques Pills ne représente sans doute qu'un « Monsieur Piaf » parmi tant d'autres ; un de ceux qui passent plus ou moins brièvement dans la vie et le cœur de la chanteuse alors que, pour sa part, il commence à faire sérieusement partie des meubles. Il en va tout autrement avec Gilbert Bécaud : les deux hommes sympathisent immédiatement et, très vite, se mettent à écrire ensemble. Des chansons qu'au bout du compte l'un et l'autre enregistreront quelques années plus tard, mais qui pour l'heure essuient un refus de leurs patrons respectifs [1]. Froissements d'amour-propre à répétition qui finiront par les lasser et les inciter à rompre avec ces derniers – sans esclandre ni fâcherie, mais de manière définitive – pour tenter de voler de leurs propres ailes, sans plus dépendre de qui que ce soit.

En cette même année 1952, Charles Aznavour se voit offrir un contrat d'enregistrement par la maison Ducretet-Thomson-Selmer. Il grave aussitôt un premier 78 tours. Deux titres, accompagnés respectivement par les orchestres de Frank Pourcel et Paul Mauriat : une reprise de *Jezebel*,

1. Piaf et Pills chanteront et enregistreront plusieurs chansons composées par Gilbert Bécaud (dont *Ça gueule, ça, Madame !*, paroles de Piaf et musique de Bécaud, qu'ils interpréteront en duo en 1952), mais aucune du tandem Aznavour-Bécaud.

popularisée par Piaf l'année précédente (chant obsédant d'amour absolu, qu'il interprète d'une voix un peu courte dans les basses et en prononçant «Jezabel»), et *Poker*, chanson-fable écrite avec Pierre Roche en souvenir amusé de l'époque où ils vivaient d'expédients, à New York :

On prend les cartes, on brass' les cartes
On coup' les cartes, on donn' les cart's
Je m' dis qu'es-tu v'nu fair' dans cett' galère ?

Cette chanson (notamment) accrochera très vite l'oreille d'un futur autre chanteur : Michel Fugain. «Aznavour, j'adore. J'ai le souvenir de dimanches où on allait en Savoie chez mes grands-parents, et sur la petite radio de la 4 CV on écoutait une émission qui passait Aznavour. Avec *Le Feutre taupé*, *Poker*... Il y avait de la mélodie. Ça chantait ! Une chanson, c'est fait pourça. [...] Et, en fait, assez tard, je me suis rendu compte que Charles a traversé ma vie. Il était dans la 4 CV, et je l'ai retrouvé ensuite quand j'ai commencé à m'intéresser au cinéma. Je fais partie de la génération qui a porté au pinacle la nouvelle vague, et le chanteur de la nouvelle vague, c'était Aznavour [1].»

Malgré l'échec commercial de ce 78 tours inaugural en solo, Aznavour en gravera quatre autres pour le même label en un peu moins de dix-huit mois, avec différents orchestres (Robert Valentino, Virginie Morgan, Michel Ramos, Jean Leccia) [2]. Le premier s'ouvre sur un savoureux *Oublie Loulou*

1. Propos recueillis par Daniel Pantchenko pour le dossier Fugain de *Chorus* n° 53 (automne 2005).

2. Curiosité d'époque, les trois premiers orchestres cités sont gratifiés du label dynamisant «et ses rythmes», du genre : «Robert Valentino et ses rythmes» !

du plus pur Roche-Aznavour, où la voix de ce dernier bat délibérément de l'« l » sur les sons :

Oublie, oublie Loulou
Mais oublie, mais oublie Loulou
Oublie-la donc
Oublie, oublie Loulou

On est loin de la grande poésie (ce à quoi Aznavour n'a jamais prétendu), mais quelle fraîcheur ! À cette vraie fantaisie succède *Plus bleu que tes yeux*, complainte sentimentale à souhait, enregistrée dès l'année précédente par Édith Piaf et avec laquelle, quarante-six ans plus tard, Charles s'offrira un « duo virtuel » dans son album *Plus bleu...* de 1997.

Le 78 tours suivant, de 1953, est entièrement consacré à sa collaboration avec Gilbert Bécaud. Le rythme et la fantaisie restent de rigueur avec *Mé qué mé qué* (que l'on orthographiera aussi *Méké méké*), souriant exercice de style complètement OK :

Le navire est à quai
Y'a des tas de paquets
Des paquets posés sur le quai... là
[...]
Me qué me qué
Mais qu'est-ce que c'est
Une histoire de tous les jours

De son côté, *Viens* (« La pluie ne cesse de tomber / Viens plus près ma mie ») connaîtra le succès avec la version de Gilbert Bécaud gravée la même année. En juin sort alors *Et bâiller et dormir* (musique de Jeff Davis), hymne écolo-épicurien à la paresse (tendance tendre) qui va coller à la peau d'Eddie Constantine, et *Intoxiqué* (musique Gaby Wagenheim), plantage amoureux typiquement aznavourien avec montée vocale et point d'orgue sur le « toi » final[1]. Et le quatrième 78 tours comporte une reprise de *Couchés dans le foin*, le plus grand succès de Mireille et Jean Nohain (rendu célèbre en 1931 par Pills et Tabet), et un *À propos de pommier* (musique de Hubert Giraud) plus irrévérencieux que biblique (« Car les femm's tiennent leur promesse / De ne pas toucher au pommier [...] / Car ell's préfèrent goûter au péché ») qui ne figurera pas parmi les onze titres du 25 cm *Charles Aznavour chante... Charles Aznavour N° 1* du mois de décembre. Un premier 25 cm historique, au verso duquel Charles Trenet a signé un joli compliment : « Je crois que Charles Aznavour est le seul artiste français capable de chanter en style jazz avec poésie et musicalité. Son rythme et sa nostalgie le rendent inimitable. Je l'admire autant pour ce qu'il écrit que pour ce qu'il interprète. Il est vrai. La chanson est en marche ! »

Entre-temps, de plus en plus désireux de prendre ses distances avec l'entourage d'Édith Piaf, Charles a quitté l'hôtel de Boulogne au terme d'une prise de bec un peu plus animée que de coutume. Bien décidé à s'affranchir enfin de l'emprise de cette protectrice excessive, il réalise que la conquête de son indépendance implique absolument la recherche et la location d'un logement ; ce qui l'amène à passer un arrangement avec Jean-Louis Marquet. Celui-ci le remplace donc comme homme à tout faire auprès de la chanteuse, tandis que Charles emménage rue Villaret-de-Joyeuse, à quelques centaines de mètres de la place de l'Étoile et de l'avenue Foch. Un des quartiers les plus chics

1. Le plus souvent, ce sera sur « mon amour ».

et chers de Paris, qui ne correspond ni à son standing de chanteur fauché, ni à celui de ses amis Richard Marsan et Florence Véran avec lesquels il cohabite dorénavant[1]. Proche, sans doute, des cabarets luxueux des Champs-Élysées où personne ne veut d'eux, à mille lieues qu'ils sont des canons de la mode du moment, mais fort loin des boîtes de la butte Montmartre où ils traînent jusqu'à point d'heure, Chez Pomme ou Chez Geneviève. Des boîtes où ils croisent d'autres poètes de la nuit, lient des amitiés de quelques heures ou de toute une vie, chantent dans la fumée des cigarettes et le vacarme des verres que l'on choque, en courant sans relâche d'improbables cachets pour assurer ces fins de mois qui reviennent « sept fois par semaine », comme le chante alors rageusement Léo Ferré[2].

Ayant quitté Boulogne et son étouffante sécurité matérielle, Charles se retrouve dans la situation du loup de la fable. Certes, il n'a plus de collier, mais son ordinaire se réduit à la portion congrue : « Rien d'assuré, point de franche lippée / Tout à la pointe de l'épée[3]... » Il ne vit guère que grâce aux avances sur droits d'auteur que lui accorde Raoul Breton. Car l'éditeur croit en lui et ne le lâchera jamais, même aux heures les plus sombres, quand l'ensemble de la critique et des gens du métier s'acharneront avec un plaisir sadique à démolir systématiquement celui sur lequel ne s'étend plus la main protectrice de Piaf.

Des choses immondes s'écriront alors sur lui. « S'offrir » Aznavour devient un exercice de style, presque un genre à part entière dans une presse – pourtant issue de la

1. En compagnie d'un quatrième larron, Billy Florent, batteur-chanteur qui travaille au cabaret l'Ange rouge.

2. *La Vie d'artiste*, Francis Claude/Léo Ferré, 1950.

3. *Le Loup et le Chien*, Jean de La Fontaine (*Fables*, Livre premier).

Résistance – qui, pour l'occasion, retrouve d'instinct des accents que n'auraient pas reniés des torchons haineux comme *Je suis partout*. Tout y passe, tous les poncifs du genre, toutes ces caricatures qui firent les choux gras de l'antisémitisme à la veille de la guerre et pendant les années noires de l'occupation et de la collaboration. Aznavour n'est pas juif, mais, en tant qu'Arménien, il est facile de le désigner tacitement à la vindicte de l'inconscient collectif comme l'un de ceux que l'on appelle alors, par amalgame raciste, les levantins et les métèques. La manière est sournoise, s'appuyant sur des faits encore très proches, des souvenirs trop douloureux, une horreur trop présente, une indignation trop récente. Et si même le plus sectaire des plumitifs ne saurait reprocher ouvertement à Aznavour une judéité qui n'est pas la sienne, sous ce qui se prétend une simple critique d'artiste s'agite à l'évidence une attaque en règle contre l'homme et ce qu'il suggère [1]. Un tir de barrage reprenant en filigrane les plus pitoyables clichés du discours antisémite : le sens exacerbé des affaires et l'amour de l'argent (pour ne pas dire la rapacité), le physique (Charles a beau s'être fait refaire le nez, ses détracteurs ne voient toujours que lui !) et autres joyeusetés du même tonneau.

Florilège : « Vous feriez mieux de faire de la comptabilité, vous pourriez chanter en comptant, mais ne comptez pas chanter ! », « Nous ne sommes pas en présence d'un petit escroc d'envergure, mais d'un escroc de petite envergure :

1. Aujourd'hui, depuis l'éclatement de l'URSS, l'Arménie – indépendante depuis 1991 – est un peu mieux connue du grand public. En grande partie, d'ailleurs, grâce à l'action de la Fondation pour l'Arménie créée et animée par Charles Aznavour. Pendant longtemps, le peu que l'on savait du génocide des Arméniens, de leur exil et de la diaspora qui en résulta, fit que bon nombre de Français eurent tendance à les assimiler, à tort, à une composante du peuple juif.

comme sa taille le prête à penser ! », « Nous avons eu la primeur d'une apparition qui nous a ramenés aux temps de l'imagerie monstrueuse, aux siècles de Quasimodo et des *Mystères de Paris*. En voyant et en entendant ce Monsieur Aznavour, nous nous sommes demandé : pourquoi ne pas chanter avec une jambe de bois ? », « La prétention d'Aznavour de se présenter devant un public est inconcevable... Quelle totale inconscience ! », etc. Loin de cesser avec les premiers succès personnels du chanteur, ces attaques évolueront ensuite vers la saillie mi-figue mi-raisin, où l'on feint de se plier au verdict de la *vox populi* et d'avaliser la réussite du bonhomme tout en continuant à laisser planer de sérieuses réserves sur son talent réel. À l'instar de ces fameux « calembours mouillés d'acide » évoqués dans *Comme ils disent*[1]... La plupart de ces traits mettront en évidence – et en opposition – la pauvreté supposée des moyens vocaux du chanteur, comparée à la soudaine aisance matérielle que lui apporte un succès devenu irrésistible. Ainsi le surnommera-t-on l'« Aphonie des grandeurs », la « petite Callas mitée », l'« Enroué vers l'or »... Lorsque, enfin, le succès d'Aznavour sera devenu tel que nul ne pourra plus le contester et que – faute d'arguments, voire d'arguties – les tartuffes se réjouiront de la métamorphose de celui qu'ils assassinaient la veille, Raoul Breton soulignera très justement : « Ce n'est pas lui qui a changé, c'est vous ! »

1. *Comme ils disent*, Charles Aznavour, 1973.

Chapitre 18

Un éditeur nommé Breton

Raoul Breton, il est vrai, accomplit un remarquable travail d'éditeur. Si Charles n'arrive toujours pas à s'imposer comme interprète, il commence à être reconnu à sa juste valeur d'auteur-compositeur. Dans un article intitulé « Aznavour – Monsieur-force-la-chance », Jacqueline Cartier écrit dans *Music-Hall*[1] : « Charles Aznavour : il a forcé tous les sens interdits, il a chanté l'amour comme personne ne l'avait fait. [...] – "Aznavour ? Il ne force pas la chance. Il est obligé de la violer !" Le monsieur qui résume ainsi la carrière de notre auteur de chansons n° 1, c'est Raoul Breton, l'éditeur bien connu. Il s'y connaît : son bureau a pour cartes d'état-major les graphiques du succès. Dans les courbes ascendantes, celle d'Aznavour est la plus directe, la plus flagrante : elle pique droit vers le ciel. C'est une envolée qui se traduit par plus de 180 chansons que tout le monde fredonne. [...] Elles font partie de notre vie quotidienne au point qu'on en oublie leur origine. [...] Que vous le vouliez ou non, vous êtes "Aznavouré" du

1. N° 5, juin 1955.

matin au soir. [...] Gréco hait les dimanches, Patachou veut nous dire adieu, Georges Ulmer a bu, Philippe Clay a un piano, Édith Piaf ne trouve rien de plus bleu que tes yeux, les Compagnons de la Chanson ont découvert l'objet, Constantine lui-même reconnaît que sa chance est venue du jour où il a su ce qu'était bâiller et dormir. » En revanche, Annie Cordy, future grande amie de Charles, n'a pas suivi d'emblée le mouvement : « La première fois que l'on s'est vus, c'est en 1954, je pense. Il m'a téléphoné et il est venu chez moi me proposer des chansons, mais ça n'a pas collé. J'avais surtout été très étonnée, parce qu'on m'avait dit que Charles Aznavour buvait sec et menait une vie assez agitée... et il m'a demandé un verre de lait[1] ! » [*rire*]

Raoul Breton, qui prend chaque mois une pleine page de publicité dans ce nouveau magazine[2], concilie remarquablement rigueur artistique et opportunités commerciales. Cet ancien danseur, né à Vierzon le 27 août 1896, pratique alors son métier d'éditeur depuis trente ans. Dès le n° 3 de ce journal, en avril 1955 – dont Charles Trenet fait la couverture –, il témoigne en tant que tel dans une enquête de Pierre Barlatier sur l'évolution de la chanson, aux côtés de Raymond Asso (« parolier »), Jean Wiener (compositeur) et Odette Laure (interprète). Des propos nets, clairs, lucides : « On assiste forcément à l'éclosion d'un style nouveau le jour où de véritables poètes écrivent des chansons et où ils trouvent des éditeurs. Lorsque j'ai débuté dans l'édition en 1925, qu'était la chanson française ?

1. Propos recueillis par Daniel Pantchenko.
2. Son patron s'appelle Félix Vitry (directeur de salles célèbres, dont Bobino) et après Pierre Barlatier, rédacteur en chef, c'est Richard Balducci, futur « chargé de presse » de Charles Aznavour, qui en assure la réalisation (en couleurs) dès le mois de décembre 1955.

– l'apologie des filles et des souteneurs. J'ai eu la chance de rencontrer un vrai poète, Maurice Ambret, trop tôt disparu – il avait vingt et un ans – sans avoir eu le temps de donner sa mesure. C'est Maurice Ambret qui écrivit cette admirable *Complainte du prisonnier* dont Gabaroche fit la musique et qui fut créée par Damia. Cette œuvre fit à l'époque un tel remous que d'autres poètes se mirent eux aussi à écrire des chansons. Simon Gantillon, par exemple, dont la même Damia créa deux chansons gitanes : *Chanson à boire*, *Chanson de route*. Puis, un beau jour de 1927, je vis arriver dans mon bureau une petite fille toute frêle, toute blonde, et un jeune avocat : Mireille et Jean Nohain. De leur opérette *Fouchtra* sont tirés : *Couchés dans le foin*, *Le Vieux Château* et *Le Petit Chemin*. À partir de ce moment-là, le soleil, la lumière, la nature et la vraie poésie ont fait leur entrée dans la chanson. Quelques années plus tard, ce fut le tour de Charles Trenet…

« La chanson a changé du jour où les auteurs ont défendu eux-mêmes leurs œuvres : Mireille, Trenet… En même temps, la musique devenait de plus en plus mélodique. L'harmonisation faisait des progrès considérables. N'oubliez pas que Gilbert Bécaud, par exemple, est premier prix du Conservatoire. J'ai l'impression que si les grands classiques revenaient, ils feraient eux aussi des chansons. […]

« Savez-vous qu'elle – oui, la toute petite chanson – fait entrer plus de devises dans notre pays que les industries de l'automobile, de la haute couture et des parfums réunis ? Que souhaiter ? Que la chanson devienne de plus en plus belle, naturellement. Mais que cessent d'écrire des chansons ceux qui ne sont pas faits pour en écrire… Que la radio supprime ces concours d'auteurs amateurs qui donnent de faux espoirs à tant de pauvres gens. […] Naguère, je recevais chaque mois quarante à cinquante manuscrits. Je les lisais tous. C'est ainsi que j'ai découvert la plupart de mes auteurs. Aujourd'hui, tenez-vous bien, j'en reçois huit ou dix mille. Comment choisir ? Je n'en lis aucun. »

Après Damia et le tandem Mireille-Jean Nohain, Raoul Breton devient donc l'éditeur du « Fou chantant ». Rachel, son épouse, traditionnellement appelée « La Marquise » par les gens du métier, cultive un certain souvenir des premiers contacts entre les deux hommes : « Je n'étais pas encore mariée [1] lors de la rencontre Breton-Trenet. Mon mari l'a découvert à l'époque où il chantait au Palace avec Johnny : deux gosses dont c'était la première apparition en public. Mon mari était là par hasard. Il a mis un mot à Charles : "Venez me voir demain." Ils ne se sont jamais quittés par la suite. Charles dit que c'est son plus beau souvenir. Il a d'ailleurs, sur sa table, sous verre, ce petit mot, pour lui historique. Quand je me suis mariée, mon mari m'a dit : "Je vais te présenter un garçon qui va t'être très sympathique. Il n'a pas de chaussettes aux pieds, il porte une veste rouge." Je m'attendais à rencontrer un monstre et j'ai vu arriver un grand et beau garçon, veste rouge, regard bleu, une espèce de fou exalté. Le hippie avant la lettre... Il était magnifique. » En note de cet entretien avec « La Marquise », réalisé par Richard Cannavo dans son ouvrage de référence, *Trenet – Le Siècle en liberté*[2], le journaliste-écrivain nuance l'anecdote : « Il semble qu'en réalité Raoul Breton ait rencontré le jeune Charles Trenet bien avant, à Vernet-les-Bains où il se trouvait en villégiature, lors d'une revue d'été d'Albert Bausil [3], et qu'il ait alors convié le jeune homme à venir le voir, s'il "montait" à Paris. Ce que Charles

1. Le mariage a eu lieu le 12 mars 1936 à Paris.
2. Hidalgo Éditeur, p. 207, Paris, 1989.
3. Poète du Roussillon et journaliste polémiste qui eut une influence déterminante sur le jeune Trenet qu'il rencontra à l'âge de treize ans, en 1926.

fit en débarquant un jour chez lui, des sandalettes au pied et un petit béret sur la tête. »

La version évoquée par Cannavo pourrait bien être identique à celle rapportée par la revue *Music-Hall* d'avril 1955 ; Raoul Breton y étant lui-même interviewé, il a vraisemblablement lu et « validé » l'article sur Trenet paru quelques pages plus loin, où l'on peut lire : « M. Lucien Trenet, qui assume les graves fonctions de notaire, amène avec orgueil ses clients admirer les œuvres de son fils. Parmi ceux-là, il y a un éditeur parisien qui a pris contact avec le maître tabellion en vue d'acheter une maisonnette à Collioure. Pour la somme globale de 100 francs, il acquiert deux aquarelles signées Charles Trenet, qu'il a d'ailleurs conservées. Encouragé par ce succès, le jeune garçon lui lit quelques sonnets de sa manière et, quelques mois plus tard, vient le voir à Paris où il poursuit ses études. Dans le recueil, R. Breton remarque des strophes intitulées *Le Vieil Alsacien*. Il les trouve si harmonieuses qu'il demande à un compositeur de les mettre en musique. Hélas, cette proposition faite successivement à Michel Emer, Misraki, Wal-Berg, donnera une sorte d'oraison funèbre qui ne connaîtra jamais le contact avec le public. Finalement, Charles lui-même compose la partition, pour nous donner l'inoubliable *Je chante* aux notes enthousiastes. Il est parti pour le service militaire quand Raoul Breton propose à Maurice Chevalier son autre chanson, *Y a d'la joie…* »

Après Charles Trenet, Raoul Breton détectera de nombreux autres talents, dont les plus prestigieux restent Gilbert Bécaud, Félix Leclerc et Charles Aznavour, qu'il a découvert sur scène – rappelez-vous – salle Washington : « Il n'y avait pas d'entrée des artistes, confirme Charles aujourd'hui ; on était obligés d'être là du début jusqu'à la fin. Les artistes s'asseyaient au premier rang et montaient directement sur la scène. Ce jour-là, ça a été une chance inouïe : il y avait Piaf, Trenet et Raoul Breton. Breton nous a demandé de passer le voir à son bureau, et la mayonnaise a pris immédiatement. Je m'entendais mieux avec lui qu'avec Mme Breton (elle préférait alors Bécaud), mais elle est revenue vers moi après la mort de son mari. [...] Comme disait Trenet, c'était "le prince des éditeurs et l'éditeur des princes". [...] J'étais tous les jours avec lui dans son bureau, le petit bureau au piano bleu [1]. Ce qui m'intéressait, c'était le côté laborieux. Breton travaillait, et moi, à côté, je travaillais. Tout d'un coup, il levait l'oreille – si j'ose dire – et il disait : "Ah, je n'aime pas ce mot-là !" Je répondais : "Bon, je vais le changer !" Alors je rentrais chez moi, je collais un papier sur la feuille, je remettais le même mot, et il me lançait : « Tu vois, c'est mieux comme ça !" Mais, en vérité, je n'ai jamais rien changé ! [*rire*] C'est comme Barclay qui débarquait dans une séance : "Ça manque de basses ! – Bon, on va en rajouter !" Et on ne rajoutait rien du tout. Mais les chefs d'entreprise, il faut qu'ils disent un mot ! Alors, ils trouvent le plus simple. Et le plus simple, c'est de ne pas les écouter, sinon on se fourvoie... Mais j'étais comme ça avec ma famille, et, depuis, avec ma femme aussi. » [*rire*]

Charles Aznavour est donc devenu une valeur sûre, une plume courtisée que l'on retrouve au répertoire de nombreuses vedettes, ce qui lui procure quelques droits d'auteur mais reste très insuffisant, car, même fauché, il affiche une nette propension à vivre au-dessus de ses moyens. Pour lui, l'argent est fait non seulement pour être dépensé, mais – selon le mot de Piaf – pour « rouler », quitte à posséder une somptueuse voiture (luxe déjà inouï à

1. Piano mythique sur lequel Trenet, le tandem Mireille/Jean Nohain et Gilbert Bécaud composèrent une flopée de succès.

l'époque) et loger, comme on l'a vu, dans l'un des quartiers les plus huppés de Paris.

Malgré ses frasques montmartroises nocturnes, il se révèle cependant très sérieux dans son métier. Le matin, après avoir « couru le gala » auprès de quelques imprésarios – histoire d'assurer l'ordinaire –, il fonce aux éditions Breton où il rencontre des artistes pour tenter de leur « placer » des chansons. Dans une petite pièce, il les chante en s'accompagnant sur le fameux piano bleu. Son premier « client » sera un certain Léo Fuld. Citoyen américain d'origine hollandaise, il présente un tour de chant essentiellement en yiddish et en hébreu, et, après un triomphe parisien à l'Alhambra, il jouit d'une belle notoriété auprès de la communauté juive. Intéressé par différentes chansons de Charles (dont *Parce que*), il souhaite le voir en scène et le découvre dans un lieu plus prisé pour ses affriolantes danseuses que pour ses auteurs-compositeurs, le Crazy Horse, où l'humoriste Fernand Raynaud[1] et lui s'intercalent entre des numéros de strip-tease.

Constatant que Charles n'interprète que des titres rythmés comme *Le Feutre taupé* et *J'aime Paris au mois de mai*, il se déclare déçu de ne pas retrouver des couplets plus tendres, entendus lors de l'audition chez Breton. Déçu et persuadé que le jeune chanteur a une fibre naturelle dramatique, même si on l'engage alors pour son swing et sa fantaisie. Charles tiendra compte de ce avis, renoncera à la facilité en modifiant sensiblement son tour de chant, et amorcera la période la plus difficile de sa carrière. Soit dit en passant, c'est à une situation analogue que fut confronté un

1. Mort à la suite d'un accident de la route en 1973, Fernand Raynaud a inspiré l'année suivante une superbe chanson (pudique, pour ne pas dire codée) à un autre chanteur de ses amis, Leny Escudero : *La Belle Fille qui fait du stop sur la ligne blanche*.

Henri Salvador (entre autres) ; mais il ne fit pas le même choix et dut attendre ses 83 ans pour qu'un vrai miracle professionnel (*Jardin d'hiver* et l'album *Chambre avec vue*, en octobre 2000) lui permette enfin d'accéder à l'Olympe avec ce qui lui tenait le plus à cœur : des ballades douces et sentimentales. Dur métier…

Pour revenir au petit bureau de chez Breton, c'est là qu'un après-midi l'éditeur va organiser un rendez-vous entre son ancienne secrétaire, Henriette, et Aznavour. Il faut dire qu'elle s'appelle désormais Patachou et qu'à Montmartre, le cabaret qui lui a inspiré son nom d'artiste est très à la mode, notamment auprès des gens du « métier », de ce « tout-Paris qui nous fait si peur ». Elle invite donc Charles à venir se produire chez elle [voir Annexes] et lorsqu'il y débute trois semaines plus tard, accompagné par les musiciens de celle-ci (le quintette de Léo Clarens, avec Joss Baselli à l'accordéon), il bénéficie de l'aura de la chanteuse et touche par contrecoup l'ensemble des professionnels parisiens. Si un Maurice Chevalier vient le féliciter, rien n'est gagné pour autant, puisque même Piaf estime qu'en dépit de ses qualités d'interprète et d'auteur, les deux ne fonctionnent pas ensemble. Charles réfute vivement une telle analyse : s'il écrit des chansons, c'est d'abord pour les défendre lui-même, position à laquelle la Môme se rangera quelques mois plus tard. Sur ce, par une coïncidence amusante, en ces âpres années où la vie de Charles tourne largement autour de « la Butte », c'est au Montmartre de Montréal qu'il est alors engagé pendant près d'un mois.

Il y obtient un succès tangible, mais sans commune mesure avec celui du duo Roche/Aznavour, le public local regrettant cette séparation. Et, quoi qu'il l'ait acceptée, Roche aussi, d'ailleurs… du moins la manière un peu abrupte – à son goût – dont elle s'est produite. Cette brouille légère se dissipera néanmoins très vite, lors de leurs retrouvailles à l'occasion du passage de Charles au Montmartre de Montréal, et l'amitié entre les deux hommes ne se démentira jamais.

D'une certaine façon, Aznavour nage en plein paradoxe, littéralement pris entre deux feux amis, Édith et Raoul dont, au bout du compte, les recommandations se révéleront fondées. Piaf insiste lourdement pour que Charles quitte Roche, ce qu'il fait ; Breton pousse le même Charles à se libérer de la tutelle de Piaf, ce à quoi il se résout également, même si – mesquinerie facile, comme on l'a vu – le bruit court dans le métier qu'elle l'a « viré », et même s'il s'en suivra pour lui une de ses années les plus difficiles, quoique décisive pour son indépendance et son envol. Parfois, il s'est senti flancher, mais toujours Raoul a été là pour lui répéter « Patience ! », « Courage ! » et lui ouvrir des perspectives d'avenir. Certes, quand Piaf lui a demandé d'assister à son mariage avec Jacques Pills, il a renoncé à une prolongation de son engagement au Québec pour accourir, et c'est aussi vrai que dans l'électrique et amical duo Édith/Charles, chacun se sent vite « en manque » de l'autre. Mais une époque de la vie de l'ancien duettiste touche à son terme. Divorcé d'avec Micheline, il a – outre des amours ponctuelles – entamé une liaison avec Évelyne Plessis, une jeune et jolie chanteuse que lui a présentée son ami Roland Avellis (dit le « Chanteur Sans Nom »), également logé chez Piaf. Les rapports entre les deux femmes s'avérant vite assez antagoniques, le couple d'amoureux finit par se réfugier dans un hôtel du boulevard Saint-Germain, premier pas vers une autonomie qui débouchera sur un petit appartement montmartrois, rue Sainte-Rustique.

Bientôt Raoul Breton fera germer dans l'esprit de son protégé de premières graines, de celles qui ensemencent aisément le rêve chez un enfant formé aux déménagements permanents. Si l'éditeur s'étrangle parfois devant le montant des avances financières que lui demande Aznavour, il va l'inviter un jour dans sa maison de campagne, à Méré, près de Montfort-l'Amaury, et l'inciter carrément à en acheter une sans attendre, car les prix grimpent. Quoi ? Il est fauché ? Non, il est riche ! Riche d'espoirs et, d'ici deux ou trois ans, riche tout court ! Breton en est sûr. Charles déniche alors une sorte de grange en ruines et c'est l'éditeur lui-même qui contacte une agence et avance l'essentiel des quelque trois millions et demi de francs de l'époque pour conclure l'affaire. L'acquisition se situe à Galluis, à une poignée de kilomètres de Méré. La veille de la signature des actes définitifs, le nouveau propriétaire annonce la grande nouvelle dans une lettre à sa sœur Aïda, où il précise : « Naturellement, intérieurement tout est à faire, [...] mais extérieurement, elle est très belle, et il y a un parc formidable. Tu auras là-dedans une chambre avec salle de bains, entièrement indépendante de la famille. [...] Il y a à côté un autre terrain que je vais essayer d'acheter, et si je l'ai, je ferai construire une piscine, ainsi nous aurons une maison digne des stars d'Hollywood... » Et il ajoute, avec l'esprit de famille qui marquera toute sa vie : « Comme je suis appelé à gagner – "je touche du bois" – beaucoup d'argent, j'ai de très grands projets. [...] Papa et maman me regardent d'un drôle d'air, ils doivent penser que leur fils est devenu subitement fou, ou qu'il a la folie des grandeurs. Mais l'expérience de papa qui, après avoir eu plusieurs restaurants, s'est retrouvé sans un sou ni quoi que ce soit de valeur, est une expérience qui m'aura servi. Pour ma part, je suis sérieux et je vais placer mon argent pour le bien de toute la famille ; notre métier est tellement bizarre : un jour on est vedette, et trois ans après on n'est plus rien[1]... »

---

1. Aïda Aznavour-Garvarentz, *Petit Frère*, *op. cit.*

Chapitre 19

Le temps des premiers

L'indéfectible ténacité de Raoul Breton n'aura pas été vaine : les premiers vrais succès du chanteur Aznavour vont couronner une longue période de galères en tous genres au cours de laquelle il a accepté de chanter dans les endroits les plus ingrats, pour occuper le terrain. « Il faut qu'on te voie et qu'on n'oublie pas ta petite gueule ! » lui a soufflé Breton. Un contrat « miraculeux » de trois jours en vedette américaine à Pacra, le petit music-hall parisien du boulevard Beaumarchais, près de la Bastille, a rapporté à Charles une multitude de « modestes » cachets (parfois quatre ou cinq par soir), mais à quel prix ! Au mieux on l'engage pour vingt minutes en fin de première partie ; au pire, il se débat dans des lieux bruyants, ou après le film dans des cinémas de quartier. Sortant d'une période de vaches maigres, il signe et assume tout, recevant non seulement des quolibets, mais des projectiles divers et variés, d'autant que sa voix, déjà pas « évidente » pour le public de l'époque, tient difficilement le coup jusqu'à la fin de la soirée et le laisse parfois aphone pour aborder d'ultimes prestations nocturnes à l'Échelle de Jacob, où l'on chante sans micro. Un demi-siècle plus tard, si la génération montante des années 2000 (Bénabar, Sanseverino, Tryo...) s'est elle aussi largement construite dans les bars, au moins y a-t-elle trouvé passion, chaleur et convivialité, à cent lieues de ces « universités » chansonnières hostiles de leur éminent prédécesseur.

Événement prémonitoire pour l'une des rares futures vedettes françaises de la scène chantante internationale, c'est à l'étranger, lors d'une tournée au Maroc, que Charles Aznavour va connaître le « premier grand succès » solo de sa carrière. Avec ses amis Florence Véran et Richard Marsan, il a monté un spectacle intitulé *Les Trois Notes*, que Richard ouvre et clôt sur le ton de l'humour : il raconte d'abord quelques histoires, présente Florence, qui chante en s'accompagnant au piano, annonce Charles, que Florence accompagne également, et termine par des imitations avec, cette fois, Charles comme pianiste. À Casablanca, premier soir de la tournée, celui-ci se taille un succès tel que le trio décide de modifier l'ordre de passage, le chanteur terminant désormais le spectacle. Près de trois mois de contrats sont bientôt signés, et l'influence des frères Marly, les plus gros imprésarios du secteur, génère des représentations en Algérie et en Tunisie. De ville en ville (Marrakech, Fez, Rabat, Alger, Oran, Constantine, Tunis...), le succès s'accroît, mais surtout un professionnel français d'envergure est emballé : Jean Bauchet. Propriétaire du Casino de Marrakech et du Moulin rouge de Paris, il n'hésite pas et signe un contrat à Charles Aznavour pour le célèbre music-hall de la place Blanche, et en vedette s'il vous plaît ! Décidément, cette année 1954 s'annonce sous les meilleurs auspices. Du moins pour Charles...

Car, pour ses trente ans, cet « enfant de la guerre » (adolescent, plutôt : il avait quinze ans en 1939) évolue dans un contexte international aux conflits perpétuels. À quelques mois près, d'ailleurs, sa tournée décisive de juin, dans le Maghreb, n'aurait peut-être pas eu lieu, ou pas dans des conditions aussi favorables. En 1954, la décolonisation est en marche. Le radical-socialiste Pierre Mendès France vient d'être nommé président du Conseil, et déclare qu'il démissionnera si l'armistice n'est pas signé en Indochine (où la guerre, très impopulaire en France, dure depuis huit ans) avant le 20 juillet. On baigne en pleine Conférence de Genève [1] et, dès le 7 mai, la prise de Diên Biên Phu par les troupes du général Giap accélère le processus. Mendès tient sa promesse et arrive effectivement à conclure un cessez-le-feu dans le délai fixé. Mais, par-delà la déroute militaire, la chute du « camp retranché » de Diên Biên Phu prend valeur de symbole ; elle sonne ailleurs comme le signal de la décolonisation, notamment pour l'ensemble de l'Afrique française. Si l'épreuve de force avec la France (soulèvements, attentats, répression, c'est-à-dire morts, douleurs et victimes) tourne relativement court en Tunisie et au Maroc où les accords conduisant à l'indépendance sont respectivement signés le 21 avril 1955 et le 2 mars 1956, la guerre d'Algérie va durer plus de sept ans ; provoquant la chute de la IVe République [2] puis l'avènement de la Ve après le retour au pouvoir du général de Gaulle – le 13 mai 1958 – , elle se terminera par les accords d'Évian, le 18 mars 1962, mais la blessure historique ne se refermera jamais. Près de vingt-huit mille soldats français y auront laissé leur peau, mais aussi des centaines de milliers d'Algériens ; un million d'Européens

1. Elle réunit du 26 avril au 21 juillet 1954 les représentants de la France, des Etats-Unis, de la Grande-Bretagne, de l'URSS, de la Chine populaire, de la Corée du Nord et du Sud, du Laos, du Cambodge, du Vietnam et du Viêt-minh.

2. En octobre 1954, aux côtés du Premier ministre Pierre Mendès France, le président de la République s'appelle René Coty et le ministre de l'Intérieur François Mitterrand.

(les «pieds-noirs») auront été contraints à l'exil, mais deux millions de paysans autochtones auront été «déplacés». En France, l'opinion sera divisée, les manifestations durement réprimées[1], le traumatisme considérable; hypocrisie d'État oblige, il faudra attendre le 10 juin 1999 pour que l'Assemblée nationale décide enfin d'appeler officiellement «guerre d'Algérie» ce que la désinformation bienséante réduisait à ces mots banals : «les événements».

Charles revient donc du Maghreb quelques mois seulement – pour ne pas dire quelques semaines – avant le début de la guerre, les premières explosions intervenant dans la nuit du 31 octobre au 1er novembre 1954. Il n'imagine pas – et pour cause – que trois ou quatre années plus tard, l'un de ses futurs amis et collaborateurs fidèles, Gérard Davoust, partira «là-bas» comme appelé du contingent, avec dans la tête une chanson poignante qui lui serre bien plus le cœur que tous les étendards :

Lorsque l'on tient
Entre ses mains
Cette richesse
Avoir vingt ans, des lendemains
Pleins de promesses
[...]
Il faut boire jusqu'à l'ivresse
Sa jeunesse[2]

1. Notamment, à Paris, celles du 17 octobre 1961 (organisée par la Fédération de France du FLN) qui fit plusieurs dizaines de morts, et du 8 février 1962 contre les attentats fascistes de l'OAS, où huit manifestants moururent étouffés contre les grilles du métro Charonne. Le groupe La Tordue a dédié une chanson – *Paris, oct. 61* (1995) – à la première, et Leny Escudero – *Je t'attends à Charonne* (1967) – à la seconde.

2. *Sa jeunesse*, Charles Aznavour, 1956.

Non, Charles Aznavour ne peut pas l'imaginer. Tout excité de son succès et de son retour, cultivant la légère « folie des grandeurs » que papa Mischa et maman Knar subodorent, il commande un costume chez Ted Lapidus (jeune couturier que lui a présenté Évelyne) et s'offre – à crédit, quand même – la dernière voiture américaine en vogue. Investissement indispensable, en revanche : il engage un accompagnateur, le jeune pianiste Jean Leccia, avec lequel il se rode dans quelques cabarets de la rive gauche avant d'aborder la scène prestigieuse du french-cancan et du peintre Toulouse-Lautrec. Charles habite alors à deux pas avec Évelyne, rue Saint-Rustique, sur la butte Montmartre. Il y retrouve « la tonalité populaire de la rue, sa gouaille familière et l'atmosphère piquante des nuits qu'il passait avec Florence Véran et Richard Marsan à la Taverne d'Attilio ou Chez Pomme[1]. » À chaud, dix ans avant *La Bohème* (texte de Jacques Plante), il dédie en connaissance de cause une ode à cette « Patrie des couche-tard[2] » :

De Pigalle à Blanche
De la place du Tertre à Clichy
Les rues sont pavées de nuits blanches
[...]
Les nuits de Montmartre
Dès qu'il se fait tard
Sont pavées d'espoir.

En cette fin 54, il décroche donc son premier engagement en tête d'affiche d'un music-hall parisien de stature inter-

1. Pierre Ionoff, *Charles Aznavour – Les années Paris*, Éd. Rodeo, 1999, p. 90.
2. *Les Nuits de Montmartre* (Charles Aznavour/Pierre Roche, 1955), du film éponyme, interprété par Aglaé, la femme de Roche.

nationale, le Moulin rouge, et ce, pour trois mois. Au fil de l'année, différentes chansons sont parues, à raison de deux par 78 tours : *Heureux avec des riens* (musique de Jeff Davis) conjugue l'amour guilleret au présent le plus simple (« Notre parcours est semé de fantaisie/De rires clairs s'élançant vers le matin »), alors que *Quelque part dans la nuit* (adaptation d'après Samy Gallop et Kurt Adams) égrène en contrepoint et à tempo lent le souvenir d'une idylle défunte.

Cette chanson ne sera pas reprise sur le 25 cm de compilation qui paraîtra l'année suivante, au printemps 55 (*Chante Charles Aznavour N° 2*), comme deux des trois suivantes : *Monsieur Jonas* (récit d'un joueur de billard, typique de la période Pierre Roche, qui a signé la mélodie) et *Moi, j'fais mon rond* (musique de Gaby Wagenheim), où, en pur parigot, l'auteur, très en verve, sort de sa réserve et joue de l'argot :

Moi j'fais mon rond
Je tir' ma flemme
De m'crever j'ai aucun' raison
Depuis qu'ma panthère est en brème
Je m'fais plus d'bil pour le pognon

À nouveau sur une composition de Gaby Wagenheim, *Parce que* entame un cycle passionnel que plusieurs titres vont immédiatement illustrer, quatre vers symbolisant la fibre aznavourienne absolue :

Je ne me soucierai ni de Dieu ni des hommes
Je suis prêt à mourir si tu mourais un jour
Car la mort n'est qu'un jeu, comparée à l'amour
Et la vie n'est plus rien sans l'amour qu'elle nous donne

Marquées par *Viens au creux de mon épaule*[1], du pur Aznavour, point fort de son tour de chant en Afrique du Nord, préfiguration d'une cohérence sensible, d'un style direct, propre à être repris par tous les amants du monde (« Ne dis pas adieu / Nous serions trop malheureux / Viens pleurer au creux de mon épaule »), ces nouvelles chansons apportent chacune leur touche à une carte du Tendre qu'un nouveau héraut des temps modernes va s'employer à revisiter à l'infini. Respectivement coécrites avec Gilbert Bécaud, Jeff Davis et Jean Constantin, *Je veux te dire adieu*, *Je t'aime comme ça* et *À t'regarder*, déclinent ainsi la rupture à mots crus (cette « jouissance » qui effraya Bécaud et Piaf), l'amour sans frime dans l'esprit du futur *Tu t'laisses aller* (« Tu es toute ma vie / Je ne sais pas pourquoi / Tu n'es pas très jolie / Mais je t'aime comme ça »), la peur de perdre l'être adoré (« À t'regarder / J'ai le cœur qui chavire »). Un peu à part dans ce puzzle romantico-romanesque qui se construit d'inéluctable façon, deux collaborations (avec le même compositeur, Marc Heyral) abordent une thématique somme toute logique pour un enfant d'émigrés, parti quelques années plus tôt tenter sa chance sur les rives lointaines du Nouveau Monde nord-américain. Sur des mélodies rien moins qu'obsédantes, *Les Chercheurs d'or* et *L'Emigrant* se répondent singulièrement[2], entre :

Regarde-le comme il promène
Son cœur au-delà des saisons
Il traverse des murs de haine
Des gouffres d'incompréhension

et

1. Qui deviendra *Viens pleurer au creux de mon épaule.*
2. Et elles figurent sur un même 78 tours.

Les hommes de tous les pays
Qui conduisent ces attelages
Ont quitté familles et amis
Et d'un élan sont partis
Courant au-devant d'un mirage

Charles Aznavour aborde donc son spectacle du Moulin rouge avec un tour de chant solide comme jamais. Solide, oui ! Sur le papier. Dans les disques... N'empêche qu'il s'offre un trac de circonstance, le soir de la première, malgré la présence d'amis éminents nommés Mouloudji, Jacqueline François ou Charles Trenet. Au verso d'un 45 tours « durée prolongée » de compilation, intitulé *2* – qui adjoint deux nouveautés (le très swinguant *Ça*, troussé avec Gilbert Bécaud, et le plus tarabiscoté *Toi*, avec Florence Véran) à *À t'regarder* et *Je t'aime comme ça* –, Robert Beauvais[1] écrit notamment : « Aznavour est la première lettre de l'alphabet de la chanson moderne : sur dix chanteurs qui se produisent sur les scènes d'aujourd'hui, on peut dire qu'il y en a huit qui ont à leur répertoire une chanson d'Aznavour. [...] Le style, le rythme Aznavour, c'est le rythme 1955 par excellence. D'ailleurs, Aznavour est "1955" de naissance. Il est l'expression d'une certaine forme d'angoisse, de nervosité, d'inquiétude propre à notre temps. Mais le don poétique illumine ce que ses chansons pourraient avoir de trop tendu ou de trop désespéré. »

En tout cas, le succès est cette fois au rendez-vous, se confirme de jour en jour et ouvre des perspectives nouvelles. À preuve : l'homme au cigare du boulevard des Capucines, Bruno Coquatrix, s'intéresse soudain à Aznavour qu'il avait

1. Producteur d'émissions de radio, écrivain et journaliste, décédé en 1982.

jusqu'alors écarté de la moindre idée de programmation. Ouvert le 5 février 1954 avec à l'affiche, d'emblée, un compositeur de Charles nommé Gilbert Bécaud [1], l'Olympia va accueillir le chanteur l'année suivante, du 1er au 21 juin, trois semaines non pas en « vedette anglaise », mais, plaisantera-t-il, « arménienne », d'un programme international emmené par Sidney Bechet, avec le mime Marceau, Carnaval à Cuba, les Stanley Dancers, les Talos Bros… Afin d'imprimer sa marque à ce premier Olympia de sa difficultueuse carrière, Charles Aznavour concocte alors une chanson pur jus, texte d'émotion directe, mélodie imparable assortie d'une montée vocale maison :

Sur ma vie
Je t'ai juré un jour
De t'aimer jusqu'au
Dernier jour de mes jours

Loin de l'exigence des années ultérieures, l'écriture est encore en germe et la rime (trop) facile, mais le mélange paroles/musique/voix porte ses fruits. Raoul Breton est conquis, Bruno Coquatrix aussi et Radio Luxembourg joue immédiatement le jeu, faisant de *Sur ma vie* le premier grand succès populaire d'Aznavour. Un titre qui sera repris par de très nombreux artistes, jusqu'à son ami Johnny Hallyday lors de son fameux spectacle de septembre 1998 au Stade de France.

Pour ce passage crucial à l'Olympia, outre le jeune pianiste Jean Leccia, Charles s'est offert de sa poche quatre autres musiciens. Comme il l'a écrit à sa sœur Aïda, alors au Canada (elle lui manque en ces circonstances,

1. Avec en vedette, Lucienne Delyle, Georges Brassens lui succédant deux semaines plus tard.

ainsi qu'Édith Piaf, retenue à New York) : « Ce soir, c'est la consécration ou l'échec.[1] » En réalité, il se trompe à moitié : tout en remportant un joli succès, il suscite encore un certain malaise, à cause de sa voix rauque, auprès d'une partie du public et même de professionnels. Dans le quotidien *Combat* du 17 juin, Maurice Ciantar écrit en toute honnêteté, sur celui qu'il considère comme un « parolier de classe à la fois par la poésie de ses couplets et l'inspiration qui les anime » : « Son manque de voix évident, que dis-je, l'enroué de son timbre, n'est pas compensé par la beauté, l'aisance du geste : Aznavour, qui devrait faire du mime corporel, a l'attitude gauche, empesée. En un mot, quelles que soient sa gentillesse, son absence de chiqué, il ne "part" pas. N'était la beauté de ses chansons, ce jeune auteur friserait la catastrophe. Je pense, pour sa fortune, qu'il vaut mieux pour lui se cantonner dans la stricte création où tous les espoirs lui sont permis. L'entendant, je croyais entendre le sosie anémié de Gilbert Bécaud… le fanatisme gesticulatoire en moins. »

Aussi, un autre professionnel, le Marseillais Jean Renzulli, se lamente-t-il quelque peu dans son fauteuil lorsqu'il découvre avec effarement qu'il a signé pour sa tournée d'été un contrat substantiel avec ce type affecté d'une laryngite carabinée, sinon congénitale. Sans être lui-même très convaincu, il commence à respirer lorsque, de ses yeux et oreilles, il constate l'ovation réservée par le public à sa recrue, véritable révélation de la première partie. Le nouveau héros mesure, lui, à vitesse grand V, la loi de la relativité et de la versatilité humaine ; combien, en un temps record, l'opinion se retourne comme une crêpe, les mêmes qui le vouaient aux gémonies assaillant sa loge

1. Lettre reproduite dans *Petit Frère*, *op. cit.*

pour le couvrir de lauriers : « Ils me serrent la main. Et je m'aperçois que j'apprends, malgré moi, à serrer la main de mes détracteurs. – Un chanteur doit être aussi diplomate qu'un ambassadeur, me glisse Bruno[1]. »

Enthousiasmé par le succès de Charles dans sa salle, le pragmatique directeur n'imagine pas alors le camouflet que celui-ci s'apprête à lui infliger. D'abord, c'est l'embellie : les deux hommes signent un nouveau contrat pour la fin de l'année (du 29 décembre 55 au 17 janvier 56), dans le programme de Roger-Pierre et Jean-Marc Thibault où figurent, entre autres, Gloria Lasso, Annie Fratellini et une certaine Nadine Tillier, future baronne de Rothschild. Riche idée : l'ex-chanteur maudit y reçoit un tel accueil public (confirmé par la tournée d'été qui suit) que Coquatrix lui propose de revenir en vedette la saison suivante. Alléchante perspective, à un détail prêt : le cachet. Aznavour sait compter, il constate que sa cote monte et pas seulement sa cote d'amour. Sens des affaires aidant, il exige d'être payé comme les artistes américains, en particulier Frankie Laine qu'il adore et dont il a adapté en français – dès 1951 – l'un des grand succès du moment : *Jezebel*[2]. Bruno Coquatrix estimant exorbitante une telle demande et lui opposant un « niet » sans appel, Charles signe avec la directrice de l'Alhambra, salle qu'il a déjà conquise comme « attraction ».

Son ambition, sa volonté d'être payé à un autre niveau trouvent sans doute des points d'appui dans les reportages qui commencent à parsemer la presse populaire, à l'image de celui de *Bonnes Soirées* du 18 septembre 1955. Par la plume de Pauline Delleau, le sentimental « hebdomadaire complet de la femme » indique en couverture : « Charles Aznavour,

1. Bruno Coquatrix, bien sûr. Dans *Aznavour par Aznavour*, *op. cit.*
2. Musique de Wayne Shanklin.

compositeur des derniers succès, devient un chanteur très connu. » Le magazine lui consacre deux pleines pages illustrées par quatre photos, et plante le décor : « … à Paris, ses “fans” sont nombreux et extrêmement démonstratifs. Ce sont surtout des jeunes enthousiasmés par son rythme, sa poésie, les images si originales qu'il sait évoquer. » Et il poursuit : « C'est sur la butte, dans le Montmartre tout grouillant d'énormes cars de touristes, mais encore hanté par le souvenir de Picasso, d'Utrillo, de Roland Dorgelès, de Mac Orlan, que notre moderne trouvère a élu domicile. Malgré l'énorme voiture décapotable bleu ciel qui l'attend dans une rue voisine (la sienne, trop étroite, ne lui permettrait pas le passage), Charles Aznavour mène là-haut une vie de joyeux bohème. Mains dans les poches, il aime se promener dans ce vieux quartier pittoresque : le marchand de glaces (de marrons en hiver), le peintre qui vient d'installer son chevalet, la mercière, le titi effronté, le bistrot du coin, tous sont ses copains. Il est si simple et si gentil ! »

Trois semaines plus tard, Françoise Holbane ne cache pas non plus son enthousiasme dans sa chronique de *Music-Hall*[1] : « Pour écrire des chansons d'amour, nous pouvons compter sur Charles Aznavour. Décidément, le sujet l'inspire. Après *Sur ma vie*, qui ruisselle de passion, voici *Le Palais de nos chimères*, brûlante affaire ; et voici encore *Après l'amour*, qui atteint (sur une musique de Gilbert Bécaud au plein de sa forme) la température maxima. […] Étonnant M. Aznavour ! Il y arrivera ! Que dis-je ? Il y est arrivé ! Il est arrivé à nous la faire admettre, sa voix, sa fameuse voix qui fit couler tant d'encre ! Ne me poussez pas trop, ou je vais vous avouer que je commence à trouver cette voix agréable. Voix blessée, inspirée et – c'est sans doute par là qu'elle nous

1. N° 9, octobre 1955.

touche – parfaitement respectueuse de procédés musicaux dont l'efficacité n'est plus discutable.»

Quoi qu'il en soit, en froid avec Bruno Coquatrix, Charles occupe la tête d'affiche de l'Alhambra dès le 31 octobre 1957. Coïncidence piquante, il s'y retrouve en rivalité directe avec celle de l'Olympia nommée… Frankie Laine. Ce qui n'empêchera pas le Français d'inviter un soir l'Américain à dîner, et au fil des jours, agrémentés de balades touristiques et familiales dans Paris, ils deviendront amis. D'ailleurs, le soir des deux premières, Évelyne Aznavour s'affiche au spectacle de Frankie Laine en compagnie du gratin chantant hexagonal (Yves Montand, Charles Trenet, Philippe Clay, Jacqueline François, Dario Moreno, Eddie Constantine…), et, photo à l'appui, *France-Soir*[1] en précise l'élégante raison : «Mme Charles Aznavour, qui ne manque jamais un tour de chant de son mari, avait déserté sur ordre : hommage à "M. Rythme", elle était à l'Olympia à côté de Mme Frankie Laine. Elle applaudissait "pour Charles et pour elle"…» Quelques soirs plus tard, ladite Mme Laine lui rendait la politesse en venant assister au spectacle de Charles…

1. Samedi 2 novembre.

Chapitre 20

Coups de théâtre

Un palier professionnel est franchi. Mais lequel ? Une simple étape ou un sommet décisif ? Faiblesse bien humaine, à chaque succès plus ou moins relatif le bouillant chanteur a cru que, cette fois-là, « c'était le bon ». Au bout du compte, cette erreur d'appréciation l'a peut-être sauvé en l'incitant à des audaces forcément déraisonnables, marquées par une pugnacité hors du commun qui ébahit jusqu'à ses proches et fait dire à Breton : « Ce petit Arménien réussira : on le jette à la porte, il rentre par la fenêtre »... » Néanmoins, pour lui, la vie n'est pas – loin s'en faut – « un long fleuve tranquille », que ce soit sur le plan artistique ou privé. Ses coups de théâtre alternent sans pitié coups de cœur et coups en vache. Accélération ou non, la route s'annonce encore longue et dangereuse...

Le 28 octobre 1955, Aznavour a épousé en secondes noces (presque dix ans après les précédentes) Évelyne Plessis avec laquelle il vit depuis trois bonnes années. Cette union va vite tourner court. Dans ses Mémoires, Charles note à propos du déjeuner de mariage : « Quand elle s'est rendu compte que nous allions être treize à table, elle a absolument tenu à ce qu'il y ait un quatorzième. Je téléphonai alors à la mairie, et le maire, que je connaissais bien, accepta de se joindre à nous. Peut-être était-ce un signe du destin, car – nous ne le savions pas encore – notre mariage se solda par un divorce [1]. »

En cette année 1956, gérant astucieusement les spécificités commerciales de Charles, Ducretet-Thomson a sorti deux super 45 tours de compilation : l'un, intitulé *Aznavour se souvient de Roche et Aznavour*, reprend *J'ai bu*, *Tant de monnaie*, *Le Feutre taupé* et *Il pleut* ; l'autre tente d'exploiter les hardiesses « scandaleuses » de l'auteur sous le label *Interdit aux moins de 16 ans*, en réunissant *Après l'amour*, *Je veux te dire adieu*, *Prends garde*, *L'Amour à fleur de cœur*. Au mois de mai, quelques semaines avant la traditionnelle tournée d'été, est également paru le 25 cm *Charles Aznavour chante… Charles Aznavour N° 3* (le dernier de la série), où l'on retrouve *Sur ma vie*, *Après l'amour* et *Prends garde*, aux côtés de sept autres titres dont *Une enfant* (déjà gravée par Piaf en 1951) et deux morceaux forts dont l'interprétation swingue pour l'heure un peu trop sagement : *On ne sait jamais* et *J'aime Paris au mois de mai*, ce dernier sur une musique de Pierre Roche. Les orchestrations de Jean Leccia et Jo Moutet s'en donnent cependant à cœur joie, offrant une place de choix aux cuivres dans *Je cherche mon amour*. Est-ce un effet du hasard, mais un certain recours aux instances divines traverse plusieurs couplets, entre « Face à Dieu qui priait » et « Jusqu'au dernier jour de mes jours » de *Sur ma vie*, l'explicite « Pour trouver grâce à mes

1. *Le Temps des avants*, *op. cit.*

prières / Le chemin de l'éternité » et « Menez ma vie sur la route éternelle / Où les amants sont baignés de clarté » de *Je cherche mon amour*. Ironie du sort : en regard des difficultés du couple Aznavour [1], cette même notion d'éternité habite enfin une autre chanson du disque, *Vivre avec toi* :

> *Avoir un seul nom*
> *Un seul sang, un seul toit*
> *Pour toujours*
> [...]
> *Vivre je veux vivre avec toi*

Dans ce double contexte artistique et personnel, un événement-choc va se produire, à deux doigts de la tragédie. Le 31 août 1956, Charles achève une tournée au volant de la somptueuse « voiture de star » qu'il a estimée digne de sa gloire nouvelle, gloire ça et là un peu ennuyeuse lorsque l'on enchaîne seul les hôtels, fussent-ils de luxe. Dès que possible, il se ménage des escales auprès d'Évelyne, en vacances à Saint-Tropez. Malgré les nuages qui polluent déjà la vie du couple, l'insouciance domine – heureusement – ce genre de journées. Dans l'un des principaux quotidiens régionaux du jeudi 2 août, *La République-Le Journal de Toulon*, en dernière page estivale, un grand reportage est consacré à Charles par les deux « envoyés spéciaux sur la Côte ». Après un titre de saison, « Super-croisière party avec Charles Aznavour qui réussit à faire du ski nautique pour la première fois... et sans tomber », les deux reporters en goguette narrent avec force détails cette amusante journée (où figurent des artistes en vogue comme Francis Linel et Guylaine Guy [2]

1. Même s'il s'agit d'une chanson extraite du film *Un' gosse sensass*.

2. L'une des toutes premières chanteuses québécoises à connaître du succès en France et à Paris. Elle vient alors de passer à l'Olympia dans le programme

et soulignent : « Ainsi donc, celui qui bouleverse l'art de la chanson et… de l'interprétation en cette année 1956 a le même penchant pour la Côte d'Azur que des milliers d'autres touristes, et pour confirmer cette pensée, il ajoute : "Il faudra qu'un jour ou l'autre, je vienne habiter dans le coin. […] En attendant, je suis là, à Saint-Tropez, entre deux galas, et, avec quelques amis, nous partons en croisière tout le long du littoral…" »

C'est dans une tout autre rubrique de ce même quotidien que, quasiment un mois plus tard, le samedi 1er septembre, l'artiste surgit en une, gros titre et cliché blafard en prime : « Le célèbre chanteur Charles Aznavour grièvement blessé près d'Ollières (Var). » Le sous-titre précise : « Les deux bras cassés, la vedette a été hospitalisée à Brignoles, ainsi que ses deux passagers. » Sous la photo du visage d'Aznavour, barbe naissante, cheveux poisseux, endormi dans un lit blanc, on peut lire : « L'opération est terminée, elle a duré cinq heures. À vingt-trois heures trente, Charles Aznavour est reconduit dans sa chambre, il n'a pas encore repris connaissance. » À chaud, le journaliste écrit : « Le populaire chanteur Charles Aznavour a été victime d'un grave accident de la circulation sur la départementale 3, à 4 kilomètres d'Ollières, entre Saint-Maximin et Rians. Ayant quitté Saint-Tropez au début de l'après-midi au volant d'une Ford d'un modèle récent, en compagnie de son pianiste Jean Leccia et de son secrétaire Claude Figus, Charles Aznavour se rendait à Megève où il devait participer à un gala. À la suite de circonstances que l'enquête s'efforcera d'établir, la voiture est allée s'écraser contre un camion de l'entreprise Onatra,

de Charles Trenet (avril-mai 1955) qui l'a « ramenée » de son voyage « au Canada », et elle rechantera dans cette salle en 1957, dans le programme de Roger-Pierre et Jean-Marc Thibault, juste avant celui de Charles Aznavour et des Peter Sisters, fin février.

de Marseille, transportant de la bauxite, qui roulait en sens inverse. Charles Aznavour, son pianiste et son secrétaire, ayant perdu connaissance sous la violence du choc, ont été transportés de toute urgence à la clinique Canfment de Brignoles. Charles Aznavour est atteint d'une double fracture du bras droit, d'une fracture ouverte au coude gauche et de multiples contusions sur diverses parties du corps. Son pianiste Jean Leccia est moins sérieusement atteint. Quant à son secrétaire, il est également blessé au visage, mais, semble-t-il, sans gravité.» Le lendemain, un second article titrait : «Charles Aznavour : état aussi satisfaisant que possible. La reconstitution a eu lieu hier. Les responsabilités seraient partagées.»

Évidemment, l'accident n'est pas passé inaperçu. De toutes parts, presse, radio et photographes ont accouru, des galas sont annulés, des projets compromis. Charles s'en sort harnaché d'une minerve et d'un plâtre le maintenant du cou jusqu'à la ceinture. Une douloureuse épreuve qui ne l'empêche pas de se remettre très vite dans un état d'esprit créatif (il compose «au magnétophone» *Pour faire une jam*) et suscite, à son corps défendant, des répercussions bénéfiques : «Cet accident dans lequel je manquai mourir attira l'attention d'un vaste public sur mon existence et mes chansons qui lui parlaient d'amour, de la vie, du quotidien. Je leur étais un tout petit peu utile [1].»

Coïncidence saisissante : alors qu'une amitié le lie déjà à son maître ès chansons, Charles Trenet, on retrouve celui-ci rebaptisé «le fou roulant», deux semaines plus tard, et pour une actualité tout aussi fracassante, à la une du même journal en date du lundi 17 septembre : «Charles Trenet heurte un pylône.» L'article précise : «Samedi soir à 21h30, le célèbre

1. *Le Temps des avants*, *op. cit.*

chanteur et compositeur Charles Trenet a été victime d'un accident sur la route de Nice à Antibes. Alors qu'il roulait à 140 km à l'heure, un obstacle l'obligea à donner un violent coup de frein. Quittant le côté droit de la route, la puissante Mercedes, pilotée par le chanteur, alla s'écraser sur un pylône. On retira de la voiture très endommagée Charles Trenet et son passager Jacques Lafresnoie, 22 ans, connu au music-hall sous le surnom de "Coccinelle". Tous deux furent dirigés vers une clinique niçoise. On fit trois points de suture à Charles Trenet, qui a eu les lèvres fendues et a perdu trois dents dans l'accident. Jacques Lafresnoie souffre d'ecchymoses sans gravité. Après pansement, le fou chantant a regagné sa villa de Juan-les-Pins. Il serait immobilisé pour deux mois. » Ainsi, en deux petites semaines, à travers deux faits divers banals, notre chanson faillit-elle perdre deux de ses plus prestigieux ambassadeurs sur les routes du Sud de la France !

Malgré l'accident, Charles va suivre attentivement l'évolution des travaux dans sa maison de Galluis, où l'acquisition ultérieure d'un terrain attenant permettra de regrouper l'ensemble du clan Aznavour… la « grande sœur », Aïda, trouvant bientôt le moyen de se fiancer avec un jeune compositeur arménien, Georges Garvarentz, qui habite une maison voisine ! Photos à l'appui, le numéro d'octobre de *Music-Hall* raconte le retour du chanteur : « Charles Aznavour, le miraculé de la route, a quitté la clinique de Brignoles dix-huit jours après son terrible accident de voiture. Il a subi cinq opérations au coude qui, finalement, ont sauvé son bras gauche. Le corps et les bras maintenus dans une carapace de plâtre, Charles est arrivé à Paris par avion. Sur la passerelle, un grand ami l'attendait : Gilbert Bécaud. "La vie est belle, hein, Charles ! – Oh oui !

La vie est belle! a répondu Aznavour, surtout quand on revient de loin."

« Installé à Montfort-l'Amaury chez son éditeur Raoul Breton, Charles n'a qu'une hâte : entouré de micros et de magnétophones, composer des chansons nouvelles... avec Gilbert Bécaud qui viendra en voisin. Et, grâce à ce repos forcé, nous allons retrouver la grande équipe Aznavour-Bécaud de *Quand tu danses*, *Allez viens*, *Je veux te dire adieu*, *Mé qué mé qué*, *Ça*. »

Encore convalescent, le chanteur honore également très vite ses obligations professionnelles. Le vendredi 17 novembre, sur la scène parisienne du Gaumont Palace, il participe, aux côtés de différentes stars du cinéma, de la danse et du music-hall (Brigitte Bardot, Gary Cooper, Fernandel, Zizi Jeanmaire, Gilbert Bécaud, Georges Guétary, Mick Micheyl, Jacqueline François, Mouloudji...), à La Nuit des Étoiles [1], parrainée par le président de la République, René Coty, et plusieurs ministres. Le mois suivant sort un nouveau super 45 tours avec quatre titres dont chacun laissera une trace. S'il est sans doute antérieur à l'accident dont Charles est sorti douloureusement blessé mais miraculeusement indemne, *Merci mon Dieu* décline derechef la fibre croyante, servie par une efficace mélodie et des montées vocales bientôt inimitables :

Ce que j'attendais de la terre
Et que j'espérais de la vie
En t'implorant dans mes prières
Au long des jours, des nuits
Mon Dieu, tu me l'as fait connaître

---

1. Une « magnifique soirée donnée au profit de la Caisse de secours de l'Amicale des anciens parachutistes SAS et des œuvres sociales Gaumont », si l'on en croit la publicité de l'époque.

L'autre croyance de Charles, sinon la première, s'appelle l'amour, et *L'Amour a fait de moi* le claironne à mots courts, rythme jazzy et onomatopées comme au bon vieux temps, sur une mélodie de l'ex-complice Pierre Roche. Bien qu'Aznavour ait signé paroles et musique de *Sur la table*, on y retrouve ce même type d'ambiance fantaisiste et enlevée, avec un « où » goguenard qui annonce la couleur, l'irrésistible leitmotiv « il y avait » et la chute-réponse immédiate « sur la table ». En revanche, *Sa jeunesse*[1] va constituer l'une de ses chansons-phare, l'un de ses chefs-d'œuvre, dans l'osmose d'un texte simple et touchant, d'une mélodie sereine et magnifique, et d'une vibration vocale très personnelle où l'âme slave flotte en filigrane. Un *carpe diem* maison, un appel à goûter chaque instant sans attendre :

Souvent en vain
On tend les mains
Et l'on regrette
Il est trop tard sur son chemin
Rien ne l'arrête
On ne peut garder sans cesse
Sa jeunesse

L'année 1957 va se révéler très dense. Dès le premier trimestre, Charles Aznavour marque l'actualité. Il remporte les Bravos du Music-hall[2], décernés précisément par le magazine *Music-Hall* et Europe 1, ledit magazine annonçant par ailleurs que le chanteur effectue « ses grands débuts au cinéma » en tournant dans *Paris Music-Hall* de Stany Cordier, où Mick Micheyl est covedette. Côté scène,

1. Qui deviendra plus tard *Sa jeunesse... entre ses mains*, et à laquelle, en scène, Charles Aznavour enchaînera *Hier encore*.

2. Avec Jacqueline François, catégorie féminine.

il poursuit de belle façon à travers les deux music-halls parisiens traditionnellement concurrents : l'Olympia le 28 février (dans le programme des Peter Sisters, où pointe une nouvelle arrivante nommée Dalida) et Bobino le 22 mars, avec l'imitateur Jean Valton et Marie-Josée Neuville, « la collégienne de la chanson ». Dans son emballement, la critique du numéro d'avril de *Music-Hall* ne s'embarrasse guère de nuances : « Charles Aznavour, abordant l'Olympia en vedette, s'est hissé d'emblée au rang des grands meneurs de foule. Avec un tour de chant sans la moindre faille, dans une présentation dépouillée, Charles a su faire oublier certaines faiblesses vocales par une perfection étonnante dans l'interprétation. »

Concernant l'Olympia, la réalité se révèle un peu plus complexe que le magazine (qui confond parfois journalisme et « promo ») ne veut bien le dire. Faute de s'être entendu financièrement avec Bruno Coquatrix (« Il fut, parmi les plus belles têtes de mule que j'ai eu la chance de rencontrer et avec lesquelles j'ai travaillé, l'une des plus sympathiques, mais aussi des plus coriaces[1]... »), Charles n'est toujours pas vedette. Après une brouille de presque six années, il y reviendra non seulement en tête d'affiche, mais en « récital », début 1963. En attendant cet événement, il prépare sa « grande première » du 31 octobre à l'Alhambra.

Pour autant, il ne renonce pas à sa traditionnelle tournée d'été (70 jours, 64 villes, 22 000 km, selon les gazettes), moyen à la fois logique de mettre au point son tour de chant et de montrer sa volonté d'oublier son terrible accident de l'année précédente. Juste avant, sont parus les dix titres du 25 cm intitulé *Bravos du music-hall*, où figurent cinq reprises (dont les quatre chansons du 45 tours précédent

1. *Le Temps des avants*, *op. cit.*

avec *Sa jeunesse*), plus l'atypique *Ay mourir pour toi* (écrit pour la Portugaise Amalia Rodrigues), deux inédits en collaboration avec Roche (*Il y avait* et *Bal du faubourg*), et surtout la fameuse chanson concoctée les bras dans le plâtre : *Pour faire une jam*. Un véritable hymne à la vie, tout feu, tout swing, improvisations vocales comprises :

Nos peines, nos joies, nos ivresses
Dans ces rythmes se reconnaissent
Il faut la foi de la jeunesse
Pour faire une jam

Car si l'Aznavour-interprète grignote du terrain depuis trois ans, une bonne partie des gens du métier renâcle encore, un sérieux contingent de journalistes garde la dent dure et la plume vitriolée. L'affaire n'est donc pas gagnée d'avance ; malgré le soutien de ses proches et les télégrammes d'amis artistes (Édith Piaf – encore à New York –, Jean Cocteau, Charles Trenet, Yves Montand et Simone Signoret, les Compagnons de la Chanson, Jacqueline François, Marcel Achard...), il sait qu'il joue une carte majeure. Un coup de poker plus compliqué que la chanson fantaisiste qu'il a troussée quatre ans plus tôt avec Roche. La preuve : en dépit de sa présence et de son succès grandissants, il ne réussira pas, cette fois encore, à emballer vraiment les plus réticents. Dans un assez court article du *Figaro* opérant une synthèse entre le spectacle de Frankie Laine et celui d'Aznavour, le sévère Paul Carrière écrit le 8 novembre : « Il était piquant de voir et d'entendre Aznavour (à l'Alhambra) immédiatement après son maître américain (à l'Olympia). Naturellement, il reste aux antipodes du "crooner". Un martèlement excessif, le "boulage" des mots démolissent encore un peu ses meilleures chansons. Mais ses gestes sobres finissent par accroître l'intensité d'expression.» C'est un brin lapidaire, et on a le sentiment que, tout en reconnaissant l'impact de Charles, le bonhomme (qui n'a d'ailleurs pas encensé Frankie Laine) rechigne à le saluer, au point d'insister surtout sur la «révélation» de «Serge Davri, nouveau comique…» La veille, en revanche, Marcel Idzkowski, son collègue de *France-Soir*, a baissé la garde. Après avoir titré «Aznavour relaxé et moins "laryngité" joue gagnant à l'Alhambra», il poursuit: «Nous avons passé à l'Alhambra Maurice-Chevalier une merveilleuse soirée. […] Charles Aznavour, enfin, nous oblige à faire notre mea culpa et c'est avec l'enthousiasme d'un fan que nous constaterons sa transformation. Nous le considérions comme l'un des très grands auteurs de la chanson, mais voici qu'il les interprète maintenant avec un style qui lui convient à merveille. Il semble "relaxé", il a même trouvé le climat de sa voix, moins "laryngitée" qu'à ses débuts et il apporte à ses chansons d'amour une émotion – presque une pureté – qui ajoute encore à sa force dramatique et à ce sens du rythme qu'il a toujours possédé. Au Box Office de la chanson, vous pouvez jouer Aznavour gagnant.» Ils seront nombreux à le jouer, mais certains un peu trop empressés et disqualifiés aux yeux du chanteur, sans qu'il s'abaisse à le laisser paraître.

Chapitre 21

De la scène à l'écran

Les premiers vers d'un immortel poème d'Aragon, mis en musique et enregistré quatre ans plus tôt par Georges Brassens (*Il n'y a pas d'amour heureux*), correspondent de saisissante façon à la situation d'Aznavour à cette époque, à sa trajectoire ascendante mais fragile :

Rien n'est jamais acquis à l'homme ni sa force
Ni sa faiblesse ni son cœur et quand il croit
Ouvrir ses bras son ombre est celle d'une croix
Et quand il croit serrer son bonheur il le broie
Sa vie est un étrange et douloureux divorce

En ce début 1958, de longs articles sur Charles Aznavour fleurissent dans les journaux grand public, trahissant par leur contenu même l'incompréhension d'un succès de plus en plus tangible. Qu'à cela ne tienne, il faut bien prendre le train en marche ! Dans son édition du 21 au 27 janvier, l'hebdomadaire *La Presse* titre finement : « Pour plaire aux dames, Charles Aznavour veut garder sa voix d'"Après l'amour". » Le chapeau d'introduction n'y va pas par quatre chemins : « C'est le numéro un de la chanson, le cas le plus extraordinaire de réussite du music-hall. Il n'est pas beau. Il a l'air malade. Il entre en scène comme s'il s'était trompé de porte et des plaisantins assurent qu'il doit sa voix fêlée à l'habitude de se gargariser avec des oursins. » Après avoir retracé de manière sommaire le parcours personnel et professionnel du « phénomène », le rédacteur poursuit avec la même hauteur d'analyse : « Il ne hurle plus, il ne trépigne plus. Il opère en douceur. Comme il est, au fond, assez futé, il a vite compris que ce qui met en transe les demoiselles, ce n'est pas ses gestes et ses cris, mais sa voix rauque – celle-là même que tous les bons romanciers attribuent aux mâles après l'amour – lorsqu'elle distille au micro ses couplets évocateurs. [...] Pour dire ces choses que personne avant lui n'avait osées sur une scène, Charles possède indubitablement la voix qu'il faut. C'est si vrai qu'à un chirurgien spécialiste qui lui proposait de "lui donner une voix claire en quinze jours", il a immédiatement répondu : "Vous voulez donc m'empêcher de gagner ma vie ?" » À la même époque, courant février, notons qu'un autre jeune chanteur (également acteur de cinéma) écope à son tour des sévères humeurs de la critique pour la piètre qualité de son répertoire ; compagnon du moment d'Édith Piaf qui l'a pris en « vedette américaine » de sa rentrée parisienne, il s'appelle Félix Marten.

Abordant ses deux dernières années chez Ducretet-Thomson, Charles Aznavour enregistre cependant à plusieurs reprises ; à commencer par deux disques qui confortent son appétit de carrière internationale : un 25 cm en anglais, *Believe in me* (*Sur ma vie*), et un super 45 tours en espagnol, avec notamment *Juventud, divino tesoro* (*Sa jeunesse*). Deux ans après *Ay mourir pour toi*, il écrit (ou traduit) à nouveau toute une série de fados à l'intention d'Amalia Rodrigues, morceaux qu'elle enregistre en ce début d'année, avant de les intégrer à son tour de chant de juin à l'Olympia. Constat pittoresque, quoique logique, il n'est déjà plus un inconnu au Japon où la chanson française occupe une belle place entre les mélodies locales et les succès américains : « Les Japonais ont construit des petits "coffee-shops" où, sans interruption, on vous distille de la musique d'ambiance. Les plus cotés sont ceux qui, en dessous de leurs enseignes, annoncent "chansons". Car le mot est devenu japonais et ne désigne exclusivement que "la chanson de Paris". [...] Fait curieux, les enseignes de ces cafés : "La Vie en rose", "La Seine", "C'est si bon", et même "Chez Aznavour". [...] C'est le 27 mai dernier qu'une des plus fines interprètes de chansons, la Japonaise Teiko Goto, vingt-quatre ans, donnait à Tokyo un formidable récital Aznavour devant un public en délire. [...] Aznavour lui a d'ailleurs envoyé un télégramme de félicitations [1]. »

Pour sa sœur Aïda, ancienne « meneuse de revue au concert Mayol » et qui prépare un tour de chant depuis son retour du Canada [2], il a en outre signé deux chansons (*Mon combat* et *Sarah*) pour le super 45 tours qui vient de sortir. Surtout, en novembre 1958, il grave un nouveau 25 cm, *C'est ça*, reprenant pour l'essentiel des chansons parues au cours des douze mois écoulés, et même *Je hais les dimanches*, l'objet de la « rivalité » passée entre Gréco et Piaf. Symboliquement, une transition se clôt avec cet album un peu disparate où la plume sentimentale de l'Aznavour texte et musique (*Donne, donne-moi ton cœur*, *Mon amour*, *Si je n'avais plus* et *Ce sacré piano*, formidable histoire de couple atypique) laisse encore la part belle aux collaborations

1. *Music-Hall* n° 42 de juillet-août 1958 (Jean Dominique).
2. Partie pour deux mois en 1949, elle y a vécu jusqu'en 1956.

« fantaisistes [1] » et rythmées héritées de l'époque antérieure : Gilbert Bécaud (*La Ville*, longue chanson-fresque de plus de cinq minutes, chose rarissime alors chez Charles), Pierre Roche (*Ma main a besoin de ta main*, *Il y avait trois jeunes garçons*) ou Raymond Bernard, compositeur de *Quand tu viens chez moi... mon cœur* et surtout de *C'est ça*. Ce titre éponyme sonne effectivement comme aux premiers jours swinguants du duo Roche-Aznavour :

Et le jazz éclate, immuable
Déchirant l'air de ses syncopes
C'est ça, c'est bien ça
C'est ce qu'il faut pour toi et moi
Un peu de rythme, un peu de joie

Parallèlement, le chanteur est sur le point d'acquérir une vraie dimension d'acteur, d'abattre une carte maîtresse à travers le personnage d'Heurtevent qu'il incarne dans *La Tête contre les murs* [2], le long métrage de Georges Franju. S'il a déjà tenu des rôles d'importance et d'intérêt divers depuis *La Guerre des gosses* et *Les Disparus de Saint-Agil*, ce film lui offre incontestablement une première vraie opportunité d'affirmer son talent de comédien. C'est Jean-Pierre Mocky, l'adaptateur du roman d'Hervé Bazin, qui a abordé Charles un soir de 1957 dans une boîte en vogue, pour lui proposer le rôle. Un rôle court mais où il ne chanterait pas et décrocherait un Oscar !

Mocky qui, dans la foulée, allait embarquer Aznavour dans sa première réalisation, *Les Dragueurs*, ne s'était pas trompé :

1. Au sens premier d'artistes de music-hall présentant un numéro plein de fantaisie, voire comique, spécimen en voie de disparition depuis belle lurette en nos années 2000.

2. Le film est sorti en salle le 20 mars 1959.

quelques mois après la sortie du film de Franju, le chanteur-comédien recevait un prix d'interprétation décerné par les hautes instances du cinéma français (L'Étoile de Cristal) et éveillait l'attention de la critique : « Le miracle de la mise en scène est la poutre maîtresse du film, mais son prodige s'exerce aussi sur la vérité de l'interprétation que dominent, au-dessus de Brasseur, visiblement retenu, au-dessus de l'émouvante Anouk Aimée, Jean-Pierre Mocky et peut-être surtout Charles Aznavour... Franju est certainement l'un de nos metteurs en scène les plus sûrs de leur métier, les plus passionnés par lui, une valeur indiscutable[1]. »

Mieux, l'acteur-chanteur tape dans l'œil professionnel d'un certain François Truffaut qui l'engagera l'année suivante dans *Tirez sur le pianiste* et confie à la revue *Cinémonde*[2] : « C'est en voyant le très beau film de Georges Franju, *La Tête contre les murs*, que j'ai eu le coup de foudre pour Charles Aznavour. Ce qui m'a frappé en lui ? La fragilité, la vulnérabilité et cette silhouette à la fois humble et gracieuse qui fait penser à saint François d'Assise. Je déteste avant tout les durs, les casseurs et, d'une façon générale, tous les personnages a priori prestigieux, qui dominent l'action et que rien ne peut atteindre. Ce n'est pas une question de format, car le grand Sterling Hayden, par exemple, est aussi fragile que le petit Charles Aznavour ; on devine leur cœur avant de voir leurs muscles. »

Il faut dire que l'apparition d'Aznavour dans l'hôpital psychiatrique a de quoi marquer les esprits. S'il ne joue qu'un rôle assez court en regard de celui du héros principal incarné par le beau ténébreux Jean-Pierre Mocky, il

1. Albert Cervoni, *La Marseillaise*, 7 mai 1959.

2. N° 1345 du 5 mai 1960, cité dans la publication des correspondances du cinéaste : *François Truffaut – Le Plaisir des yeux*, Éd. des Cahiers du Cinéma, 1987.

installe tout de suite un climat, une folie poétique, sinon une poésie folle, de par son envol permanent à travers le rêve, sa véritable évasion à lui, que le nom d'Heurtevent induit déjà. Mais cette évasion cultive tant l'absolu qu'elle ne peut déboucher que sur le tragique, ce qu'on pressent, à l'inverse, dans la spectaculaire scène d'épilepsie. Et dans son obsession désespérée de gagner un ailleurs où il y a des vrais bateaux sur la mer, et où on pourra peut-être le « guérir », ce personnage éminemment humain renvoie, misère pour misère, à celui d'une chanson célèbre qu'Aznavour écrira dix ans plus tard : *Emmenez-moi* (« Il me semble que la misère / Serait moins pénible au soleil... »).

Sur le plan personnel, la vie paraît si oppressante à Charles qu'il saisit l'occasion d'un concert à Lisbonne pour quitter l'appartement conjugal. Il raconte : « Je rencontrai dans l'avion du retour une ravissante comédienne qui venait d'un festival à Rio de Janeiro, Estella Blain. Nous passâmes le voyage à parler, rire et flirter un peu. À la descente de l'avion, la presse cinéma était présente pour accueillir les comédiens et les comédiennes revenant du festival. Des photos furent prises et Évelyne en eut connaissance. Se sentant bafouée, elle engagea en quatrième vitesse une procédure de divorce[1]... »

En juillet 1958, à l'annonce de celui-ci, Charles Aznavour a beau s'y attendre, il accuse le coup ; par-delà les torts réciproques, une rupture ne laisse jamais indemne. S'il replonge quelque temps dans la vie nocturne, bruyante et arrosée, des copains fêtards, il reprend surtout le travail avec, en point de mire, un nouveau passage dans une

1. *Le Temps des avants*, *op. cit.*

grande salle à la fin de l'année. Friand de têtes couronnées et d'actualité *people*, l'hebdomadaire *Jours de France*[1] – qui occupera bientôt une place de choix dans les salons de coiffure – résume : « À l'Alhambra, Charles Aznavour, l'homme le plus chanté de France avec Gilbert Bécaud, chante durant six semaines, ce qui, dans ce music-hall, est un record. Son dernier disque, *Mon cœur à nu*, a des accents bouleversants de confidences. *Je ne peux pas rentrer chez moi* conte la séparation de ceux qui se sont trop aimés et que la vie sépare. Aznavour divorce. Chanson vécue... Deux autres chansons, dans ce 45 tours, sont de la même veine, passionnée et mélancolique à la fois. Mais, conclusion optimiste, la jeunesse triomphe de la douleur! *C'est ça!*, la quatrième chanson, nous restitue le rythme frénétique des jam-sessions... et on l'a vu, Charles, au Mocambo, danser passionnément avec Estella Blain, ravissante et dont le prénom veut dire étoile. Étoile de demain, bonheur de demain, peut-être!... »

La semaine suivante, dans le même périodique, paraît un article plus développé dans la rubrique « La vie parisienne » : « Pour Aznavour : première sortie d'Édith Piaf et 200 télégrammes. » L'ancien « génie-con » de Piaf a en effet débuté sa série de représentations le 3 octobre à l'Alhambra, et Yves Montand le 6, à l'Étoile; pendant les semaines qui ont précédé, la presse s'est fait l'écho permanent de l'aggravation ou de l'amélioration de la santé de Piaf, sérieusement malade lors de son séjour aux États-Unis. Illustré par deux photos de Charles, dont une avec Édith, l'article précise : « Édith Piaf, sortant pour la première fois de la clinique, a réservé à Charles Aznavour ses débuts parisiens de convalescente heureuse. Quand elle l'a retrouvé

1. De l'avionneur Marcel Dassault (n° 204 du 11 octobre).

dans sa loge, il était épuisé, mais content comme un boxeur à la fin d'un combat. Ce combat, il venait de le livrer sur la scène de l'Alhambra contre son rival et ami du Théâtre de l'Étoile, Yves Montand. Ce n'était toutefois qu'un premier round. Le public seul désignera le vainqueur. Le soir de la première, ce public brillait d'un rare éclat. Et, spectateur inhabituel des premières de music-hall, le prix Nobel de littérature, Albert Camus, était là.

« Pour cette rentrée, peu de nouvelles chansons, mais un nouveau style. Le mangeur de micros aux gestes désordonnés a fait place à la silhouette rigoureuse d'un artiste économe de ses gestes. Deux cents télégrammes de félicitations encadraient le miroir de la loge d'Aznavour. »

Et, pour situer la place qu'a acquise dès cette fin 1958 l'ancien « mal-aimé » de la chanson française, un troisième « papier » occupe une bonne douzaine de pages dans le numéro du 27 décembre de l'hebdomadaire, papier annoncé dès la couverture : « En couleurs, une enquête sur les nouvelles vedettes de la chanson. » Deux artistes bénéficient d'une pleine photo couleur : Gilbert Bécaud, d'abord (côté notoriété, il possède alors un petit tour d'avance), et Charles Aznavour, l'un et l'autre étant fréquemment associés à un courant « moderne » de la chanson. Dans cette longue enquête-catalogue signée Yvan Sauvage, la partie qui le concerne précise notamment : « Aznavour, lui, écrit partout. Sur un bout de nappe de restaurant, sur la facture de son garage, sur la couverture d'un livre, au dos de la photo de sa fille. Ses papiers sont en vrac dans une serviette de cuir délavée par l'eau de pluie ; il la pose comme le bien le plus précieux sur la banquette de sa somptueuse voiture. Il y a là, pêle-mêle, matière à 700 ou 1 000 chansons. [...] C'est lui qui, après Trenet, arrive en second au classement de la fécondité. Presque toutes ses chansons sont célèbres. Pour l'année 1957, Aznavour a totalisé 60 millions de droits d'auteur. »

Sur la couverture de cet ultime *Jours de France* de 1958, figure le portrait du futur président de la République : le général de Gaulle. Il se prénomme également Charles…

Chapitre 22

Une première apogée

Outre la coïncidence amusante des prénoms, l'avènement grand public du chanteur coïncide avec le retour au pouvoir du « Général » imposant sa haute stature d'homme d'État, et, plus globalement, avec l'instauration de la Ve République. La précédente avait duré douze ans ; curieusement, sous la houlette suprême de l'icône de Gaulle, la « Nouvelle République » tiendra à peu près autant entre deux référendums : celui du « oui » à 79,25 % des suffrages exprimés (28 septembre 1958), celui du « non » plus serré (27 avril 1969) [1] au lendemain de la « chienlit » de Mai 68. Pour la majorité des Français, en dépit des aspects nettement présidentiels de la toute neuve Constitution, un « grand » homme a donné un coup d'arrêt au paralysant « régime des

1. 11 940 000 « non » contre 10 500 000 « oui ». Fin décembre 1958, selon la Constitution, le général de Gaulle fut élu président de la République par un collège de quelque 80 000 grands électeurs (notables municipaux et départementaux), pour prendre officiellement ses fonctions le 8 janvier 1959. Le même de Gaulle sera également le premier chef de l'État français élu au suffrage universel (au deuxième tour, le 19 décembre 1965, face au socialiste François Mitterrand).

partis » et remis le pays sur les rails de la stabilité politique et économique. Si l'on parle du « théâtre des opérations » en matière militaire, le général président se révélera un excellent metteur en scène de son propre personnage historique, le premier politique hexagonal d'envergure, sans doute, à s'appuyer sur les moyens modernes de communication : la radio et surtout la télévision.

Il est vrai qu'en cette seconde moitié naissante du siècle, la société française a beaucoup changé. Après la guerre, en moins de vingt-cinq ans, la population s'est accrue d'un quart; entre 1954 et 1968, celle des campagnes n'a cessé de diminuer, celle des agglomérations de plus de 100 000 habitants passant au contraire de 26,2 à 41,2 %. Chanteur urbain dont la « chance » (il l'a affirmé plusieurs fois) est d'être né à Paris [1], Charles Aznavour va, de ce point de vue aussi, se trouver en phase avec son époque. Fin 1957, il a enregistré un 45 tours intitulé *Charles dans la ville*, qui comprend justement *La Ville*, musique de Gilbert Bécaud [2]. Plus qu'un lieu, plus qu'un décor, elle devient un véritable être vivant, tremplin fantasmatique, vecteur des rêves les plus fous, marchepied vers tous les drames :

Un jour j'ai quitté mon village
Pour la ville, et en arrivant
J'ai cru qu'une main de géant
Venait me frapper au visage
[...]

1. Le court ouvrage de Pierre Ionoff, *Charles Aznavour – Les années Paris*, apporte de pertinents éléments de réflexion sur cet arrière-fond historico-culturel propre à notre capitale.

2. Qui, lui, dès 1965, dédiera à de Gaulle *Tu le regretteras*, par la plume de Pierre Delanoë. Largement éclipsé par l'énorme succès de *Quand il est mort le poète* (paroles de Louis Amade), qui figure sur le même super 45 tours, l'hommage au Général sera réenregistré dans le 30 cm éponyme de 1987.

Attention, attention, la ville est une étrange dame
Dont le cœur a le goût du drame

Pour ne relever que quelques autres exemples citadins, Aznavour qui avait interprété avec Roche *Les Cris de ma ville*, puis, seul, *J'aime Paris au mois de mai*, déclinera régulièrement le thème : *De ville en ville* (« À ma mort je veux mes amis / Que l'on me porte en terre / Dans les flancs mêmes de Paris... », *Gosse de Paris* (texte de Maurice Vidalin), *Jolies mômes de mon quartier*, *Paris au mois d'août*...

Alors que la guerre d'Algérie domine l'actualité du moment, c'est à Paris, à Montmartre précisément, que Charles Aznavour rencontre Bernard Dimey. Deux ans avant d'écrire *Syracuse* [1], le « tube » éternel qui, par fainéantise médiatique ordinaire, va en partie occulter une œuvre infiniment plus dense, il entame une fructueuse collaboration avec le chanteur, bientôt doublée d'une amitié qui ne se démentira jamais. En 1983, fait exceptionnel, deux ans après la mort de Dimey, Charles lui consacrera un album entier... Mais, pour l'heure, abordant en 1960 le thème de l'objection de conscience [2], la première chanson en commun des deux hommes, *L'Amour et la Guerre*, secoue sérieusement les esprits dans cette période sensible :

Pourquoi donc irais-je encore à la guerre
Après ce que j'ai vu, avec ce que je sais ?
Où sont-ils à présent les héros de naguère ?
Ils sont allés trop loin chercher la vérité
[...]
J'ai compris maintenant ce qu'il me reste à faire
Ne comptez pas sur moi si vous recommencez

1. Musique d'Henri Salvador.
2. D'une inspiration voisine de celle du *Déserteur* de Boris Vian.

Cet hymne à l'amour et à la vie, qui prélude au générique du film *Tu ne tueras point*, de Claude Autant-Lara, sortira alors parallèlement en 45 tours [1], mais subira les contrecoups des difficultés d'existence du film lui-même. On ne censure pas au sens strict du terme, on « déconseille »... Dans son discours de réception sous la coupole de l'Académie des Beaux-Arts, en hommage à son prédécesseur défunt, le réalisateur Francis Girod (*Le Trio infernal*, *L'État sauvage*, *La Banquière*, *Le Bon Plaisir*, *Mauvais genre*...) rappelait à ce propos [2] : « L'entreprise fut ardue. N'ayant pas trouvé de financement, le cinéaste investit son propre argent dans la production du film qui sera finalement tourné en Yougoslavie. Sélectionné au Festival de Venise en 61, *L'Objecteur – Tu ne tueras point* sera présenté sous pavillon yougoslave, la France ayant refusé qu'il concoure sous pavillon français. Suzanne Flon obtient le prix d'interprétation féminine. Mais Autant-Lara n'en a pas fini avec les difficultés. Le film reste bloqué deux ans, la censure n'autorisant son exploitation en France qu'en 1963, soit un an après les accords d'Évian... »

S'il compose ou chante dans différentes bandes originales de films d'intérêt divers (*La Nuit des traqués*, *Soupe au lait*, *Le Cercle vicieux*...), Charles Aznavour poursuit sa carrière d'acteur. Après *La Tête contre les murs* de Georges Franju, il tourne à nouveau avec Jean-Pierre Mocky, mais, cette fois, sous sa direction. Pour sa première réalisation, *Les Dragueurs*, dont il a écrit également le scénario et les dialogues, Mocky

1. D'abord comme bande originale du film (B.O.F.) proprement dite, en trois parties chantées et une partie instrumentale. Puis dans un super 45 tours avec trois autres chansons, dont *Monsieur est mort*, également de Bernard Dimey.

2. Le mercredi 17 décembre 2003, date de sa réception en tant qu'élu membre de la section des créations artistiques dans le cinéma et l'audiovisuel au fauteuil précédemment occupé par Claude Autant-Lara.

imprime déjà sa patte de provocateur irrévérencieux. Dans cette histoire de dragueurs, le samedi soir à Paris, Aznavour incarne un employé modeste et sage qui se laisse embringuer par un moderne Don Juan, lequel prend les traits du beau Jacques Charrier[1]. Une galerie de jeunes femmes traverse le récit, et l'on reconnaît Anouk Aimée (déjà partenaire de Charles dans *La Tête contre les murs*), Dany Robin, Dany Carrel, Estella Blain, Belinda Lee, Nicole Berger…

Courant mai 1959, les critiques tombent dru et Mocky reçoit sa première volée de bois vert, ce à quoi il devra s'habituer, parfois à juste titre. En bonne logique, le journal catholique *La Croix* s'indigne : « À quoi bon patauger davantage dans ce cloaque, au risque d'éclabousser la vraie jeunesse ? Laissons les morts enterrer leurs morts. Et ne citons, des interprètes, que le malheureux Charles Aznavour, manifestement aussi peu doué pour ces jeux abjects que pour le bel canto. » Le quotidien communiste *L'Humanité* ne titre guère autrement : « C'est le fond qui manque le plus » ; et l'article précise : « *Les Dragueurs*, tourné essentiellement en extérieurs, manque terriblement d'air sain, et l'on ne peut même pas lui reconnaître une technique nouvelle, un apport, un essai. L'interprétation d'Aznavour pourrait seule compter à son crédit. » Robert Chazal note, lui, dans *France-Soir* : « Le film est interprété par d'excellents acteurs dont le meilleur est Aznavour, dans un rôle tendre et comique qu'aurait pu créer le Chaplin d'autrefois. » Ce à quoi *L'Express*, qui qualifie le film de « poisseux spectacle » assorti d'une « habileté vulgaire », fait écho en trouvant « Charles Aznavour délicieux ». Et *Libération* (Jacqueline Fabre), « étonnant »…

1. Dont les gazettes spécialisées se repaissent alors de ses péripéties amoureuses avec Brigitte Bardot, qu'il est sur le point d'épouser, après que celle-ci eut connu de fugaces idylles plus chansonnières, notamment avec Sacha Distel.

Malgré cette avalanche de joyeusetés journalistiques, *Les Dragueurs* connaissent un vrai succès public et valent à Charles de très nombreuses propositions. La première et la plus formidable émane de François Truffaut, enthousiasmé – on l'a vu – par l'acteur Aznavour dans *La Tête contre les murs*, et par le chanteur qu'il était allé applaudir à l'Alhambra. Dans son interview à *Cinémonde*[1], six mois avant la sortie du film en salle, Truffaut confie : « On peut être faible, fragile, vulnérable sans être une victime ; c'est pourquoi j'ai voulu que le personnage du *Pianiste* soit très complet : riche, pauvre, courageux, peureux, timide, impulsif, sentimental, autoritaire, égoïste, tendre, doux et surtout très heureux en amour, bien que ne faisant jamais les "premiers pas". Il est un timide, soit, mais les femmes adorent les hommes timides et se jettent sur eux. » Ne tarissant décidément pas d'éloges à l'égard de sa recrue, le cinéaste ajoute : « Avant le tournage, j'étais très confiant, mais je ne soupçonnais pas combien il serait facile de travailler avec Charles, l'importance de son apport. C'est un peu comme avec Jean-Pierre Léaud : il amènent tous deux une telle vérité qu'ils deviennent un peu le film à eux seuls ; chez l'un comme chez l'autre, on retrouve cet étrange dosage d'audace et d'humilité, d'agressivité et de tendresse. »

À ce stade de la réflexion, l'artisan avéré de la « Nouvelle vague » se livre à une analyse pointue qui dépasse la problématique proprement dite du grand écran : « Charles est d'une très grande pudeur. Au fond de lui-même, il éprouve comme la honte de chanter ou de jouer, de se donner en spectacle, car il est profondément sérieux et grave ; mais comme il est non moins profondément artiste, il ne pourrait pas faire autre chose. Il se jette à l'eau et se

1. N° 1343, du 5 mai 1960.

donne tout entier, sans ruser. Il est avant tout un personnage poétique.» Et Truffaut conclut par le compliment total, celui qui relie la grâce du comédien au sens musical du chanteur : «Enfin, j'ai remarqué que tous les interprètes du *Pianiste* étaient meilleurs dans les scènes avec Charles que dans les scènes où il n'apparaît pas. C'est ce qui explique que tous et toutes aiment travailler avec lui : il donne le *la*, il impose le ton juste.» Quel engouement, quel hommage de la part d'un tel maître du 7e art!

C'est au bar du Carlton de Cannes que les deux hommes se sont rencontrés pour la première fois, le 11 mai 1959. Par une jolie coïncidence qui ne peut que les rapprocher, le Parisien Aznavour a grandi rue de Navarin, dans la rue même où habitaient les parents de Truffaut. Très vite, une forte complicité naît entre eux; ils se ressemblent au physique comme au mental, animés d'une volonté hors du commun. À Paris, ils se revoient fréquemment et désirent de plus en plus tourner un film ensemble, jusqu'à ce que François jette son dévolu sur un roman de l'Américain David Goodis, *Down There*, publié en français dans la collection «Série noire» sous le titre de *Tirez sur le pianiste*. À son tour, Charles est emballé par l'histoire. Produit par Pierre Braunberger dans une coadaptation, une mise en scène et des dialogues de François Truffaut, le film va coûter 75 millions d'anciens francs[1], presque le double du budget des *Quatre Cents Coups*, ce qui reste assez modéré par rapport à celui de nombreux films de l'époque. Aux côtés de la vedette Aznavour, Marie Dubois tient le rôle féminin principal, et

1. Un peu moins de 115000 euros. L'instauration du «nouveau franc» date de 1960. On divise par cent, autrement dit on supprime deux zéros : 75000000 deviennent 750000 francs. Mais, pour les grosses sommes, on comptera encore longtemps en «anciens» francs... comme aujourd'hui, on les trouve souvent plus «parlantes» en francs qu'en euros.

outre la touchante Nicole Berger[1], on entrevoit le talent très plastique de Michèle Mercier, la future *Angélique, marquise des Anges*... Dans ce récit, d'une sombre tonalité dès les premières images d'une course nocturne et effrénée, la fantaisie la plus libre côtoie constamment la tragédie vers laquelle tout converge au fil des diverses péripéties. Le dialogue savoureux, d'un quotidien moderne presque primesautier, du duo de gangsters, ne peut faire oublier que, revolver en poche prêt à jaillir, ils veulent coûte que coûte récupérer leur fric. La pureté de l'amour du timide pianiste virtuose (Charlie Kohler, alias Edouard Saroyan, un patronyme bien arménien) pour la tendre Lena (Marie Dubois) se heurte à une tenace fatalité dont il tentera en vain de la préserver. Par-delà certains parallèles imaginables entre cette noire odyssée sentimentale et la propre vie d'Aznavour qui vient de divorcer, il s'agit de la chronique d'un échec annoncé, alors que, professionnellement, le chanteur-acteur est sur le point d'être reconnu après s'être imposé comme auteur-compositeur. Saluant *de facto* la clairvoyance créative de Truffaut, l'ensemble de la critique partage assez le sentiment que « dans le rôle principal, le *Pianiste* révèle le talent miraculeux et poétique de Charles Aznavour[2]. »

Le cinéaste s'avère également un amateur avisé en matière de chanson, puisque, dès les premières minutes, on peut apprécier le tonique imperturbable de Boby Lapointe dans son fameux *Avanie et Framboise*[3]. Comme le rappelle Serge Dillaz, cela ne se passe pas n'importe où, en cette époque phare des cabarets parisiens de la rive gauche : « Le

1. Décédée en 1967.

2. *François Truffaut, 1932-1984*, par Gilles Cahoreau (p. 185, Julliard, 1989).

3. Appelé *Framboise* dans le générique du film.

tournage a lieu au Cheval d'Or en présence des habitués. Devant l'hostilité du producteur, convaincu que le public ne comprendra pas un mot de cette œuvre farfelue, le cinéaste a l'idée de réaliser un sous-titrage en synchronisant chaque syllabe de la chanson au bas de l'image. Boby Lapointe devient célèbre du jour au lendemain sans vendre pour autant son premier album, lancé par Fontana sous l'étiquette *Chanteur sous-titré*. Plus tard, Truffaut réitérera l'expérience en tournant plusieurs scènes de *Baisers volés* et de *La Peau douce* au Cheval d'Or et au Port du Salut, le cabaret de Jacques Masseboeuf où Luc Bérimont enregistrera ses émissions sur "La Fine Fleur de la chanson française".[1] » Vers la fin du film, par la magie d'un des premiers autoradios, c'est la voix chaude du Québécois Félix Leclerc qui s'élève en duo avec Lucienne Vernay pour un inattendu *Dialogue d'amoureux* qu'il a composé. Plyne, le patron du bistrot, est d'autre part interprété par Serge Davri, fantaisiste repéré par Truffaut en première partie d'Aznavour à l'Alhambra.

Un peu plus tôt au cours de cette même année 1960, un autre film important est sorti avec Charles en tête d'affiche : *Le Passage du Rhin*, d'André Cayatte. Salué le 7 septembre par un Lion d'Or au Festival de Venise, il raconte l'histoire de deux prisonniers français requis comme travailleurs agricoles en juillet 1940. L'un choisit de s'évader, l'autre (interprété par Aznavour) y renonce, s'attachant aux gens de la ferme et du village qu'il a découverts si semblables à ceux qu'il avait connus auparavant en France. Comme dans *La Vache et le Prisonnier* (avec Fernandel), tourné l'année précédente sous la direction d'un Arménien de Turquie nommé Henri Verneuil[2] (futur ami de Charles, avec lequel il se prépare à

1. Serge Dillaz, *Vivre et chanter en France, tome 1, 1945-1980* (p. 103, Éditions Fayard/Chorus, 2005).

2. Achod Malakian, natif de Rodosto. Décédé à Paris le 11 janvier 2002.

tourner *Les Lions sont lâchés*), une rupture s'opère avec une certaine tradition du « film de guerre », pour s'attacher aux préoccupations plus individuelles de personnages qui, loin d'être des héros, se révèlent dans la réalité la plus quotidienne. On reste dans la logique profonde de *L'Amour et la Guerre*, la chanson écrite avec Dimey, et Aznavour en remet tout de suite une couche avec *Un taxi pour Tobrouk* (1961), de Denys de La Patellière, où Hardy Krüger donne une image humaine d'un officier allemand. Une démarche somme toute parallèle aux discussions au sommet du président de Gaulle et du chancelier Adenauer pour promouvoir la nécessaire réconciliation franco-allemande. On notera là, au passage, deux éléments typiquement aznavouriens : d'une part, il n'incarne jamais un héros inaccessible, ni dans ses rôles, ni dans ses chansons, mais un être profondément humain tel que François Truffaut l'a décrit; d'autre part, il conjugue avec aisance cinéma d'auteur (Franju, Truffaut) et cinéma populaire (Cayatte, La Patellière, Verneuil), largement décrié alors par la « Nouvelle Vague ». Un équilibre naturel qui lui vaudra également d'occuper une place particulière dans la chanson, lui permettant de surmonter sans remous les effets de la déferlante yéyé [1].

À la veille de ces années 60 dont la *Nouvelle Vague* (titre d'un succès de Richard Anthony) musicale – et sensiblement plus commerciale, celle-ci ! – va laminer une partie de la chanson d'auteur, au point qu'un Guy Béart « inventera », pour résister, la « première maison de disques autogérée en France [2] », les « grands » confrères occupent déjà une vraie

1. Selon le néologisme imitatif du sociologue Edgar Morin.

2. Temporel, en 1963. « J'ai d'ailleurs reçu de nombreux artistes, affirme Guy Béart, pour leur expliquer comment créer leur propre maison d'édition ou de production : Claude François, Dalida, Anne Sylvestre... » Propos

place. Après une incursion cinématographique aux côtés de Pierre Brasseur, Henri Vidal, Raymond Bussières et Dany Carrel, dans le film *Porte des Lilas*, de René Clair (1957), d'où naîtra *Au bois de mon cœur*, Georges Brassens a sorti le sixième de ses neuf fameux 25 cm couvrant la décennie 1953-1963. Rien à jeter, comme toujours, avec notamment : *Le Pornographe*, *Le Vieux Léon*, *À l'ombre du cœur de ma mie*, *La Ronde des jurons*, *La Femme d'Hector*, *Bonhomme*. Barclay aurait bien aimé l'intégrer à son catalogue ; le père Georges restera fidèle à Philips, M. Eddie trouvant coup sur coup de superbes « consolations » avec Aznavour, Ferré (1960), Brel (1962), Ferrat (1963)...

Sur le point de connaître son premier grand succès public avec *Jolie Môme*, Léo Ferré clôt sa période Odéon d'un coup de patte magistral entre *L'Étang chimérique*, *Les Copains d'la neuille* (alors réenregistré), *Le Temps du tango* et *Mon camarade*, sur des textes de Jean-Roger Caussimon. Encore interprète, Barbara officie en « Chanteuse de minuit » au cabaret L'Écluse ; Guy Béart a aligné quelques perles nommées *Qu'on est bien*, *Bal chez Temporel*, *Chandernagor* et *L'Eau vive* ; Bécaud, le futur recordman de l'Olympia, enflamme les salles de *Il fait des bonds*... en *Viens danser* ; Serge Gainsbourg, dont le physique n'a rien à envier à celui si décrié de Charles, a livré dès son premier 25 cm une chanson à jamais éternelle : *Le Poinçonneur des Lilas*.

Quant à Brel, qui vient d'enregistrer son 25 cm *N° 4*, il a suscité un bref article dans l'hebdomadaire *Cinémonde* du 10 novembre 1959, où, après le succès de *La Valse à mille temps*, le rédacteur subodore – pas mal vu ! – ceux de deux nouveaux titres : *Les Flamandes* et *Ne me quitte pas*. Enfin,

---

recueillis par Fred Hidalgo pour le dossier Béart de *Paroles et Musique* n° 28 (mars 1983), repris dans son livre *Putain de Chanson* (Éditions du Petit Véhicule, 1991).

« pour être tout à fait complet », comme on se plaît à le répéter sur notre actuel « petit écran » où officie un certain Michel Drucker, en couverture de ce même magazine pose sa future femme, une fort jolie comédienne : Dany Saval, « la nymphette la plus piquante du cinéma français ».

C'est dans ce paysage chansonnier où évoluent bien sûr de nombreux autres artistes de qualité et de notoriété diverses (de Philippe Clay, Dalida, Dario Moreno, Sacha Distel... à Marcel Amont, René-Louis Lafforgue, Michèle Arnaud, François Deguelt, Colette Renard, Jean-Claude Darnal, Pia Colombo...), que Charles Aznavour va s'imposer dès ce début des années 60, chanson et cinéma convergeant en une irrésistible apogée.

Chapitre 23

De Raoul à Eddie

À ce stade décisif de la carrière de Charles Aznavour, un homme manque à l'appel. Un homme qui s'est battu corps et âme (et soutien financier sans faille [1]) pour que le talent de son artiste et ami finisse par triompher : Raoul Breton, décédé le 22 avril 1959 sur le paquebot *Liberté*, du Havre. Dans son n°52 de juin, le magazine *Music-Hall* publie en guise d'« au revoir » au « Marquis », le « plus célèbre des éditeurs de chansons », un poème de Louis Amade, *Pour Raoul Breton* également son ami :

> *La mort t'as pris à bras-le-corps*
> *Comme pour une valse*
> *En tenue de soirée.*
> *Puis elle t'a conduit si loin,*

1. Peu avant sa mort, il a même avancé « un gros paquet » à Charles, lequel a hypothéqué sa maison pour organiser à ses frais sa tournée d'été (avec Hugues Aufray) ; démarrée en triomphe à Marseille, elle deviendra vite un fiasco devant des salles « carrément vides ». Et Aznavour reconnaît : « J'ai trop présumé de mes forces. J'ai eu la tête enflée. J'ai cru que c'était arrivé. [...] Je vais laisser dans cette déroute plusieurs dizaines de millions (d'anciens francs). Il me faudra des années pour les rembourser » (*Aznavour par Aznavour*, *op. cit.*).

Si loin au-delà de nos routes,
Au-delà de nos nuits,
Par-delà nos matins,
Qu'il ne nous reste plus parmi nos pauvres mains
Et nos pauvres déroutes
Qu'un semblant de photo
En tenue de soirée.
[...]
Je sais dans tes jardins des herbages si rares
Et des fleurs de pommiers tellement éblouies
Qu'il me semble, vois-tu, que tu n'es pas parti
Pour ce dernier départ d'une dernière gare.
[...]
Je te donne une fleur cueillie sur la rivière
Où l'eau la transportait de pays en pays,
Je te donne une fleur venue du Paradis...
Sur ta barque elle aura charme de passagère.

Garde-la, cette fleur, en souvenir de moi,
En souvenir de nous, pour ton voyage immense
Et si parfois elle pleure en son insignifiance
C'est parce que nous pleurons quand nous parlons de toi.

L'année suivante, Gilbert Bécaud (édité lui aussi par Raoul Breton, dont La « Marquise », sa femme, poursuivra l'œuvre entreprise ensemble) fera un succès d'un texte du même Louis Amade : *L'Absent*. Avait-il été écrit avant ? inspiré par une ou plusieurs autres disparitions ? Une chose est certaine : d'une écriture simple et belle, sur une superbe mélodie mélancolique de Bécaud, son obsédant « Quelle est lourde à porter, l'absence de l'ami », ne pouvait que trouver une résonance dans le cœur de Charles et de ses proches.

Extraordinaire Raoul Breton ! Comme s'il avait voulu tout organiser avant de partir, et placer son poulain sur une rampe de lancement définitive, c'est lui qui va convaincre Eddie Barclay, lui passant d'une certaine manière le relais. Pourtant, comme Bruno Coquatrix, Barclay aura manifesté un sérieux temps de réticence. Dans son livre autobiographique *Que la fête continue*[1], il reconnaît ainsi : « Oui, bien sûr, "sans me vanter", j'ai du flair. Le flair ne suffit pas, il faut aussi de la chance, et j'en ai eu ! Dès mes débuts, tout ce que j'ai touché s'est transformé en or. Pourtant... Un jour, mon ami l'éditeur Raoul Breton me téléphone pour me demander d'écouter les nouvelles chansons de Charles Aznavour. Je n'aimais pas tellement sa voix, que je trouvais trop rauque, trop cassée, et qui ne me semblait pas du tout correspondre aux goûts du public. Bref, je n'étais pas emballé. Raoul Breton insiste et me demande de l'inviter à dîner, d'écouter attentivement les chansons, de faire un effort ! Raoul Breton était l'éditeur sans doute le plus respecté de ce métier, c'était un grand monsieur. [...] Je pouvais lui faire confiance. Aznavour est venu dîner, j'ai écouté les chansons, il y en avait de ravissantes et j'ai dû reconnaître que je m'étais pour une fois trompé : ce type allait sûrement faire une très grande carrière. Il était du reste déjà connu et enregistrait chez Ducretet-Thomson. Finalement, Charles a signé avec moi. Pourquoi moi ? Parce que nous étions les meilleurs, aussi bien pour la technique que pour la promotion. »

1. Avec la collaboration d'André Bercoff et Christian Brincourt, Robert Laffont, 1988. Plus tard, pour un article de *Chorus* à son sujet (n° 7, printemps 1994), Eddie Barclay précisera à François-Régis Barbry : « Que voulez-vous, quand Raoul Breton me fait entendre Charles Aznavour chanter *J'aime Paris au mois de mai*, même si je trouve sa voix un peu bizarre, je flaire néanmoins quelqu'un d'immense à venir... »

Eddie Barclay a d'autant plus de raisons de signer avec Aznavour que, dès ses débuts dans la « fabrication » de disques, il lui a été recommandé par un jeune étudiant américain fan de *country and western*, qui accompagne alors au piano Eddie Constantine. C'est ainsi que Jeff Davis concoctera avec Charles *Et bâiller et dormir*, permettant au futur Lemmy Caution… et à Barclay de vendre beaucoup de disques.

De son vrai nom Edouard Ruault, celui-ci est un autodidacte de la musique féru de jazz. Pianiste, compositeur, puis (plus tard) chef d'orchestre, il fonde en février 1945 la marque Blue Star avec sa femme Nicole, et commence par enregistrer les musiciens du « Club » des beaux quartiers parisiens où il joue et assure la programmation musicale. À propos de cette épouse (sa seconde), qu'il qualifie de « cobâtisseuse de l'empire Barclay », il écrit dans son livre [1] : « Je ne sais pas si l'on peut dire que sans elle je n'aurais rien fait, rien construit. Sans elle, en tout cas, rien n'aurait eu la même saveur, la même passion, la même force. Elle était *le* pilier de cette petite maison Barclay qui s'avançait timide (la maison, pas Nicole, Nicole n'était pas timide !), au milieu des géantes multinationales. »

Au printemps 1948, le catalogue regroupe quelque deux cents références et un second label (Riviera) est créé pour la variété et la danse, des contrats de licence étant signés pour la distribution d'enregistrements de marques américaines, Mercury en particulier. Pompeusement, l'ensemble s'appelle dès lors les Productions phonographiques françaises, pour devenir en janvier 1953 la Compagnie phonographique française Barclay (CPF-Barclay). Mais, déjà, le disque microsillon longue durée (le 45 tours 17 cm) est apparu

1. *Que la fête continue, op. cit.*

sur le marché ; Barclay va être un des premiers en France à exploiter cette technique qui permet d'enregistrer vingt minutes et plus par face (contre un seul morceau d'environ trois minutes auparavant sur le 78 tours), et autorise une duplication quasi illimitée et de qualité.

Grâce à d'énormes succès (*Only you* des Platters, vendu à un million et demi d'exemplaires, score fabuleux à l'époque ; *Bambino* de Dalida, découverte par Lucien Morisse, d'Europe 1), sa société s'est acquise une place importante. Désormais installée sur plusieurs étages dans un immeuble de l'avenue Charles-de-Gaulle à Neuilly, elle n'est pas encore complètement prise au sérieux par ses concurrents multinationaux, tels Philips ou Pathé-Marconi. Ils ont tort : en 1959, la société Barclay affiche un chiffre d'affaires de 15 milliards d'anciens francs [1], c'est-à-dire comparable aux leurs ; de sorte que la firme française décide alors de créer des filiales dans les pays francophones (Suisse, Belgique, Canada) et de s'offrir son propre studio. « Au début, raconte Eddie Barclay, on enregistrait chez Pathé-Marconi, au studio Pelouze, près de la place des Ternes. C'était un bon studio, mais trop petit. [...] Je voulais donc à tout prix *mon* propre studio. Je l'ai trouvé avenue Hoche, chez un de mes amis. Le studio existait déjà, mais il était inutilisable. Il me fallait le meilleur studio du monde, alors j'ai fait appel à tous les professionnels, qu'ils soient anglais, américains ou français. Finalement, c'est un Allemand qui a été à l'origine du Studio Hoche. Gehrard Lehner était arrivé de Munich en 1956, il devait rester trois jours à Paris. Il ne m'a plus quitté [2]... »

Celui-ci se souvient très bien des circonstances : « M. Barclay m'a rejoint à l'aéroport avec trois heures de

1. Un peu moins de 23 millions d'euros.
2. *Que la fête continue*, *op. cit.*

retard (j'ai appris ensuite que c'était son habitude), et il m'a demandé de calculer ce que coûterait la réalisation d'un grand studio. À l'hôtel, j'y ai travaillé toute la nuit, mais je n'étais pas un commercial. Cela nécessitait un énorme budget ; je ne sais plus exactement, peut-être vingt millions de francs d'avant l'euro. Quand je l'ai annoncé à Eddie Barclay, il m'a dit qu'au-delà de dix millions il ne pouvait pas décider sans sa femme, qui était en Amérique. Comme je ne voulais pas laisser passer une telle chance, j'ai accepté de le faire pour cette somme. En réalité, au bout d'un an et demi, on avait vraiment dépensé vingt millions, mais il l'avait oublié. [...] Après dix-huit mois, quand j'ai voulu rentrer à Munich, il m'a demandé de construire un autre studio, et comme ça m'intéressait (personne ne m'avait donné une telle chance en Allemagne), je suis resté encore un an. Et au moment de repartir, il m'a dit : "Maintenant, on va monter un studio de gravure !" Voilà pourquoi je suis encore là aujourd'hui [1]. »

Quoi que l'on puisse penser du personnage d'Eddie Barclay, de sa démesure et de sa prétention, force est de constater qu'il a su fédérer dans son catalogue des années 60 la crème de ce qui existe alors en matière de chanson française, Aznavour, Brel, Ferré et Ferrat en tête. On imagine volontiers l'attirance qu'un tel parcours, une telle ascension à la force du poignet, donc analogue à la sienne, peut exercer sur un Aznavour. D'autant que la société française [2] et le métier lui-même vivent une profonde mutation. S'il reste fondamentalement le même, le rôle de l'éditeur s'en trouve

1. Propos recueillis par Daniel Pantchenko.

2. Entre 1954 et 1957, la production industrielle augmente en moyenne de 10 % par an ; de son côté, le baby-boom poursuivra une croissance supérieure à 20 pour 1 000 jusqu'au milieu des années 60, de sorte que le chiffre symbolique des 50 millions d'habitants sera atteint au début des années 70.

réorienté : « On s'adapte aux techniques nouvelles, explique Gérard Davoust, l'actuel PDG des Éditions Raoul-Breton ; mais, pour ce qui concerne l'auteur-interprète, lorsqu'on a un coup de cœur (en général avant tout le monde, chacun ayant le sien), il faut tout faire : s'occuper de la scène, du confort matériel de l'artiste, du minimum nécessaire pour qu'il continue à travailler et à écrire, de trouver un contrat de disque... Avant, c'était scène et exploitation du petit format avec tout ce qui y était lié ; à partir des années 50, on se tourne vers le disque, qui connaît son envol après le baby-boom et l'arrivée du microsillon[1]. »

S'il a été utilisé à des fins de promotion, l'historique « petit format » (comportant partition et texte de la chanson) a jusqu'alors surtout servi « pour la recette », les chanteurs et les accordéonistes parisiens les popularisant sur les grands boulevards, les grandes maisons d'édition se situant toutes dans le quartier. « Et les succès ne démarraient que si la foule reprenait en chœur », note encore Gérard Davoust. En fait, à la fin des années 50, l'essentiel, du point de vue économique, repose encore sur les radios et le spectacle vivant, les premières rapportant des droits d'auteur aux artistes[2] mais leur permettant surtout de remplir les salles de spectacle où ils se produisent. La télévision dispose d'une seule chaîne et n'émet que quelques heures par jour ; le disque a connu une multiplicité de supports, le 78 tours disparaissant définitivement en 1957 et passant le relais au 33 tours (33-tours1/3, pour être précis) et au 45 tours, déjà respectivement commercialisés en 1946 et 1949.

1. Propos recueillis par Daniel Pantchenko pour *Chorus* n° 50 (hiver 2004-2005).

2. En juin 1958, Charles Aznavour est réputé « recordman du semestre à la SACEM » (Société des auteurs, compositeurs et éditeurs de musique).

Dans la presse paraissent donc des articles de tonalités diverses. Si *Music-Hall* de novembre 1958 (n° 45) publie un article intitulé « La chanson populaire se porte bien ! » à l'occasion d'un débat réunissant « Charles Aznavour, interprète et compositeur vedette, Cora Vaucaire, qui défend avec passion la bonne chanson parfois difficile, et Raoul Breton, le doyen et le plus écouté des éditeurs de chansons, trente-quatre ans de métier [1] », le très sérieux quotidien *Le Monde* livre quelques mois plus tard une dense enquête, signée Danielle Hunebelle, sur « La crise du disque ». Dans sa deuxième partie du 16 mai 1959, « En quoi l'accès de fièvre actuel peut être salutaire », la journaliste souligne notamment :

« Quant à la valse des artistes d'une maison à l'autre, si elle n'est pas un phénomène né de la crise, elle s'est néanmoins accentuée avec elle. Dans le cas de Barelli [2] et Aznavour, Barclay a repris les contrats au moment des accords Pathé-Ducretet. Il est évident que la crise intérieure que traverse actuellement Pathé-Marconi a dû inquiéter certaines vedettes maison et les inciter à chercher fortune ailleurs.

« D'une façon générale, les artistes préfèrent débuter dans une grande maison. Non seulement elle leur assure une meilleure diffusion des disques et des droits plus nombreux, mais elle leur organise des concerts, des tournées, le passage au music-hall ou à la radio (le lancement d'un artiste s'évalue couramment à une trentaine de millions [3]). Il arrive qu'étouffé dans une maison trop grande, l'artiste

1. Débat animé par le journaliste André Halimi qui publiera l'année suivante *On connaît la chanson* (La Table Ronde, collection « L'Ordre du jour »).

2. Aimé Barelli : trompettiste de jazz, arrangeur et chef d'orchestre. Décédé en juillet 1995.

3. Environ 45 000 euros.

tâte ensuite d'une plus petite, particulièrement dynamique, comme Barclay. »

Rappelant que Pathé-Marconi vient d'absorber le catalogue Ducretet-Thomson, Danielle Hunebelle ajoute : « Le résultat, c'est que la marque Ducretet est venue s'ajouter à la liste déjà longue des étiquettes groupées sous la bannière EMI : Columbia anglaise, Voix de son maître, Capitol, MGM, Pathé-Marconi et Odéon. [...] Il ressort de cette analyse rapide que le disque fait actuellement sa maladie comme les jeunes chiens. Il a inondé le marché, aujourd'hui le marché réagit. La pause, dans l'ensemble, est extrêmement salutaire. Les éditeurs vont être obligés de se spécialiser, de sortir moins de disques, de soigner davantage la qualité, d'équilibrer plus harmonieusement l'aspect commercial et l'aspect artistique des disques. »

Notons au passage que la « reprise » du contrat d'Aznavour par Eddie Barclay est ici annoncée au moment où disparaît Raoul Breton, et plus d'un an avant la sortie du premier album du chanteur dans sa nouvelle maison de disques. Honorant jusqu'au bout son contrat en cours, il enregistre encore plusieurs 45 tours chez Ducretet-Thomson. Il s'agit essentiellement de B.O.F. (*Pourquoi viens-tu si tard ?*, *La Nuit des traqués*, *Le Cercle vicieux*), dans lesquelles figure en général un seul titre chanté, mais aussi de deux disques proprement dits : l'un en septembre 59, comportant deux chansons aznavouriennes en diable (*J'en déduis que je t'aime*, *Mon amour protège-moi*), *Gosse de Paris*, sur des paroles de Maurice Vidalin, et *Tant que l'on s'aimera* (du film *Délit de fuite*), musique de Jean Leccia, orchestrateur de l'ensemble ; l'autre, en avril 60 – toujours avec Jean Leccia –, réunissant *Quand tu vas revenir*, *Dis-moi* (musique de Gaby Wagenheim), *Liberté* (paroles de Maurice Vidalin) et *Tu étais trop jolie*. Ce dernier titre existait en version instrumentale dans la bande originale du film d'Henri Decoin, *Pourquoi viens-tu si tard?* (sorti le 6 mai 1959, avec Michèle Morgan et Henri Vidal) où Aznavour joue le rôle d'un danseur et chante le générique, repris dans le super 45 tours Ducretet-Thomson[1]. Y apparaît pour la première fois le titre *Je me voyais déjà*, ainsi libellé, dans une version purement instrumentale et plus courte que celle de l'emblématique chanson que le grand public découvrira dans un super 45 tours Barclay préparant l'Alhambra décisif de décembre 1960.

N'anticipons pas. L'année 1959 s'achève au moment où Charles tourne *Tirez sur le pianiste*, de Truffaut. On peut alors brosser le décor suivant : « Piaf vient de créer *Milord*, et Sacha Distel a signé le tube de l'été avec *Scoubidou* ; Fidel Castro a pris le pouvoir à Cuba ; Boris Vian et Gérard Philipe sont morts à quelques mois d'intervalle. Ni l'un ni l'autre n'avaient quarante ans. Quelques jours après le Nouvel An, ce sera le tour d'Albert Camus à l'âge de quarante-six ans. Pour le rock'n'roll, l'essentiel est déjà dit, ou presque. Elvis Presley est sous les drapeaux, en Allemagne, après avoir définitivement enterré sa légende de rebelle ; Buddy Holly s'est tué en avion, et il ne reste que très peu de temps à Eddy Cochran avant de franchir les "trois marches du paradis[2]". C'est donc avec un certain

1. La pochette de ce disque prête (peut-être pas involontairement) à confusion, puisqu'il est indiqué : « Bande originale du film chantée par Charles Aznavour et Virginie Reno, avec Jacques Brienne et son orchestre. » En réalité, chacun des deux artistes chante séparément une version de *Pourquoi viens-tu si tard?* sur chaque face ; celle d'Aznavour s'intitule donc *Générique*, une troisième étant orchestrale. Charles a composé toutes les musiques, y compris des deux autres titres (outre *Je me voyais déjà*) : *Tu étais trop jolie* et *Francesca.*

2. Quelques semaines avant son accident mortel (le 17 avril 1960, à Londres), il créait le prémonitoire *Three Steps to Heaven.*

retard sur l'Histoire que le rock'n'roll arrive en France pour y provoquer le plus grand bouleversement socio-économique de l'après-guerre. Il y est d'ailleurs attendu de pied ferme, car Vian, qui avait des antennes aux États-Unis, a prévenu son monde : le rock **est** "un chant tribal ridicule, à l'usage d'un public idiot". Le 14 mars 1960, la sortie du premier 45 tours de Johnny Hallyday marque l'acte de naissance officiel du rock français. Un disque que Lucien Morisse, directeur d'Europe N° 1, cassera en direct sur les ondes [1], promettant à ses auditeurs qu'ils n'entendront plus jamais parler de l'hurluberlu en question [2]. »

Ce disque surgit donc – chez Vogue – avant que le premier 25 cm d'Aznavour ne sorte chez Barclay. Quel rapport ? Très vite, les circonstances vont se charger de le démontrer et de rapprocher les deux hommes, tissant une amitié qui dure encore aujourd'hui. Par un clin d'œil au duo initial du « maître » Trenet, Charles et Johnny, on pourrait dédier un chapitre entier à Johnny et Charles. D'abord, comme son aîné, le tout jeune rocker en prend carrément « plein la gueule ». Pour son passage à l'Alhambra (trois chansons en première partie de Raymond Devos, à partir du 20 septembre), la presse se lâche : « Exhibition de mauvais goût » (*L'Humanité*), « Parodie burlesque » (*Le Parisien libéré*), « Une exhibition baragouinante et hystérique promise à brève échéance au cabanon » (*La Croix*). Ensuite, ne voulant pas rester chez Vogue, Hallyday a signé une option avec Eddie Barclay (chez lequel il désire vraiment

1. Aussi injustifiable que se révèle ce geste, il convient quand même de rappeler que le titre « locomotive » du disque en question était la reprise de *T'aimer follement*, créé par Dalida, déjà vedette et de surcroît épouse de Lucien Morisse. Il y avait donc un brin de provocation dans l'air, Johnny n'étant d'ailleurs pas vraiment emballé par cette chanson, imposée à lui par la production.

2. Marc Robine, *Grand Jacques – Le Roman de Jacques Brel* (1998, Editions Chorus/Anne Carrière).

aller), option contrecarrée in extremis par Philips qui finira par l'emporter à coups de millions[1], Barclay renonçant à s'aligner. Curieusement, l'un des plus chauds partisans de la venue d'Hallyday chez Barclay sera Georges Garvarentz, le futur beau-frère de Charles Aznavour. Alors que ce dernier ne se voit pas écrire pour un rocker, Garvarentz trouvera un stratagème pour le convaincre, faisant à son insu enregistrer par Johnny une chanson qu'ils ont conçue ensemble : *Il faut saisir sa chance.* Dès lors, un peu comme Piaf l'avait fait pour lui, Charles va prendre Johnny sous son aile, lui « organisant » son Olympia de 1961 et l'accueillant par intermittences, pendant près d'un an et demi, dans sa maison de Galluis.

Telle une re-naissance, le premier 25 cm de Charles Aznavour sous label Barclay voit le jour à la fin du printemps 1960[2]; coïncidence amusante, son deuxième titre, *Ce jour tant attendu* (musique d'Alec Siniavine), évoque un accouchement avec douleurs et expressions paroxystiques (« corps torturé », « ongles furieux », « êtres éperdus »), gratifié d'un intense bonheur final :

Et ton corps déchiré
Soudain s'est apaisé
En mettant au grand jour
Le fruit de notre amour

---

1. Le contrat est signé le 19 juillet 1961. Johnny Hallyday a dix-huit ans depuis un mois. Barclay deviendra néanmoins son ami et saura utiliser le joker du contrat d'option pour obliger – en contrepartie – Philips à « libérer » Brel (lequel a déjà signé avec Barclay) au bout de deux années de batailles juridiques, procès compris.

2. Charles Aznavour avait déjà interprété *Tu t'laisses aller* en direct à la télévision, lors d'une émission de solidarité pour les sinistrés de Fréjus, en décembre 1959. Il avait récidivé (y ajoutant *J'ai perdu la tête*), dans le mythique *Discorama* de Denise Glaser, le 29 avril 1960.

Depuis près de deux ans, il est vrai (sa séparation d'avec Évelyne Plessis), Charles s'est montré dans la presse avec sa fille Patricia qui va sur ses quatorze; un beau «fruit» de l'amour, dont le père est logiquement très fier, même si l'amour en question (sa première femme, Micheline) n'est plus.

Adaptée d'un air traditionnel russe, la chanson d'ouverture de l'album, l'une des toutes premières [1] de cette nouvelle ère chez Barclay qui va s'avérer décisive, prend indubitablement valeur de symbole; et la mémoire indélébile de l'enfant de cinq ans ressuscite l'âme du restaurant festif et nostalgique de papa Mischa. S'il existe de sérieuses nuances entre l'Arménie et la Russie, la fibre mélodique et rythmique slave qui fonde une part essentielle de l'inspiration du compositeur Aznavour imprime d'emblée une émouvante identité. À mots simples et profonds (le refrain en langue russe signifiant «Encore une fois, encore et encore...»), Aznavour réussit une espèce de quadrature du cercle avec ces *Deux guitares* [2] que les cordes d'un nouvel orchestrateur fou de violons, nommé Paul Mauriat, embrasent. La voix elle-même (bénéficiant sans doute d'une meilleure prise de son, d'améliorations techniques de pointe) semble plus

---

1. Pour être précis, la toute première fut *Tu t'laisses aller*, *Les Deux Guitares* apparaissant en tête du second 45 tours.

2. Quelques années plus tard, quand on habite Bordeaux et qu'on a 18 ans et un père ukrainien en manque du pays, il faut voir comment les marins soviétiques font la fête et vous reçoivent pendant l'escale. Sur le bateau, il y a du caviar, beaucoup de vodka, des guitares à sept cordes, des chansons et, tôt ou tard, un couplet sur l'air des *Deux guitares*. Tout le monde s'esclaffe... sauf les Français présents. Du tac au tac, un marin répond au précédent par un couplet de sa région. Nouveaux éclats de rire, et nouvelles versions. On a beau traduire, l'humour ne passe pas la rampe de la langue. Ce qui est sûr, c'est qu'il s'agit plus de paillardise que de grande poésie! Alors, pour rester dans l'ambiance et rigoler aussi, on porte un nouveau toast...

claire et, dès les premières notes, nous emporte dans son vague à l'âme :

Deux Tziganes sans répit
Grattent leur guitare
Ranimant du fond des nuits
Toute ma mémoire
Sans savoir que roule en moi
Un flot de détresse
Font renaître sous leurs doigts
Ma folle jeunesse

Outre deux autres adaptations, issues de la comédie musicale *Porgy and Bess* de Georges Gershwin (*J'ai des millions de rien du tout*, *C'n'est pas nécessairement ça*), et l'apport d'un compositeur, Jean Patrick, dans *La Nuit*, au texte très soigné, Charles affirme de plus en plus sa cohérence avec deux excellentes chansons d'amour cousines, *J'ai perdu la tête* et *Plus heureux que moi*, cette dernière pointant vraisemblablement quelques souvenirs personnels sublimés :

Dans le quartier de ma jeunesse
Fallait savoir parer aux coups
Vivant sur mes gardes sans cesse
Me conduisant comme un voyou
Je défendais mon existence
En pensant que ça changerait

Pour autant, le morceau emblématique de ce premier album Barclay s'appelle *Tu t'laisses aller*, une scène de la vie d'un couple vieux d'une poignée d'années qui, à en croire l'homme qui raconte, ressemble à une éternité :

Je subis ton sal' caractèr'
Sans oser dir' que t'exagèr's
Oui t'exagèr's, tu l'sais maint'nant
Parfois je voudrais t'étrangler
Dieu que t'as changé en cinq ans
Tu t'laisses aller, tu t'laisses aller

Si le disque a connu le succès, bien que de l'aveu même d'Aznavour un certain nombre de « dames » n'ait guère apprécié la charge à sens unique, peut-être les choses eussent-elle été différentes, début 70, après la naissance du MLF, le Mouvement de libération des femmes ? Il est d'ailleurs peu probable que le chanteur – qui n'a jamais rien eu du macho ou du phallocrate de service – ait tenu alors ce genre de propos ; encore que l'on puisse estimer, comme le début de la chanson tend à le suggérer, qu'il s'agit d'abord d'un jeu de comédien, d'une simple fiction. Une fiction dans laquelle, à l'évidence, beaucoup de couples se sont plus ou moins reconnus, sinon retrouvés, la tendresse finale ouvrant la porte à tous les espoirs de recommencement.

Plus singulier, un joli titre évoquant Paris à la manière d'un Dimey, occupe ici – et dans l'œuvre globale de Charles Aznavour – une place unique : *Fraternité.*

Nous rentrions très tard, mêlant
Des vers purs à des chants obscènes
Et l'on s'asseyait sur un banc
Pour regarder couler la Seine

Ce poème d'André Salmon[1] que Charles a mis en musique passera assez inaperçu et ne rendra pas grâce à cet ami de Guillaume Apollinaire et Max Jacob, devenu

1. Décédé en 1969 à l'âge de quatre-vingt-huit ans.

poète, écrivain, critique d'art, journaliste... et considéré en 1910 comme l'un des poètes les plus prometteurs de sa génération.

Enfin, à travers *Rendez-vous à Brasilia* – diffusé régulièrement sur les ondes –, Charles Aznavour écrit pour la première fois une chanson avec son futur beau-frère, le compositeur Georges Garvarentz[1], à ceci près qu'en l'occurrence les rôles sont inversés, ce dernier cosignant les paroles (avec Clément Nicolas) sur une musique de Charles.

1. Voir l'entretien inédit avec Marc Robine, en annexes.

IV

AU SOMMET

Chapitre 24

L'effet «Je m'voyais déjà»

Ce premier album Barclay marque les véritables débuts de la collaboration de Charles Aznavour avec Paul Mauriat qui va devenir son arrangeur historique des années 60, l'architecte d'un son identifiable entre mille, jusqu'en 1967. «J'ai réalisé pour lui plus de cent vingt orchestrations, se souvient le musicien; et la première fois, j'ai dû en assurer quatre dans la même séance! C'était un peu trop; ensuite, on s'est limités à deux. Mais Charles était très agréable, très professionnel, et ça a tout de suite marché. J'allais chez lui, on déjeunait et il me chantait les chansons en me laissant une grande liberté de travail. Il avait confiance[1].» En 1951, après l'arrangement sur *Jezebel*, Mauriat avait pourtant refusé d'être le pianiste d'Aznavour. S'il ne croyait pas en l'avenir d'un chanteur affublé d'une telle voix, au moins a-t-il eu ensuite l'honnêteté de reconnaître son erreur. «Je crois que le secret de l'orchestrateur vis-à-vis d'un chanteur, c'est l'humilité, souligne-t-il d'ailleurs. Sa seule possibilité est de faire une orchestration avec une introduction qui

1. Propos recueillis par Daniel Pantchenko.

soit à lui. Lorsque j'ai fait l'Alhambra ou l'Olympia avec Aznavour, dès le début de l'introduction orchestrale les gens applaudissaient parce qu'ils reconnaissaient le morceau. C'est la seule chose que j'avais le droit de faire ; après, je m'effaçais [1]. »

D'autres enregistrements suivent très vite. La bande originale du film *Tu ne tueras point*, de Claude Autant-Lara, comporte *L'Amour et la Guerre*, la chanson écrite avec Bernard Dimey, ici déclinée en trois parties assorties d'une quatrième plage instrumentale. En pleins « événements » d'Algérie, subissant comme le film les foudres de la censure, elle fait néanmoins partie – en version courte – d'un super 45 tours aux côtés de trois nouveaux titres : *Prends le chorus*, dans l'esprit jazzy que l'ancien partenaire de Pierre Roche affectionne ; *L'Enfant prodigue*, première collaboration efficace avec Jacques Plante, futur auteur de *La Bohème* ; *Monsieur est mort*, un Dimey en forme de méchant et immoral règlement de comptes domestique.

Surtout, Aznavour, qui avait laissé entendre dans la presse qu'il y aurait dans son tour de chant à venir plusieurs chansons « très différentes de son style habituel », dont l'une sur son métier, se prépare à frapper un grand coup. Bien que la publicité des toutes nouvelles Éditions French Music annonce « le retour de l'Enfant Prodigue au music-hall, Charles Aznavour à l'Alhambra à partir du 9 décembre », et mentionne six titres pour allécher le public, *Je m'voyais déjà* n'y figure pas – à l'inverse de deux inédits plus sentimentaux, *Quand tu m'embrasses* [2] et *Comme des étrangers*, commercialisé peu après [3]. Pour la plupart des gens, la découverte va donc s'effectuer sur scène. Les VIP

1. *Paul Mauriat, Une vie en bleu*, Serge Elhaïk (Val Productions, 2002).
2. Musique d'Eddie Barclay.
3. Avec *Tu vis ta vie mon cœur*.

et autres privilégiés, assistant à la première de presse du 12 décembre, bénéficient néanmoins d'un traitement de faveur signé Barclay, qui témoigne déjà d'un sens aigu de la promotion. Il fait tirer un 45 tours labellisé avec deux titres – *Je m'voyais déjà* et *L'Enfant prodigue* –, la pochette sur fond blanc explicitant le «coup» en énormes lettres noires sur quatre lignes : «12 DÉCEMBRE, CHARLES AZNAVOUR, ALHAMBRA».

Plus chroniqueur mondain que journaliste, François de Senter en griffonne à chaud une «Dernière minute» dans *Le Figaro* du lendemain : «Un petit disque pressé pour cette occasion et distribué à des centaines d'invités a marqué la rentrée de Charles Aznavour à l'Alhambra. Au parterre, on remarquait André Cayatte, avec lequel il tourna *Le Passage du Rhin*, François Truffaut, *Tirez sur le pianiste*, et Denys de La Patellière, metteur en scène de l'inédit *Un taxi pour Tobrouk*. Son Exc. M. Vinogradov[1] avait pour voisin Jean Cocteau, et, à l'entracte, le spectacle ne fut pas au foyer, mais dans les cinq premiers rangs de l'orchestre où étaient assis : Colette Renard, Andréa Parisis, Dalida, Sandrine, Marcel Achard, Charles Trenet, Marcel Carné, Louis Jourdan, Maurice Ronet. Il y avait aussi Lucienne Boyer, sa fille Jacqueline étant la covedette du même programme. Après avoir reçu dans sa loge Louis Armstrong et Duke Ellington qui lui ont dit les quelques rares mots qu'ils connaissent en français, Charles Aznavour entra en scène devant le grand rideau rouge pour interpréter *J'ai perdu la tête*. Il devait trouver l'enthousiasme de toute la salle.»

Étrange, mais le saltimbanque Aznavour ressent alors les choses d'une toute autre façon. Il a beau compter de sérieux aficionados (telle la journaliste Jacqueline Cartier qui a

1. Alors ambassadeur de l'URSS à Paris.

écrit au verso du 45 tours des *Deux Guitares* : « Aznavour, c'est une bombe atomique de poche. Il n'est pas grand. Il ne pèse rien. C'est la bombe A du tour de chant. »), il est en proie à l'un des plus grands tracs de sa carrière. Jusqu'à la septième chanson, il a l'impression que rien ne s'est produit, qu'une chape d'ennui a glacé la salle. Après un faux rideau, il joue son joker : *Je m'voyais déjà*. Pour ce titre décisif, il a imaginé une chute spectaculaire : soudain les éclairages se renversent, le dos tourné aux spectateurs, il danse en entrant dans le plein feu des projecteurs jailli du fond de scène, et le rideau tombe. Là, catastrophe ! Alors qu'il espère des applaudissements nourris, c'est le silence. Si court, mais si interminable à ses yeux... Puis, montent des bruits de fauteuils précédant l'explosion d'émotion et de joie confondues des spectateurs, enthousiasmés. Conquis, debout, tapant des mains comme jamais. Cela s'appelle un triomphe.

Pour paraphraser la chanson que Charles Aznavour vient d'enregistrer, « ce jour tant attendu » est enfin arrivé. Accouché dans la douleur, mais magnifique. Dans *Le Monde* du 14 décembre, après avoir évoqué la première partie du spectacle (Boby Lapointe, Les Trois Horaces qui « excellent dans le mime ») et exécuté Jacqueline Boyer (« un de ces produits fabriqués en studio et lancés sur le marché à grand renfort de publicité »), Claude Sarraute note : « Enfin, Charles Aznavour. Son charme tient, je crois, au contraste qu'il y a entre la faiblesse de ses moyens et la force de son inspiration. Cette enveloppe si mince, si fragile, cache une volonté d'acier, et ce timbre assourdi, voilé, exprime de vrais élans. Ses nouvelles chansons valent les anciennes. Je n'ai pas leurs titres en tête. Elles parlent d'amour sur ce ton de confidence passionné qui est la clé de son succès auprès des jeunes et des moins jeunes. Et les histoires qu'elles nous content – celle d'un chanteur raté en particulier – ont le mérite d'être bien écrites. Ce sont des couplets que l'on peut fredonner sans honte, des couplets à la Brassens, à la Trenet. »

L'histoire « d'un chanteur raté en particulier »!... Ouf. Oui. Enfin! Même si la journaliste n'a pas son titre « en tête », elle a été particulièrement accrochée par *Je m'voyais déjà*, et la dualité enveloppe fragile/volonté d'acier à laquelle elle résume le chanteur, correspond tout à fait à celle qu'il éprouve alors à l'instant d'entrer en scène. Deuxième satisfaction : le même jour, un autre critique, dans *Le Figaro*, salue la performance de Charles. Paul Carrière a une réputation de sévérité, mais au moins exerce-t-il sérieusement son métier et assiste-t-il en conscience aux spectacles des artistes connus ou moins connus. Aussi, par-delà ses goûts personnels et sa subjectivité, constitue-t-il un observateur précieux de l'évolution de la chanson à cette époque. Intitulé « En écoutant Aznavour... », son article se partage équitablement entre vedette et première partie (tel « le fantaisiste farfelu Boby Lapointe, dont le style assez neuf est encore loin de sa maturité ») et entre d'emblée dans le vif du sujet : « C'est un Aznavour passablement changé qui fait retour au music-hall. La vie – et sa réussite – ou peut-être les simples jeux de la scène et de l'écran ont adouci son visage et assagi son inquiétante nervosité. Un ton plus posé, de nombreux sourires laissent croire qu'il a dominé son angoisse native. Bien entendu, ses couplets reflètent toujours les contradictions de sa tête et de son cœur. Et, sans doute parce qu'il rime avec Aznavour, l'amour en reste la substance principale. Mais, au-delà du pathos, du solennel et de l'abstrait, apparaissent enfin des évocations vivantes : clins de soleil, croquis d'une jeune femme deux fois négligée ou vigoureux portrait de la vedette ratée pour qui, soudain – idée sensationnelle –, la scène se dédouble, laissant voir au fond une seconde rampe devant un second public. »

« Idée sensationnelle ! » a lâché Paul Carrière qui est loin d'être un « fan » et qui poursuit : « L'évolution d'Aznavour est sensible sur un autre plan. Comme s'il s'avouait enfin qu'il ne sera jamais, avec le moulin à poivre qui lui sert de gosier, ce qu'on appelle encore un chanteur, il joue à fond d'un don incontestable : le pouvoir d'incantation qu'il possède à l'égard d'un vaste public – surtout féminin. Il en arrive à négliger parfois complètement sa diction pour donner plus de force au ton de mélopée envoûtante qui caractérise la plupart de ses œuvres. Et il réussit sa performance au point de se faire applaudir bien avant d'avoir fini. »

Objectivement, cette chanson marque donc un déclic, un point de bascule scénique que son impact discographique va « transformer » (comme on dit au rugby), et il est significatif que le chanteur lui ait accordé une place-clé dans ses deux livres de mémoires : sous l'intitulé « Ce soir ou jamais », elle clôt l'ultime chapitre de la première partie du *Temps des avants* (2003) ; elle occupe les dernières pages d'*Aznavour par Aznavour* (1970), non pas à la façon d'un *happy end*, mais d'une porte enfin ouverte vers le succès. Par-delà sa résonance rétro biographique, que renforce alors le « complet bleu » (à ceci près qu'en l'occurrence il est tout neuf et taillé par un couturier à la mode), elle recèle une dimension symbolique, universelle, où se retrouvent (se réfugient) des milliers d'artistes « incompris », « trop pur(s) ou trop en avance », estimant en toute bonne foi qu'on ne leur a « jamais accordé (leur) chance ». Aznavour était déjà une grande vedette, gagnant « plus de cent millions par an » (si l'on en croit ses déclarations à la presse de l'époque), et il aurait sans aucun doute continué de grandir, même s'il avait raté son effet. Mais, entre son orgueil, sa rage et sa volonté d'accéder aux plus hautes cimes après avoir subi les assauts les plus bas, cela ne pouvait lui suffire. Il lui fallait le K.-O. technique. Et, finalement, ce *Je m'voyais déjà* recense les angoisses rétrospectives d'un saltimbanque qui aura failli rater le coche, expérimenté l'interminable catalogue des galères, et forcément douté.

Curieusement, dans une célèbre émission de télévision (*Cinq Colonnes à la une*) enregistrée pendant ce « triomphe à l'Alhambra [1] » et qui consacre près de dix minutes au « phénomène » – lequel reçoit chez lui à Galluis, dans sa « luxueuse ferme », en fredonnant *Tu t'laisses aller* au piano –, la séquence qui précède devient une introduction idéale. Il s'agit d'alpinisme ; après l'ascension de la face Nord – la plus difficile – des Dolomites par un Italien et un Allemand, le commentaire conclut : « Quatre jours pour monter, il faudra seulement deux heures pour redescendre, par le chemin de la face Sud, tout simplement. Bien sûr, on peut se demander pourquoi, dans ces conditions, risquer sa vie par la face Nord. En disant cela, on oublie que les hommes d'aujourd'hui auraient encore peur des montagnes, sans doute, si les plus courageux d'entre eux n'avaient pris l'habitude de les vaincre, de temps à autre, pour nous rappeler que nous sommes plus forts qu'elles. »

Et cette victoire d'Aznavour, cet « exploit », cette chanson symbolique ouvrent des portes et redonnent du courage à beaucoup d'autres artistes qui commençaient à ne plus « s'y voir » déjà. Parce qu'il n'a rien d'un athlète, rien d'un héros inaccessible. S'il rétorque en souriant à l'intervieweur (Pierre Desgraupes) qu'il possède une « grande voix » de

1. Diffusée le 6 janvier 1961.

trois octaves, même si elle est affectée d'un voile, pour ce qui est de « l'explication » de son succès, il répond : « Je pense qu'il y a beaucoup plus de gens au monde qui ont une voix comme la mienne, que de gens qui ont une jolie voix. » Et la suite de la conversation donne ceci :

« *Pierre Desgraupes* : C'est-à-dire que vous croyez que vous incarnez le public le plus moyen quant à la voix ?

– Oui. Et puis, ça les rassure ! Pour celui qui voudrait commencer à faire ce métier, s'il a une voix à peu près comme la mienne, il ne se sentira pas handicapé.

– Est-ce qu'il y a un rapport entre votre vie et vos chansons ? Est-ce que vos chansons sont une confession, en un sens ?

– Non ! Elles ont surtout un rapport avec la vie des autres.

– C'est-à-dire ?

– C'est-à-dire qu'on me raconte beaucoup d'histoires, je vois énormément de gens vivre autour de moi, et j'essaie d'écrire les soucis quotidiens des autres – enfin, les soucis d'amour, naturellement ! Mais ce n'est pas mon histoire à moi, sinon j'aurais une vie vraiment très difficile…

– Mais vous avez une vie facile ?

– Non. Mais pas difficile à ce point-là ! »

Chapitre 25

Comme Frankie

Au sortir de cet Alhambra décisif, Charles Aznavour va surtout se consacrer au disque et au cinéma. Un article de *Music-Hall*[1] intitulé « Aznavour : "Je ne suis pas condamné à la jeunesse chronique" » conforte l'évolution de l'artiste : « Sa jambe ne sera plus agitée de ces frissons de possédé qui comblaient ses fans et déchaînaient ses détracteurs depuis la première heure. [...] Le tour de chant de Charles Aznavour ne s'assagit pas. Il mûrit. Certes, il ne se déchausse plus et ne brandit plus ses souliers en saluant. Certes, il ne chante plus exclusivement l'amour, et, désormais, il est plus facile de faire entendre ses couplets par de chastes oreilles. » Comparant Charles à Frank Sinatra (dit Frankie[2]) pour leur double carrière d'acteur-chanteur, il annonce sans le savoir l'inflexion « à l'américaine » du prochain show de

1. N° 67, décembre 1960, sous la plume de Jean-Guy Berre.

2. En lever de rideau duquel Charles Aznavour surgit à la surprise générale, le 1er mai 1962, sur la scène de l'Olympia : « On ne présente pas Sinatra aux Parisiens... Mais, Frank Sinatra, permettez-moi de vous présenter Paris ! » Olympia *Bruno Coquatrix, 50 ans de music-hall*, par Jean-Michel Boris, Jean-François Brieu, Eric Didi (Hors Collection, 2003).

l'Olympia 1963, et insiste sur l'image désormais posée de ce gentleman-farmer de trente-six ans qui possède « trois chevaux, une maison à Montfort-l'Amaury[1] et une fille de seize ans, Patricia ». Et qui ne semble pas pressé de se remarier...

Évoquant une vingtaine d'autres artistes (Francis Blanche, Philippe Clay, Eddie Constantine, Juliette Gréco, Luis Mariano, Yves Montand, Poiret et Serrault...), l'article porte pour titre général « Le cinéma les arrache à la chanson », et sans oublier une seconde celle-ci, Charles Aznavour va alors consacrer beaucoup de temps au grand écran. Nous n'insisterons pas sur les films où il joue son propre personnage, tel *Gosse de Paris*, court métrage de 19 minutes dans lequel il flâne sur les bords de la Seine et trouve l'argument d'un ballet amoureux[2] parmi les estampes d'un bouquiniste ; ou *Les Lions sont lâchés*, d'Henri Verneuil (1961), avec une kyrielle de vedettes (Jean-Claude Brialy, Claudia Cardinale, Danielle Darrieux, Michèle Morgan, Lino Ventura...) et une musique de Georges Garvarentz ; ou encore *Pourquoi Paris ?*, de Denys de La Patellière (1962), où l'on retrouve Danielle Darrieux aux côtés cette fois de Bernard Blier et Maurice Biraud, Charles ayant composé la musique.

Plus sérieusement, avec ce dernier réalisateur (il deviendra bientôt – comme Verneuil – un ami de la famille), il tourne *Un taxi pour Tobrouk*, un long métrage à nouveau inspiré

1. Deux ans auparavant, Charles Aznavour a également acquis une vieille ferme « entourée de vignes et de fleurs » dans le Midi, à Saint-Martin (près de Mougins), où vivent désormais son père, sa mère et sa fille Patricia qui suit sa scolarité près de Cannes. Aïda (la sœur de Charles) et son fiancé, Georges Garvarentz, habitent, eux, à Galluis, près de Montfort.

2. Réalisation de Marcel Martin, musique et textes de Charles Aznavour, ballet d'André Coffrant et Pierre Lacotte.

par la Deuxième Guerre mondiale, dans lequel quatre hommes d'un commando français errent à l'automne 1942 dans le désert libyen en cherchant à regagner leurs lignes. Capturant un officier allemand avec lequel ils nouent des liens de sympathie, ils connaîtront toute l'absurdité de la guerre, puisqu'ils seront décimés par un char anglais, un seul d'entre eux réussissant à sauver sa peau. Aux côtés du survivant (Lino Ventura), Charles Aznavour incarne Samuel Goldman, un brillant interne des hôpitaux que son judaïsme a contraint à quitter la France, Hardy Krüger tenant le rôle de l'officier allemand. Comme la plupart des films de l'acteur Aznavour de cette période, la musique est composée par Georges Garvarentz, et le plus gros succès du nouveau disque du chanteur, *La Marche des anges*, sera issu du film.

S'il apparaît dans des films d'intérêts divers, les tournages se succèdent à un rythme soutenu, avec deux à trois sorties au moins chaque année. Sous la houlette de son ami André Versini, qu'il a rencontré comme comédien sur le plateau de *Tirez sur le pianiste*, il devient Horace Fabiani dans *Horace 62*, une version moderne et « corsée » des Horaces et des Curiaces, en forme de vendetta et poursuite nocturne dans les rues de Paris, où il partage la vedette avec Giovanna Ralli, Raymond Pellegrin et Jean-Louis Trintignant. Au générique, pour l'adaptation et les dialogues, c'est un ami de Brassens, René Fallet, qu'on remarque, un familier de Charles signant la musique, en l'occurrence son orchestrateur Paul Mauriat.

Deux œuvres cinématographiques singulières, concoctées par deux grands réalisateurs français, tiendront l'affiche avec Charles à la mi-septembre et à la fin décembre 1962 : *Le Diable et les Dix Commandements* et *Les Quatre Vérités*. Les films à sketches sont alors en vogue, et Julien Duvivier

(*La Belle Équipe*, *Pépé le Moko*...) signe en maître du noir et blanc – et en 16 mm – le sombre *Homicide point ne seras*, troisième des sept parties du *Diable et les Dix Commandements*. Séminariste, Denis Mayeux (Aznavour) y venge le suicide de sa sœur prostituée et s'arrange pour se faire tuer par le trafiquant (Lino Ventura), juste avant l'arrivée de la police, afin qu'il soit pris en flagrant délit... Pour sa part, le beaucoup plus souriant René Clair (*Les Grandes Manœuvres*, *Le Silence est d'or*, *Porte des Lilas*[1]...) a entrepris d'adapter le quatrième et dernier volet des *Quatre Vérités*, librement inspiré des *Fables* de Jean de La Fontaine : *Les Deux Pigeons*, chanson du même nom à la clé, paroles du cinéaste, musique de son interprète, ici encadreur, coincé le temps d'un week-end dans l'appartement d'une femme mannequin (Leslie Caron). Évidemment, ces deux films ne passent pas inaperçus et bénéficient d'une large couverture journalistique.

Trois autres longs métrages, là encore de nature sensiblement différente, s'enchaîneront au cours du premier semestre 1963. Le tournage d'*Un taxi pour Tobrouk* avait conduit Charles Aznavour à Almería, en Espagne ; celui de *Tempo di Roma*, à nouveau de Denys de La Patellière, l'amène à découvrir les studios de Cinecitta, l'Hollywood italien. Aux côtés de la belle brune Serena Vergano et d'une vieille marquise surnommée Cri-Cri (Arletty), il est Marcel, Parisien expatrié à Rome. Avec *Les Vierges*, du provocateur Jean-Pierre Mocky qu'il commence à bien connaître, l'odyssée sentimentale s'épice, le dialogue verdit dans une étude comportementale de cinq jeunes filles face à la virginité et à l'amour physique. Dans ce faux film à sketches où les histoires viennent s'imbriquer, Aznavour

1. Avec Georges Brassens et sa chanson *Au bois de mon cœur*.

démontre une fois de plus sa justesse et sa sensibilité d'acteur aux côtés de Francis Blanche, Gérard Blain, Jean Poiret et d'une flopée de jolies actrices dont – à nouveau – une Italienne : Stefania Sandrelli.

Réalisé par Jean-Gabriel Albicocco d'après un roman de Jacques Lanzmann (coscénariste et auteur des dialogues), *Le Rat d'Amérique* plonge dans l'aventure extrême, avec ce type ruiné (Charles) qui part chercher fortune au Paraguay, rencontre l'amour (Marie Laforêt), se livre au trafic d'armes, croupit en prison, travaille dans l'enfer des mines de cuivre à 4000 mètres d'altitude, traverse la Bolivie, débarque au Chili... Le voyage et les conditions du tournage auront déjà constitué une performance – « un vrai calvaire ! » – rapportera Charles Aznavour qui « joue au gaucho » devant quelques journalistes, à son retour[1] : « Ça avait l'air chouette comme itinéraire : New York, Miami, Lima, Santiago, Arica, La Paz, Asunción, Buenos Aires, New York. [...] Mais le folklore dans les mines de cuivre du Chili, mieux vaut ne pas en parler ! » Si l'on en croit le magazine, Aznavour y risqua même sa vie, ainsi que l'ensemble de l'équipe, le jour du tournage de la scène la plus difficile dans les fameuses mines, à 4 600 m, par une température de moins vingt degrés. Quand on lit la critique expéditive que le film inspira aux *Cahiers du cinéma*[2], on se demande si le jeu valait la chandelle, même si le public, lui, a plutôt aimé : « Un admirable sujet picaresque est détruit

1. *Music-Hall*, n° 22, janvier 1963.

2. N° 145 de juillet 1963. Dans le même numéro, le « Conseil des dix » (qui incitent ou non à aller voir un film : Michel Aubriant, Jean de Baroncelli, Jean-Louis Bory, Albert Cervoni, Jean Collet, Bernard Dort, Jean Douchet, Jacques Rivette, Éric Rohmer, Georges Sadoul) se partage ainsi : trois de ses membres (dont Rivette) préconisent « à voir à la rigueur », les sept autres s'en tenant à « inutile de se déranger ». Finalement, *Les Vierges* de Mocky s'en tirent beaucoup mieux avec trois avis positifs sur cinq exprimés.

par l'ambition de faire "joli et kolossal" à la fois. Albicocco passe son temps à cadrer des vignettes pour *Life* au lieu de filmer carrément l'âpreté du *Struggle for Life* et le désespoir de la misère.» Dans ce dernier film comme dans *Tempo di Roma*, on aura retrouvé, sur le plan musical, la patte de Georges Garvarentz, celle des *Vierges* sortant à peine de la famille par la double signature de Paul Mauriat et Raymond Lefèvre.

Et en ce début des années 60 où Charles Aznavour intervient dans une série de films – dont, il faut bien le dire, la plupart ne laisseront pas des souvenirs impérissables –, il reçoit une lettre d'un cinéaste d'un autre acabit : François Truffaut. Le samedi 16 décembre 1961, celui-ci écrit de Nice :

«Mon cher Charles,

«Un de nos points communs est, je crois, de vivre pour le travail. C'est pourquoi nos chemins se croisent rarement.

«Le soir où je t'ai écouté et vu à l'Alhambra il y a quelques mois [1], j'ai été vraiment enthousiasmé et l'idée m'est venue ce soir-là de te proposer un autre film à faire ensemble, dans lequel tu chanterais. Rien n'est plus difficile à réussir en Europe que ce genre de trucs que les Américains font souvent très bien. [...] J'écoute ton dernier 33 tours qui est très bon et cette idée me turlupine à nouveau. J'imagine un film assez réaliste, dans le ton des scènes que tu joues avec Nicole Berger dans *Le Pianiste*, un film psychologique le plus simple possible puisque l'action serait réduite à 60 minutes, les chansons déduites; à moins que nous ne parvenions à trouver des astuces pour que certaines chansons fassent avancer l'action au lieu de la stopper...

«Pour les gens du commerce, l'objection sera : un tel film ne peut pas sortir en France, car une dizaine de chansons

1. Il y a en réalité tout juste un an! «J'ai la mémoire qui flanche...»

doublées ou sous-titrées gênerait le public étranger. Je crois, moi, qu'il faudrait envisager une version américaine pour toutes les chansons, puisqu'il t'est facile de chanter en anglais.

« Si cette idée te séduit, il faut que je te montre début janvier un vieux film de Doris Day : *Leave Me or Love Me* (je ne garantis pas l'orthographe du titre) dans lequel elle chante une dizaine de chansons. Son partenaire est le génial James Cagney ; le film est superbe, c'est la biographie d'une célèbre chanteuse américaine 1925 [1].

« Pour en revenir à ce film éventuel, je le vois très simple et assez documentaire sur le music-hall, le monde du disque, etc. Il faudrait montrer l'ascension d'un chanteur, ses débuts difficiles, les galas minables, la marche au succès et, parallèlement, sa vie sentimentale normale, puis agitée, puis stabilisée. Beaucoup de chanteurs sont mauvais acteurs, certains sont bons acteurs mais deviennent anti-photogéniques dès qu'ils chantent, ce n'est pas ton cas ! J'ai vu aussi à la télé un petit kinescope te montrant chantant, je crois, *Je m'voyais déjà*, cela faisait un effet bœuf.

« Tu sais que je travaille lentement et que je ne suis jamais pressé ; si un tel film te séduit, je peux t'attendre plusieurs mois et le préparer tranquillement... »

Cette lettre du cinéaste est d'autant plus fascinante que son projet de scénario ressemble à bien des égards au parcours professionnel et privé de Charles. Pourtant, ce film ne verra jamais le jour. Et, un peu plus tard, à son tour, le cinéaste déclinera une proposition du chanteur...

1. *Love Me or Leave Me*, de Charles Vidor (1955). Effectivement, Doris Day, née en 1924, y incarne la chanteuse Ruth Etting et chante douze chansons des années 20. Note originale de Gilles Jacob, auteur avec Claude de Givray de ce recueil de lettres : *François Truffaut, Correspondance* (Cinq Continents/Hatier 1988 et Hatier 1993).

Mais, pour l'instant, sur le plan discographique, Aznavour ne chôme pas. Outre les versions en langues étrangères, les réenregistrements d'anciennes chansons et celles qu'il écrit pour différent(e)s interprètes, il va sortir une douzaine d'albums inédits (un par an en moyenne) jusqu'en 1972. Courant 1961, le principal succès du 25 cm (huit titres seulement pour vingt-trois petites minutes d'écoute) s'intitule *La Marche des anges*. Sur une mélodie de Georges Garvarentz, il est issu du film *Taxi pour Tobrouk* et parachève le disque d'un hymne tonique à l'espoir, pour deux êtres séparés trop longtemps par la guerre ou par toute autre cause humaine :

Quand on se reverra
Ma vie renaîtra
Et je sécherai mes pleurs
Sur tes joues mon ange

Marque de fabrique émotionnelle on ne peut plus aznavourienne, cette chanson, comme la plupart de celles qui composent cet album, se termine par un point d'orgue vocal sur la dernière syllabe du dernier mot. C'est très sensible, voire impressionnant, dans le morceau d'ouverture qui obtiendra lui-même un grand succès, *Il faut savoir*, dont le premier couplet reste illico dans l'oreille :

Il faut savoir encor' sourire
Quand le meilleur s'est retiré
Et qu'il ne reste que le pire
Dans une vie bête à pleurer

Écrit et composé par Charles, il touche lui aussi à l'universel, alors qu'à l'opposé, *Lucie* provoque une fois de plus les mœurs du moment, sur une histoire d'amour dont l'incongruité supposée est révélée à la fin :

Parc' que j'aime une môme
Qui n'a que dix-huit ans
Parce que je suis un homme
Et qu'elle n'est qu'une enfant

Sans rapport direct avec cette *Lucie* somme toute assez gentillette, un autre titre cultive l'irrévérence sous la plume plus âpre de Bernard Dimey : *Le Carillonneur.* Formidable texte, formidable chanson où un pauvre bougre dialogue en direct avec Dieu et avoue sans vergogne la jouissance qu'il a prise à voir « Partir / Tous seuls dans leur manteau de bois », des bourgeois et autres auxquels il n'inspirait que mépris. Et la chanson se termine en apothéose par une prière tout à fait immorale :

Mon bon Seigneur de mon vivant
De mon cœur j'ai tiré la corde
Vous me ferez miséricorde
Je suis un peu de vos parents

Paul Mauriat signe ici toutes les orchestrations, comme il signera l'écrasante majorité de celles des disques suivants, la musique syncopée d'*Avec ces yeux-là* revenant au tandem Eddie Barclay-Michel Legrand, et le texte de *J'ai tort* (sorte de variante inversée de *Tu t'laisses aller*) à Jacques Plante.

En décembre de cette même année, Charles Aznavour fête Noël par un super 45 tours thématique où, cette fois, son pote Dimey ne joue pas les enfants de chœur. Paroles et musique du révérend père Émile Martin, *Noël des Mages* (où Charles chante) voisine avec trois instrumentaux (*Douce nuit*, *Noël-carillon* et *Dors, ma colombe*) par les Chanteurs de Saint-Eustache. Dans le même temps, une publication d'actualité et de spectacle assortie de disques souples (discours politiques, sketches, chansons), le mensuel *Sonorama*, offre

« la totale » en complément : *Charles Aznavour et les chœurs de Saint-Eustache chantent Noël.* Bien qu'il n'ait guère consacré d'articles substantiels au chanteur avant l'année précédente, le magazine sonore ne lésine pas sur le commentaire : « Charles Aznavour chante, soutenu par les voix de Saint-Eustache. Le musicien bute contre les barres de mesure comme l'oiseau meurtrit ses ailes aux barreaux de la cage. Mais le poète prend son essor : il tire d'un instinct profond et sûr ce que d'autres demandent en vain à la technique la plus savante. Ce dionysiaque de la chanson ne connaît d'autre mesure que les battements de son cœur. [...] La Noël rauque d'Aznavour est autre chose qu'une évocation pittoresque. C'est en ces jours de troubles, le cri angoissé de l'homme qui appelle au Dieu de justice et de paix. Nous l'entendrons encore longtemps. »

Par une providence sans doute divine, le 25 cm de Charles Aznavour qui sort à l'automne 1962 s'ouvre sur *Alleluia*, un twist dans lequel l'adulte de trente-huit printemps s'identifie à la jeunesse en se référant visiblement pas mal à la sienne :

La jeunesse est turbulente
Insolente
Mais souvenez-vous
Vous les gens devenus sages
Qu'à notre âge
Vous étiez comme nous

Cette attitude, doublée d'un amusant exercice de style (au moment où il a déclaré – comme on l'a vu – qu'il n'était pas « condamné à la jeunesse chronique »), tombe en pleine mode des « idoles » et des « copains [1] » de la déferlante « yéyé »

1. Le magazine spécialisé *Disco Revue* est né en 1961, le mensuel *Salut les copains* en 1962... ainsi que l'émission de télévision *Âge tendre et tête de bois*,

qu'il va non seulement traverser sans la moindre difficulté, mais face à laquelle il va faire montre à la fois d'une incroyable capacité d'adaptation et d'un sens populaire hors du commun. Tout en observant une certaine distance avec le phénomène dont il pointera sans détour les limites deux ans plus tard, Aznavour « surfera » d'une certaine manière sur ce phénomène socio-musical en initiant *Cherchez l'idole*, film réunissant Sylvie, Johnny et compagnie. Nous y reviendrons, mais notons que ce 25 cm sorti en 1962 se termine sur une chanson de couleur voisine, *Les Petits Matins*, issue d'un long métrage du même nom, de Jacqueline Audry, où le personnage principal est un chanteur que Charles connaît fort bien : Gilbert Bécaud.

L'ensemble de l'album couvre une belle diversité, les textes des trois titres les plus connus (aussi réussis que différents), *Les Comédiens*, *Trousse chemise* et *L'Amour c'est comme un jour*, étant respectivement de Jacques Plante, Jacques Mareuil et Yves Stéphane. Détails savoureux : la *Lucie* du disque précédent n'avait « que dix-huit ans », la jeune fille du petit bois de *Trousse chemise*, dix-sept, et, dans l'album suivant, Aznavour demandera à une troisième de lui donner ses seize ans ! Qu'on se rassure, il s'arrêtera là, et une farce comme *Tu n'as plus* prend, mine de rien, des allures prémonitoires. Ce personnage sur lequel Charles ironise n'est-il pas finalement une partie de lui-même, vestige d'une jeunesse sexuellement hyperactive ?

Tu n'as plus, tu n'as plus
La vigueur qu'à vingt ans tu as eue
Et ne peut plus atteindre le but
Qu'elles espèrent

---

animée par l'ex-harmoniciste Albert Raisner.

Si le chanteur s'est singulièrement assagi et si les gazettes continuent à lui prêter telle ou telle idylle avec une Jacqueline (journaliste), deux Claude (dont une, tellement adoptée, paraît-il, par le clan familial, qu'on parle mariage), une Sophie (chanteuse), il ne le sait pas encore lui-même, mais il approche de U-2 puisque, en 1964, il va rencontrer Ulla, la femme (du restant) de sa vie. Avec elle il aura trois enfants, ce qui ne manque pas de sel lorsqu'on se souvient qu'il chante dans *Tu n'as plus* :

Tu n'as plus, tu n'as plus
Plus qu'à faire des enfants tant et plus
Car c'est ainsi que l'on perpétue
Sa jeunesse

Enfin ce disque, orchestré à nouveau par Paul Mauriat – assisté de Burt Random sur certains morceaux –, joue du tempo et de la rythmique, mêlant aux ingrédients sonores caractéristiques du moment (ah, les chœurs inoubliables !), des influences latino-américaines diverses : un tango efficace pour *Notre amour nous ressemble* (texte au cordeau de Jacques Plante), une adaptation impec du très typique *Esperanza* de Robert Cabrera, une facétie brésilienne pour *Dolorès*, nouveau texte inspiré et en forme d'ovni de l'excellent Jacques Plante. Son leitmotiv, « Viens voir les comédiens », véritable porte-drapeau de toute une profession, de toute une manière saltimbanque de vivre (popularisé également par les Compagnons de la Chanson), n'a pas fini de courir dans nos têtes et dans nos cœurs…

Chapitre 26

L'Olympe, de Paris à New York

Outre ce succès des *Comédiens* et d'*Un Mexicain*[1], tous deux du tandem Plante/Aznavour (mais aussi celui de *Tous les garçons et les filles*, de Françoise Hardy ; *Belles, belles, belles*, de Claude François ; *Pour une amourette*, de Leny Escudero ; *Les Trompettes de la renommée*, de Georges Brassens ; *L'Idole des jeunes*, de Johnny Hallyday ; *Une petite fille* et *Le Jazz et la Java*, de Claude Nougaro ; *Le Plat Pays* et *Les Bourgeois*, de Jacques Brel ; ou *À quoi ca sert l'amour*, de Piaf et Théo Sarapo...), l'année 1962 reste surtout marquée par un événement historique : la fin de la guerre d'Algérie.

Un an plus tôt, le référendum du 8 janvier sur la politique d'autodétermination en Algérie a donné une confortable majorité au général de Gaulle, mais suscité la création d'une Organisation armée secrète (O.A.S.) dirigée par le général Salan, dont les attentats sanglants vont se multiplier. Au début de l'année, des milliers de pieds-noirs ont rejoint la métropole et les accords d'Évian mettant officiellement fin à la guerre sont signés le 18 mars. Moins d'un mois plus tard,

1. Succès de Marcel Amont, puis des Compagnons de la Chanson.

le 8 avril, par un nouveau référendum, 90 % des Français approuvent ces accords. Conséquence artistique, entre autres, l'antimilitariste et réputé « démobilisateur » film *Tu ne tueras point*, de Claude Autant-Lara (comportant *L'Amour et la Guerre*, de Dimey et Aznavour), voit enfin s'entrouvrir les ciseaux de la censure et sort en salle début 63.

Côté scène, trois mois avant que Charles ne revienne à l'Olympia en grande vedette après cinq années de brouille avec Bruno Coquatrix, celle qui l'a hébergé huit années durant et à laquelle il voue une tendresse et une reconnaissance totales, Édith Piaf, y tient l'affiche pour la dernière fois[1]. Paulette, la femme de Bruno, en garde un souvenir douloureux : « Édith était malade, elle avait les jambe enflées, elle devait chanter en pantoufles, en charentaises, elle ne supportait pas les chaussures. Elle était bouleversante, c'est vrai, mais de son tour de chant, un parfum de tragédie émanait. Or si, parmi les spectateurs, nombreux étaient ceux qui étaient uniquement venus parce qu'ils l'admiraient, d'autres n'étaient là que pour observer la progression de son mal. Ceux-là surtout applaudissaient lorsque, à la fin de *La Foule*, elle esquissait un pitoyable pas de danse, dramatique et poignant. Ils étaient venus au music-hall comme on va aux arènes, pour assister à une mise à mort[2]. »

Loin de ces jeux du cirque qu'il a au fond si longtemps subis, Charles Aznavour s'installe à l'Olympia en grande vedette. Pendant un mois et demi, il attaque l'année 1963 par un récital constitué logiquement de succès récents et de nouveautés comme *For me... formidable*, *Donne tes seize ans*

---

1. Du 27 septembre au 23 octobre 1962. En première partie chante son homme de cœur du moment, l'ultime, Théo Sarapo, avec lequel elle a enregistré *À quoi ça sert l'amour*.

2. Paulette Coquatrix, *Les Coulisses de ma mémoire*, Grasset, 1984.

ou *Jolies Mômes de mon quartier*. Neveu de Bruno Coquatrix et directeur artistique de l'Olympia de 1959 à 2002 (sacré bail !), Jean-Michel Boris se rappelle très bien la « première de gala » qui estampilla cette série de prestations : « Vingt-quatre gardes républicains en étaient la preuve vivante dans le hall. Dès 20h30, ce fut la cohue. Arrivées très remarquées : celle de Catherine Deneuve en cape de soie et fourrure blanche ; celle de Jules Dassin, poussé énergiquement par Melina Mercouri. [...] À 21h30, le rideau se leva et Aznavour apparut. Il devait tenir la scène pendant deux heures dix et chanter trente-deux chansons. [...] Lorsqu'il interpréta *Tu exagères*, il s'adressa à une chevelure rousse du premier rang : c'était Dalida ! [...] Au septième rappel, les applaudissement s'étaient presque tus. Johnny Hallyday et Jean Marais relancèrent alors les bravos. Le balcon se mit à piétiner dur. Au onzième et dernier rappel, on réclamait encore une autre chanson [1]. »

Le lundi 18 janvier, lendemain de cette première, François Truffaut écrit à Charles Aznavour [2] : « J'étais là, hier soir, de justesse et très content ; je repars demain matin. Je travaille beaucoup à *Fahrenheit* [3] et, dans un mois (à la mi-février), je pense avoir un scénario assez au point. [...] Je pense beaucoup à toi en écrivant le scénario, le personnage de Montag [4] sera assez fort, je crois, et meilleur que dans le roman. Je suis très content que la perspective de cette nouvelle collaboration [5] te plaise.

1. Olympia, *50 ans de music-hall*, *op. cit.*
2. *François Truffaut, Correspondance*, *op. cit.*
3. *Fahrenheit 451*, que Truffaut adapte avec Jean-Louis Richard. Le film fut difficile à monter et ne sera finalement tourné qu'en 1966 (*François Truffaut, Correspondance*, note des auteurs).
4. Héros du film : pompier brûleur de livres, qui découvre leur valeur.
5. Truffaut pensait alors à Aznavour pour le personnage de Montag. Puis ce furent Peter O'Toole et Terence Stamp, Oskar Werner obtenant finale-

« Jeanne Moreau avec qui j'ai déjeuné, va aller t'écouter ces jours-ci. Comme après la soirée de l'Alhambra, j'ai pensé hier qu'il te faudra un jour risquer le *Love Me or Leave Me*[1] (avec Cagney et Doris Day) ou un truc de ce genre, il faudrait qu'on écoute les tangos de Gardel. »

Malgré ce triomphe public et *people* (dirait-on aujourd'hui), une partie de la presse et des professionnels regimbe et fustige d'abord le principe du « récital à l'américaine ». Dans *Combat* du 23 janvier, Michel Perez ironise : « Ainsi, entre deux chansons, Judy Garland demande un verre d'eau, ouvre une boîte de pastilles, fait monter ses enfants sur scène et Aznavour s'assoit sur les planches ou renoue ses lacets de souliers. On peut aussi se moucher ou se gratter la plante des pieds, tout le monde frissonnera d'aise, et ces incongruités deviendront des trouvailles de génie si elles sont imaginées par de très grandes vedettes. » Et son collègue du *Figaro*[2], l'assidu Paul Carrière, de renchérir : « Charles Aznavour nous avait offert, un soir de *Musicorama*, au printemps dernier, un récital assez étonnant. Le Pierrot sombre, fébrile et rauque y sortait du moulin à paroles, se débridait dans une alerte fantaisie, donnait des ailes à sa passion, s'attendrissait mais aussi rugissait pour rire, parodiait les autres, se parodiait lui-même, jouait du micro comme d'un saxophone et, en deux ou trois sketches d'un humour improvisé, racontait ses “introspections”, ses projets d'acteur au Français ou bien sa rencontre avec Bécaud et leur commune étude de la “quintessence” du genre sexy... » Le journaliste regrette ce manque de fantaisie : « Nous

ment le rôle (*François Truffaut, Correspondance*, note des auteurs).

1. Voir précédente lettre de Truffaut (16/12/1961) à Aznavour, chapitre 24 (*Comme Frankie*).

2. Du 21 janvier.

retrouvions l'Aznavour de toujours, sans doute moins pathétique, avec son œil de chasseur à l'affût, avec son ascétisme voluptueux qui réduit un peu trop l'amour au plaisir, avec sa voix qui, si elle a perdu de son âpreté, garde un pouvoir d'envoûtement certain. Mais l'effet de cette voix – qui tient aussi au débit des mots et à des trouvailles moins poétiques qu'insolites – nous a paru dilué. La cause en est certainement dans la masse même des chansons qui, longtemps se succèdent froidement et sans intermède.»

Sans être comme Paul Carrière des amateurs chevronnés du music-hall et des attractions, différents artistes et professionnels critiquent cette vogue du récital que pratiquent notamment Charles Trenet, François Deguelt, Patachou, Les Frères Jacques, Jean-Claude Pascal ou Gilbert Bécaud (à l'étranger). Il est vrai que le music-hall à l'ancienne, avec ses sept ou huit numéros en première partie, ses animaux, ses prestidigitateurs, ses fakirs ou ses jongleurs, vit sa dernière décennie, et l'Olympia, cédant à la volonté générale des chanteurs, «passera» au récital quasi systématique à partir de 1974. Déjà, tout en se déclarant «très optimiste», à l'instar de ses confrères et rivaux Jane Breteau (Alhambra) et Félix Vitry (Bobino et ABC), Bruno Coquatrix confie en octobre 1961 au magazine *Music-Hall* : «La jeunesse abandonne les spectacles music-hall. Il faut donc renouveler le music-hall et lutter contre les spectacles de variétés sans enchaînement. D'où introduction du rock'n'roll et articulation de la soirée en forme de show.» Il n'a pas oublié qu'une année auparavant, il s'est «payé» (selon les mots de son épouse)[1] «une belle petite dépression». À l'affiche pour deux mois, Gilbert Bécaud dut arrêter inopinément, pour «raisons majeures», au bout de quatre

1. Paulette Coquatrix, *Les Coulisses de ma mémoire*, *op. cit.*

semaines, et les spectacles de remplacement eurent un effet « si désastreux que Bruno ferma l'Olympia ». Ce fut son amie Piaf, déjà en bien petite santé, qui sauva la salle mythique en vedette d'un programme copieux (Claude Vega, Michel Rivgauche, Jean-Marie Proslier...), une Piaf qui, à l'inverse de son ami Aznavour, déclarera dans *Music-Hall* d'août-septembre 63, quelques semaines avant sa mort : « Si demain toutes les vedettes "font du récital", où et comment les jeunes pourront-ils apprendre leur métier ? Si moi-même j'avais fait cela, ceux qui passaient dans mes programmes auraient-ils, dans le monde de la chanson, la place qu'ils occupent aujourd'hui ? Lorsqu'ils abordent le récital, ils oublient, je crois, leurs débuts[1]. » Ce à quoi, implicitement visé, son ancien « génie-con » répond dans le même numéro : « Je n'aurais pas fait de récital à Paris si je n'avais pas eu à roder le tour de chant que je présente à travers le monde entier. Je n'aurais peut-être pas même fait ma rentrée à l'Olympia. Les jeunes ? On ne peut pas me reprocher de leur faire du tort. Je les édite, leur donne des conseils et les guide dans cette difficile carrière. »

Après le décès de son éditeur Raoul Breton, Charles Aznavour a en effet créé les éditions French Music, au quatrième étage d'un vaste appartement ultramoderne sur les Champs-Élysées : « J'ai décidé de continuer la lutte, après lui, pour défendre la chanson française, explique le chanteur, toujours à *Music-Hall*[2]. Dans mon édition, je n'ai qu'une seule musique étrangère : *Esperanza.* [...] Certains ont insinué que je montais une maison d'édition

---

1. Pour Georges Brassens et Jacques Brel, également interrogés, cela tombe sous le sens, ce dernier déclarant : « Je suis entièrement de l'avis de Madame Piaf, et c'est la raison pour laquelle, tant à l'Olympia qu'à Bobino, je me suis refusé à adopter le style récital. »

2. N° 11, janvier 1962.

pour mieux défendre mes chansons, ma propre “salade”. C'est faux, puisque j'ai encore des chansons chez Madame Breton. Non, je défends beaucoup mieux les chansons des autres... » En même temps, ses succès d'édition, interprétés par lui (*La Marche des anges*) ou par d'autres (*Daniéla* : Les Chaussettes Noires ; *Il faut saisir sa chance*, *Douce violence* : Johnny Hallyday), ainsi que les musiques de films (*Les Lions sont lâchés*, *Horace 62*, *Le Cercle vicieux*...) sont la plupart du temps de sa composition ou de celle de Georges Garvarentz, directeur en titre de la maison d'édition.

Il est cependant exact que Charles Aznavour prépare une tournée d'envergure mondiale qui va transformer son année en course perpétuelle, et où il n'est pas question d'emmener une première partie. À peine a-t-il assuré sa dernière représentation à l'Olympia, le 27 février, qu'il part se produire quelques jours en Belgique, enchaîne par une grosse semaine en Afrique (Dakar, Abidjan, Casablanca, Rabat...), avant de s'apprêter à affronter son grand défi américain, le 30 mars, au Carnegie Hall de New York. Bien que son entourage qualifie d'abord de « folie » cette entreprise dans une salle américaine où ne se produisent d'ordinaire que des mégastars du cru nommées Harry Belafonte, Ella Fitzgerald ou Judy Garland, Charles Aznavour décide de louer la salle à ses frais. Son agent Jean-Louis Marquet et Eddie Barclay vont alors s'atteler à la tâche et activer leurs réseaux de connaissances. Annoncé quotidiennement comme un spectacle « à ne pas rater » par l'un des principaux animateurs de *talk shows* télévisés américains du moment, Aznavour va non seulement remplir les deux mille places initiales, mais cent cinquante chaises devront être ajoutées sur la scène même. Et malgré la tension compréhensible du chanteur lors de son entrée en scène (avec, de surcroît, un titre encore inédit sur disque, *Il viendra ce jour*), le round d'observation sera très court, Charles interprétant bientôt deux chansons en anglais, assorties d'une présentation et d'un commentaire original. Résultat : un véritable triomphe, une presse conquise le lendemain, et une nouvelle idée, un nouveau défi dans la tête de l'insatiable artiste : chanter dans les salles de spectacle des universités, « comme cela se faisait à l'époque ». À un dollar la place (contre cinq en moyenne auparavant), l'opération se présentera sous les meilleurs auspices, conduite avec un esprit d'équipe très particulier conjuguant habilement artisanat et show-business. Autrement dit avec la garde rapprochée : Richard Balducci (agent de presse), Jacques Vernon (secrétaire), Jean-Louis Marquet (impresario), Dany Brunet (régisseur général). Plus cinq musiciens français [1], ayant réussi, fait rarissime alors, à obtenir un permis de travail aux États-Unis.

Dans la foulée de ce coup de poker inaugural au Carnegie Hall, Charles Aznavour poursuit sa première vaste tournée internationale, rêve et volonté de toujours, élément stabilisateur de sa logistique professionnelle. Il sait qu'il ne pourra pas éternellement aligner des tubes à chaque sortie de 45 tours, comme cela se produit en cette apogée initiale du début des années 60 ; au fil du temps, il s'appuiera plutôt sur des albums, sur une œuvre, et, après 1972 (*Comme ils disent*, *Les Plaisirs démodés*), il ne sortira qu'à de rares exceptions des « hits » de ce calibre. En revanche, par sa démarche de chanteur de fond et par sa stature internationale inégalée dans la chanson française, il se maintiendra au plus haut niveau dans une période moins faste (au cours des années 80), pour dessiner une seconde apogée, moins fulgurante mais définitive, en devenant le chanteur français vivant le plus connu dans le

1. Sous la houlette du pianiste Henri Byrs.

monde, le « parrain » recherché des manifestations caritatives de prestige du début du troisième millénaire, le « patron », selon le mot de Patrick Bruel [1]. Bref, d'avril à décembre 1963, Charles Aznavour prendra énormément l'avion, du Québec à la Turquie et au Liban, des pays de l'Est à la Suisse, la Hollande… et la France, quand même, où il effectuera une tournée de plusieurs dizaines de concerts.

Un jour d'été, lors d'une de ses escales fugitives, il reçoit une lettre de son ami François Truffaut datée du 3 juillet à Paris :

« Mon Cher Charles,

« J'ai examiné attentivement ton sujet de film et, bien que je le trouve passionnant, je dois décliner ta proposition de le mettre en scène. C'est un sujet formidable et qui peut donner lieu à un film formidable, comme chaque fois que le cinéma trace le portrait d'un homme et que cet homme est passionnant. Ce qui me fait peur, la difficulté que je ne me crois pas capable de résoudre, c'est l'homogénéité entre les scènes documentaires à 100 % , les scènes documentaires à 50 %, et les scènes de fiction pure.

« Je te parle franchement : ce film raconte ta vie, tu es l'auteur du scénario, tu en seras le principal acteur et probablement le producteur, les chansons seront de toi ; tout cela garantit l'authenticité de l'ensemble, mais risque de te priver du recul indispensable pour mener à bien cette entreprise. Je sais bien que tu me ferais confiance pour diriger 70 % du film, mais je serais toujours inquiet pour les 30 %. Par exemple, je ne pourrais m'empêcher d'avoir une idée sur telle ou telle chanson, éventuellement sur la rapidité de la chanson, la façon de l'interpréter et la façon de la filmer ! »

---

1. Pour son album de duos de 2002, *Entre-deux*, Patrick Bruel a demandé à chacun de ses partenaires quelle chanson il (ou elle) souhaitait interpréter : « Charles Aznavour ? Il m'a dit : "Je viens chanter *Ménilmontant* !" On a répondu : Oui, patron ! » [*rire*] (À Daniel Pantchenko, pour *Chorus* n° 40, été 2002).

Et, après avoir avancé encore quelques arguments, le cinéaste conclut : « Tu tiens là une grande idée, mais ce film sera *ton* film, et, à la limite, tu pourrais le diriger toi-même, avec la collaboration d'un chef opérateur et d'un superviseur, après avoir fait rédiger un très bon scénario sous ta direction. [...] Par amitié pour toi et à cause de mon intérêt pour le sujet, je te propose éventuellement de prendre connaissance des développements ultérieurs du scénario pour attirer ton attention sur tel ou tel danger, tel ou tel point de détail, si tu crois que mon avis peut t'être utile. »

Charles Aznavour profitera par ailleurs de quelques intervalles aoûtiens pour retrouver son vieux complice Gilbert Bécaud : instants fugaces d'où naîtra une pincée de chansons, dont *Je t'attends* et *Ne dis rien*, très vite enregistrées. Car, en dépit des tournées et des voyages, deux albums inédits vont être gravés cette année-là. Circonstances nouvelles, le premier porte un titre (*Qui ?*) et marque historiquement, pour Charles, le passage au 30 cm. Il compte douze plages pour une durée approchant les 35 minutes, ce qui deviendra chez lui la norme (pour les inédits en studio) jusqu'à l'avènement du CD, au milieu des années 80, où les 45 minutes seront dépassées pour frôler parfois les 55, soit presque le double de l'époque des 25 cm. Largement signé Aznavour (seuls deux textes et deux mélodies lui échappent), l'album s'ouvre sur une nouvelle merveille griffée Jacques Plante, *For me... formidable*, merveille d'humour intelligemment bilingue en vue du périple international amorcé par le Carnegie Hall :

You are the one for me, for me, for me, formidable
You are my love very, very, very, véritable

Et je voudrais pouvoir un jour enfin te le dire
Te l'écrire
Dans la langue de Shakespeare

L'humour et la fantaisie, dimension assez mal connue chez Charles Aznavour, s'expriment d'ailleurs à trois autres reprises dans ce disque, creusant des sillons autour de l'inusable *Tu t'laisses aller*, pour dire à la femme aimée : « Malgré ton sale caractère et toutes tes complications quotidiennes, tu sais bien que je t'aime, notre amour est le plus fort. » Ça marche avec le public masculin, finalement valorisé, et plus encore avec le public féminin – encore peu féministe – de l'époque, qui tend à s'y reconnaître et y perçoit d'abord de la tendresse. D'évidence, le chanteur, qui dénie avec constance tout caractère étroitement autobiographique à ses chansons, n'a eu qu'à observer autour de lui pour trouver des modèles, imaginer des saynètes. *Dors*, qui tourne au sketch à la fin (« Quoi ? Hein ? Parle plus distinctement, je ne comprends pas très bien ce que tu dis !... ») se révèle exemplaire à travers ce personnage qui ne se repose que lorsque sa compagne dort (tant elle est bavarde !), rêve de devenir complètement sourd et ajoute cependant, sentiments et clin d'œil mêlés :

Pourtant je pense parfois
Qu'une petite aphonie
Un rien d'extinction de voix
Changerait toute ma vie

Le « je » est aussi visiblement un autre, un « jeu » (d'ordre théâtral) dans *Tu exagères* :

Tu exagères, tu en fais trop
C'est pourquoi je n'ai jamais pu comme il faut

Séparer tes qualités de tes défauts
Tant ils se mêlent et se confondent

Et, plus doux-amer, le *Bon Anniversaire* (calamiteux) de mariage, où l'homme attend patiemment des heures que sa femme triomphe de toutes ses petites misères domestiques, se conclut de façon analogue :

Par les rues lentement nous marchons en silence
Tu souris, je t'embrasse, et tu souris encore
La soirée est gâchée mais on a de la chance
Puisque nous nous aimons l'amour est le plus fort

Hormis un hymne quasi païen, *O! toi la vie* (« Donne moi l'amour et l'argent. [...] Fais que de grain de sable / Je devienne géant ») et un regard attendri dans le rétro (*Jolies mômes de mon quartier*, que reprendra en bonne logique Maurice Chevalier), le reste de l'album décline assez classiquement l'amour selon (pas très) saint Charles (*Au clair de mon âme*, *Trop tard*, *Il viendra ce jour*[1]), sauf deux chansons qui, d'une certaine manière, s'interpellent : *Donne tes seize ans*[2] (musique de Georges Garvarentz, dans l'esprit de celle des *Petits Matins*) et l'éponyme *Qui ?* La première débute charnellement par :

Viens, donne tes seize ans
Au bonheur qui prend forme
Pour que ton corps d'enfant
Peu à peu se transforme

1. Et *Les Deux Pigeons*, sur un texte de René Clair, extraite de son sketch du film *Les Quatre Vérités*.
2. Extraite du film de Marcel Carné *Du mouron pour les petits oiseaux*.

Ce qui s'avère alors extrêmement provocateur sur le plan moral et témoigne d'une certaine obsession, puisque le très sensuel et fantasmatique *Qui ?* (fièvre, corps, couche…) met en scène deux amants vivant « à vingt ans d'écart ». Charles Aznavour concède volontiers qu'il a longtemps aimé « les très jeunes filles » (avant de redevenir papa, puis grand-papa !), à une époque où la majorité légale était courageusement octroyée à vingt et un ans [1]…

Paru le dernier mois de l'année, le second album renoue curieusement (et pour la dernière fois) avec le format 25 cm, et recèle un « tube kolossal » : *La Mamma*. Figurant d'abord sur la face B d'un 45 tours (juste avant le *Ne dis rien* concocté avec Bécaud, qui ne sera pas repris sur le 25 cm), elle aborde avec une belle simplicité le mythe le plus universel qui soit, et dans son moment personnel le plus sensible : celui où la mort nous l'arrache. Chacun, chacune gardera en mémoire les tout premiers vers (« Ils sont venus, ils sont tous là / Dès qu'ils ont entendu ce cri / Elle va mourir la Mamma… »), précisés l'instant d'après par « Y a mêm' Giorgio le fils maudit ». Le style cinématographique néoréaliste à l'italienne de l'auteur Robert Gall (le père de France) et la dimension de cantique du refrain (« Ave Maria / Y a tant d'amour / De souvenirs »), contrastant avec le récitatif d'introduction sur notes de guitare égrenées, distillent l'émotion, voix non lisse et si humaine de Charles à la clé.

Au sein d'un lot de chansons d'amour d'agréable facture (*Si tu m'emportes*, *Sylvie*, *Tu veux* – parachevée par une note finale stratosphérique…), un titre très efficace va obtenir également un gros succès : *Et pourtant* (« Et pourtant an-an, pourtant, je n'ai-ai-me que toi »), sur une mélodie de

1. La majorité civile a été fixée à 18 ans le 5 juillet 1974.

Georges Garvarentz. De son côté, développant sous un autre angle un thème déjà plus ou moins abordé par Charles Aznavour à ses débuts (*Terre nouvelle*, *Les Chercheurs d'or*), l'incontournable Jacques Plante signe *Les Aventuriers* :

Ils s'en sont allés
Aussi loin que leurs bateaux pouvaient les emporter
Pour savoir ce qu'on trouvait au bout de l'univers
Pour savoir où finissait la mer

Enfin, sur une musique de Gilbert Bécaud, une autre chanson sentimentale, *Je t'attends*, prend avec le recul (un an avant la rencontre d'Ulla, la future Mme Aznavour), un malicieux parfum de coïncidence :

Je t'attends
Viens ne tarde pas
D'où que tu viennes, qui que tu sois
Viens le temps est court

Cette année pleine sur le plan tant scénique que discographique marque une date doublement sombre pour l'ancien secrétaire et homme à tout faire d'Édith Piaf. Le 10 octobre, minée depuis longtemps par la maladie, la chanteuse mythique meurt[1] à Plascassier, près de Grasse. Le lendemain, à l'annonce de sa disparition, des milliers de Parisiens viendront se recueillir devant sa dépouille, à son domicile du boulevard Lannes où Théo Sarapo l'a fait rapatrier clandestinement pour respecter ses dernières volontés (Édith, avant de sombrer dans le coma, ayant manifesté le désir de mourir à Paris). Son ami Jean Cocteau,

1. Une année auparavant, presque jour pour jour, le 9 octobre 1962, Piaf avait épousé Théo Sarapo, un jeune coiffeur grec, de vingt ans son cadet.

qui avait écrit : « Piaf ressemble au chiendent qui repousse d'autant mieux qu'on le décapite », disparaît ce même jour [1]. Le 14 octobre, la Môme a rendez-vous une ultime fois avec son public – artistes, intellectuels et gens du peuple, admirateurs sincères et voyeurs – lors de ses funérailles parisiennes. Une foule immense assiste dans les rues de la capitale au passage du cortège funèbre qui l'emmène au cimetière du Père-Lachaise où se pressent des dizaines de milliers de personnes.

Dans la présentation du livre de Jean Noli, *Piaf secrète* [2], Charles Aznavour écrit : « C'était un être dramatique qui adorait la vie. Du moins, c'est ainsi que j'ai toujours considéré Édith Piaf : une femme qui avait trouvé dans le rire son refuge. [...] Personnage caméléon, Piaf a su malicieusement, au gré de ses rencontres et de ses humeurs, brouiller les pistes et camoufler sa véritable identité en se racontant chaque fois avec la plus totale sincérité. [...] Pour moi qui l'ai connue jusqu'au bout de sa vie, pour moi qui l'ai vue si souvent à l'article de la mort et puis ressusciter miraculeusement, comme soutenue par une force invisible ("C'est le petit Jésus qui me protège", assurait-elle), je ne veux garder d'Édith que le souvenir de son rire. Il exprimait les drames de son existence et son amour de la vie. »

1. Le mois suivant, un autre décès également de dimension internationale touchera indirectement Charles Aznavour au moment où il intensifie ses relations avec les États-Unis : le 22 novembre, le président John Fitzgerald Kennedy est assassiné à Dallas, au Texas.
2. Éd. L'Archipel, Paris, 1993.

Chapitre 27

Conquistador à quarante ans

Dans le droit fil de l'année précédente, mais sur une durée beaucoup plus courte, Charles Aznavour occupe la scène de l'Olympia en janvier 1964. Elle va à nouveau lui servir de tremplin pour sa conquête du monde, à l'école américaine du show très professionnel façon Sinatra. Une aisance apparente et une sobriété d'interprétation que ses détracteurs, plus ou moins conquis par sa voix (ou habitués à l'entendre), lui reprochent désormais. Paul Carrière, notre fil rouge de l'époque (si l'on ose dire, pour un journaliste du *Figaro*...), regrette le 13 janvier : « Comme nous sommes loin des premiers tours de chant, personnage à la cravate démesurée, au costume de couleur "électrique" et qui, pour conclure une séquence échevelée, se coiffait de sa chaussure ! L'Aznavour d'aujourd'hui ne manifeste plus aucune de ces singularités élémentaires. Sa voix, qui s'est éclaircie de façon étonnante, a même perdu ces éraillements où les fanatiques voulaient voir le comble de l'art. » Critiquant ses nouvelles chansons qui « rejoignent, sans beaucoup s'en distinguer, un répertoire qui a déjà les normes et le standing de la production américaine», et au sein duquel il retrouve avec bonheur «la main légère de Bécaud» dans *Ne dis rien*, face au «parfait mélodrame populaire de *La Mamma*», il conclut : «L'ensemble, très varié, ne laisse plus cette impression d'obsession érotique un peu facile qui gênait parfois. Mais l'on sent aussi chez l'interprète que le métier l'emporte désormais sur la passion et une fièvre contenue sur la fébrilité. Autre aspect notable : une mélancolie, voire une gravité que ne troublent même pas les ovations. Tout cela concourt à la performance de l'artiste qui, durant deux longues heures, exige et obtient par des moyens aussi simples que forts l'attention aiguë de son public.» Ce qui constitue quand même un sacré coup de chapeau et désigne les clés d'un succès qui, après les États-Unis, va gagner leurs antipodes en ces temps de «guerre froide» entre l'Est et l'Ouest : l'URSS.

Fin février, Charles Aznavour y débarque donc. S'il remporte – comme ailleurs – un énorme succès à Moscou [1], à Kiev ou à Minsk, il a une autre idée en tête : fouler pour la première fois la terre d'Arménie, celle où se trouvent une part importante de ses racines, celles de ses parents. En compagnie de sa sœur Aïda, il concrétise ce rêve quelques jours plus tard et l'aéroport d'Erevan les accueille entre froid et neige de saison, mais aussi – célébrité aidant – près de deux cents personnes qui se déclarent de leur famille. Grâce à un ami arménien de Paris revenu vivre au pays, ils pourront s'y retrouver et embrasser leur grand-mère paternelle, invitée bien sûr à assister au spectacle de Charles à l'opéra de la ville, en compagnie de six autres membres de la famille. Une brève rencontre parfaitement organisée, comme l'ensemble de la vie de Charles, avant

1. Que Charles et sa sœur Aïda visiteront sous la conduite d'une guide particulière : leur amie Mélinée Manouchian.

qu'il ne poursuive sa tournée internationale par les États-Unis (dont le Carnegie Hall de New York pour la seconde fois), les Antilles, le Canada, l'Amérique du Sud...

Bien qu'il donne chaque année de nombreux concerts dans toute la France, sa stratégie est claire, et sa propension aux voyages répond d'abord et surtout à un besoin viscéral de reconnaissance. Dans un livre à paraître en cette fin d'année 1964[1], que lui consacre Yves Salgues, il déclare : « Au cours de mes voyages, je me suis aperçu qu'être le premier dans son pays était une situation enviable à l'intérieur de ce pays. Mais être le n° 1 à Paris et le n° 20 à New York ne ferait pas du tout mon affaire. Si je fais salle vide à Bornéo et un "crâne[2]" à Philadelphie, c'est une pâle consolation de savoir que mon étoile brille toujours d'un vif éclat entre Dunkerque et La Rochelle. Mon programme, pour un avenir immédiat, c'est toute la Terre. » Alors que l'auteur estime qu'en 1964 « vingt-trois millions d'individus (environ) connaissent les chansons d'Aznavour ou s'en gavent », un article de l'hebdomadaire *Paris Match*[3] affirme : « Il est le PDG d'une véritable usine de la chanson : six sociétés, soixante employés, trois avocats d'affaires, six comptables, trois milliards de chiffre d'affaires par an. »

Sans démentir précisément, Aznavour parlera « d'inventions de journalistes », mais, s'il est vrai qu'il réinvestit une importante partie de ses gains dans les différents éléments de son métier (de l'édition à la scène), il affiche volontiers ses « signes extérieurs de richesse », symbolisés par une Rolls Royce réputée identique à celle de la reine Elizabeth d'Angleterre, et conduite par un très british Mr. William qui, plaisante le

1. *Charles Aznavour*, Poètes d'aujourd'hui (Seghers).
2. Un « bide ».
3. N° 772 du 25 janvier 1964.

chanteur, « ne manque pas de tenue[1] ». En fait, il occupe un peu tous les fronts et cette hyperactivité[2] tend à énerver ceux qui l'avaient enterré sans vergogne dix et quinze ans plus tôt.

Ainsi, tout en continuant à tenir des rôles plus ou moins intéressants au cinéma (tel celui de Carlo, de *Péché dans l'après-midi*, le troisième sketch signé Elio Pietri du film *Haute Infidélité*), il participe à la production d'un long métrage musical intitulé de prime abord *Salut les copains*, qui va devenir *Cherchez l'idole*. Certes, le scénario à tiroirs (pour ne pas dire trop commode) de Richard Balducci[3] et la mise en scène de Michel Boisrond ne tutoieront guère les sommets du 7e art ; le prétexte d'une course-poursuite à la recherche d'un bijou volé et caché dans une guitare fait explicitement appel à quelques « idoles » majeures du moment, le tandem Aznavour/Garvarentz concoctant toutes les chansons. Aux côtés des acteurs Frank Fernandel, Mylène Demongeot et Dany Saval, chacune et chacun vient donc pousser sa chansonnette, de Charles Aznavour (*Et pourtant*) et Johnny Hallyday[4] (*Bonne chance*) à Sylvie Vartan (*La Plus Belle pour aller danser*), Eddy Mitchell et Les Chaussettes Noires (*Crois-moi mon cœur*), Jean-Jacques

---

1. Clin d'œil à la chanson écrite par Jean-Roger Caussimon et Léo Ferré, ce dernier étant un ami de la maison Barclay.

2. De l'écriture de la comédie musicale *Deux Anges sont venus*, avec Roger-Pierre et Jean-Marc Thibault (d'après *La Cuisine des Anges*, d'Albert Husson), jusqu'à la production de *La Parodie du Cid* (pièce que Charles a découverte lors d'une tournée en Afrique du Nord) avec la comédienne Françoise Fabian. En revanche, il renoncera à acheter un théâtre et à créer un magazine…

3. Alors rédacteur en chef du magazine *Music-Hall*, et bientôt directeur (en janvier 1965), son directeur-gérant étant Jacques Vernon, autre proche de Charles Aznavour.

4. Pour un précédent film avec Johnny (*Les Parisiennes*, de Marc Allégret), Aznavour et Garvarentz lui avaient offert l'un de ses futurs titres-phare : *Retiens la nuit*.

Debout (*Si tu voulais m'aimer*), Frank Alamo (*L'Ange que j'attendais*), Nancy Holloway (*Prends garde à toi*), Les Surfs (*Ça n'a pas d'importance*), Sophie[1] (*Je n'y peux rien*)...

L'intérêt du film réside dans cette carte postale twisteuse d'une époque, la démarche du chanteur populaire Aznavour visant à nantir d'une chanson qui se respecte certaines de ces « idoles » soudaines. Sans l'exonérer de toute pensée commerciale, force est de constater sa volonté réelle d'aider ces jeunes yéyés tout en dénonçant avec vigueur le système qui les manipule et les fait assimiler à leur répertoire débilitant à base d'adaptations anglo-saxonnes primaires. Dans le livre d'Yves Salgues[2], il va droit au but : « Si j'étais le parolier d'une de ces funèbres escroqueries, je n'oserais pas rentrer chez moi. Mon reflet, dans la glace, me cracherait au visage ! » Et son analyse, en ce printemps 1964, renvoie par-delà le temps à d'autres jeunes que des mercantiles invétérés, promoteurs de *Star Academy* et autres *Nouvelle Star*, prétendent hisser de nos jours au plus haut niveau en quelques mois. « Le mot *idole* n'a pas sa place dans mon vocabulaire usuel, poursuit Aznavour. En langage de métier, c'est un mot qui ne signifie rien, même s'il désigne une célébrité qui va jusqu'à la légende, ou une réussite qui atteint la fortune. Les idoles qui ont du talent et de la persévérance deviendront des vedettes. Devenus vedettes, ceux d'entre ces garçons et ces filles qui ont le plus de talent et le plus de persévérance deviendront des artistes. Ils effectueront à rebours le trajet que nous avons parcouru étape par étape. [...] C'est tout le bon mal que je leur souhaite : leur salut professionnel n'est pas ailleurs. » Cohérent avec lui-même, Charles Aznavour déclare dès son retour d'URSS à *Music-*

1. Arlette Hecket, devenue dès 1967 animatrice de Radio Monte-Carlo.
2. *Charles Aznavour*, Poètes d'aujourd'hui, *op. cit.*

Hall[1] : «Je veux inclure dans les spectacles où je passerai deux jeunes que je présenterai au public. [...] J'ai d'ailleurs l'intention d'acheter un théâtre de quatre à cinq cents places afin d'augmenter encore la chance de ces jeunes talents.»

À l'automne, un 30 cm de douze titres (le second, donc) montre – s'il en était besoin – l'incroyable capacité de travail de l'auteur-compositeur-interprète Aznavour qui produit alors une trentaine de chansons par an. Pochette grise d'automne pluvieux avec portrait peint de trois quarts, la jaquette, cartonnée, s'agrémente d'un livret de quatre pages et d'une bande dessinée centrale (signée R. Hovivian[2], sur un texte de Capte), *Aznavour story*, survolant la vie quotidienne du chanteur à travers la création d'une chanson, de l'écriture au studio et à la scène. Emporté par l'élan lyrique de sa monographie sur le point de paraître, Yves Salgues souligne le chemin parcouru par l'artiste malgré les obstacles, sa stratégie de «conquête»(«Charles Aznavour veut être Number One partout. Son ambition, à l'échelle d'une hégémonie, est à la mesure de son talent et à l'image de sa vaillance») et présente brièvement l'album, illustré de caricatures efficaces de Charles en scène.

Sur un texte de Françoise Dorin[3], *Que c'est triste Venise* devient très vite un énorme succès dans un 33 tours qui en

1. N° 37, avril 1964.

2. Français d'origine arménienne, René Hovivian était retenu à Moscou contre son gré : il dut son rapatriement (avec sa famille) à l'intervention de Charles Aznavour, alors en tournée, les autorités soviétiques voulant éviter tout scandale. Sous le pseudonyme d'Hoviv, il devint ensuite un caricaturiste très prisé dans de nombreuses publications (*Le Quotidien de Paris*, *Le Point*, *Paris Match*, *Elle*, *Jours de France*, *VSD*, *Télé 7 Jours*...) et publia différents livres, dont *Les Arméniens* (Éd. Grancher) en 2001. Il est décédé le 27 mai 2005 à l'âge de soixante-seize ans.

3. Fille du chansonnier René Dorin, elle a fait partie du trio des Filles à Papa (avec Perrette Souplex et Suzanne Gabriello) ; après *Que c'est triste*

comportera plusieurs, dont un joyau pur Aznavour : *Hier encore*. Carte postale fédératrice au possible, ripolinée à coups de violons/gondoles/lagune et Cie sur une mélodie liquide à la *Sur ma vie*, *Que c'est triste Venise* est sans doute la plus faible de ces douze nouvelles chansons. Celles-ci consacrent en revanche les retrouvailles créatrices et jazzistiques avec Jeff Davis (*Et bâiller et dormir*), qui a composé trois musiques explosives où l'interprète peut « s'arracher » vocalement comme au bon vieux temps, léger scat compris : *Je t'aimais tant*, *Le Temps*, *Toi et tes yeux d'enfants*. Sur un thème analogue, Georges Garvarentz et Charles Aznavour lui-même gardent respectivement le tempo, de *Tu t'amuses* à *Chaque fois que j'aime*, et l'inamovible orchestrateur Paul Mauriat trouve des arrangements qui, cuivres et percussions diverses aidant, échappent quelque peu au formatage simpliste de l'époque.

Là encore, l'aimée est généralement une très jeune fille entre femme et enfant, et donc l'homme deux fois plus âgé (« Tu te payes ma vie / Parc' qu'elle a fait son temps »), Charles, quelque part, mais évidemment beaucoup d'autres ; et le héros résout l'équation, bouclant la boucle d'une double impulsion : « Chaque fois que j'aime / Je sais bien que c'est pour toujours », et « Chaque fois que j'aime / J'ai vingt ans ». Aznavour, qui vient d'avoir quarante ans, cap symbolique peut-être à ses yeux, aborde beaucoup, ici, le thème du temps. Absolu et relatif. Deuxième grand succès immédiat du disque, le titre leitmotiv *Le Temps* (« Le temps, le temps / Le temps et rien d'autre / Le tien, le mien / Celui qu'on veut nôtre ») se retrouve comme encadré. Sorte d'écho et de suite au *Palais de nos chimères*, écrit dix ans plus tôt, *Il te suffisait que je t'aime*, qui le précède, conjugue déjà, par son titre explicite,

---

Venise et quelques autres succès (dont *N'avoue jamais*, de Guy Mardel), elle s'est orientée vers la carrière d'auteur dramatique.

une morale chère au chanteur. Quant au troisième couplet, le plus dense, il fait mouche, grâce aussi – on ne soulignera jamais assez cette évidence, tant la chanson actuelle s'en trouve globalement infirme – à une de ces mélodies en simple robe de brume dont Charles Aznavour a le secret :

Si je le pouvais mon amour
Pour toi, j'arrêterais le cours
Des heures qui vont et s'éteignent
Mais je ne peux rien y changer
Car je suis comme toi logé
Tu le sais, à la même enseigne

Puis *Hier encore*, versant négatif de *Sa jeunesse*, à laquelle Aznavour l'associera dans ses récitals, elle atteint une manière de perfection, une symbiose entre épure des mots, évidence mélodique et grain sensible de la voix :

Hier encore j'avais vingt ans
Je gaspillais le temps
En croyant l'arrêter
Et pour le retenir même le devancer
Je n'ai fait que courir
Et me suis essoufflé

Vingt ans... Décidément, la symbolique des vingt ans reste fondamentale chez Aznavour, et hormis une variante signée Jacques Plante de *Rendez-vous à Brasilia* (*Le Jour se lève*), cette référence à l'âge marque, de fait, l'atypique *À ma fille*[1], au fond plus universelle que personnelle :

1. Claude Nougaro avait enregistré *Cécile ma fille* l'année précédente, mais là, il s'agissait d'un bébé...

Je sais qu'un jour viendra
Car la vie le commande
Ce jour que j'appréhende
Où tu nous quitteras

Patricia Aznavour a alors dix-sept ans et son mariage ne semble pas encore vraiment d'actualité… Ni celui de son papa qui, dans l'efficace *Avec* (musique de Franck Pourcel), chante benoîtement : « Avec […] le peu de printemps que compte ton âge / Je voudrais bien te garder toujours… »

Cette fois-ci, sans qu'il le sache encore, sa dernière conquête amoureuse va effectivement faire rimer amour et toujours. Lui qui commence à se lasser de sa « vie de papillon » et se demande souvent s'il attire les jeunes femmes pour lui-même ou pour son statut de star, vient d'entamer une nouvelle relation. Il a rencontré la jeune femme en juin 1964 dans une boîte de Saint-Tropez, où elle s'est montrée d'une grande réserve devant les célébrités présentes. Fraîchement arrivée de sa Suède natale, elle n'en connaît – à vrai dire – aucune.

Elle s'appelle Ulla Ingegerd Thorssell et, à l'inverse de nombreuses compagnes de stars, restera une lumineuse femme de l'ombre.

Toujours au chapitre familial, un visage inconnu est apparu au cours des toutes dernières années dans la presse : Patrick, fils de Charles. On le voit la plupart du temps auprès de sa grande sœur Patricia, et on sait seulement qu'il est né en 1951…

Chapitre 28

Polémiques

Sous la signature du journaliste et écrivain Yves Salgues, le premier ouvrage consacré à Charles Aznavour sort des presses le 20 novembre 1964. Il porte le n° 121 de la prestigieuse collection « Poètes d'aujourd'hui », créée par Pierre Seghers. Collection de livres au format proche du CD actuel, composés d'un survol de la vie et de l'œuvre de l'artiste concerné, introduisant un choix de textes, elle fut inaugurée avec Paul Eluard, suivi de Max Jacob, Jean Cocteau, Henri Michaux, Lautréamont, Federico García Lorca, Guillaume Apollinaire… Assortie du surtitre « Poésie et Chansons » la première monographie s'intéressant à un chanteur figure au n° 93, avec Léo Ferré ; lui succèdent Georges Brassens (n° 99) et Jacques Brel (n° 119), « l'irruption » d'Aznavour dans cette cour des grands frisant alors l'incongruité aux yeux du microcosme artistico-littéraire parisien. Volontiers emphatique et entaché – il est vrai – d'erreurs grossières [1],

1. Deux en particulier : l'une insistant sur un prétendu récital décisif d'Aznavour, en vedette à l'Alhambra, fin 1959 (il n'y en eut pas cette année-là : Charles y chanta en 1957, 58 et 60) ; l'autre en déniant l'antério-

ce court essai a au moins le mérite d'esquisser les grandes lignes d'un parcours et les axes forts d'une œuvre en plein essor (entretien avec l'artiste à la clé), en les illustrant d'un substantiel choix de textes. Et Aznavour, conscient des réticences flottant dans l'air, masquera, à l'occasion, une partie du titre du livre, devant des journalistes, en soulignant : « Dans "Poètes d'aujourd'hui", ce qui compte pour moi, c'est "d'aujourd'hui" ! »

Claude Sarraute, l'une des premières à réagir (dans *Le Monde* des 3-4 janvier 1965), s'efforce d'analyser le problème dans son ensemble : « Après Brassens, après Ferré, Aznavour, Brel et Leclerc viennent de se voir accorder par Seghers le label de "poètes d'aujourd'hui". Cette promotion a surpris. On est en droit de se demander, en effet, si ce sont bien là des poètes au sens fort du terme, dignes de figurer dans une collection illustrée par Baudelaire, Rimbaud et Lautréamont, si l'on n'a pas quelque peu présumé de la mesure exacte de ces auteurs de chansons. La question me semble dépasser le plan du talent personnel d'un Aznavour ou d'un Brel. Elle est de savoir si la poésie faite pour être chantée reste poésie quand elle est lue. » Et, après une réflexion somme toute salutaire pour la chanson, dans un journal réputé « sérieux » comme *Le Monde*, la journaliste conclut prosaïquement : « Reste que ces recueils de la collection Seghers, longuement et parfois pertinemment préfacés, fourniront à un très vaste public [1] la possibilité de se procurer le texte exact des refrains qu'il aime fredonner et dont l'air lui est souvent plus familier que les paroles.

rité – pourtant flagrante – du travail de Raoul Breton sur celui de Barclay concernant le chanteur.

1. Chaque volume est alors vendu au prix de 7,10 F, ce qui correspondrait aujourd'hui, en tenant compte de l'évolution du coût de la vie, à 14 euros.

Quoi qu'il en soit, en vue de ses dix semaines de récital à l'Olympia, Charles Aznavour vient d'enregistrer douze chansons, quatre d'entre elles étant déjà parues sur un super 45 tours : *Le Toréador*, *Que Dieu me garde*, *Reste*, *Les Filles d'aujourd'hui*. Si l'on considère que, moyennant un 33 tours en 1963 et deux en 1964, Aznavour a entrepris le réenregistrement de trente-six « anciennes », on mesure le rythme et l'efficience du professionnel. Peu séduit par certains titres (mais adorant *Sa jeunesse*, *Hier encore* ou *À ma fille*), l'ingénieur du son Jacques Lubin reste impressionné par l'homme de studio : « La première rencontre avec Charles s'est passée les doigts dans le nez ; Paul Mauriat écrivait des arrangements qui lui allaient comme un costume. Avec Charles, c'était toujours facile. Il fallait simplement un petit réglage sur la voix pour lui enlever une certaine dureté, son côté très rauque. Une correction très légère, en fait : je donnais un peu plus de basse et de médium, et j'ôtais un peu d'acidité tout en haut. [...] C'était presque toujours du direct, orchestre et voix en simultané, sauf quand Charles n'avait pas le temps (je n'ai jamais connu quelqu'un d'aussi occupé, il avait toujours un avion à prendre !) et pour les versions étrangères pour lesquelles on faisait des play-back orchestre. Il lui suffisait en général d'une seule prise, et je me souviens qu'il s'est surnommé lui-même "Charlie One Take" au cours d'une séance-marathon pour l'album *Aznavour 1965* (voix seulement, tout de même), entre 21 heures et près de quatre heures du matin ! Il manquait une chanson que j'avais oublié de pointer. Charles m'a dit : "Là, je suis fatigué ; je la ferai demain matin. J'ai rendez-vous à Orly à 13 h 30, mais prépare tout, je serai au studio à 10 h 30." Il est arrivé pile à l'heure et vingt minutes après, j'avais ma chanson [1]. »

1. Propos recueillis par Daniel Pantchenko... à qui Gerhard Lehner précisera en riant : « Aznavour a dit : "Il faut se dépêcher de faire le re-recording, le taxi m'attend pour m'emmener à l'aéroport ! »

Au sujet des réenregistrements en stéréo d'anciens titres (mono), parus alors sous l'intitulé « Volume » (de 1 à 3, qu'un « Volume 4 » suivra en 1968), Jacques Lubin précise : « Il y a eu un accord entre Barclay et Pathé-Marconi[1]. On réalisait les play-back, Charles chantait dessus et on donnait la bande à Pathé ; mais on gardait les play-back pour les versions étrangères de ces chansons-là qui étaient distribuées par Barclay. »

Revenons à Yves Salgues. Le 30 juin 1964, lorsque, en vue de l'écriture de son livre, il rencontre Charles au studio Barclay où le chanteur prépare l'enregistrement du *Toréador* en compagnie d'un grand orchestre sous la houlette des orchestrateurs Paul Mauriat et Raymond Lefèvre, Aznavour lui explique : « Ce sont mes deux hommes de confiance. Deux talents valent mieux qu'un ; et de la confrontation de deux talents naît l'étincelle de génie qui les met d'accord. Vous voyez, je travaille les rythmes de mon prochain 33 tours. Avec les diverses versions européennes que je dois enregistrer – français, espagnol, allemand, anglais, italien... –, nous arrivons à un total de vingt et une faces. Avec le Japon et les pays extra-européens, nous atteignons le chiffre extravagant de soixante-douze faces[2]. » Ouf !...

Tenu de trompette à l'appui, cet album s'ouvre donc sur *Le Toréador*[3], film tragique d'une mise à mort dont on n'a pas forcément envie de plaindre la victime qui, elle, a choisi de risquer sa peau[4]. Par-delà le dépaysement ibérique

1. Qui avait, comme on l'a vu, absorbé Ducretet-Thomson, l'ancienne firme où enregistrait Charles.

2. *Charles Aznavour*, Poètes d'aujourd'hui, *op. cit.*

3. Écrit, du propre aveu du chanteur, par 40 degrés sous zéro, lors de son voyage en Union Soviétique ; l'hiver russe le ramenant à l'été espagnol...

4. Alors que, comme l'avait écrit Brel « Les Toros s'ennuient le dimanche / Quand il s'agit de mourir pour nous » (*Les Toros*, 1963).

et l'exemple précis du toréador, la morale de l'histoire – comme souvent chez Aznavour – universalise le propos, pointe d'autres héros, en particulier, à cette époque où le yéyé est sur sa pente descendante, de juvéniles « idoles » bientôt déchues. Le dernier couplet est sans ambiguïtés à cet égard :

Une idole se meurt
Une autre prend sa place
Tu as perdu la face
Et soldé ton destin

« Effectivement, précise l'auteur, c'était le chemin parallèle avec les idoles ! C'est parce que Moustique[1] n'a pas fait de carrière que *Le Toréador* a existé. C'est ça, la vérité !... Mais, si je l'écrivais aujourd'hui, je l'appellerais "le Matador", parce que "le Toréador", ce n'est pas le bon mot. À l'époque, je ne savais pas. »

Élément récurrent maintes fois reproché à Charles Aznavour, l'amour physique est ici très présent. Écrit, pourrait-on dire, à souffle court, sur une montée mélodique au diapason, *Reste* multiplie les adjectifs comme autant d'images suggestives (enlacée, essoufflée, assouvie, étourdie, décoiffée, possédée...) jusqu'à l'ultime : « Sans pudeur / Éperdue / Presque nue... » D'une facture plus classique, sinon courtoise, *Je te réchaufferai* se garde bien de dissocier l'âme du corps.

Le ciel tisse une couverture en laine
L'été prépare ses quartiers d'hiver

1. Rocker chantant notamment *Je suis comme ça*, considéré par certains comme le rival du Johnny Hallyday première époque.

Mais n'aie pas peur de la froidure Hélène
Je te réchaufferai

Mais le titre le plus dérangeant, le plus insupportable pour nombre des détracteurs de Charles (dans *Arts*[1], Jean Monteaux parle d'un « aveu obsessionnel de gérontologie ») s'avère être *Les Filles d'aujourd'hui*. Sur près de cinq minutes non dénuées pourtant d'autodérision, l'auteur lâche la bonde à ses très masculins fantasmes :

En voyant rouler la boîte à trésor
Étanche
De vos pantalons qui cernent très fort
Vos hanches
J'ai l'âme, l'esprit, le cœur et le corps
Qui flanchent

Pour l'essentiel, les autres chansons conjuguent également le sentiment amoureux, ajoutant, à la liste déjà longue des prénoms, une Hélène, une *Sophie* et, aux antipodes de l'explicite compulsif *C'est fini* (mélodrame exemplaire, au demeurant), une *Isabelle*, nouveau rêve d'éternité, moitié dit, moitié chanté.

Plus disparates, d'autres titres témoignent d'une certaine fantaisie musicale d'inspiration : comme on pourrait s'en douter, *Que Dieu me garde* emprunte des couleurs et des rythmes gospel-negro spiritual (à nouveau sur une excellente mélodie de Jeff Davis), et permet à Charles Aznavour de s'envoler vocalement ; *Le Repos de la guerrière* s'appuie sur un texte amusant, quoiqu'un peu amidonné, de Françoise Dorin ; assorti de *la la la*, le néo-folklorique *Au printemps tu reviendras* invite presque à la ronde villageoise au rythme

1. Du 27 janvier 1965.

des pensées tantôt moroses, tantôt pleines d'espoir, de l'amoureux abandonné ; quant à la marche volontaire impulsée par une composition de Maurice Jarre, *Le Monde est sous nos pas*, il s'agit de la chanson-leitmotiv du film *Week-end à Zuydcoote*, de Henri Verneuil.

Aznavour ne joue pas dans ce long métrage de son ami Verneuil, mais, curieusement, au cours de cette année 1965, il va être à l'affiche de deux films d'un même réalisateur : Pierre Granier-Deferre[1]. Ainsi il retrouve Lino Ventura, Pierre Brasseur et Maurice Biraud dans *La Métamorphose des cloportes*, adaptation signée Albert Simonin (dialogues de Michel Audiard) du savoureux roman d'Alphonse Boudard. Une histoire de gangsters et de casse qui « foire », truffée d'humour et de bons mots, tels que les affectionne un certain cinéma noir et blanc hérité des années 50. Dans *Combat*[2], Michel Perez s'interroge : « Comment se fait-il qu'Aznavour soit plus vrai que Gabin disant les dialogues d'Audiard ? Mystère ! » Et il suggère : « C'est peut-être qu'il écrit la plupart de ses chansons, et puis Gabin veut être un mythe. Aznavour ne s'y prend pas de cette façon-là. On a dit qu'il aurait l'humanité farouche et ambiguë d'un Chaplin. » Malgré ces considérations sympathiques, ce ne sera pas le rôle du siècle pour Charles, non plus d'ailleurs que dans le film suivant, *Paris au mois d'août*, où il tient la vedette (aux côtés de Susan Hampshire[3]) d'une histoire d'amour estivale et urbaine inspirée du roman de René Fallet. En revanche, la chanson éponyme, dont Georges Garvarentz a écrit la musique (et celle du film), obtiendra un joli succès.

1. Alors marié avec Annie Fratellini qui assure à cette époque différentes premières parties des tournées de Charles.
2. Du 23 janvier 1965.
3. Et d'une certaine Patricia Aznavour, 18 ans, dans un petit rôle.

Plus que ces deux films, pour Charles Aznavour, l'événement professionnel de l'année vient de la chanson et s'appelle encore l'Olympia où, en pleine ascension[1], il innove. Entre la mi-janvier et la mi-avril, il y occupera la scène trois mois durant, interprétant une trentaine de chansons par soir, dont près de la moitié de nouvelles. Pour l'occasion, le prix des places a été sensiblement augmenté et la location ouverte six mois à l'avance. Comme les autres années, cela s'inscrit dans un plan d'ensemble, le chanteur poursuivant sa stratégie de conquête internationale qui doit l'amener à Broadway, à l'automne, où un énorme contrat publicitaire a été signé avec une firme discographique américaine. Devant tant d'impudence, une partie de la « grande » presse se déchaîne : elle titre sur « le businessman chantant », « la Aznavour Ltd », le « chanteur-robot ». À propos de l'Olympia, dans *Le Monde* du 23 janvier (le même jour que l'article de Michel Perez dans *Combat*; décidément, les critiques de cinéma restent plus tendres pour Charles que leurs homologues des « variétés »), Claude Sarraute parle de « dictateur », de « rêves napoléoniens », et ajoute : « Les préoccupations de l'homme d'affaires semblent avoir pris le pas sur celles de l'artiste. Il écrit ses chansons entre deux conseils d'administration et les lance comme des marques de savon. Il est loin, le petit Arménien d'autrefois. [...] Aux vaches maigres ont succédé les vaches grasses. Aznavour a lutté, a percé, a changé. Piaf, elle, a su jusqu'au bout faire profiter son art de cette misère qui lui collait à la peau, de cette souffrance qui, malgré tous les triomphes, était son lot. Elle a pu rester fidèle à son personnage. Pas Aznavour. Sa douleur, son malheur ne sont plus que fiction, que filon. Il joue un jeu et le joue bien. »

1. *La Mamma* s'est vendue alors à plus d'un million d'exemplaires.

Bref, pauvre et inconnu, Aznavour était génial! Voilà ce que l'on claironne, deux décennies trop tard, pour mieux harceler la bête! Certes, l'homme n'a jamais été un saint, et il ne l'a jamais prétendu. Et remportant haut la main son pari de l'Olympia, c'est (déjà) du côté de la Suisse qu'il va trouver un refuge journalistique, dans *La Tribune de Genève* du 10 mai à laquelle il déclare : « On m'en veut d'avoir réussi. Tous ceux qui, il y a vingt ans, m'avaient prédit un échec, n'admettent pas aujourd'hui que je sois le numéro un de la chanson française, dans le domaine international surtout. On me reproche d'être riche, d'avoir réussi dans la chanson comme dans le cinéma. [...] On me reproche d'être commercial alors que j'ai tout simplement commencé par être populaire. [...] On m'accuse de ne pas être poète ou de vouloir en être un. Si mes chansons ont parfois une tournure poétique, elles n'en ont pas la prétention, elles sont tout simplement humaines et touchent parce que les gens s'y retrouvent et s'y reconnaissent. »

On observera cependant que notre repère en la matière, Paul Carrière, du *Figaro*[1], tout en ironisant sur « l'empereur de la chansonnette à l'Olympia pour cent jours », se place essentiellement sur le terrain artistique. S'il reconnaît l'efficacité de *Reste* (« un chapelet de mots simples et intimes sur une musique insinuante pour décrire la femme aimée »), s'il qualifie de « demi-réussite » *Le Toréador*, et critique plusieurs « redites », il apprécie tout spécialement *Je te réchaufferai* et *Que Dieu me garde* « ou les caprices dansants d'une femme-enfant ». Il note surtout : « Quelques “astuces”, comme la manipulation des manchettes, n'empêchent pas le récital de laisser une certaine impression de monotonie et de longueur. Brel et Bécaud viennent d'offrir au public une fièvre et une effervescence autrement soutenues. »

1. Du 27 janvier 1965.

Quoi qu'il en soit, le suffrage universel qui élira bientôt, pour la première fois, un autre Charles à la présidence de la République française [1], plébiscite de fait, et bien au-delà de nos frontières, le chanteur en « alpaga noir, chemise rose », qui « lance sa première chanson, *Le Temps*, en coup de poing », comme le constate dans *Paris-Presse* [2] Jean Vermorel qui ne l'apprécie visiblement guère : « Et pourtant, on l'aime, ce faussement attendrissant Aznavour. On aime les anciennes et les nouvelles. [...] Encore une fois, on se "fait avoir" par le petit homme qui maintenant arpente la scène, micro désinvolte en main, à l'américaine, comme M. Sinatra. »

Précisément, l'Amérique, Charles Aznavour, va la conquérir à sa manière. Non seulement il s'efforce de chanter dans des grandes salles (comme le Carnegie Hall), mais, outre les campus universitaires, il entreprend de « démarcher » le pays d'est en ouest au point de réussir une rare intégration, en devenant le premier artiste non américain à enregistrer sur le label Reprise où figuraient des Frank Sinatra, Judy Garland et autres Sammy Davis Jr.

Attaqué violemment sur son goût pour l'argent, Charles Aznavour répond (à l'époque) sans détours : « Je suis féroce en affaires. Au début, personne ne voulait de moi, et cela je ne peux pas l'oublier. Les entrepreneurs de spectacles se plaignent aujourd'hui, mais ils oublient que mes premières tournées, je les ai toutes faites à mes frais. Je n'ai de cadeau à faire à personne. Mais je n'aime pas l'argent. » Et il ajoute : « Je ne possède ni restaurant ni snack-bar. Tout ce que j'ai, je le réinvestis dans le music-hall [3]. » Mais, comme on va le découvrir la semaine suivant cet article, l'autodidacte Aznavour, qui a beaucoup appris et dispose à présent d'une

1. De Gaulle, le 19 décembre.
2. Du 24 janvier 1965.
3. À Anne Andreu, *Paris-Presse*, 21 janvier 1965.

solide équipe de collaborateurs, avance une nouvelle carte en ce début d'année. Neuf mois avant sa nouvelle campagne américaine (délai on ne peut plus symbolique), il a décidé d'intervenir au plus haut niveau des instances de son pays. À Claude Angeli, du *Nouvel Observateur*[1], il annonce : « J'ai demandé une entrevue avec le ministre des Finances. Voilà pourquoi : je vais partir aux États-Unis en octobre pour six semaines, puis en tournée. Mais le jour où je donnerai le premier récital, à Broadway, j'aurai déjà dépensé 130 à 150 millions. Je vais gagner là-bas beaucoup de dollars, mais les finances ne tiendront pas compte de ce que j'aurai investi. On me fera payer des impôts pour tout ce que je rapporterai ! Remarquez que je pourrais laisser mon argent ailleurs, prendre une résidence à l'étranger. Un pays m'a proposé de rapatrier chez lui les dollars que je gagnerai, mais je ne veux pas le faire. Je suis un exportateur, non ? Et l'aide à l'exportation, ça existe bien, non, pour les sociétés privées ? Le gouvernement n'a-t-il pas intérêt à ce que l'on rapatrie des devises ? Finalement, on est associés. Je dirai à VGE[2] : "Je risque de rapporter autant qu'une usine, je voudrais une base d'abattement différente. On est pour ainsi dire associés, au moins pour les bénéfices, parce que pour les risques, on ne l'est pas encore." » Visiblement, cette requête (soutenue par différents autres artistes) n'obtiendra pas le succès escompté, et, a contrario, aura peut-être pour effet d'inciter le fisc et ses responsables à porter une attention toute particulière aux revenus du citoyen chanteur...

Côté famille, un événement heureux va se dérouler le 17 septembre : la grande sœur Aïda épouse Georges, son fiancé depuis déjà plusieurs années : « Garvarentz avait voulu

1. Du 28 janvier 1965.
2. Valéry Giscard d'Estaing.

attendre, pour épouser sa cendrillon arménienne, d'avoir les moyens d'un prince oriental. Et ce fut, en effet, une journée féerique.[1] » Église arménienne pleine de VIP's, rue Jean-Goujon (Paris 8e) bouclée par la police, foule jusque sur la place de l'Alma, Rolls blanche du « petit frère », marié qui n'arrive pas (il assiste à la première de *Deux anges sont venus*, la comédie musicale qu'il a concoctée avec Charles), puis château de Grosbois, grand orchestre de Franck Pourcel... Aïda raconte encore dans son livre : « Quand, sous les applaudissements, apparut le gâteau porté par quatre valets en habit à la française, nous avons regardé nos parents, c'était leur jour de gloire et de bonheur ; ce faste, c'est pour eux que nous l'avions voulu : leurs vies avaient oscillé entre la tragédie et le drame, il fallait que le cinquième acte qui commençait ressemblât à un conte de fées[2]. Le cadeau de Charles fut royal, lui aussi : la maison de Galluis que nous convoitions ! Comme ça, disait-il, nous serions près de lui... ou du moins près de chez lui. Car il n'était pas souvent là : être devenu propriétaire terrien ne l'empêchait pas de rester un saltimbanque. » Ni de filer le parfait amour avec sa blonde suédoise, Ulla (à peine plus âgée que sa fille Patricia), sans être très pressé d'imiter Aïda, ayant été lui-même déjà échaudé par deux fois en la matière.

Son rêve du moment s'appelle *Monsieur Carnaval*, une opérette dont l'écriture de la musique (sur un livret de Frédéric Dard, alias San-Antonio) lui a pris plus de dix-huit mois. Fasciné par le théâtre du Châtelet où, de son propre aveu, il vient de revoir *Valses de Vienne* avec des yeux d'enfant

1. Aïda Aznavour-Garvarentz, *Petit Frère*, *op. cit.*

2. Ironie du sort, l'année suivante, maman Knar disparaissait, l'un des plus grands succès de son chanteur de fils répétant de façon obsédante : « Elle va mourir la Mamma... »

émerveillé, il s'y est davantage souvenu de Charles Lecoq que de George Gershwin. Vraisemblablement promis à un joli succès, ce spectacle va connaître un véritable triomphe grâce à une chanson bientôt mythique qui n'y était pourtant pas initialement destinée : *La Bohème*, sur des paroles de Jacques Plante. Son enregistrement par Charles Aznavour avant la générale du spectacle, et donc avant sa vedette, Georges Guétary, donnera lieu à une passe d'armes entre Barclay et Pathé-Marconi, les maisons de disques respectives des deux artistes, ceux-ci échangeant également d'aimables propos par presse interposée. On y lit ainsi que Guétary veut « casser la figure » de Charles ; retour des États-Unis, celui-ci constate, rigolard, que son disque de *La Bohème*[1] se vend « comme des petits pains », et déclare à Danièle Heymann, de *L'Express*[2] : « C'est Georges Guétary lui-même qui m'a supplié de l'y inclure. Je participe au lancement de *Monsieur Carnaval* et l'on s'en plaint ? Quelle idée ! Ce n'est quand même pas ma faute si je vends plus de microsillons que Georges Guétary ! » Ce dernier en vendra quand même quelque 900 000, ce qui facilitera la réconciliation des deux hommes, à laquelle s'attachera concrètement Frédéric Dard qui confiera à Fred Hidalgo, à propos de ces « tribulations » et de *La Bohème* « créée juste avant » par Aznavour : « Il a un flair énorme, le grand Charles, et il voulait se la garder pour son tour de chant perso ! Guétary s'est alors répandu en récriminations dans la presse, et j'ai cru à un moment que ça allait dégénérer en duel... [*rire*] Plus tard, beaucoup

1. Deux 45 tours sont parus avec *La Bohème* : l'un intitulé *Monsieur Carnaval*, avec trois titres de l'opérette (*Aime-moi*, *Quelque chose ou quelqu'un*, *Ça vient sans qu'on y pense*), l'ensemble intégrant peu après le nouveau 33 tours de 1966 ; l'autre, avec deux inédits (*Plus rien*, *Et je vais*), le premier étant repris dans ce nouvel album.

2. Du 20 décembre 1965.

plus tard, j'ai réussi à les réconcilier : je les ai invités tous les deux à un gala télévisé que j'animais à Genève en faveur des enfants du Tiers Monde, j'ai résumé l'histoire et je leur ai dit : "Maintenant, vous allez me faire un grand plaisir, nous allons chanter *La Bohème* tous les trois"... [*rire*] Et on a chanté *La Bohème*, ce qui était une façon d'enterrer publiquement et définitivement la hache de guerre [1].»

Au sujet de *Monsieur Carnaval* et de Charles Aznavour dont il a toujours apprécié l'humour «très particulier» et la «grande ouverture aux autres», Patrice Dard (le fils de Frédéric) [2] se souvient d'un «trait» acide de celui-ci : «Georges Guétary avait été choisi par le Châtelet parce que c'était la grande vedette de l'opérette de l'époque, mais il n'était plus tout jeune et mon père trouvait qu'il ne correspondait pas au personnage. Surtout, s'il ne chantait pas mal (pour ceux qui aiment), il jouait comme une ganache. Peu avant la première, lors des répétitions, mon père prend Aznavour à part et lui dit : "Je suis quand même préoccupé. Tu crois qu'il peut vraiment incarner le personnage ?" Et, du tac au tac, Charles lui répond : "Laisse-le mettre sa moumoute et ses fausses dents, tu vas voir, il va devenir un jeune premier [3] !"»

---

1. Propos recueillis pour *Chorus* n° 23, printemps 1998.
2. Lui aussi écrivain et auteur d'une centaine de romans populaires, dont *Les Nouvelles Aventures de San-Antonio* (Fayard), ayant repris en 2002 la fameuse saga créée (en 1949) par son père, décédé le 6 juin 2000. À propos d'Aznavour, il dira également : «C'est quelqu'un qui a su formidablement évoluer dans son interprétation et dans son écriture, c'est un travailleur, un bosseur extraordinaire. Piaf elle-même ne croyait pas en lui. À force de travail, il a montré qu'elle s'était plantée ! Il a su peaufiner son don et il est devenu un phénoménal auteur de chansons. [...] Aznavour a quelque chose d'extraordinaire pour une star, c'est qu'il est toujours à l'écoute des autres.» (À Fred Hidalgo, pour *Chorus* n° 52, été 2005).
3. À Daniel Pantchenko.

Chapitre 29

Départs

Janvier 1966. À en croire la presse, Charles Aznavour vient de boucler « deux fois et demi le tour de la Terre en six mois ». Son plan de route l'aura effectivement baladé entre Madrid, Lisbonne, Porto, Marrakech, Rabat, l'Angola, Madrid, Paris, puis New York, la Californie, Tokyo, Hong Kong, le Laos, Bangkok, à nouveau Paris (quand même !), puis la Martinique, la Guadeloupe, le Brésil, l'Argentine, le Pérou, la Bolivie... sans oublier Rome où il a eu la mauvaise idée d'aller passer son « jour de repos » et s'est trouvé en butte au harcèlement des paparazzis. « Il ne se repose qu'en avion », confie sa sœur Aïda à *24 heures*[1], journal auquel Maurice Chevalier déclare : « Avec Édith Piaf, notre chanson s'était conquise une place au soleil dans le pays même où ce qui relève du spectacle fait la loi sur la terre entière : l'Amérique. Je ne vois qu'Aznavour pour reprendre le bâton de relais tendu par Édith... »

En tout cas, après l'énorme succès encore sensible de *La Mamma*, le dauphin de Momo de Ménilmuche, « Charlie

1. Du 14 janvier 1966. Où, selon le journal, le frère et la sœur proclament : « Nous sommes unis comme le doigt et l'ongle. »

l'Arménouche[1] », double fantastiquement la mise avec *La Bohème*[2], dont – hommage extrême – les trois premiers vers vont passer dans le langage courant : « Je vous parle d'un temps / Que les moins de vingt ans / Ne peuvent pas connaître… »

Outre *La Bohème*, l'album reprend les trois autres titres de l'opérette *Monsieur Carnaval* déjà parus en 45 tours (*Ça vient sans qu'on y pense*, *Aime-moi*, *Quelque chose ou quelqu'un*) qui, derrière un tel succès, passeront à peu près inaperçus. À nouveau sur un texte de Jacques Plante, la plus originale des autres chansons, *Sarah*, raconte la peine que le départ d'une jeune fille en Amérique a causée à son tailleur juif de père et à toute la famille. Son dernier couplet lui souhaite néanmoins tout le bonheur du monde (comme dans *À ma fille*, deux années auparavant, dans un esprit et une tonalité plus mélodramatiques[3]) :

Hélène aura bientôt vingt ans
Elle s'en ira peut-être avant
On ne vit pas pour ses parents
Sarah, Sarah, je le sais bien
Sois donc heureuse et sans regret
Mais ne nous oublie pas tout à fait

Dans un style complètement différent, plus proche sans doute de l'Aznavour fantaisiste première époque et

1. *Carrefour*, 19 janvier 1966.
2. Le 19 juillet 1966, douze disques d'or lui seront remis par Eddie Barclay en présence de différents artistes : Francis Blanche, Claude Nougaro, Pierre Perret, Philippe Nicaud…
3. « Cet étranger sans nom sans visage, ô combien / Je le hais, et pourtant, s'il doit te rendre heureuse / Je n'aurai envers lui, nulle pensée haineuse / Mais je lui offrirai mon cœur avec ta main… » En réalité, *Sarah* est antérieure et date de 1958.

de Gilbert Bécaud qui en a composé la musique – et qui l'interprète également –, *La Route* (écrite dès 1964) cultive une imagerie très masculine de la liberté... au point de s'amorcer entre « tambours », « clairons » et « adjudant », et de se boucler « dans les rangs de l'armée ». Le second succès (loin, évidemment, derrière *La Bohème*) de ce disque par trop disparate viendra d'une grande envolée sentimentale, *Paris au mois d'août*, thème du film de Pierre Granier-Deferre, sur une mélodie efficace de Georges Garvarentz propulsant la voix de son beau-frère à des hauteurs paroxystiques qu'il affectionne.

De passage à Paris où, dès la mi-juin, l'Olympia programme *Young America*[1], le « 1er show-businessman de l'histoire du spectacle français » – comme il s'amuse à s'autoqualifier face à une « grande presse » qui pratique une surenchère obsessionnelle sur le sujet – se prépare précisément à retraverser l'Atlantique : « Je pars six mois en Amérique. Je n'ai pas appris l'anglais pour chanter seulement onze chansons. Il faut amortir[2] ! » Il fait allusion à l'important spectacle qu'il donnera deux soirs durant (les 4 et 5 septembre 1966) à l'Albert Hall, prestigieuse salle de concert de Londres où il interprétera effectivement en anglais onze des vingt-huit titres de son répertoire. *Paris Match* précisera peu après[3] qu'il aura fallu rajouter 500 chaises aux 6 500 fauteuils initiaux, et qu'Aznavour suscitera « quinze rappels ». L'hebdomadaire ajoute : « Avec

1. Un spectacle en deux parties incitant à découvrir de jeunes artistes américains et dont la grande surprise s'appelle Liza Minnelli. Dans *Le Figaro* (du 20 juin), Paul Carrière ne tarit pas d'éloges : « Talent encore vert, elle n'en représente pas moins, à dix-neuf ans, l'authentique artiste qu'exige la scène américaine. »

2. *24 heures*, du 19 juillet 1966.

3. N° 910 du 17 septembre 1966.

Maurice Chevalier, c'est le seul[1] qui se soit risqué dans cette salle. Il entreprend ce défi après s'être démis trois vertèbres durant le tournage du *Facteur s'en va-t-en guerre.*[2] »

Comme prévu, le chanteur est alors aux États-Unis, et, en réplique à ceux qui ne le croient motivé que par des appétits financiers, il a déclaré à *Paris Jour*[3] : « Je veux détruire un mythe, celui de la suprématie des USA. Jusqu'ici, exception faite de Chevalier, on admettait comme un "credo" que les chanteurs américains pourraient seuls devenir des vedettes internationales. Je prouverai que la France peut se placer aussi ! »

En France, justement, l'un de ses confrères historiques, Jacques Brel, vient d'annoncer qu'il abandonne le tour de chant. « C'est à Laon, dans l'Aisne, au début de l'été 1966, que se produit l'incident qui emportera la décision définitive de Jacques. Il est en train d'interpréter *Les Vieux*, le cinquième titre du programme, quand il réalise soudain qu'il a déjà chanté le couplet qu'il débite machinalement. Aussitôt sa résolution est prise ; lorsqu'il quitte le plateau au milieu des bravos de rappel, il lâche un seul mot à l'adresse de Jojo (qui lui tend, comme toujours, la serviette avec laquelle il s'essuie le visage et l'inévitable cigarette d'après l'effort) : "J'arrête." Pas besoin d'en dire plus, l'ami de toujours a compris, car ils ont souvent parlé, ensemble, de cette probabilité[4]. »

Au début, personne ne veut trop y croire, mais lorsque la nouvelle devient officielle et inéluctable, Bruno Coquatrix

1. Le seul chanteur français, *of course*...
2. Film de Claude Bernard-Aubert (musique de Georges Garvarentz), avec Jess Hahn, Pierre Mondy, Daniel Ceccaldi, Michel Galabru, Jean Rochefort...
3. Du 10 septembre 1966.
4. Marc Robine, *Grand Jacques – Le Roman de Jacques Brel* (*op. cit.*).

va s'attacher à convaincre Brel de faire ses adieux officiels à l'Olympia. Malgré son refus initial, celui-ci finit par s'y résoudre et la date est fixée : du 6 octobre au 1er novembre. « Le dernier soir, quand le rideau tombe, après *Madeleine*, la salle explose en une fracassante ovation debout, longue de plus de vingt minutes. Contrairement à ses habitudes, Jacques Brel reviendra saluer sept fois. La foule hurle et tape des pieds autant que des mains, réclamant de ses cris un rappel qui, une fois encore, lui sera refusé. Puis les lumières se rallument, mais personne ne songe à quitter sa place, et les bravos redoublent d'intensité. Jacques est déjà dans sa loge. Il s'est dépouillé de son costume de scène et de sa chemise, trempés à tordre, pour enfiler un peignoir en éponge à grosse rayures. C'est dans cette tenue, jambes nues et en chaussettes, qu'il réapparaîtra pour un ultime salut, ponctué de cette simple phrase, hachée par l'émotion et les cris du public : "Je vous remercie, parce que ça justifie... parce que ça justifie quinze années d'amour. Je vous remercie..." [...] Les adieux de Jacques Brel se consommeront longuement, ses engagements le menant une dernière fois au Maroc, aux États-Unis, en Angleterre et au Canada [1]. »

Fin septembre, moins de deux semaines avant ce départ officiel consacré par l'Olympia, c'est à New York que Charles Aznavour en apprend un autre, brutal, intime : le décès de sa mère, Knar. Partie pour l'un de ces « périples » que, depuis quelques années, elle accomplissait de pays en pays, en quête de parents disséminés par les massacres de la communauté arménienne, elle avait précisément terminé, cette fois, par l'Arménie. Après avoir passé près d'un mois avec sa belle-mère et pris le temps de rencontrer la famille de Mischa, son mari,

1. *Idem.*

elle effectuait une escale à Moscou pour rentrer en France. Toute contente de retrouver bientôt « son petit monde », c'est au pied de l'avion même qu'elle s'est soudainement effondrée. Une Arménienne de Paris, avec laquelle elle avait sympathisé, décide alors de rester auprès du corps pour tenter d'en organiser le rapatriement. Un imbroglio aussi douloureux que kafkaïen...

Retenu à New York par ses engagements professionnels, Charles va réussir à se libérer, le temps d'un aller-retour express, pour l'enterrement prévu quelques jours plus tard. En revanche, son beau-frère Georges rejoint sa femme Aïda, et tous deux s'envolent pour Moscou, grâce à Bruno Coquatrix qui a obtenu les indispensables visas en vingt-quatre heures. Là, rien n'est réglé pour autant : plus que l'aide formelle du Consul de France, celle d'une cousine originaire d'Erevan et la détermination de Garvarentz vont permettre de surmonter tous les obstacles. Avec de l'audace et à coups d'astuces pour contourner les interdits du système – roubles et bouteilles de vodka à l'appui –, le corps est sorti de la morgue, un cercueil décent est fabriqué à soixante kilomètres de Moscou, et il ne reste plus qu'à régler les « formalités » avec Air France – jusqu'à ce qu'il soit précisé que le cercueil voyagera « logiquement » dans la soute. Pour Georges, c'est impensable ! Aïda raconte : « C'était l'impasse... Le culte que Garvarentz vouait à maman, joint à sa rage de vaincre, lui a fait trouver la sortie : on ne pouvait pas imposer à des passagers la présence d'un cercueil ? Qu'à cela ne tienne, on allait trouver un avion qui n'aurait comme passagers que nous. C'était aussi simple que ça ! Mais, à Air France, on nous dit que c'était impossible, affréter un avion spécial demandait un long délai ; en outre, il était visible qu'on nous prenait pour des fous [1]. »

1. *Petit Frère, op. cit.*

On pourra estimer qu'objectivement la fille et le gendre de Knar exagèrent et réagissent en privilégiés; en même temps, chacun reste libre d'utiliser son argent à sa guise lorsqu'il ne nuit pas à son prochain, et en l'occurrence, aussi exorbitante que puisse paraître la suggestion, elle répond à un « cri du cœur », à un sentiment totalement désintéressé. Aïda Aznavour-Garvarentz poursuit : « Nous avons appelé Bruno Coquatrix, saint patron des causes difficiles, pour ne pas dire désespérées. Garvarentz, qui réfléchissait à cent à l'heure, avait une nouvelle idée : puisqu'on ne pouvait pas obtenir une Caravelle[1] spéciale, il n'y avait qu'à acheter tous les billets d'un vol normal. L'idée plut à Bruno, il ne nous considéra pas comme des cinglés, simplement comme des enfants qui plaçaient très haut l'amour de leur mère. Il mit tout en œuvre pour la faire aboutir. Il connaissait tout le monde, et tout le monde l'aimait. Quelques heures plus tard, c'était réglé, les passagers qui avaient retenu leur place étaient transférés sur un autre vol, la Caravelle était à nous. »

D'ultimes tractations se produiront avec la croix de bronze qu'en toute illégalité Garvarentz réussira à faire installer sur le cercueil et que la police soviétique de l'aéroport laissera finalement passer... Arrivé seul de New York, juste à temps « pour la messe et le cimetière », Charles Aznavour reprit l'avion dès le lendemain. Le premier soir, il lui fut très difficile de chanter *La Mamma*. Aujourd'hui encore, ce départ brutal et les circonstances qui l'ont accompagné lui restent très sensibles : « Je n'en parle pas beaucoup, c'est une chose trop pénible ! Sans compter tous les ennuis que ma pauvre sœur et Garvarentz ont eus, à Moscou, pour trouver une croix. Quand on pense qu'à présent, là-bas, les mêmes

1. Type d'avion français célèbre de l'époque.

sont tellement devenus bigots ! C'est comme ça qu'ils ont raté le communisme ! C'est pour ça qu'on n'a pas confiance en eux. J'ai bien peur que, si ça recommençait, il y aurait encore des grands profiteurs du communisme. C'était une très belle idée, et quand je vois le nombre de gens qui meurent de faim dans le monde, je me dis parfois que s'il y avait un vrai communisme, cela n'arriverait pas ! Ce serait comme en Chine : ils auraient chacun leur bol de riz. Le bol de riz, c'est important ! »

À New York, deux bonheurs viennent contrebalancer cette plaie profonde : la présence de sa fiancée Ulla, « silencieuse, mais solide », et le triomphe incontestable qu'il remporte, dont la presse parisienne se fait de plus en plus l'écho. Ainsi, dans un article intitulé *Le Grand Charles*, ne cache-t-il pas sa joie au journaliste de *L'Express*[1] : « Ça y est, je suis devenu une vedette en Amérique ! La preuve ? À Las Vegas comme à Honolulu, à Detroit comme à Los Angeles, je suis désormais payé le même prix que Frank Sinatra ! [...] En Amérique, je suis considéré comme un comique, un comique triste, mais drôle. Peut-être parce que j'ai appris à chanter détendu. Autrefois, sur scène, j'étais survolté, je transpirais ; plus maintenant, question de discipline. »

Et en cette fin d'automne, pour parachever une année excellente sur le plan professionnel, Aznavour sort un nouveau 30 cm, court (26 minutes) mais dense, dont quelques éléments existent déjà en 45 tours. Curieusement, il y reprend *Que Dieu me garde*, paru à peine deux ans plus

1. Du 21 novembre 1966. Article où le journaliste gratifie élégamment Charles d'un « visage de sapajou », lequel sapajou n'est autre, rappelons-le, qu'un petit singe d'Amérique à longue queue... et, au sens figuré, un « homme très laid » !

tôt, mais on remarque qu'à l'exception de ce titre et de deux autres dont les musiques sont griffées Garvarentz (*Plus rien*, *Je reviendrai de loin*), il a tout écrit. A contrario, souhaitant développer sa propre carrière, Paul Mauriat cède largement la place à d'autres arrangeurs davantage imprégnés par le jazz : Yvan Jullien et surtout le tandem Clyde Borly/Léo Clarens. Signant une fois de plus d'évidentes mélodies, Charles poursuit son exploration du sentiment amoureux à travers diverses formes : la déclaration totale (*Ma mie* : «Tu es la vague, tu es la mer / Tu es l'orage et les éclairs / Tu es le monde et l'univers / Ma mie»), la séquence cinématographique d'une rupture (*Et moi dans mon coin*), la séparation sans regrets (*Les Bons Moments*) ou à peu près l'inverse (*De t'avoir aimée*, *Je l'aimerai toujours*)...

Une chanson développe un thème particulièrement cher au chanteur, entre réminiscences personnelles conscientes ou non et observation planétaire que ses voyages ont favorisée : *Les Enfants de la guerre*.

Les enfants de la guerre
Ne sont pas des enfants
Ils ont connu la terre
À feu et à sang
Ils ont eu des chimères
Pour aiguiser leurs dents
Et pris des cimetières
Pour des jardins d'enfants

Même si cela touche à des notations plus intimes, le *Je ne suis pas guéri de mes années d'enfance* de 1982, et plus encore *Les Enfants* («Ils referont le monde...») demandé par Charles à Pierre Delanoë en 1997, abordent cette fêlure générationnelle si diverse et pourtant si semblable. Ce que souligne la progression de la chanson (« Ces enfants sans enfance / Sont comme toi et moi ») jusqu'au renversement final : « Les amants de la guerre / Sont restés des enfants. »

Enfin, dans ce disque, figure un exercice de style assez rare chez Charles Aznavour : une plongée dans les coulisses de l'écriture, autrement dit les actes, le compte rendu quasi judiciaire des étapes requises *Pour essayer de faire une chanson*. Où « policier », « souteneur », « procureur » et « avocat » sont mis sans vergogne à contribution :

Comme un policier enquêtant pour un crime
Qui fouille l'indice en suivant sa pensée
Je cherche le souffle et je guette la rime
Je cerne la phrase et questionne l'idée

S'il s'agit d'un jeu au parfum de polar, cette démarche correspond sacrément à celle de l'auteur Aznavour : « Moi, ça part d'un coup, je prends la première ligne et je trouve la chute à la fin, dans le cheminement. Je ne reviens jamais sur le texte, mais attention, je ne lâche pas tant que ce n'est pas fini. C'est à la virgule près. Au mot ! Le mot est très important. Il doit être là et personne ne doit pouvoir le changer… Ça, c'est mon orgueil, mon seul orgueil, personne ne doit venir me dire : "Tiens, moi, à la place de ça, j'aurais mis ceci !" […] J'écris beaucoup d'alexandrins, mais je les brise volontiers, et une chose est importante : dans mes chansons, je termine les phrases. On ne chevauche pas d'une phrase à l'autre, sinon on se demandera : "Qu'est-ce qu'il va dire derrière ?" Ça, surtout pas ! Je me suis imposé une discipline, je me suis astreint à inventer une façon d'écrire. C'est cela qui manque à la chanson d'aujourd'hui[1]. »

1. À Daniel Pantchenko, pour *Chorus* n° 39, printemps 2002.

Chapitre 30

De Vegas à Jérusalem

Seuls les imbéciles ne changent pas d'avis. Surtout en amour. Aujourd'hui comme hier (et sans doute davantage encore, concurrence effrénée oblige), il convient de se méfier du harcèlement médiatique des artistes et des stars, du rêve à trois sous de *people* bradé par les marchands de papier. Peu importe de publier tout et son contraire, l'important c'est de vendre ! Qu'un Charles Aznavour, échaudé par deux mariages – donc deux divorces plus ou moins éprouvants –, n'envisage guère de se remarier, découle de la plus élémentaire logique. Lorsque, en août 1966, il a la mauvaise idée de nourrir les commérages de Carmen Tessier, la « potineuse » de *France-Soir*[1], il est évidemment sincère et développe un argumentaire qu'il a sans nul doute plusieurs fois retourné dans sa tête : « Pour quoi faire ? Nous sommes très heureux ainsi. De toute façon, à mon âge (42 ans), je ne veux plus d'enfants. Par contre, je rêve d'être grand-père. J'espère que ma fille Patricia (19 ans) comblera bientôt mes vœux. »

1. Où elle tient alors quotidiennement « Les Potins de la Commère », avec trois collaborateurs.

Seulement voilà, comme on vient de l'évoquer, beaucoup d'événements vont se produire en cours d'année, et, après quelques mois de vie en couple à New York (d'abord dans un petit appartement – au quatrième étage sans ascenseur – près de Washington Square, puis dans un « bon » hôtel), Ulla décide un jour de partir en Suède voir sa famille. Pendant ce genre de période anxieuse qui semble une éternité à tous les amoureux du monde, Charles va lui téléphoner en vain, jusqu'au moment où, l'ayant enfin au bout du fil, il ne perd pas une seconde et lui propose de l'épouser.

Le mariage civil a lieu le 11 janvier 1967 à Las Vegas. Les témoins d'Ulla s'appellent Petula Clark et Aïda ; ceux d'Aznavour, Sammy Davis Jr et Georges Garvarentz. Quand on rappelle aujourd'hui à Charles que Las Vegas évoque davantage le jeu et le divorce facile que la stabilité conjugale, il objecte en souriant : « Dans les petites chapelles ! Nous, c'était à City Hall et c'est le maire de la ville qui nous a mariés ! On a fait un vrai mariage. On n'a pas triché… On l'a fait là-bas parce que j'y travaillais, à cette époque. » À propos de l'incrédulité qui règne alors communément en France sur l'avenir du couple, il ajoute avec un brin d'ironie philosophe : « Tout le monde a dit que ça allait durer quinze jours ! Bon… Ça a duré un peu plus longtemps… »

Toutes photos dehors, la « grande » presse française saute sans vergogne à papiers joints sur l'événement, chacun s'efforçant d'apporter l'indiscrétion exclusive, le cliché romanesque, le détail « qui tue »… On réinvente l'idylle des deux tourtereaux, on esquisse un portrait un rien mystérieux de l'héroïne (son mutisme de « petit sphynx triste venu de Suède », « ses cheveux d'or pâle », « ses yeux couleur de la mer en hiver », « sa silhouette minuscule »…), mais on rappelle quand même que, sitôt la cérémonie passée (« dans une intimité d'une centaine d'amis et vingt journalistes [1] »), le marié s'est remis au travail, sa tournée aux États-Unis durant encore huit semaines.

Fin avril, de retour à Paris avant de partir en Italie, Charles Aznavour prépare un court passage, les 25 et 26, à l'Olympia. Histoire de remettre les pendules à l'heure sur son côté « homme d'affaires » et différents lieux communs circulant à son propos (accrédités par une certaine « folie des grandeurs » déjà évoquée), le nouveau marié donne plusieurs interviews, dont celle de *Paris Presse* [2] porte un titre révélateur : « Aznavour détruit la légende d'Aznavour. » À ceux qui lui attribuent de nombreuses sociétés, il rétorque notamment : « Des juke-boxes ? Je n'en ai pas un ! La seule affaire que j'aie jamais faite a été la revue *Music-Hall*. J'y ai laissé de l'argent [3]. Et mes "Éditions musicales", direz-vous ? Se faire éditer, c'est perdre une partie de ses revenus. Alors tout le monde s'édite. Brel, Brassens, comme les jeunes venus à la chanson. On me reproche mes deux maisons, ma Rolls... mais, au fond, je suis un économe. Au lieu de sortir dans les boîtes et d'y laisser 500 francs, je préfère rester chez moi, dans mes pantoufles, et m'acheter, à la place, des meubles et des tableaux. »

À propos de son spectacle, Paul Carrière montre un équilibre réservé dans *Le Figaro* [4] : « Enfin l'artiste apparaît,

1. *France-Soir* du 12 janvier 1967.
2. Du 26 avril 1967. À François Blanc.
3. Souvenirs précis : « J'ai acheté *Music-Hall* parce qu'il ne se vendait plus qu'à 9000 exemplaires. On l'a remonté à 60000. Mais on était très mal vus par les distributeurs et les magnats de la presse française. Ils ont voulu me racheter, alors j'ai pris le catalogue entier de photos et j'y ai mis le feu dans le jardin. Et personne n'a eu le courage de relancer la revue ! » (À Daniel Pantchenko).
4. Du 28 avril 1967.

sans aucune singularité : costume noir, cravate noire, chemise à peine rose, le cheveu court avec une mèche décollée, comme Bonaparte au pont d'Arcole. Le visage, guère plus sillonné que jadis, ne marque jamais la lassitude. D'ailleurs, la voix paraît s'être encore tonifiée. Le chanteur va, vient. Il utilise beaucoup, à l'américaine, le haut tabouret sur lequel il grimpe pour être plus badin ou familier. Il est non seulement décontracté au possible, mais presque détaché. Il a une telle routine de son métier qu'on guette en vain la moindre défaillance. » C'est à l'occasion de cet Olympia que le chanteur enchaîne *Hier encore* à *Sa Jeunesse*, ce dont il dit avec le recul : « Je pourrais le faire avec au moins quatre ou cinq chansons, cela se suit très bien. » Il ajoute avec un sérieux non dénué de malice : « Et puis, c'est une économie de temps : on ne chante pas la moitié des chansons ! On en entend quatre, et on en chante en vérité deux et demie ! »

En cette année 1967 où les raids aériens américains contre le Nord-Vietnam suscitent des prises de positions opposées dans la chanson (du *Vietnam 67* de Colette Magny aux *Ricains* de Michel Sardou), Charles Aznavour, futur citoyen français de Suisse, opte pour la neutralité artistique : « Quant aux chansons engagées, elles sont comme les tableaux, il y en a des vrais et des faux. Mon seul message, c'est d'offrir en montant sur scène une heure de détente au public ; lui offrir des rires ou des émotions, comme les clowns. Mes idées, ça ne le regarde pas. [1] »

Cette dernière phrase fait presque écho à une question récurrente qu'on lui pose alors sur le président de Gaulle (propagateur suprême de *La Marseillaise*, soudain en butte à une grève générale contre les « pouvoirs spéciaux » dont

1. *Paris-Presse*, 26 avril 1967.

il s'est doté), à laquelle il répond : « Sur le plan politique, je n'en pense rien. Sur le plan général, je suppose qu'il est l'homme qui convenait à la France. Sur le plan du métier, je peux dire qu'il existe une grande différence entre lui et moi : lui ne connaît qu'une seule chanson [1]. »

Quelques mois plus tard, son absence d'engagement politique n'empêchera cependant pas Charles Aznavour de refuser (même s'il ne signe pas la pétition internationale en faveur du compositeur Mikis Théodorakis, arrêté en août) d'aller chanter en Grèce [2] : « J'ai reçu une lettre de Melina [3] me disant que si j'allais en Grèce, c'était très mauvais pour eux et que les colonels gagneraient encore un point, et je n'y suis pas allé. Une autre fois, nous étions avec Michel Legrand à Montréal et il y a eu une grève ; on nous a demandé (de France, je crois) de ne pas traverser le piquet de grève, alors Michel et moi nous sommes rentrés en France. Ça nous a coûté le voyage. Mais il y a des moments où il faut le faire, et d'autres où ça me fout en colère : parce que c'est trop facile de vouloir arrêter un spectacle ou quoi que ce soit ! Il faut que ce soit sensé, qu'il y ait une raison valable. »

Au cœur de l'automne, Aznavour, qui a tourné quatre jours en Israël pour la télévision et s'est produit de nouveau au Carnegie Hall américain, sort un nouvel album (*Entre deux rêves*) où figure précisément *Yerushalaim*, parue deux

1. *L'Express*, 8 mai 1967.

2. Sous la coupe des trois colonels (Stylianos Pattakos, Nikolaos Makarézos et Georges Papadopoulos) depuis leur coup d'État du 21 avril 1967.

3. Melina Mercouri. Formidable actrice grecque, épouse du cinéaste Jules Dassin, mère du chanteur Joe. Opposante farouche à la dictature des colonels, députée du PASOK (Mouvement socialiste panhellénique, d'Andréas Papandréou), ministre de la Culture d'octobre 1981 à juin 1989, puis d'octobre 1993 à sa mort (des suites d'un cancer) le 6 février 1994 à New York, à l'âge de 69 ans.

mois plus tôt en 45 tours. Ode au rêve et à l'espoir obstiné, elle reste éminemment symbolique autour de l'allusion christique :

Pour me garder
Tu as cloué
L'amour dans ma poitrine
Yerushalaim
Où sont nos joies
N'y a-t-il pas
De bonheur sans épines ?

Mais, en cette période exacerbée, au lendemain de la « guerre des Six-Jours[1] », cette chanson va valoir quelques soucis à Charles Aznavour durant certains voyages : « Aux frontières de pays musulmans, on me disait "Vous êtes pro-juif, vous avez écrit une chanson pour les Juifs !", et je répondais : "D'abord, il ne faut pas me demander si je suis pro quoi que ce soit, ça ne regarde personne ! Je ne fais pas de publicité, je vais dans les pays où j'ai envie d'aller, je suis Français, et je ne fais pas de politique autre que la politique française. Maintenant, avez-vous lu la chanson ?... Non ! Alors, ne discutons pas : lisez la chanson et revenez !" Quand ils l'avaient lue, ils ne revenaient pas... En fait, celui qui a eu beaucoup d'ennuis, c'est Adamo, avec *Inch Allah* ! Pourtant, il n'y avait pas de quoi fouetter le Shah d'Iran, comme dirait l'autre ! »

Bien qu'elle ne connaisse pas d'emblée le succès de quelques autres créations d'Aznavour aujourd'hui un peu

1. Le 5 juin 1967, Israël lance une attaque « préventive » contre l'Égypte et détruit son aviation au sol. En six jours de guerre dans le Sinaï, l'armée égyptienne est mise en déroute. Envahis par Israël, Sinaï, Golan, Cisjordanie, Gaza et Jérusalem-Est deviennent les « territoires occupés ».

assoupies dans les mémoires, la chanson-phare de cet album demeure *Emmenez-moi*, sans une ride presque quarante ans plus tard, entre sa mélodie imparable et les deux dernières lignes – hélas toujours d'actualité – de son refrain : « Il me semble que la misère / Serait moins pénible au soleil... » Hormis trois musiques (signées Henri Byrs, Georges Garvarentz et Jeff Davis, les arrangements revenant désormais à Christian Gaubert), Charles Aznavour a écrit les onze nouveautés de ce cru où la grammaire amoureuse lui inspire encore quelques jolies réussites : la très explicite invitation d'*Eteins la lumière* ; le clin d'œil au retour du marin façon Pagnol, fifres provençaux à la clé, de *Je reviens Fanny* ; le souvenir sublimé de l'amour perdu d'*Entre nous* ; le délicat exercice de style à prénoms nostalgiques successifs (Rose, Eve, Lise, Kate) de *Tout s'en va*.

Chapitre 31

Au nom de la jeunesse

À l'aube d'une année 1968 dont on n'est pas près d'oublier le printemps, Charles Aznavour, qui depuis un septennat mène sa carrière tambour battant, adopte un rythme sensiblement différent et annonce un changement radical pour son prochain passage à l'Olympia, un mois plus tard : « Plus de récital, explique-t-il, je m'ennuie trop tout seul dans un music-hall. Une première partie, ça met de l'animation dans les loges, dans les coulisses. Je ferai une deuxième partie normale avec dix-huit chansons en évitant toutes mes chansons à succès. Rien que des choses nouvelles pour faire de nouveaux succès. [...] Je ne veux plus être ce personnage de petit homme triste inventé par mes chansons. À 43 ans, je suis un type heureux et il faut que le public le sente, le voit[1]... » Et il confirme au passage son envie de revenir au cinéma et de partir un mois à Hollywood « pour étudier des propositions intéressantes ».

Décidément, la magie Ulla semble opérer, et l'union conjugale lui réussir. Comme il l'avait prévu dès le départ,

1. *France-Soir* du 15 décembre 1967.

c'est-à-dire avec un mariage traditionnel en présence de la famille, Charles Aznavour épouse religieusement Ulla le 12 janvier 1968, un an presque jour pour jour après la cérémonie civile de Las Vegas. Un seul petit problème : l'archevêque de l'église arménienne de la rue Jean-Goujon (à deux pas des Champs-Élysées) commence à bien repérer le client, et celui-ci va devoir jouer de finesse au moment de fixer la date de la cérémonie. Mais l'officiant estimera assez vite que ce mariage constitue une excellent publicité pour son Église, bien qu'Ulla n'ait pas souhaité changer de religion. En revanche, on apprendra qu'avant ce oui-là, elle vient de dire non, par deux fois, à des propositions cinématographiques importantes, et qu'un incident en forme de gag a réjoui la cérémonie : la marche nuptiale s'est élevée non pas pour l'entrée de Charles Aznavour, mais pour celle du comédien et animateur de radio, le truculent Maurice Biraud, dit Bibi[1] !

Bien qu'il confirme son entrée « dans une période plus calme, plus sereine[2] » pour sa trente-cinquième année de métier, le chanteur se prépare à investir l'Olympia dès le 17 janvier, moins d'une semaine après son mariage parisien. Loin d'un « passage », comme l'année précédente, il va y séjourner pratiquement un mois, et surtout – il l'avait promis – laisser la place à une copieuse première partie dans la pure tradition de l'inimitable music-hall du boulevard des Capucines. Entre les « attractions » émergent alors deux chanteuses : la toute jeune Béa Tristan, fille spirituelle de Brel et Anne Sylvestre, dont le premier 30 cm à l'intitulé éloquent (*Les Mauvaises Manières*) vient de sortir chez

1. Il vient de jouer avec Aznavour dans *Un taxi pour Tobrouk* et *La Métamorphose des cloportes*.

2. À Guy Silva, dans *L'Humanité* du 15 janvier 1968.

Philips, et Pia Colombo, formidable interprète[1] de Maurice Fanon, du tandem Brecht-Kurt Weill, et créatrice du *Métèque*, dont Georges Moustaki fera, l'année suivante un incroyable succès, une carte d'identité planétaire.

Inaltérable amateur des artistes de music-hall, Paul Carrière jubile dans *Le Figaro*[2] : «On sait gré à Charles Aznavour de se borner cette fois au tour de chant. Et de laisser enfin une place aux acrobates et fantaisistes. [...] Du show typiquement américain où il s'était mis à l'école de Sinatra, Aznavour n'a gardé, lui, que le tabouret dont il use à peine, d'ailleurs. Cela correspond à l'évolution du personnage et à sa maturité... Il porte toujours la chemise rose sous le costume noir, mais le visage est moins sec, le geste s'est arrondi. L'artiste ne peut être plus décontracté. Comme s'il dégustait paisiblement une chance bien gagnée.»

Et, toujours aussi consciencieux, le journaliste n'oublie pas les deux chanteuses, à commencer par Pia Colombo, «vedette américaine» du spectacle (étonnante épithète en l'occurrence) : «Sept ou huit chansons ne lui ont pas suffi pour imposer une fois de plus son tempérament de chanteuse populaire – la plus authentique peut-être que nous ayons. Mais sa voix ample et colorée et son rare don d'émotion lui vaudront toujours notre attachement.» Après quoi, Carrière poursuit : «Dans un tout autre genre, aussi fine que prenante, la voix de la jeune Béa Tristan, également auteur plein de promesses – mais qui se souvient un peu de Brel.» Et il conclut : «À propos de voix, celle d'Aznavour

1. Elle gravera à cette occasion son premier 30 cm (original), avec *Le Métèque*, mais aussi *Emmenez-moi*. Après avoir dédié tout un disque à Léo Ferré (en 1975), elle enregistrera *Requiem pour un temps présent*, de Maurice Fanon (en 1980). Après avoir longuement lutté contre un cancer (crâne nu à force de chimiothérapie; sans perruque ni bonnet devant les caméras), elle disparaîtra le 16 avril 1986.

2. Du 22 janvier 1968.

nous étonnera toujours. La voici presque mélodieuse. Quant au tour de chant lui-même, il est plaisant parce qu'il a perdu toute raideur. »

Quelques mois plus tard, d'ailleurs, le 15 mai, le chanteur participe à une *Bienvenue chez Guy Béart*, fameuse émission de télévision à l'ambiance bon enfant, très détendue, façon veillée de copains. Dans ce contexte, animé par un auteur-compositeur(et interprète) qu'il apprécie, Charles se montre sous un jour que le public lui connaît moins. S'il évoque ses débuts, chante *Sur ma vie*, *Hier encore*, *La Bohème* ou *Emmenez-moi*, et pousse quelques couplets en anglais, italien et allemand, il se « lâche » en s'amusant à imiter Chevalier dans *Donnez-moi la main Mamzelle* et Trenet dans *Ménilmontant*. Un exercice auquel se prête à son tour son directeur artistique et complice de longue date, Richard Marsan, en imitant quelques acteurs (Louis Jouvet, Pierre Larquey, Pierre Brasseur...), mais aussi Charles dans *Parce que*. Réalisée dans les conditions du direct, l'émission a sans doute été enregistrée depuis déjà pas mal de temps, car on n'y fait aucune allusion aux événements qui secouent la capitale à cette époque ; paradoxe involontaire qui ne manque pas de sel, Charles Aznavour ouvre quasiment les réjouissances avec... *J'aime Paris au mois de mai* !

Quand, le 10 mai, une soixantaine de barricades se dresseront au Quartier latin au cours d'une « nuit d'émeutes » sanctionnée par l'intervention musclée des « forces de l'ordre », le chanteur se trouvera à des milliers de kilomètres, d'où sa perception des affrontements prendra – comme pour beaucoup d'observateurs de par le monde – une dimension extravagante : « On était au Mexique, et, vu de là-bas, c'était terrible... mais ma sœur était partie en tournée avec une troupe de cyclistes, en Scandinavie, et on y racontait que Paris brûlait ! Alors qu'il n'y avait rien ! » Enfin, « rien » n'est pas non plus le mot, même si l'entrée dans l'ère médiatique (ici, par le truchement des radios « périphériques », Europe 1 et RTL) dramatise les faits à coups de « directs » permanents : au petit matin du 11, on recense quand même plus de 350 blessés graves et le double de légers, près de 200 voitures endommagées dont 60 brûlées, et quelque 470 interpellations... Et si le mouvement relève jusqu'alors essentiellement d'une contestation estudiantine sans précédent, il va de plus en plus toucher les catégories populaires : dès le lendemain, raccrochant les wagons en marche, les principaux syndicats (CGT, CFDT, FO, FEN...) appellent à la grève générale pour le 13 mai. « Travailleurs et étudiants solidaires contre la répression, pour la défense des libertés », surtitre le quotidien *L'Humanité* au-dessus du mot d'ordre commun, l'un des slogans principaux fêtant comme il se doit l' « anniversaire » de l'accession du général-président au pouvoir : « Dix ans, ça suffit ! » Gagnant les entreprises, le mouvement atteint bientôt une ampleur telle qu'il va avoisiner les dix millions de grévistes. Après les accords historiques de Grenelle sur les salaires [1], le général de Gaulle dissout l'Assemblée nationale, le 30 mai (jour d'une « contre-manifestation » de masse en sa faveur sur les Champs-Élysées), et, « grande trouille » aidant [2], les élections anticipées qu'il provoque fin juin inverseront la situation, conforteront son pouvoir et signeront l'échec de la gauche.

1. 10 à 35 % d'augmentation des salaires, négociés par le Premier ministre Georges Pompidou... et un certain Jacques Chirac (rappelons qu'à cette époque, le nombre de chômeurs vient de franchir la barre des 400 000, ce qui paraît insupportable, alors qu'en 2006, il sera six à huit fois supérieur).

2. Le 29 mai, le général de Gaulle est allé rencontrer le général Massu à Baden-Baden ; des rumeurs inquiétantes se propagent, on parle de chars aux portes de Paris...

Si la plupart des grandes figures de la chanson ne sont pas intervenues dans le débat d'idées (« Ni Brel, ni Montand, ni Brassens, ni Ferré – pour ne citer que les plus représentatifs », note Serge Dillaz dans *Vivre et chanter en France*[1]), nombreux seront en revanche les couplets qui s'en inspireront, ensuite, pour des raisons de tous ordres, du sociopolitique au poétique : du militant *Grève illimitée* de Dominique Grange au lyrique *Paris Mai* de Claude Nougaro, en passant par *Ballade au vent des collines* d'Anne Vanderlove, *La Fête* d'Henri Gougaud, *La Bossa cancanière* de Bernard Lavilliers, *L'Été 68* de Léo Ferré ou *Les Belles de Mai* de Serge Lama. Par-delà la focalisation franco-parisienne bien de chez nous, il n'a heureusement pas échappé à de nombreux artistes que c'est un vent de révolte étudiante quasi planétaire qui a soufflé tant en Europe (Allemagne, Italie, Belgique, Pologne, Yougoslavie, Tchécoslovaquie…) qu'au Japon, au Brésil, au Sénégal, et, *of course*, aux États-Unis où il s'est d'abord attaqué à la guerre du Vietnam.

Ces aspirations communes à toute une jeunesse, cette volonté de liberté(s) et de partage tous azimuts, cette envie d'absolu pour échapper à une société de consommation (consumation ?) au sujet de laquelle l'éditorialiste du *Monde* avait titré « La France s'ennuie », quelques mois plus tôt[2], auront ainsi suscité une convergence inattendue entre Jean Ferrat et Charles Aznavour dans leurs albums de 1969. Que le premier s'inscrive dans une perspective plus politique ne saurait surprendre : par la plume anarcho-humaniste d'Henri Gougaud, il prophétise *Un jour futur*, par une implacable question-réponse (« Hommes de cinquante ans, qu'avez-vous fait du monde ? »), avant d'inciter à ouvrir les yeux : « Regardez-le l'enfant qui se dresse et qui dit / Je ne connaissais pas la beauté des colères / Je veux faire

1. *Op. cit.*, dont les exemples du paragraphe sont issus.
2. Pierre Viansson-Ponté dans *Le Monde* du 14 février.

tomber ce vieux monde en poussière / L'avenir l'avenir ne sera pas maudit » ; par sa propre plume plus directe, dans *Au printemps de quoi rêvais-tu ?*, il interroge cette fois le héros de l'odyssée : « Au printemps de quoi riais-tu ? / Jeune homme bleu de l'innocence / Tout a couleur de l'espérance / Que l'on se batte dans la rue / Ou qu'on y danse[1]... »

Sur une musique incitant elle aussi à l'envol mais sur un rythme plus insouciant (orchestrations respectives d'Alain Goraguer et Christian Gaubert comprises), Aznavour opte pour l'incarnation : il ne donne pas à voir le protagoniste des « événements », il se glisse dans sa peau. D'une certaine manière, il s'y reconnaît, s'y retrouve :

Au nom de la jeunesse
Je cherche à effacer
Tout un monde empesé
Par besoin de tendresse
Et par soif d'être aimé

À la différence des réactions de plusieurs de ses collègues de l'époque, étroitement repliés sur leurs intérêts individuels et effrayés par un mouvement auquel ils n'ont rien compris, Aznavour y voit un nouvel idéalisme, un moderne romantisme. Partisan d'une liberté majuscule – notamment des mœurs – qu'il a largement pratiquée et chantée, il place au contraire en eux tous les espoirs du monde.

---

1. Dans *Camarade*, chanson qui ouvre son album suivant (toujours en 1969), Jean Ferrat s'en prendra aux Soviétiques dont les chars ont envahi la Tchécoslovaquie et sa capitale le 21 août 1968, mettant brutalement fin à une expérience de socialisme démocratique : le « Printemps de Prague ». Ferrat chante : « Que venez-vous faire camarade / Que venez-vous faire ici / Ce fut à cinq heures dans Prague / Que le mois d'août s'obscurcit. » En avril 1977, cette tragédie historique inspirera le nom d'un des plus grands festivals hexagonaux de chansons et de musiques : le Printemps de Bourges.

Quelques morceaux plus loin, sur une mélodie de Georges Garvarentz (qui en signe trois autres, dont deux conduisent à pousser la voix au maximum : *Désormais*, le grand succès du disque, et *La Lumière*, au lyrisme exacerbé), Aznavour balance un surprenant *Je n'oublierai jamais*, où il utilise un vocabulaire rarement aussi cru et provoquant chez lui, excepté pour les gestes de l'amour :

Je n'oublierai jamais
Le troupeau de crevards
Hirsutes et mal lavés

Apparemment, ce portrait de « joyeux rigolos / Plus ou moins / Attachés / À de vagues journaux très obscurs », d'anarcho-libertins aux « discours enflammés / Sur le désarmement », n'a qu'un rapport distant avec les « révolutionnaires » de 1968 ; à ceci près qu'aveuglés par l'illusion, les uns et les autres convergent dans une posture cousine à laquelle Aznavour accole un qualificatif somme toute généreux : « romantiques » !

Le reste de l'album explore, comme toujours, les méandres de l'amour avec de nouveaux angles (des interrogations, de *Quand et puis pourquoi* aux éléments de *Comme l'eau, le feu, le vent*) et une curiosité, *S'il y avait une autre toi*, où l'on ne peut pas ne pas penser à une certaine Ulla, récemment devenue Mme Aznavour :

Mais qu'il existe une autre toi
Douce et blonde
Cela me semble quant à moi
Insensé

Ce 30 cm offre également une nouvelle mise en musique d'un texte poignant de Bernard Dimey, pas innocente au sein d'un album imprégné d'accents de jeunesse, *On a toujours le temps,* dont le premier quatrain donne déjà le ton :

On a toujours le temps mon amour le temps passe
On a toujours le temps de mourir pour un mot
Un mot d'amour qui flotte à l'heure où tout se casse
Un mot sans intérêt qui sonne toujours faux

Par un écho fortuit, le super 45 tours de transition qui paraît en octobre 1969 comporte *Les Faux*, une de ces savoureuses fantaisies, aussi constantes que méconnues dans l'œuvre du chanteur. Sept ans avant l'anthologique *Histoire de faussaire* de Georges Brassens [1], il témoigne d'une sacrée causticité mouillée d'humour :

Fausse ma particule
Fausses mes collections
[...]
Mes bijoux sont factices
Ainsi que mes aïeux
Il n'y a que mes varices
Qui drainent du sang bleu

La boucle est bouclée : même en s'amusant, Charles Aznavour retombe dans l'un de ses thèmes obsessionnels, la fuite du temps. Nous en reparlerons un peu plus loin (avec lui, d'ailleurs), mais on notera que ce même 45 tours recèle encore deux autres chansons très originales : *Non identifié*, foi en l'avenir, dans le droit fil du *Terre nouvelle*, écrit avec Gilbert Bécaud en 1955, aux arrangements [2] en

1. Dans le 30 cm Philips *N° 12* de 1976, avec *Trompe la mort*, *Les Ricochets*, *Tempête dans un bénitier*, *Cupidon s'en fout*...
2. De Claude Denjean, qui réalise désormais certaines orchestrations et en cosigne d'autres avec Christian Gaubert.

forme de tournoiement cosmique ; *Y'avait donc pas de quoi*, petite merveille de drôlerie et d'autodérision, pas si gratuite au bout du compte :

> *Je suis sorti pour aller nulle part*
> *Et le plus fort c'est que j'y suis allé*
> *Je n'y ai rencontré personne*
> *Alors bien sûr il ne m'est rien arrivé*

Au simple rappel de ces quelques extraits, on peut comprendre qu'aujourd'hui Charles Aznavour s'irrite qu'on l'associe toujours, encore et mécaniquement à un seul thème : l'amour. S'il l'a caressé sous toutes les coutures et ne le renie pas une seconde, il a abordé de multiples autres sujets et, de plus en plus, des faits de société.

Chapitre 32

Mystère et bouilles de gosses

Fidèle à ses propos tenus dans la presse à l'aube de son mariage avec Ulla, Charles Aznavour renoue ostensiblement avec le cinéma dans une série de longs métrages dont (à l'exception des films anglais et américains) Georges Garvarentz compose la musique. En 1967, sous la direction de Denys de La Patellière, il incarne un postillon dans *Caroline chérie* (et trousse, avec son beau-frère, la chanson *Caroline*), adaptée par Cécil Saint-Laurent (l'écrivain Jacques Laurent) de son roman. L'année suivante, il tient le rôle d'un présentateur dans *L'Amour*, de son ami Richard Balducci ; mais, surtout, inquiétant bossu, il tourne pour la première fois dans une réalisation américaine, *Candy*, sous la houlette de Christian Marquand et en compagnie d'une prestigieuse brochette d'acteurs : Marlon Brando, Richard Burton, James Coburn, John Huston, Walter Matthau… et même Ringo Starr. En 1969, c'est notamment auprès de Michael Crawford, Stanley Baker et Ryan O'Neal qu'il se retrouve dans *The Games*, du Britannique Michael Winner, où il court pour gagner le marathon des Jeux olympiques de

Rome, dans un personnage inspiré du mythique champion tchécoslovaque Emil Zatopek.

La même année, avec le réalisateur italien Sergio Gobbi, il entame une importante collaboration qui va déboucher sur trois films : deux où il joue un commissaire de police, *Le Temps des loups* (avec Robert Hossein et Virna Lisi), *Un beau monstre* (avec Helmut Berger et à nouveau Virna Lisi, en 1970[1]), et un troisième, *Les Intrus* (avec Marie-Christine Barrault et Raymond Pellegrin[2], en 1972), où il est chirurgien et dont il a écrit les dialogues. À la fois une première et une dernière pour lui : « Je me suis rendu compte que je n'avais pas du tout la fibre dialoguiste. Je l'aurais davantage aujourd'hui ! Je crois que ce n'est pas une question d'expérience, mais de vie. La vie m'a appris beaucoup de choses, j'ai vu et entendu des gens parler, et qu'est-ce que le dialogue, sinon le dialogue des autres, que l'on récupère ? »

En 1971, Charles Aznavour sera encore apparu à l'affiche d'un film, *La Part des lions*, de Jean Larriaga, où il retrouve Robert Hossein et Raymond Pellegrin[3], toujours dans un polar. Quels que puissent être l'intérêt et les qualités de ces différentes réalisations, le chanteur n'y apparaît la plupart du temps que de manière très limitée. Constamment en tournée internationale, il a dès le départ (*La Tête contre les murs* de Franju, *Tirez sur le pianiste* de Truffaut...) considéré le cinéma comme sa « danseuse » : « C'est toujours pareil, quand une carrière débute, il faut s'y accrocher et ne faire que ça ! Et moi, je ne faisais pas que ça... Alors, c'était

1. Année où l'Américain Lewis Gilbert fait appel à lui pour *The Adventurers* (titre français *Les Derniers Aventuriers*) aux côtés de Candice Bergen.

2. Sans oublier une toute petite Katia Aznavour, née le 10 octobre 1970... qui s'offrira ainsi le privilège de débuter dans le métier beaucoup plus tôt que son père !

3. Et sa « grande fille » Patricia (Seda).

difficile ! Finalement, j'ai accepté des participations courtes dans des films, pour en arriver à ne plus rien accepter du tout. » Dommage, pourrait-on penser, les critiques spécialisés se montrant plutôt bienveillants : « C'est vrai, j'ai toujours été gâté par la presse cinématographique, et pas du tout par celle des variétés. Pourtant, les deux personnages restaient très proches, le chanteur et l'acteur ! C'étaient probablement les journalistes, qui n'étaient pas proches les uns des autres » [*rire*]. Cette remarque un rien désenchantée va se confirmer à l'occasion du nouvel Olympia du chanteur en janvier 1971.

Il faut dire que le loustic a quelque peu énervé son monde. Selon ses propres mots, il a lancé l' « opération mystère ». À la veille de sa rentrée parisienne (vingt représentations), personne ne connaît le contenu de son tour de chant, et surtout pas la dizaine de morceaux inédits de sa première partie. « Aznavour : "Je fais comme Napoléon ; avant une bataille, je ne divulgue pas ma tactique" », titre *France-Soir* le jour de la première [1], dans un article où il est question de « cinq cerbères massifs engagés par Bruno Coquatrix » pour veiller « à ce qu'aucun curieux ne pénètre dans la salle ». L'artiste précise même : « J'ai répété chez moi, tout seul dans mon bureau. Je possédais les enregistrements sur bandes de l'orchestre et j'ai travaillé avec. Chaque soir, je les enfermais dans mon coffre. Même Ulla ne connaît pas mes nouvelles chansons. » (La jeune femme, il est vrai, se prépare à une tout autre création : un deuxième enfant, annoncé pour le mois de mai…). Et à la question : « Pourquoi ce mystère ? », Aznavour répond à son interlocuteur : « Très simple. Je fais un retour aux sources du music-hall. Actuellement, les jeunes chanteurs, avant leur première, interprètent leurs

1. Le 19 janvier 1971.

nouvelles chansons un peu partout pour les lancer. Résultat ? Le soir de leur première, il n'y a plus d'effet de surprise : tout le monde connaît leur récital depuis longtemps. Moi, je veux que ma rentrée soit une découverte. Je veux que mes nouvelles chansons provoquent la stupeur. Je n'invente rien, croyez-moi. J'agis simplement comme le faisaient les grands du métier avant moi. »

Tradition historique ou pas (même si l'on peut considérer qu'Aznavour en a rajouté un brin, faisant rimer « mystère » et « publicitaire »), la presse parisienne va tirer à vue comme aux plus beaux jours. Dès le jeudi 21, plusieurs journaux passent à l'offensive. Dans *L'Aurore*, Norbert Lemaire ouvre sur « Beaucoup de bruit pour rien, ou, plus exactement, un grand mystère injustifié. [...] La bombe n'a pas explosé. Le pétard était mouillé. Sans doute par des larmes nostalgiques. » À la rigueur Lemaire trouve-t-il grâce devant *J'ai vécu* et *L'Instant présent*. Son collègue de *France-Soir*, Jean Macabiès, salue ces deux chansons (plus deux autres et « l'excellent *Je n'ai rien oublié* » – qu'il croit ancienne –, ce qui totalise quand même cinq titres) et allume pareillement le « petit homme qui avait tout contre lui et qui est devenu célèbre, milliardaire et heureux », en concluant sans vergogne : « Le reste n'est que bouche-trous à l'inspiration bien courte. » Estimant que tout cela « baigne dans l'huile », que « rien ne dépasse, rien ne traîne », sa consœur du *Monde*, Claude Sarraute, surenchérit : « En devenant "classique", son réalisme a perdu ses racines et son audience. Il étonnait autrefois, il agaçait, il plaisait, il bouleversait, il révoltait et – malgré tous ses défauts – il ne lassait jamais. Aujourd'hui, il assomme... »

Et l'impartial Paul Carrière, demanderez-vous ? Il est là, comme d'habitude. Et précis. À l'exact opposé de ses trois collègues, il titre « Aznavour : renouveau », et écrit : « Cela commence comme un recommencement. Une douzaine d'inédits dont pas un n'a le style du "tube". Textes nettement mieux écrits que naguère. Les à-peu-près y sont rares (*Le moment d'un... instant* est la seule bavure d'une délicieuse broderie sur le temps qui passe [1]). Des musiques élaborées, assez complexes, d'un ton haut, mais nettes et sobres, qui accrochent l'oreille sans la déchirer (*Comme des roses*). On ne sent plus guère l'obsession érotico-lyrique qui a fait la première gloire, sinon la grandeur du "petit Charles". En revanche, une souriante philosophie qui prend son parti des êtres et des choses, et badine à leur propos (*J'ai vécu*). Tout ça n'est pas égal. La facilité pointe encore parfois. Mais cela s'entend avec un réel plaisir. »

De fait, s'il continue à générer des grands succès (tels *Les Plaisirs démodés* ou *Comme ils disent*, l'année suivante), Aznavour a renoncé à la course au hit-parade, à la stratégie du 45 tours [2]. Il pense de plus en plus « œuvre », ce qui lui inspire d'autres formes de chansons, moins évidentes peut-être, susceptibles de dérouter les amateurs de cases prédéfinies, « à texte » comme « de variétés ». Que les uns et les autres ne goûtent guère sa façon de chanter « du bout du micro », avec une économie de gestes à la Sinatra, c'est leur droit ; mais l'évolution sensible du style de l'auteur-compositeur mérite d'être traitée autrement qu'à l'aune de l'approximation méprisante qui prévaut trop souvent en la matière. Au demeurant, en ce qui concerne l'effet « mystère » du tour de chant inédit, l'Aznavour 2005 persiste, signe et relance la balle : « Avant, on surprenait le public ;

1. Il s'agit bien sûr de *L'Instant présent*. Là encore, Carrière prend le contre-pied de ses confrères, mais, en l'occurrence, on a du mal à le comprendre !

2. La maison de disques diffusant néanmoins des « simples » de promotion.

aujourd'hui, on ne surprend personne ! C'est dommage. Je recommencerai sûrement... »

S'il ne compte que neuf titres, l'album incriminé s'ouvre sur le très cinématographique *Non je n'ai rien oublié* (mélodie de Georges Garvarentz, Aznavour ayant conçu tout le reste), époustouflant flash-back de plus de six minutes sur une histoire passionnelle de couple avortée, format anti-radiophonique au possible et qui va pourtant devenir un grand succès. À cet essai atypique (et transformé) dans le répertoire du chanteur, fait contraste un second que la presse a relevé d'emblée : *L'Instant présent*. Sans être parfaitement réussi dans le costume rigoureux qu'il s'impose, ce texte marque une volonté de renouveler l'inspiration, le style et l'angle, et, dans sa semi-abstraction, parle davantage à l'intelligence qu'à l'émotion :

L'instant présent est impalpable
Il est léger insaisissable
Suspendu dans l'air et le temps
Il ne dispose simplement
Que d'un très court moment sur terre
L'instant présent a des œillères

Cette tentative d'explorer d'autres voies ne sera guère payée de retour. « Ce qui m'a beaucoup chagriné, c'est que ça n'ait pas marché du tout, dit Charles Aznavour. Ça a probablement été ma chanson la plus difficile à écrire. En plus, elle est longue, et pas comme *Non je n'ai rien oublié*, qui bénéficie d'une histoire. Là, il n'y a rien. Qu'un instant !... Mais l'écriture, c'est en même temps un jeu et un défi personnel : arriverai-je au bout de ce que je suis en train de faire ? Là, je viens d'écrire une chanson sur l'écologie ;

ce n'est pas facile, parce que ça doit être écrit en phrases courtes… et vous remarquerez que mes phrases se terminent toujours. On n'attend pas trois lignes pour comprendre de quoi il s'agit. »

Histoire de « venger » *L'Instant présent*, *J'ai vécu* connaîtra en revanche un succès durable en abordant quasiment le même thème dans une rythmique et un éclairage beaucoup plus aznavouriens :

J'ai vécu la vie d'un être
Pétri de chair et de sang
J'ai vécu
Chaque seconde de mon temps

Quitte à les ranger dans les clauses de style, on remarquera que les allusions à la mort (sans commune mesure, bien sûr, avec celles d'un Brassens) se glissent de plus en plus ici et là. *J'ai vécu* pointe « L'aller simple sans retour / Que tout homme de la terre / Prend un jour », *Partir* (finement écrite, aussi) évoque le « destin sommaire […] du berceau au cimetière », et *Mourir d'aimer* parle dès son intitulé. Cette chanson est issue du film éponyme (avec Annie Girardot) que le réalisateur André Cayatte consacra, un an après son épilogue tragique, à l'affaire Gabrielle Russier[1]. Mère de deux enfants, divorcée, cette professeur de Lettres de trente et un ans se suicidait, le 1er septembre 1969, après avoir été condamnée pour détournement de mineur. Son crime : dans le climat libérateur suscité par Mai 68, elle avait – comme on dit – « entretenu une liaison » avec un de ses élèves âgé de dix-sept ans. L' « affaire » émut profondément

1. Serge Reggiani, en 1970 également, a interprété *Gabrielle* (Gérard Bourgeois/Jean-Max Rivière), Anne Sylvestre lui dédiant *Des fleurs pour Gabrielle* l'année suivante.

l'opinion en France. Trois semaines plus tard, le nouveau président de la République, Georges Pompidou[1], répondit à une question sur ce « fait de société » lors de sa première conférence de presse, exercice beaucoup plus solennel qu'en nos années 2000. En homme vraisemblablement touché par ce drame, mais aussi en ancien professeur agrégé doublé d'un professionnel expérimenté de la politique, il s'était préparé et impressionna son auditoire en déclarant : « Je ne vous dirai pas tout ce que j'ai pensé sur cette affaire. Ni même d'ailleurs ce que j'ai fait. Quant à ce que j'ai ressenti, comme beaucoup, eh bien, "Comprenne qui voudra ! / Moi mon remords ce fut / La victime raisonnable / Au regard d'enfant perdue / Celle qui ressemble aux morts / Qui sont morts pour être aimés." C'est de l'Eluard[2]. Mesdames et Messieurs, je vous remercie. »

Cet album de Charles Aznavour, qui comporte encore une habile fantaisie sur une vie gâchée (*Un par un*), une espèce de gospel (*Ma vie, Ô ma vie!*) qui – à quelques aménagements près – pourrait être repris par Johnny Hallyday, s'achève sur un *Je ne veux plus parler d'amour* qu'il faut évidemment circonscrire au temps d'une chanson d'idylle déçue. Car d'amour, et de sa vie d'homme autant que d'artiste, il en parle de A à Z au fil des trois cents et

1. Battu au référendum le 27 avril 1969 (par 53,17 % de « non »), le général de Gaulle a quitté – comme promis, en cas d'échec – la vie politique. Et Georges Pompidou lui a succédé le 15 juin à l'issue du second tour, remporté par 57,6 % des suffrages contre Alain Poher.

2. Paul Eluard a publié le poème dont ces vers sont extraits dans *Au rendez-vous allemand* (1944) et un tout autre contexte : celui de l'épuration des femmes françaises qui avaient « collaboré sentimentalement » avec des soldats allemands. Georges Brassens leur a dédié de son côté *La Tondue* (1964) et plus récemment Bénabar (2003) a abordé le thème à sa façon dans *Je suis de celles.*

quelques pages de son autobiographie sortie des presses en juin de l'année précédente[1] sous le titre explicite *Aznavour par Aznavour*[2]. Dans sa préface, après avoir souligné qu'il n'aime pas « les autobiographies larmoyantes », il « remercie des milliards de fois le Ciel » de lui avoir « en fin de compte [...] accordé la possibilité de bâtir un rêve et de pouvoir le vivre », avant de conclure : « Ma vie difficile, mes amours déçues ont créé finalement mon personnage. Et j'ose dire sans vanité qu'il me plaît. Je recommencerais, tout, de la même manière, s'il m'était donné de le faire. » Apportant de nombreuses précisions (tant sur ses débuts, la famille, les rapports avec Piaf, les conquêtes féminines – et les divorces –, l'accident tragique de 1956...), ce livre, tracé à mots courts et dialogues fréquents, tend à spectaculariser le récit et s'achève sur le succès de la mise en scène choc de *Je m'voyais déjà* à l'Alhambra[3]. En réalité, si, à la demande de son éditeur, Aznavour a écrit ce livre, il n'en est pas réellement l'auteur : « Chez Fayard, ils ont voulu voir des pages, et après, ils m'ont demandé si Jean Noli[4] pouvait y participer. Finalement, il l'a entièrement réécrit, ce qui fait que le langage n'est pas le mien. C'est ça que je reproche. Alors, cette fois-ci[5], je l'ai écrit et j'ai refusé qu'on y retouche quoi que ce soit. »

En ce début des années 70, la maison de disques Barclay affronte de sérieuses difficultés : « Des erreurs de gestion, des

1. Chez Fayard.

2. Dans différentes publications, Charles avouera avoir pensé (trop tard), à *Sans atout*, et même envisagé une suite : *Atout cœur*.

3. Située alors, par erreur, lors du premier Alhambra avec Charles en tête d'affiche, en octobre 1957, alors que ce succès eut lieu en décembre 1960, lors du troisième Alhambra en vedette.

4. Journaliste et écrivain, auteur notamment de *Piaf secrète*, *op. cit.*

5. *Le Temps des avants*, 2003, *op. cit.*

frais généraux pharaoniques et quelques choix artistiques imprudents ont laissé un trou d'un peu plus d'un milliard de francs dans les caisses. Eddie Barclay a beau s'en défendre, assurant que les actifs de la compagnie pèsent sept ou huit milliards de francs, les rumeurs de faillite commencent à se répandre. Jacques Brel, dont le contrat court encore sur les deux prochaines années, propose alors à son ami Eddie d'anticiper sa date de reconduction... et de signer un contrat à vie[1] ! Compte tenu du poids commercial, cela devrait suffire à rassurer les créanciers de la compagnie et à faire taire les mauvaises langues. [...] Charles Aznavour, qui vient de triompher pendant près d'un mois à l'Olympia, aura exactement le même geste. Numéro un des ventes de disques en ce début d'année 1971 avec *Non, je n'ai rien oublié*, il anticipera lui aussi le renouvellement de son contrat. Sans conditions, comme Brel[2]. »

Autre facette de l'artiste Aznavour, version amateur cette fois : en mai 1971, Charles expose ses photographies à la FNAC. Cette passion, qui l'habite toujours aujourd'hui, ne date pas d'hier, puisqu'elle s'est manifestée à l'époque où le jeune Charlot (comme l'appelait affectueusement sa sœur Aïda) amorçait ses premiers pas sur une scène de théâtre :

1. Cet acte étant légalement impossible, les deux hommes signèrent en fait deux contrats de trente-trois ans chacun.

2. Marc Robine, *Grand Jacques*, *op. cit.* Dans une note, l'auteur ajoute : « Sans que cela ne retire rien à la générosité des gestes de Brel et d'Aznavour, il serait néanmoins injuste de passer sous silence – comme le fait M. Barclay dans son livre de souvenirs – la formidable solidarité qui s'est développée alors, parmi le personnel de l'entreprise, pour aider à la sauver. De nombreux employés, que leurs fonctions discrètes n'exposaient pas au feu des projecteurs, acceptèrent sans sourciller des retards d'augmentation ou des reports de primes en attendant que la compagnie se soit refait une meilleure santé financière. »

« C'est à neuf ans que j'ai commencé ! Je venais de réussir à mon certificat d'études. Et mon cadeau avait été un appareil photo. [...] Ce qui m'intéresse, c'est ma famille, mes amis, mes voyages ; et là, ce sont encore les visages, les types humains qui m'attirent[1]. » Nul doute que les naissances successives, à moins de deux ans d'intervalle, de Katia et Mischa, n'aient fourni une matière de choix à cet album de famille tant chéri par Charles. C'est peut-être la raison pour laquelle, dans un numéro du magazine *Pleins Feux* qui lui est entièrement consacré[2] et dont il fait office de rédacteur en chef, il décide de présenter officiellement Patrick, le fils qu'il a eu hors mariage, et qu'on a pu découvrir à travers quelques photos (souvent avec son aînée Patricia) publiées dans la presse. Titré « Ce fils dont je ne parle jamais », l'article est libellé à la première personne par le chanteur : « Si j'accepte d'en parler maintenant, c'est que je l'ai retrouvé, c'est que nous nous sommes retrouvés, Patrick et moi, moi et Patrick. Ce fut longtemps mon remords. C'est aujourd'hui un de mes plus grands bonheurs. Il y a vingt ans, j'ai eu une courte aventure avec une jeune femme. Nous étions séparés et je l'avais perdue de vue lorsqu'elle est venue m'annoncer qu'elle attendait un enfant. Spontanément, je lui ai promis de le reconnaître. Mais, pour elle – vous me permettrez de ne pas rappeler son nom[3] –, avoir un enfant en dehors du mariage était inacceptable. Puis elle a rencontré un homme qui l'aimait et elle l'a épousé. Il a donné son nom à Patrick – c'est moi qui avais choisi le prénom de mon fils – et je ne les ai plus revus. [...] Entre-temps, je me suis remarié (avec Évelyne Plessis) et lorsque j'ai divorcé pour la seconde fois,

1. *Contacts*, juin-juillet 1971.
2. N° 1, novembre 1971.
3. En 2003, dans *Le Temps des avants*, il indiquera simplement : « Arlette, une jeune et jolie danseuse ».

À l'âge de deux ans.

Avec son grand-père paternel Missak (et sa compagne), une comédienne arménienne et sa mère Knar (en bas à droite).

Dans un numéro d'imitation de Charlie Chaplin.

Assis entre sa mère et son père, avec sa sœur Aïda (debout),
en vacances à Berck-Plage.

Son père, Mischa.

Avec sa mère, Knar.

À la fin des années 1940, avec, entre autres, Pierre Roche (derrière lui) et Gilbert Bécaud (à g.).

Avec Pierre Roche, vers 1950.

Le 20 janvier 1951, dans un studio de télévision parisien avec Edith Piaf et Eddie Constantine.

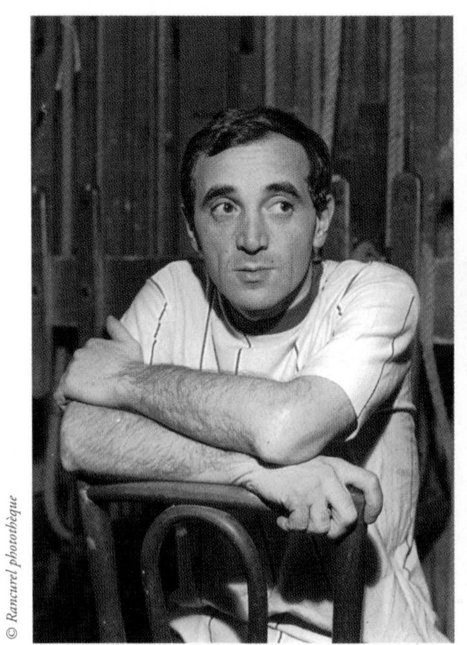

À l'Alhambra, en 1960, en coulisses et sur scène.

Charles et Ulla, avec Sammy Davis Jr, Petula Clark et Aïda, leurs témoins de mariage, à Las Vegas, en 1967.

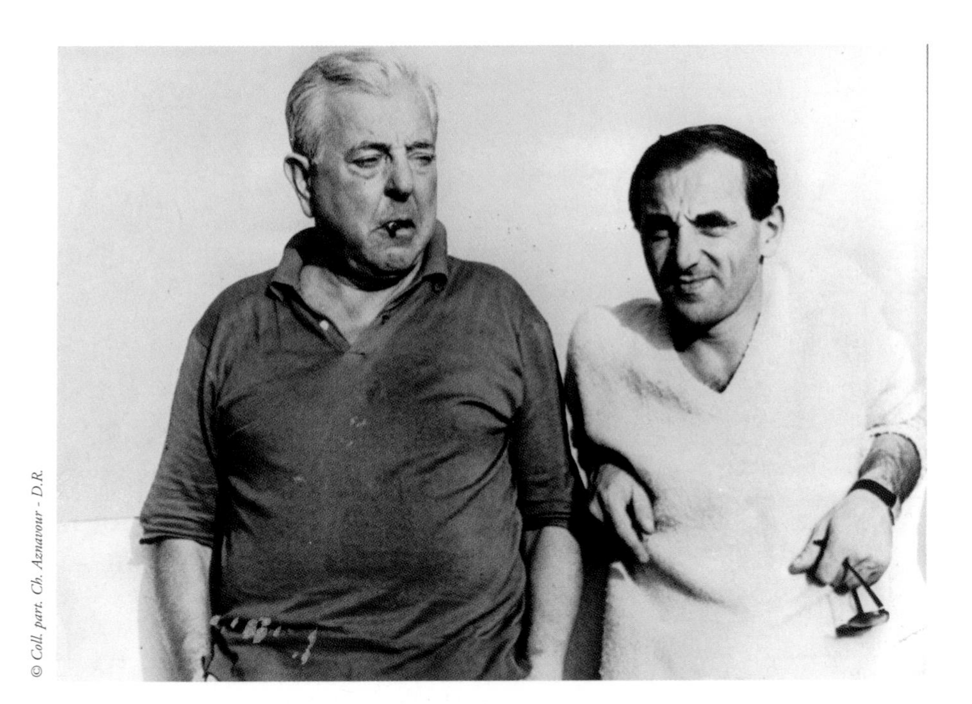

Avec Jacques Prévert.

En séance de travail avec Johnny Hallyday et Aïda Aznavour, en 1961.

Avec François Truffaut et Marie Dubois, pour *Tirez sur le pianiste*, en 1960.

Eddie Barclay avec Charles et Jacques Brel, ses témoins de mariage, le 30 juin 1965.

En 1960.

Avec Georges Brassens,
dans sa loge de Bobino.

Première rencontre avec Lévon Sayan, à New York, en 1963.

En studio, avec Paul Mauriat.

Avec Michel Serrault, dans *Les Fantômes du chapelier*, de Claude Chabrol, en 1982.

Avec Robert Hossein, dans *La Part des lions*, de Jean Larriaga, en 1971.

L'artiste et ses biographes : avec Marc Robine (ci-dessus) en 1994, et Daniel Pantchenko en 2006.

En 1994, avec le fameux piano des Éditions Raoul-Breton, sur lequel Gilbert Bécaud et Charles Trenet ont composé un grand nombre de leurs chansons.

© Gys Mick

Avec Gérard Davoust et Charles Trenet.

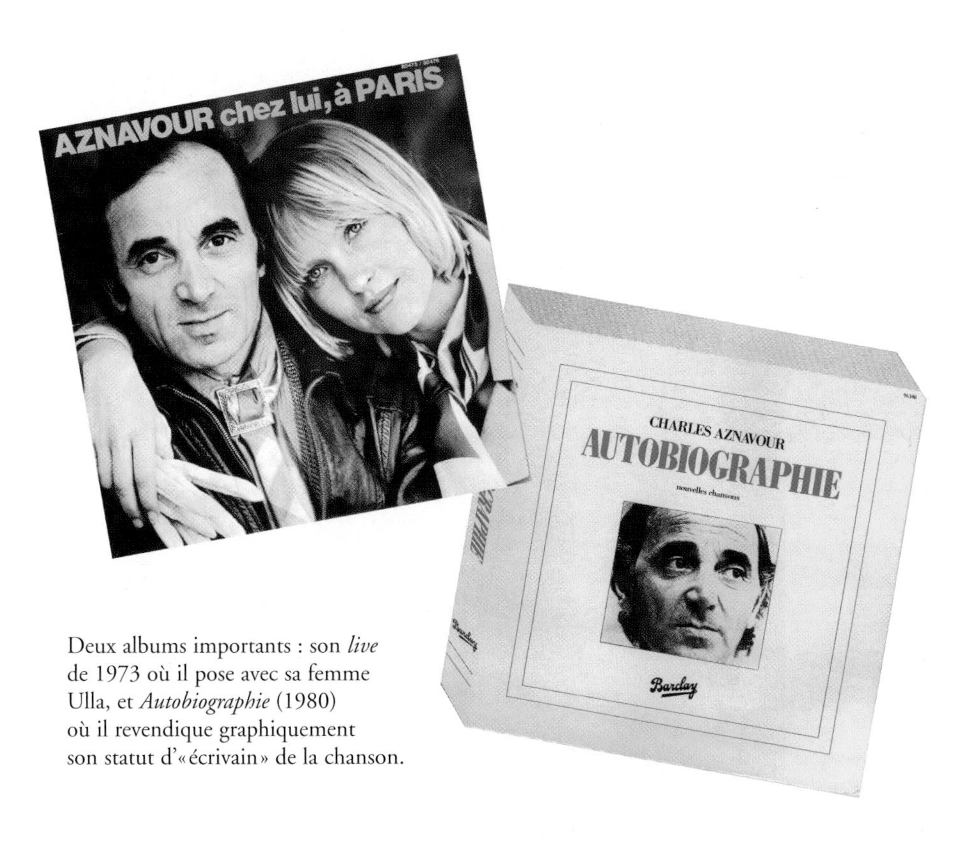

Deux albums importants : son *live* de 1973 où il pose avec sa femme Ulla, et *Autobiographie* (1980) où il revendique graphiquement son statut d'« écrivain » de la chanson.

Au Palais
des Congrès,
en 1992.

Avec Liza Minelli.

Avec Georges
Garvarentz
et Jerry Lewis.

Avec Ray Charles.

Avec Fred
et Suzanne Mella.

Avec Patachou,
chez laquelle
il débuta
à Paris, en 1952.

Avec
Annie Cordy.

Avec
sa fille Seda
(Patricia).

© Agence Angeli.

Avec Serge Lama.

Avec
Lynda Lemay.

© Shérif Scouri

© Francis Vernhet

je n'y ai plus tenu. Patrick, né en juillet 1951, avait alors neuf ans et je ne l'avais jamais vu ! J'ai demandé à toutes les personnes de mon entourage qui pouvaient connaître la mère de mon fils de tout tenter pour la retrouver. Le miracle s'est produit alors que je tournais *Un taxi pour Tobrouk* à Almería, en Espagne. Une lettre d'elle m'y a suivi. [...] Quand je suis rentré à Paris, elle est venue me voir avec le petit et, depuis ce jour, il est resté près de moi. Il a vingt ans aujourd'hui. »

Dans les deux pages émouvantes et pudiques qu'il lui consacre dans son livre, Charles Aznavour évoque l'accueil à la maison de Mouans-Sartroux (près de Cannes) de ce « garçon adorable, un peu secret mais plein de tendresse », rappelle son éducation à l'école arménienne, et ajoute : « À sa majorité, il décida de vivre seul. Je lui payai un petit studio. C'est là qu'à la veille de ses vingt-cinq ans, on l'a trouvé mort. [...] Les indices traînaient tout autour de lui : des pilules pour maigrir et des canettes de bière. »

Chapitre 33

Comme ils disent

Millésime décidément fort chargé pour Charles Aznavour, cette année 1971 s'est achevée par de nombreux voyages. En novembre, il est retourné au Japon pour trois semaines cette fois (sa première tournée avait duré quatre jours) : trois récitals à Tokyo, puis une ville chaque soir, sans relâche. Il a enchaîné par les États-Unis, de Chicago à New York (en passant par Miami Beach et San Francisco, sacré grand écart !) où il a investi la scène du Philharmonic Hall (une première pour lui) en chantant en trois langues : français, anglais, espagnol[1]. Enfin, après un crochet par le Canada et Haïti, il est rentré en France peu avant Noël… pour terminer l'année dans la souffrance physique[2] : lors d'un spectacle à Roubaix, un méchant tour de reins l'oblige

1. À l'automne 1971, il a d'autre part reçu le Lion d'Or pour l'enregistrement en italien de son dernier disque, et le prix hollandais Edison pour l'ensemble de son œuvre.

2. Et commencer la nouvelle (année) dans la tristesse, puisque l'un de ses « maîtres » – du moins le premier en ce qui concerne la carrière américaine –, Maurice Chevalier, disparaît le 1er janvier 1972.

soudain à quitter la scène et il ne pourra la reprendre qu'après l'intervention d'un médecin.

Ce signal incitera le chanteur à changer quelque peu de rythme – le fait d'être « jeune » marié et père de petits enfants n'y est sans doute pas pour rien – après plus de vingt-cinq années de course et de bagarre incessantes. « Son médecin vient de le condamner à un repos forcé de deux mois », peut-on lire dans *Le Figaro*[1], « Motif : ses vertèbres se tassent dangereusement. La thérapeutique est sévère. Plus question de coucher dans un lit douillet. » Ajoutant que le chanteur « met en vente sa maison de La Napoule », le journal poursuit : « Le climat méditerranéen lui est fortement déconseillé, car il souffre en outre de sciatique, de rhumatismes et des bronches. » Trois jours auparavant, un autre écho est paru dans la presse[2] : « Pied-à-terre pour Aznavour dans le Valais. Il a acheté un chalet dans la station de Montana-Crans, sur le territoire de la commune d'Icogne, dans les Alpes. » Cette acquisition va bientôt revêtir une tout autre importance sous les projecteurs de l'actualité...

Ce changement de rythme contraint aura peut-être eu un effet immédiat : alors qu'il avait annoncé l'année précédente que son emploi du temps ne lui permettrait sans doute pas de se produire à l'Olympia lors de la saison 1972, Charles Aznavour va y passer à deux reprises. Pour brève qu'elle soit (du 25 au 28 mars), la première – qui s'inscrit dans l'esprit du récital « à surprises » de l'année passée – contient deux pépites que Paul Carrière[3] ne va pas laisser échapper, non plus qu'aucun détail, d'ailleurs : « Mûri et rajeuni à la

1. Du 8 février 1972.
2. *Journal de Genève* du 5 février 1972.
3. *Le Figaro*, 30 mars 1972.

fois (les cheveux plus courts), il a repris possession, pour quatre soirées, de l'Olympia. Un récital long et dense, à son goût. Trente chansons, dont sept inédites, qui sont placées tout au début. Contraste frappant avec la seconde partie qui réunit d'anciens morceaux assez brefs et d'un lyrisme très divers. [...] Avec ses nouveautés, l'auteur poursuit sa recherche d'effusion en de très longues stances où les mots les plus banals arrivent parfois à pétiller. Souvent, aussi, le parolier fait du rase-mottes... Mais le fan d'Aznavour est un intoxiqué qui néglige cet aléa pour peu qu'il trouve une fois encore sa dose d'images et de rythmes brûlants. Nous avons, quant à nous, aimé surtout *Les Plaisirs démodés*, une étrange chanson à deux faces, l'une vigoureusement pop, l'autre délicieusement romantique. Et puis, *Comme ils disent*, portrait intimiste d'un travesti, sorte de cabotin du cœur aussi pitoyable et réel que celui des planches. »

Prudence et frilosité des mœurs oblige, le journaliste a écrit « travesti », pas « homosexuel »; il officie, certes, dans *Le Figaro*, mais d'autres ne se montreront guère plus hardis ailleurs, bien que le tabou accuse déjà de sérieuses brèches. Dans *Vivre et chanter en France*[1], après avoir critiqué *Mourir d'aimer*[2], Serge Dillaz note : « Aznavour trouve par contre le ton juste pour évoquer un autre sujet scabreux : l'homosexualité. Chaque soir, il remporte un triomphe à l'Olympia avec *Comme ils disent*, portrait pudique d'un travesti en butte aux quolibets. Outre sa rigueur littéraire, la chanson bénéficie d'une interprétation où le professionnalisme de ce routier de la scène réussit à souligner, sans la dénaturer, une sensibilité en complète adéquation avec un thème trop souvent abordé sur le mode

1. *Op. cit.*
2. Pour son « acceptation ambiguë du suicide comme unique échappatoire ("Puisque notre amour ne peut vivre / Mieux vaut en refermer le livre") ».

caricatural. Faisant suite à *La Grande Zoa* et au *Rire du sergent*, cette chanson prend son envol alors que Jean Poiret et Michel Serrault installent leur *Cage aux folles* sous les voûtes du Palais Royal[1]. Valorisée – ne serait-ce que par le biais de la dérision –, l'homosexualité masculine prend alors le pas sur le lesbianisme, malgré les percées médiatiques de celles qui se qualifient de “gouines rouges” ou de “perverses polymorphes”. »

Comme ils disent et, à un degré moindre, *Les Plaisirs démodés* constitueront par ailleurs les derniers « tubes » véritables de la carrière d'Aznavour qui – nous l'avons vu – s'appuie désormais sur la notion d'œuvre, de « fonds de catalogue[2] », selon le jargon des maisons de disques. Stratégie qualitative tout aussi « conquérante », au bout du compte, si l'on en juge par la place absolument unique que le chanteur occupe aujourd'hui encore. « Je n'ai ni le droit, ni le courage d'être en compétition, dit-il. Ce n'est pas de mon âge. Vous voulez acheter mon album, achetez-le ! Je ne veux

1. Ce qui incite certains, dans les milieux de la chanson plus ou moins « engagée », à déplorer que Charles Aznavour n'ait pas écrit *Comme ils disent* dix ans plus tôt. Si l'homosexualité était présente de manière diverse (sinon diffuse) dans la chanson depuis de nombreuses années, il reste que c'est la première fois qu'une vedette de premier plan a osé l'aborder aussi clairement, et tout en finesse, alors même que jouaient de clins d'œils sibyllins un Guy Béart (*Le Monsieur et le Jeune Homme*, 1963) ou un Charles Trenet (*L'Abbé à l'harmonium*, 1971 : « Mon Dieu comme il pédalait, comme il pédalait bien l'abbé »).

2. Sans oublier, les multiples enregistrements dans différentes langues, à l'image des trois albums de 1972 : *Canta italiano* (adaptations de *Tu t'laisses aller*, *Il faut savoir*, *Sa jeunesse*, *Mourir d'aimer*, *Que c'est triste Venise*…), *Sings Aznavour* (versions anglaises de *Non, je n'ai rien oublié*, *Les Plaisirs démodés*, *J'ai vécu*, *Comme ils disent*, *Le Cabotin*, *Les Jours heureux*…), *Portrait eines Stars* (en allemand : *Les Plaisirs démodés*, *Ma vie*, *Je l'aimerai toujours*, *Tu exagères*, *Non, je n'ai rien oublié*…).

pas me disputer… Untel a vendu un million de simples ? Je m'en fous ! Moi, quoi qu'il arrive, quand je fais un disque, on en vend au départ deux ou trois cents mille, mais ce qu'on oublie, c'est qu'après, on en vend toujours. Trois cent mille, c'est la première poussée ; on ne calcule jamais ce qui vient derrière et, croyez-moi, c'est énorme ce qui se passe ! Je vis très bien [*rire*], je n'ai pas honte de le dire ! »

Intelligemment intemporel, *Les Plaisirs démodés* comporte, comme l'a relevé Paul Carrière dans sa critique, une particularité : Georges Garvarentz a composé une mélodie en deux parties distinctes : un couplet rythmé au son du jour et un refrain tendre, slow à l'appui. Plus tard, Aznavour ne conservera que le refrain, alors que de jeunes artistes reprendront l'ensemble.

Garvarentz intervient à quatre autres reprises dans l'album, à commencer par son morceau éponyme à pleins poumons, *Idiote je t'aime*, et, plus rare chez son beau-frère, le constat douloureux de *L'Indifférence*, sur fond de tango et de bandonéon. Côté texte, un exercice aussi « casse-gueule » que stylé de Guy Bontempelli [1], *Je t'aime*, épouse à merveille une mélodie de Charles syncopée à la brésilienne :

C'est à la fois bête et banal
Ça tient du roman du journal

1. Auteur-compositeur qui a déjà enregistré plusieurs 30 cm depuis 1966, avec notamment *Ma jeunesse fout l'camp* (1968), interprétée par Françoise Hardy et Jean-Claude Pascal. Début 1973, il reprendra cette chanson dans un remarquable album où figure une nouvelle collaboration avec Charles Aznavour (*À point n'y touche*) et son second titre le plus connu, *Quand je vois passer un bateau*, sur une mélodie astucieuse (de Gérard Bourgeois) qui commence en déclinant les notes de la gamme… Délaissant le côté chanteur, il servira diverses interprètes (Juliette Gréco, Nana Mouskouri, Mireille Mathieu, Dalida…), puis concevra plusieurs comédies musicales, dont *Mayflower* avec Éric Charden en 1975.

Qu'on achète par habitude
C'est à la fois peu et beaucoup
"Je t'aime" et ça tient pas le coup
C'est désarmant de platitude

Parmi les titres qu'il a écrits seul, Charles Aznavour en soigne un tout particulièrement : *À ma femme.* Si l'intitulé rappelle *À ma fille* (de 1965), le ton beaucoup plus retenu et la structure délibérément poétique traduisent l'évolution créatrice, la volonté d'allier chanson populaire et refus d'effets faciles :

Quand nous ne serons désormais
Que deux vies liées sans projet
Nous ouvrirons avec regret
Le livre
Que nous aurons au fil des ans
Écrit sur les pages du temps
Où deux mots manqueront pourtant :
À suivre

Cette projection, dans laquelle il faut se garder de percevoir des angoisses par trop autobiographiques de solitude parentale, n'empêche pas Charles de lâcher la bride à sa grande fille, Patricia, qu'on appelle désormais Seda : « Mon père a fini par comprendre que la chanson était vraiment pour moi la seule chose qui comptait, et m'a donné le feu vert. Il me fait même des chansons. Mais heureusement, personne ne nous compare en tant que chanteurs [1]. » Sur un 45 tours AZ paraît alors *Les Champignons hallucinogènes*, « fait de société » griffé Aznavour/Garvarentz – sur lequel Charles reviendra plus tard d'une autre manière à travers

1. *France-Soir* du 11 août 1972.

L'Aiguille –, avec refrain de mise en garde judicieuse mais singulièrement empesée :

Les champignons hallucinogènes
Sont des champignons vénéneux
Les stupéfiants quelles qu'en soient leurs sortes
Sont des faux-fuyants dangereux
Les paradis artificiels n'ont pas été créés par Dieu

En novembre, Charles Aznavour revient à l'Olympia. Durant un petit mois [1], il prolonge pratiquement ses quatre jours du printemps. « Peu de nouveautés supplémentaires, souligne Paul Carrière. Quelques morceaux bien structurés, aux musiques musclées, mais qui n'égalent pas la réussite exceptionnelle de l'année, *Les Plaisirs démodés.* Usant plus encore que d'habitude de mots banals et de formules élémentaires, l'auteur retrouve la veine des chansons populaires de l'époque 1900 ("Elle est partie. Je ne crois pas qu'elle revienne"). Le tour de chant forcément plus ramassé que le récital donne une idée très nette du talent d'Aznavour. [...] Il apparaît ici clairement que son répertoire tourne autour des grands moments de l'amour : début, virage, fin. Jamais désabusé, jamais découragé, toujours confiant, toujours ardent, le personnage est inépuisablement disponible pour une nouvelle aventure. [...] Mais Aznavour demeure au fond de ses chansons. Les couplets d'*À ma femme* et de *Comme des roses* sont d'évidence autobiographiques. Peu importe, d'ailleurs. L'essentiel est que l'artiste, entre deux âges, se continue [2]. »

On remarquera que le journaliste sacre *Les Plaisirs démodés* et oublie *Comme ils disent*, qui obtiendra pourtant un succès

1. Du 14 novembre au 10 décembre.
2. Dans *Le Figaro* daté du 19-20 novembre.

autrement significatif sur la durée. D'autre part, au cours de cette série de représentations, le chanteur interprétera deux chansons (*Les Enfants de la guerre* et *Quién – Qui*) avec le groupe latino-américain Los Machucambos. Intitulé *Aznavour chez lui à Paris*, un double 30 cm permettra, l'année suivante, d'en revivre l'essentiel. En parallèle sortira un triple album, *Ce soir-là... Son passé... au présent*, enregistré à l'Olympia un mois plus tard[1], où l'infatigable chanteur revisite deux semaines durant ses anciennes chansons, son ex-partenaire Pierre Roche recréant avec lui leur duo historique, le temps de trois d'entre elles : *Tant de monnaie*, *Départ express* et *Le Feutre taupé*. « C'était extraordinaire ! se souvient Jean-Michel Boris. Tout d'un coup, ils étaient tous les deux très rajeunis, et simplement piano-voix. Très jazzy. Vraiment les chansons de l'après-guerre[2]. » Rappelant l'histoire commune des deux hommes, la plupart des journalistes insistent lourdement sur la gloire de l'un et la vie devenue banale de l'autre. Ce que Claude Sarraute, du *Monde*[3], résume par « Le soliste et le second violon », en précisant : « Ponctuant le one-man-show de celui qui s'est vu enfin tout en haut de l'affiche, ces cinq à six minutes du souvenir avaient le charme et l'entrain nostalgique d'un disque introuvable, dernier témoin d'une époque, celle des zazous et des caves, celle de Montand déjà, de Piaf encore, de Trenet toujours. »

D'autres, tel Jean-Philippe Zipper dans *Combat*[4], se réjouissent que Charles renoue avec « le cheveu coupé ras, le costume étriqué – coupe 1950 –, de *Palais de nos chimères* en *Après l'amour* », et « chante l'amour fou, les serments

1. Entre le 12 et le 25 décembre (inclus).
2. Propos recueillis par Daniel Pantchenko.
3. Du 29 décembre 1972.
4. Du 16 décembre 1972.

éternels, les espoirs et les désillusions du cœur» ; car, pour lui, depuis qu'il s'était marié, Aznavour « avait oublié, avec le bonheur conjugal, ces tourments de jeunesse qui nous ravissaient». Encore une fois, on sublime et l'on regrette à présent l'Aznavour saignant et malheureux d'hier, celui sur lequel – l'aurait-on oublié ? – tout un chacun tapait en conscience. Dans son article équilibré [1], Paul Carrière raconte : « Cheveux courts, comme autrefois, et même petit costume bleu, Charles Aznavour renouvelle complètement son tour à l'Olympia en reprenant… ses plus anciens succès. Il fait cela avec un plaisir éclatant, une décontraction parfaite, de l'humour et, bien sûr, ses moyens d'aujourd'hui. Où sont cette voix qui ressemblait à une râpe et cette fébrilité extrême ? […] Un artiste rigoureux est sorti de ces dizaines d'années d'efforts menés sur tous les plans avec une volonté de fer. Jusqu'au miracle de la mutation de la voix… » Évoquant le duo avec Roche et leur répertoire, il écrit : « C'est charmant, c'est touchant. Mais une pareille fantaisie ingénue et mécanique nous paraît, aujourd'hui, aussi désuète que la formule même des duettistes, malgré le talent qu'elle pouvait exiger. » Il ne sait pas encore que, vingt ans plus tard, la mode d'autres duos déferlera sur les ondes [2], et que ceux-là ne dureront que le temps d'un engouement médiatique, à l'heure du consommer-jeter…

1. Du *Figaro* en date du 15 décembre 1972.
2. Stone et Charden, Ringo et Sheila, David et Jonathan…

V

LES CHEMINS DE L'EXIL

Chapitre 34

Aux sources

Difficile début d'année 1973… Un an après son immobilisation pour cause de blocage de reins, Charles Aznavour se retrouve hospitalisé à Genève, suite à un accident de ski. Qu'à cela ne tienne : il en profitera pour terminer une opérette qu'il écrit avec Georges Garvarentz et dont les vedettes seront Marcel Merkès et Paulette Merval, le couple réputé du genre. Annoncée pour l'automne au théâtre Mogador, elle s'intitule *Douchka*. « Avec Garvarentz, pour les opérettes, on s'amusait, dit Charles. Moi, j'avais composé *Monsieur Carnaval*… Ensemble on a fait *La Cuisine des anges* et *Douchka*[1]. »

1. Comme nous l'avons déjà évoqué, il s'agit plus exactement de *Deux Anges sont venus*. Créé en même temps que *Monsieur Carnaval*, ce spectacle valut à Charles quelques problèmes avec Maurice Lehmann, le directeur du théâtre du Châtelet : « Il ne voulait pas que mon nom paraisse sur l'affiche. À cause de l'exclusivité ! Aujourd'hui, on ne prête plus attention à ça. À part les annonceurs, à la télé : "Nous allons vous montrer un reportage en exclusivité !" Qui sait s'il n'y a pas la même chose au même moment sur une autre chaîne ? Je trouve ridicule l'expression "en exclusivité" ! Rien n'est exclusif ! » (À Daniel Pantchenko).

Interviewé lors de la création de cette dernière, Garvarentz explique au rédacteur de *Combat*[1] que l'aventure est née d'une rencontre fortuite, dans un hôtel de Marseille, entre Merkès, en tournée, et Aznavour en touriste, le premier pressant le second : « Quand écriras-tu pour moi ? » Et Garvarentz raconte : « Comme, depuis une dizaine d'années, Charles Aznavour et moi souhaitions écrire une vraie opérette, il m'a fait part de ce désir en disant : "Le sujet sera russe" et je lui ai répondu qu'il serait russe et français. [...] *Douchka* est ma réelle première opérette avec Charles Aznavour. En fait, le mot "opérette" ne me satisfait pas, car c'est avant tout d'une pièce de théâtre qu'il s'agit, et qui "tient" par elle-même. »

Peu emballé par l'entreprise, Claude Fléouter critique lapidairement, dans *Le Monde*[2] : « Voilà plus de vingt-cinq ans que Marcel Merkès et Paulette Merval se rencontrent sur la scène de Mogador, tombent éperdument amoureux l'un de l'autre, chantent et dansent pour le bonheur de Margot. [...] Ils sont gentiment désuets et admirablement à l'aise dans des mots, des lyrics, des situations qui pourraient s'intervertir. [...] C'est très honorablement composé par Charles Aznavour et Georges Garvarentz pour les lyrics et la musique, c'est écrit n'importe comment par Yves Jamiaque pour le livret, et c'est comme toujours fastueusement mis en scène par Jacques Charon dans des décors de Georges Wakhevitch. [...] Nul doute, cependant : *Douchka*, Marcel Merkès, Paulette Merval vont une fois encore faire les beaux soirs du théâtre d'Henri Varna. » Effectivement, la pièce restera un an à l'affiche dans la capitale avant de doubler la mise en tournée.

1. Du 10 octobre 1973.
2. Du 18 octobre 1973.

Entre-temps, Charles Aznavour a repris ses activités et pérégrinations ordinaires de saltimbanque planétaire curieux de découvrir de nouveaux pays, d'un *Top à...* [1] télévisuel à Paris à un show américain avec Liza Minnelli (également pour le petit écran) [2] et à un voyage en Chine : « De tout temps j'ai aimé la civilisation chinoise, la cuisine chinoise, confie-t-il à Monique Pantel, de *France-Soir* [3]. J'ai toujours vu des Chinois tellement gais, tellement pleins de vie, ça m'a donné davantage envie d'y aller. D'ailleurs, je suis un des chanteurs français qui a le plus chanté dans les pays communistes. » Et d'ajouter que, s'il évolue dans un monde capitaliste, il n'en est pas un pour autant : « Je vis de mon travail, mais je ne fais pas travailler mon argent. » Fini, sa période « folie des grandeurs » et « rêve de célibataire » qui s'est offert trois Rolls : à présent, il possède une solide Volvo pour éviter que ses enfants s'habituent « à une chose qu'ils ne pourront pas avoir quand ils seront grands ».

Alors que Charles Aznavour vient de recevoir le prix du président de la République, décerné par l'Académie Charles-Cros, pour son album *Idiote, je t'aime*, il retrouve son vieux copain Gilbert Bécaud, dans le studio parisien de celui-ci, pour concocter ensemble *Marie quand tu t'en vas*, que tous deux enregistreront ensuite. Néanmoins, Charles traverse depuis quelque temps une zone de scoumoune certaine.

1. Émission de variétés de Maritie et Gilbert Carpentier où une vedette de la chanson reçoit ses amis du métier, fait des duos avec eux, joue la comédie...

2. En réalité, les deux artistes se sont retrouvés sur un plateau de télévision londonien, pour le premier show du genre intégralement consacré à Charles par l'Amérique, via la chaîne NBC. Il y chante en anglais, Liza en français, l'émission étant programmée pour les fêtes de fin d'année aux USA, certains pays d'Europe ayant d'emblée passé commande.

3. Du 3 février 1973.

Après l'incendie de son yacht, l'été passé, dans le port de Mandelieu-La Napoule, et sa jambe cassée de l'hiver, voilà que sa maison de Galluis est cambriolée en juillet 1973. Cette série ne constitue que les prémices de turbulences autrement plus graves que lui réserve la seconde moitié des années 70. Probablement n'affichait-il pas, sur le coup, le même détachement qu'aujourd'hui : « Je suis d'une énorme insouciance dans ce genre de choses. On a été cambriolé une fois, avec ma femme, le jour où l'avion partant de Nice pour la Corse s'est écrasé et a sombré dans la mer. On était en Italie, et on nous a volé tout l'argent liquide, tous les bijoux d'Ulla. On s'est regardés et on a dit : "On aurait pu être dans l'avion !" Et ça se termine là ! On déporte le mal ailleurs. Je tiens à tout et je ne tiens à rien. Je tiens à tout, mais, si je le perds, que voulez-vous que j'y fasse ? Je ne vais pas me morfondre le restant de mes jours ! »

Sans doute n'est-ce pas tout à fait un caprice du hasard si le chanteur commence à recentrer ses lieux de résidence, désormais « en Suède, du côté de Malmö, et à Crans-sur-Sierre, en Suisse ». Affirmant qu'après sa propriété de La Napoule, Aznavour a « décidé de vendre Montfort-l'Amaury », Philippe Bouvard[1], auquel il a déclaré : « C'est difficile et coûteux d'entretenir des maisons vides ! », n'hésite pas à titrer avec son sens habituel de la nuance : « Aznavour quitte la France. » Venu d'un échotier professionnel, membre compulsif du club virtuel des VIP's qui n'ont jamais compris – et encore moins accepté – le succès de celui qu'ils appelleront obstinément « le petit Charles », ce genre de raccourci racoleur ne va pas arranger les affaires du chanteur. En 1970, bloqué au Japon par une grève, il a réglé ses impôts avec un léger retard, et bien qu'il ait

1. *France-Soir* du 3 septembre 1973.

aussitôt prévenu l'administration pour prouver sa bonne foi, le fisc n'en a pas tenu compte. Pis, dès qu'il passe à Paris, les « polyvalents » lui tombent dessus avec d'interminables contrôles. Ayant obtenu un rendez-vous avec le ministre de l'Économie et des Finances, Valéry Giscard d'Estaing, pour lui expliquer la situation, il pense avoir réglé au mieux le différend.

Sur le plan politique, le président Georges Pompidou étant décédé le 2 avril 1974, donc avant la fin de son mandat, des élections sont à l'ordre du jour, Alain Poher assurant – phénomène rarissime – un second intérim. Malgré l'union de la gauche et son programme commun, Valéry Giscard d'Estaing sera élu sur le thème d'une « société libérale avancée », avec seulement 50,8 % des suffrages exprimés et 426 000 voix de plus que François Mitterrand. Il semble que le sort de ce scrutin extrêmement serré ait basculé le soir du 10 mai [1], au cours d'une confrontation télévisée où, face à la morgue et au ton moralisateur du candidat socialiste, Giscard d'Estaing a rétorqué, excédé : « Vous n'avez pas, monsieur Mitterrand, le monopole du cœur ! » Ainsi, pour la première fois depuis quinze ans, la présidence de la République ne sera pas exercée par un gaulliste. En revanche, le nouveau Premier ministre se réclame du général : il s'appelle Jacques Chirac et, entrant très vite en conflit avec VGE, il utilisera lui aussi la télévision pour annoncer, deux ans plus tard, sa démission.

Charles Aznavour travaille alors peu en France. Une copieuse série de représentations dans différentes villes a conforté, aux États-Unis, l'impact de son show télévisé avec Liza Minnelli. D'autre part, son plus grand succès

1. Une date décidément historique en France, et quelle que soit l'année !

international, *She*[1], vient d'obtenir un disque d'or à Londres, et il en a inclus la version française, *Tous les visages de l'amour*, dans son nouvel album intitulé – en référence – *Visages de l'amour*. Cette chanson ne connaîtra pas le même bonheur en France : « Évidemment ! Ils n'ont pas voulu admettre qu'elle était un succès international, déplore Charles Aznavour aujourd'hui. Elle ne passait pas à la radio ! J'étais numéro un aux "charts" pendant longtemps, devant tout le monde, et pas une ligne… Et je pense qu'à force de m'ignorer, ils m'ont construit. Et ils me construiront jusqu'à ma mort ! C'est après qu'on reconnaîtra que j'écrivais bien. Dans la presse, quand on peut m'ignorer, on m'ignore. *VSD* vient de publier un très bel article sur Bécaud où l'on cite tous ceux qui sont passés à l'Olympia. Il n'y a pas mon nom, et j'y suis passé douze semaines à une époque où l'on en faisait deux ! Et tout est comme ça ! Alors, au début, ça me faisait mal au cœur. Maintenant, ça me fait rire… » Un rire somme toute à l'arrière-goût amer, pour un artiste qui, selon ses propres mots, reste un « homme en colère ».

Pour autant, le succès d'une chanson n'est pas directement proportionnel à sa qualité, et *Tous les visages de l'amour* ne constitue pas – et de loin – la meilleure d'Aznavour ; d'évidence, sa version anglaise, *She*, a bénéficié de sa diffusion comme thème musical de la populaire série télévisée *Seven Faces of Woman*. D'ailleurs, globalement, ce disque ne marque pas un sommet dans l'œuvre de l'artiste. Centré en effet sur l'amour, il place comme entre parenthèses chrétiennes (*Un enfant de toi pour Noël* et *Hosanna !*), les huit autres morceaux, dont un seul[2] tire

1. Cette chanson figure dans un nouveau 30 cm en anglais, de cette année 1974, *A Tapesty of Dreams*, aux côtés d'adaptations d'anciens titres (*Désormais, Il faut savoir, Hier encore…*) et de tout nouveaux (*La Baraka, De t'avoir aimée…*).
2. Hormis la reprise resserrée du *Temps*, sous la houlette de Denis King.

vraiment son épingle du jeu, *De t'avoir aimée*, sans doute par sa parfaite osmose texte-musique. C'est l'Anglais Del Newman qui en a réalisé l'arrangement, ainsi que celui de la simpliste *Baraka*, sur rythme brésilien et texte expédié, dans l'esprit des tubes respectifs de Stone et Charden et de Patrick Juvet sévissant les saisons précédentes : *L'Aventura* et *La Musica*. Là, précisément parce qu'on estime l'artiste et l'homme Aznavour, parce qu'on adore des dizaines et des dizaines de ses chansons, on est obligé de lui dire les yeux dans les yeux : « Franchement, Charles, vous ne vous êtes pas foulé ! » Ce à quoi il répond : « Les gens l'aimaient bien... Mais, qu'est-ce qu'un auteur de chansons ? C'est quelqu'un qui va vers le public. Il peut y aller en étant un peu populacier et lui donner ce qu'il aime, ou en montrant un peu autre chose. Il faut les deux : c'est ce que j'ai toujours fait ! » Et quand on insiste : « Des comme ça, vous n'en avez pas commis beaucoup ! », il cite *Mé qué mé qué* et *Oublie Loulou* : fantaisies verbales des débuts, d'une toute autre nature et finit par lâcher en souriant : « En tout cas, je ne la renie pas ! »

Au bout du compte, la petite perle de cet album s'appelle peut-être *Un jour ou l'autre*, chanson qui restera complètement inconnue et qui, sur une musique de Georges Garvarentz (là, il en a signé quatre), esquisse à mots courts les impossibles retrouvailles avec les lieux et les repères physiques de l'enfance [1]. Sujet qui éclaire sous un angle encore différent l'inépuisable thème aznavourien du temps qui passe :

1. Sans rapport évident avec cela (il est aussi un jeune papa), pour les fêtes de Noël 1973 Charles Aznavour s'est fait conteur, le temps d'un disque à destination des enfants : *Le Géant égoïste*, d'après Oscar Wilde.

Un jour ou l'autre
Après bien des années
On revient sur ses traces
Rechercher
Un passé qui s'efface

Remonter aux sources, pour un chanteur, c'est aussi redonner une jeunesse, une vigueur à d'anciennes chansons, en les habillant de nouvelles orchestrations prenant en compte les inévitables évolutions, l'apport de talents émergents. Comme il avait réenregistré en 1964 et 1968 de nombreux titres fondateurs (de *Pour faire une jam* à *Si j'avais un piano*, en passant par *Jezebel*, *J'aime Paris au mois de mai*, *Poker* ou *Le Palais de nos chimères*), Charles Aznavour confie douze morceaux plus récents (*Il faut savoir*, *Les Filles d'aujourd'hui*, *Je m'voyais déjà*, *Que c'est triste Venise*, *La Mamma*...) à Del Newman. Intitulé *Hier... encore*, l'album décontenancera d'abord un certain nombre de fans, mais il en gagnera beaucoup d'autres dans la génération montante : « Quand j'ai réorchestré *Il faut savoir*, certains m'ont dit qu'ils préféraient la version avec la "triplette"; moi, j'aime mieux cette chanson avec un piano du style Elton John dont je suis un *aficionado*. Comme je suis fanatique du compositeur de Dionne Warwick, Burt Baccarach. Dans certaines de mes partitions de piano, on peut retrouver du Baccarach, du Elton John... La musique française pure, ça n'existe pas, c'est un mélange de tango, samba, bossa-nova, jazz, rock. [...] Si on ne peut pas admettre que la musique, c'est ça, on reste comme un vieux con à qui on vient demander comment il fait pour tenir [1]. »

Autre retour aux sources : s'il ne sort pas d'album, cette année-là, Charles Aznavour va marquer à jamais les

1. À Jean-Pierre Pasqualini, *Platine*, 6 décembre 1995.

esprits d'une simple chanson de sa fibre arménienne, *Ils sont tombés*[1]. Comme nous l'avons souligné en intitulant ainsi le deuxième chapitre de cet ouvrage, ce poignant rappel historique suscitera une intense émotion, salle Pleyel, le 25 avril 1975. Réunie comme chaque année pour commémorer le souvenir des victimes du génocide (perpétré soixante ans plus tôt, à compter du 24 avril 1915), la communauté arménienne médusée, en larmes, découvre cette chanson à la fin de la soirée. Parti le matin même aux États-Unis, Charles Aznavour a chargé son compositeur, Georges Garvarentz, de la faire écouter en son absence. Dès lors, le chanteur va devenir un symbole, la voix de tout un peuple, même s'il tient à préciser : « Je suis très attaché à mes racines arméniennes, pas à l'Arménie. C'est à cause des racines que j'aide l'Arménie. Pour le reste, ce n'est pas mon pays : je suis français. Bien sûr, en 1988, quand il y a eu le tremblement de terre , j'ai été très affecté, et j'y suis allé... »

1. L'autre titre du 45 tours est *Tes yeux mes yeux* (*Our love my love*).

Chapitre 35

Années sombres

Implacable coïncidence : quelques jours avant que cette historique chanson ne bouleverse la communauté arménienne, un processus s'est engagé contre Charles Aznavour, comme si l'on voulait à tout prix le voir lui aussi « tomber ». Dès le mois d'avril, la presse relaie largement l'action entamée par le doyen des juges du parquet de Versailles, M. Faucier, qui soupçonne le chanteur d'avoir fait passer en Suisse – où il a acquis, comme on l'a vu, une maison en 1972 – de fortes sommes d'argent. Dans *France-Soir* du 11 avril 1975, Aznavour déclare à Georges Gherra : « Depuis une dizaine d'années, je ne gagne pratiquement plus rien en France où le fisc me prélève 70 % de mes revenus. Mon activité se situe maintenant à l'étranger. Mise à part cette affaire de maison, on ne peut rien me reprocher. Je paie mes impôts normaux sur tous les disques qui sont édités à Paris par la maison Barclay. » Néanmoins, le lendemain, le juge Faucier inculpe Charles Aznavour d'« infraction à la législation sur les changes et infractions douanières ». Le procès, rebondissements compris, va durer plus de trois ans.

En attendant, le comédien Aznavour incarne le docteur Lartigue dans *Folies bourgeoises*, de Claude Chabrol (avec Bruce Dern et Stéphane Audran) en 1976. Cette participation à une coproduction franco-italo-allemande succède à trois autres dans des films d'origine anglo-saxonne : deux de Grande-Bretagne, *The Blockhouse* de Clive Rees (1973, avec Peter Sellers) et *And Then There Where None* de Peter Collinson, devenu en français *Dix petits indiens*[1] (1974, avec Richard Attenborough, Oliver Reed, Elke Sommer...) ; un troisième, américain, *Intervention Delta*, de Douglas Hickox (1975, avec James Coburn et Susannah York). Dès la fin janvier, alors que des articles de presse continuent à évoquer ses problèmes avec le fisc, il revient pour pratiquement un mois à l'Olympia[2].

Dans un tel contexte et après quatre années d'absence, ce retour prend une dimension particulière. Quoi qu'il se produise dans sa vie, contre vents et marées, Charles Aznavour persiste et signe : il compose, il écrit, il chante et avance inlassablement à la rencontre du monde. Cela ne signifie nullement qu'il demeure imperméable aux coups divers et variés, mais il prend sur soi et serre les dents, puisant à coup sûr force et détermination[3] dans l'amour de sa famille que son statut de « jeune papa » n'a pu que renforcer. Le trouvant « plus romantique encore... », Paul Carrière, du *Figaro*, évoque ses nouvelles chansons et note : « Nous

1. D'après *Dix Petits nègres*, l'inoubliable roman d'Agatha Christie.
2. Du 27 janvier au 23 février 1976.
3. À une question d'Hélène Hazéra, au cours de l'émission *À voix nue* de France Culture, diffusée le 22 juillet 2005, Charles Aznavour a répondu : « Je ne suis ni faible ni dur, je suis déterminé. »

découvrons aussi du neuf dans sa façon même de chanter. C'est d'abord une tonalité un peu différente : vibrato moins fort et timbre encore éclairci – un record en la matière. Puis, un jeu à la fois plus expressif et plus sobre. Aznavour, qui n'a jamais été un acteur au music-hall, sait maintenant suggérer en esquissant à peine[1].» Sérieusement emballé, cette fois, par le récital «dense et bien structuré» – et en particulier par «le tube anglais *She*» –, Carrière souligne les «formes également rajeunies» de chansons «archiconnues» par des orchestrations «avec autant de verve que de couleur».

S'il regrette «l'Aznavour d'avant-garde, le banni, l'interdit d'antenne» et ses «excès de sagesse» à la Sinatra, Bernard Mabille[2], du *Quotidien de Paris*[3], n'en ressent pas moins une fascination certaine devant ce spectacle «où tout semble réglé au 10e de seconde; Aznavour sort une cigarette, la tasse par petits coups secs sur sa boîte, la porte à sa bouche, cherche vainement du feu, poche après poche, puis la jette à terre nerveusement : ça marche; Aznavour froisse un chiffon et mime le geste auguste du peintre : ça marche... De la première seconde à l'ultime instant, tout accroche le spectateur qui n'a d'yeux que pour ce petit bonhomme de noir vêtu, ce *crooner* made in France. Une énorme leçon de music-hall.»

Outre *Ils sont tombés*, repris dans le nouvel album de Charles Aznavour, son titre éponyme, *Voilà que tu reviens*, est une sorte de rupture à l'envers, de par la seule volonté de l'héroïne devant laquelle l'homme soumis ne peut que

1. *Le Figaro*, 29 janvier 1976.

2. Futur complice, côté textes, d'un des meilleurs imitateurs de Charles Aznavour : Thierry Le Luron. Les deux artistes deviendront d'ailleurs amis et le second créera en cette année 1976 *Nous nous reverrons un jour ou l'autre* (paroles de Jacques Plante), que Charles n'enregistrera qu'en 1997.

3. Du 4 février 1976.

balbutier : « Voilà que tu reviens / Sans une explication / Après deux mois d'absence. » Avec *Par gourmandise*, variation épicurienne et sensuelle sur mélodie enveloppante au tempo jazzy, le *crooner* prend sa revanche de mâle, et, à la télévision, Aznavour se permettra bientôt d'accueillir comme partenaires conquises (et muettes) Ursula Andress et Raquel Welch. Sur une musique swingueuse de Georges Garvarentz (présent à trois autres reprises[1]), avec *Merci madame la vie*, il décline un thème déjà abordé de plusieurs manières, où flotte, par contrecoup, l'idée divine :

Pour m'avoir accordé un jour
Le droit de vous faire la cour
Merci madame la vie
Et m'avoir permis si longtemps
D'être votre fidèle amant

Et s'il caresse parallèlement une autre de ses obsessions familières, au hasard d'un regard mélancolique sur le passé, *Mais c'était hier* (« Hier nous étions deux / Le temps était clair, le monde était beau / Nous étions heureux »), l'événement vient d'un titre qui semble dicté par les circonstances et dont le temps fera un succès : *Mes emmerdes*. Ces deux simples mots coïncident trop bien avec les problèmes fiscaux du chanteur pour ne pas instiller le doute sur le contenu de la chanson. Si bien que l'administration des impôts s'en inquiète aussitôt : « Ils voulaient savoir de quoi cela parlait, rappelle Charles, mais j'avais donné interdiction d'en montrer le texte. Je voulais qu'ils tremblent jusqu'à mon arrivée sur la scène ! Qu'ils se demandent : "Qu'est-ce qu'il a dit là-dedans ?" Et ils ont cherché, et ils n'ont rien trouvé du tout, et ils ont dû être déçus. Déçus en bien ! » En effet, si le

1. Avec *Ils sont tombés*.

premier vers peut laisser craindre une diatribe indignée, la suite renoue avec un rétro-regard typiquement aznavourien, qui sait plus que jamais distinguer le relatif de l'essentiel :

Mes amis étaient plein d'insouciance
Mes amours avaient le corps brûlant
Mes emmerdes aujourd'hui quand j'y pense
Avaient peu d'importance
Et c'était le bon temps

S'autocommentant, ironisant comme en aparté, Charles Aznavour a enregistré cette chanson en duo avec lui-même, et les arrangements de Del Newman ménagent dans ce disque une place accrue aux chœurs féminins, les envolées de violons étant également très présentes. Lorsqu'on se risque à trouver l'ensemble parfois un peu chargé, Charles se récrie : « Ah non, c'est joli, Del Newman, mais c'est très anglo-saxon ! »

Malgré une douleur brutale, le décès de son fils Patrick, début juin 1976[1], le chanteur assume sans sourciller ses obligations professionnelles. Du 20 juin au 19 septembre, il participe chaque dimanche, sur Europe 1, à une émission d'une heure aux côtés de Pierre Lescure. Lequel déclare à chaud au quotidien *L'Aurore*[2] : « Aznavour m'a soufflé réellement; ce monument de la chanson française est passionné par les autres. Il a envie de parler d'eux, de faire découvrir leurs mélodies. Il a par-dessus tout, à leur égard, l'enthousiasme d'un gamin. » Pour autant, cette année – où

1. « Depuis, Patrick repose auprès de mes parents dans notre caveau de Montfort-l'Amaury », précise Charles Aznavour dans *Le Temps des avants* (*op. cit.*), où il confie encore : « En écrivant ces courtes lignes, j'ai les larmes qui me viennent aux yeux, je n'ai jamais cessé de penser à lui. »
2. Du 26 juin 1976.

il poursuit son chemin de saltimbanque planétaire – va s'achever sur l'accélération des problèmes avec le fisc : parti de Hambourg le 20 novembre pour participer au gala de l'Union des artistes organisé à Los Angeles, Charles, dont un rendez-vous avec le juge a été reporté, apprend fin novembre par la presse qu'il ferait l'objet d'un mandat d'amener, information qu'il dément sur-le-champ au cours d'un journal télévisé, le 1er décembre. Fort de sa bonne foi et de l'incompréhension qui caractérise, à son sens, le milieu politique au sujet des investissements nécessaires à un artiste comme lui pour se produire dans le monde entier, il adresse même une espèce de lettre (assez maladroite, en vérité) à la secrétaire d'État à la Culture du moment, dans les colonnes du quotidien *France-Soir*[1]. Surtitré « Charles Aznavour lance un SOS à Françoise Giroud[2] », l'article interpelle en gros caractères : « Savez-vous, Madame, ce que coûte un succès ? »

Visiblement, l'intermittente participante à la « comédie du pouvoir » n'a ni la volonté ni le pouvoir d'intervenir. En tout cas, dès le 15 janvier 1977, la saga continue et *L'Aurore* prend le relais médiatique : « Charles Aznavour, inculpé pour fraude fiscale le 1er décembre dernier, a été entendu pendant plus de trois heures par le juge Faucier à Versailles. "J'ai été amené à reconnaître certaines erreurs, mais l'administration en a rajouté. C'est pour cela que j'entends parler bien haut. C'est vrai que les vedettes sont plus des cigales que des fourmis. C'est vrai que la comptabilité des artistes

1. Du 9 décembre 1976.

2. Après avoir été deux ans secrétaire d'État à la Condition féminine (juillet 1974-août 1976), Françoise Giroud occupera à peine huit mois (du 27 août 1976 au 30 mars 1977), le poste de secrétaire d'État à la Culture du gouvernement Raymond Barre. C'est dire l'intérêt que les soit-disant « grands économistes » accordent alors à ladite Culture qui ne dispose alors même pas d'un ministère à part entière.

est généralement mal tenue, mais de là à affirmer que j'ai fraudé le fisc, il ne faut rien exagérer. Ceux qui ont fraudé doivent être punis, mais ceux-là seulement."» Ce que le chanteur a du mal à accepter, c'est que cet «acharnement» sur un artiste – qui, par définition, «n'exploite» que lui-même – tend, semble-t-il, à occulter l'existence de gros poissons «capitalistes» qui, eux, mériteraient que l'on se penche sérieusement sur leurs affaires. Bref, accusé d'avoir transféré illégalement en Suisse quatre millions de francs (ce qu'il conteste, puisqu'il s'estime résident suisse depuis juillet 1972), Charles Aznavour se retrouve les 1er et 2 juin au tribunal correctionnel de Versailles; après quatre semaines de délibéré, le jugement reconnaît la qualité de résident suisse de Charles, mais le condamne quand même, pour les cachets gagnés hors de France avant juillet 1972, à un an de prison avec sursis et trois millions de francs d'amende. Une sanction toute provisoire, puisque, dans les jours qui suivent, le parquet décide de faire appel, et qu'au final[1] c'est à dix millions de francs et un an de prison avec sursis qu'il va être condamné...

Ces turbulences judiciaires n'auront évidemment guère favorisé certains projets de Charles, en particulier celui de diriger un théâtre à Paris. «J'avais posé ma candidature pour Marigny, explique-t-il à Jacqueline Cartier, de *France-Soir*[2]; j'ai des idées sur la direction d'un théâtre. Je le ferais vivre de 10 heures du matin à 2 heures le matin suivant. J'en ferais une pépinière. [...] Je battrais en brèche les autres qui ne veulent pas courir des risques avec des inconnus.» En fait, Charles fulmine contre l'absence de formation des artistes en France, par rapport à ce qu'il en est en Angleterre ou

1. Le 9 décembre 1977.
2. Du 26 février 1977.

aux États-Unis : « Dans toutes les universités américaines, la chanson, la musique sont enseignées, elles font partie du programme. On m'a demandé, lors d'un prochain séjour, de donner des cours dans les universités américaines, ce que j'ai accepté volontiers. Les célébrités du métier font cela non pour de l'argent (60 dollars, soit 300 francs), mais parce qu'elles aiment transmettre. Si le Conservatoire de Paris me demandait la même chose, je le ferais. Même pour rien ! Mais, au Conservatoire de Paris, on considère la chanson comme une sauvage. Elle n'y a pas droit d'entrée, pas plus que la musique dite légère. Ce qui est un scandale. La culture populaire par excellence, c'est la chanson et cette musique-là. Notre ministre des Affaires culturelles ne me contredira pas, elle (Françoise Giroud) qui a commis des chansonnettes comme *Ce n'est pas original*[1] et *Betty qui fait Boop.* »

Dans ce climat morose, Charles Aznavour n'aura cependant pas failli à son « petit tour du monde annuel » (Belgique, Hollande, Danemark, Grande-Bretagne, Finlande, Norvège, Mexique, USA, Moyen-Orient, Espagne, Australie, Japon !...) ; il caresse par ailleurs deux excitants projets de comédies musicales : l'une avec Annie Cordy, l'autre avec Thierry Le Luron. Il aura surtout éprouvé un nouveau grand bonheur : la naissance de son fils Nicolas, à Paris, en plein mois d'août...

1. Chanson (dont le titre exact est *Ce n'était pas original*) qui a été interprétée par Jacqueline François.

Chapitre 36

La fin d'un cycle

Début 1978, incroyable de pugnacité, Charles Aznavour investit à nouveau le music-hall prestigieux du boulevard des Capucines. La veille de la première représentation[1], dans l'hebdomadaire *Le Point* du 9 janvier, Robert Mallat résume le contexte en forme de bras d'honneur : «Un franc symbolique : c'est la somme que rapporteront à Charles Aznavour ses quatre semaines d'Olympia, ses deux semaines de tournée en France. L'homme qui vaut un milliard de centimes d'amende pour les juges de Versailles a tenu à honorer ses engagements antérieurs. Mais, par représailles, il a réduit son cachet aux dimensions d'une pilule – plutôt amère. Un considérable manque à gagner pour l'État qui, en l'occurrence, ne pourra taxer ni saisir les gains d'Aznavour.» À Jacqueline Cartier, dans *France-Soir* du même jour, il répétera comme un leitmotiv : «Je ne veux pas parler d'argent», lui annoncera que le cinéaste allemand Rainer Werner Fassbinder l'a contacté pour son prochain

1. La «première» officielle eut lieu deux jours plus tard, le 12 janvier, date anniversaire des dix ans de mariage (à Paris) de Charles et Ulla.

film en compagnie de Gérard Depardieu (projet sans suite), et répondra au pourquoi de sa question sur une chanson « surprise » ne figurant pas dans le nouvel album : « Parce que le sujet est un mystère ! Il s'appelle "Dieu". »

Cette chanson, dont Jacques Plante a écrit le texte, sortira en fait dans la foulée sur un 45 tours (avec *Retiens la nuit*), puis à l'automne sur un enregistrement public, avant d'intégrer un album en studio, trois ans plus tard. Pour brève qu'elle soit, elle prend dans ce tour de chant de l'Olympia une résonance toute symbolique. Sanctionné par le bras de la loi, le chanteur s'en remet dramatiquement au Juge suprême (« Dieu, si Tu me condamnes »), mais accepte par avance le pire :

Dieu, je ne suis qu'un homme
Dieu, aie pitié de moi
Si c'est Ta volonté
Je suis résigné
À porter ma croix

Si cette notion se superpose ici à celle du Destin, on se gardera d'en tirer des conclusions étroites sur la vie de l'artiste et ses problèmes du moment. Elle recèle une dimension d'autant plus large que la résignation affectée le temps d'une chanson ne ressemble en rien au parcours de l'intéressé. Ce tour de chant le démontre à nouveau, avec tous les ingrédients thématiques chers au chanteur. Plus à l'aise que jamais en scène, décontracté, même, Aznavour va y interpréter une trentaine de chansons, dont la moitié (essentiellement des nouvelles) en première partie où, renouant avec l'esprit du music-hall, il accueille le duo Barocco (mimes) et une chanteuse italienne à la voix d'exception : Mia Martini[1]. Accompagné d'un remarquable orchestre de dix-neuf membres (dont dix femmes), il reprend quelques-uns de ses morceaux-phares (*La Bohème, Tu t'laisses aller, Bon anniversaire, On ne sait jamais, Les Deux Guitares, Non je n'ai rien oublié, Il faut savoir...*), tout en accordant donc une large place aux inédits qui vont figurer dans l'album. Un « album » également au sens photographique du terme, grâce aux neuf clichés internes en noir et blanc qui, avec charme, en illustrent l'esprit.

Amour, souvenirs, voire une certaine nostalgie imprègnent ses trois premières chansons. Sur un tempo de ballade et un clin d'œil d'harmonica, *Avant la guerre* plonge dans le récit sublimé de moments qui ne pourront plus jamais être aussi beaux « après »(« Où sont les seize ans de ta vie / Et les printemps de nos folies ») ; cette référence à la guerre, qui apporte sa touche dramatique, situe une époque et universalise le propos, tant les conflits armés embrasent sans cesse la planète. Titre éponyme de l'album, *Je n'ai pas vu le temps passer...* enfonce le clou tout en élargissant l'angle temporel (« Plus je m'enfonce dans ma vie / Plus je ne peux que constater / Qu'au vent léger de mes folies / Je n'ai pas vu le temps passer »), alors que, sensiblement plus dense en écriture, sur un rythme trépidant, *J'ai vu Paris* trace un vibrant livre d'histoire capitale[2] :

---

1. Dans une émission télévisée diffusée le 28 février, on la voit chanter *Après l'amour* en duo avec Charles... Après avoir connu une carrière au succès contrasté, cette originale auteur-interprète italienne se donnera la mort en 1995, à l'âge de quarante-huit ans.

2. Charles Aznavour interprétera notamment cette chanson à la télévision dans l'émission *Numéro 1* du 29 avril, où il présentera d'inhabituels duos avec Isabelle Huppert (*Avant la guerre*), Claude Nougaro (*Les Don Juan*), Catherine Allégret (*Les Amours médicales*) et chantera *La Chambre*, accompagné au piano par Léo Ferré.

Paris la guerre
Paris misère
Paris décomposé qu'on viole
Paris qui n'a plus la parole
Vaincu souffrant et humilié

Autre allusion historique à l'arrière-odeur de rideau de fer (mais avec un contenu très différent de la chanson homonyme enregistrée par Jean Ferrat en 1970, deux ans après l'invasion de la Tchécoslovaquie par les chars soviétiques), *Camarade* constitue un cas un peu à part dans le répertoire de Charles Aznavour. Une manière d'intrusion dans le débat politique du moment. Rythme obsédant, saccadé, sur un texte de Jacques Plante, elle dénonce, à petits couplets progressifs, la dérive d'un homme gagné par une idéologie totalitaire (« Un dimanche en défilant à la parade / Je t'ai vu soudain là-bas sur une estrade / Tu étais visiblement monté en grade / Mon camarade »), et prend forcément une tonalité anticommuniste en pleine bourrasque de l'union de la gauche, à l'aube des élections législatives de mars 1978[1]. Sans rien regretter ni renier, Charles Aznavour précise : « Quand je chante une chanson écrite par quelqu'un d'autre, j'accepte son point de vue à cent pour cent, même si je ne suis pas politiquement d'accord;

1. En juin 1972, un « Programme commun de gouvernement » fut adopté par la gauche unie (parti socialiste, parti communiste français, mouvement des radicaux de gauche) et le candidat unique de celle-ci, François Mitterrand, fut battu de peu par Valéry Giscard d'Estaing à l'élection présidentielle de 1974. Après le succès de la gauche aux élections municipales de 1977, les législatives des 12 et 19 mars 1978 constituent donc un enjeu considérable. Malgré la rupture du Programme commun, la gauche est majoritaire avec plus de 52 % des voix, et, en son sein, le PS passe devant le PCF (22,6 % contre 20 %), dont le score décroîtra encore à l'élection présidentielle de 1981.

il l'a écrite, j'ai accepté la chanson, je la chante et j'assume. Parce qu'un chanteur doit exprimer des choses qui ne sont pas absolument lui-même, sinon je n'aurais pas écrit *Comme ils disent* et des tas d'autres chansons.»

En dehors d'un hommage empreint de gouaille et d'accordéon (salut Édith !) à *La Chanson du faubourg*, le reste de l'opus éclaire l'amour sous plusieurs faisceaux, les auteurs Guy Bontempelli et Jean Dréjac signant respectivement *Ne t'en fais pas* et *Je ne connais que toi*. Charles ayant, quant à lui, concocté un *Un corps* (sorte de sensuel préambule à *Après l'amour*) et un salut fantaisiste à Ouvrard[1] susceptible d'être remboursé par la Sécurité sociale : *Les Amours médicales*... Un texte pour lequel, visiblement, notre homme a utilisé un dictionnaire de rimes très clinique pour permettre à sa dulcinée fictive de dresser «son inventaire» corporel :

> *Du nickel et du vanadium*
> *Molybdène et aluminium*
> *Du plomb, de l'étain et du bore*
> *Titane, arsenic, magnésium*
> [...]
> *J'ai la sensation chaque nuit*
> *De suivre un cours d'anatomie*

En cette même année 1978, Charles Aznavour sort un second 30 cm à l'occasion des fêtes de Noël : *Un enfant est né*... Entre deux *Ave Maria*, le premier chanté et le second instrumental, il offre neuf autres chansons dont Georges Garvarentz signe encore deux mélodies, et où Jacques Plante se délecte à conjuguer le thème. Entre «les îles», l'Afrique et l'Ouest mythique américain (rythmes idoines à

1. Créateur du fameux *Je n'suis pas bien portant*, avec la rate «qui s'dilate» et le foie «qu'est pas droit...».

l'appui), cela donne *Papa Calypso*, *Comment c'est fait la neige ?* et *Noël au saloon*. Et – Charles réservant ses vers à Jésus (*Un enfant est né*) et Marie (*Hosanna !*) – son *Noël d'autrefois*, nostalgique à souhait, évoque une autre enfance :

> *J'ai connu des Noëls à l'écart de la ville*
> *Où l'on partait joyeux des torches à la main*
> *C'était avant l'avion, avant l'automobile*
> *Et le froid nous mordait par les petits chemins*
> [...]
> *À présent, nous avons des sapins en plastique*
> *La neige est fabriquée par un atomiseur*

Toujours en 1978, le 11 mars, un coup d'hébétude frappe le monde de la variété française avec l'électrocution mortelle de Claude François. Que l'on apprécie ou non le personnage et ses chansons, force est de constater qu'il suscitera, des années durant, une idolâtrie qui garde de beaux restes. Aux côtés de proches du disparu et de personnalités du « métier » (Michel Drucker, Gilbert Bécaud, Michel Sardou, Gérard Lenorman...), Charles Aznavour témoigne ainsi bientôt dans un long métrage documentaire belgo-français de Samy Pavel, *Claude François, le film de sa vie*, qui évoque l'itinéraire de l'homme et de l'artiste. Également sur grand écran, mais dans une perspective cinématographique pure, il tourne *Le Tambour*, d'après l'œuvre de Gunther Grass, avec le remarquable réalisateur allemand Volker Schlöndorff.

La participation de Charles à ce portrait poignant d'un enfant qui refuse de grandir, entre montée du nazisme hitlérien et invasion de l'Europe, ne passera pas inaperçue : « En fait, que demande un acteur ? Un long rôle ou un bon rôle ? Un bon rôle. Qu'il soit court ou long. Quand j'ai joué dans *Le Tambour*, on m'a dit : "Comment ? T'as pris un truc d'une journée !" J'ai répondu : "Même pas. Une demi-journée. – Mais tu es fou, tu ne te rends pas compte, ce n'est pas bon pour toi !" Eh bien, cela a été le contraire ! Cela a été excellent pour moi. Je crois qu'il ne faut pas se laisser prendre par le nom à l'affiche, la longueur du rôle ; il faut accepter d'être parfois uniquement un comédien qui fait dans un film ce qu'on a toujours pratiqué à la Comédie-Française : un jour on joue Sganarelle, et le lendemain un petit marquis de Molière... C'est la densité qui compte, et la nécessité de continuer l'exercice de son métier, de ne pas s'éloigner de la scène ou de l'écran. » L'année suivante, Aznavour changera ainsi complètement de registre en incarnant un amnésique, dans *Ciao les mecs*, de Sergio Gobbi, un film qui, lui, ne laissera pas un souvenir impérissable dans les mémoires.

Le 9 octobre 1978, à 4 h 30 du matin, un autre chanteur disparaît, et des plus grands : Jacques Brel. Il meurt non pas – semble-t-il – du cancer qui le ronge, dont les chances de guérison « n'étaient pas nulles » (selon les mots du professeur Lucien Israël qui le soignait), mais des suites d'une traque par des photographes dans un aéroport : « Pour échapper à la meute, Jacques ouvre la première porte venue et se réfugie dans un local d'entretien. [...] Le temps s'éternise, et le local où Jacques s'est caché est particulièrement frais. Trop légèrement vêtu, il reste là longtemps à grelotter en attendant que Maddly vienne le délivrer. Il prend froid... et une sale bronchite se déclare, qui provoquera l'embolie pulmonaire dont il décédera[1]... » Brel : un artiste et un homme beaucoup plus proche d'Aznavour qu'on ne l'imagine généralement. N'a-t-on pas écrit que, du temps de leur jeunesse, ils ont fait ensemble la plonge dans un

1. Marc Robine, *Grand Jacques, Le Roman de Jacques Brel*, *op. cit.*

restaurant de la butte Montmartre ? « La plonge ? Jamais ! s'étonne Charles. Qui vous a raconté une chose pareille ? Les gens disent n'importe quoi ! Pourquoi l'aurais-je fait ? Je gagnais ma vie… Quand Brel est arrivé (je l'ai connu en France), il ne savait pas où dormir et je me suis arrangé pour qu'il puisse le faire chez Jacques Vernon[1] : j'avais un studio de danse où celui-ci habitait et donnait ses cours, et que je lui ai laissé quand on s'est séparés. Comme Brel était très prude et Vernon homosexuel, il se levait quand Vernon rentrait ! [*rire*] Je lui ai dit : "Il ne va rien te faire !" À l'époque, on l'appelait l'abbé Brel, mais il a vite compris… »

Quant aux appréciations pas toujours sympathiques qu'on prête à Brel sur Charles, celui-ci les balaie d'un « Vous croyez ? C'est ce que Todd[2] a dit ! » Et sur le fameux « Aznavour, c'est le seul qui rentre debout dans une Rolls ! », il rétorque : « Ce n'est pas de Brel ! Ce genre de pique, c'est de Marsan… Brel, il a dit à propos de ma musique : "Il écrit en spirale." Ça se remarque surtout dans *Hier encore*… Brel n'a jamais dit du mal de moi. On a eu une fois une petite prise de becs (à Londres où on était allés manger un morceau ensemble), quand il a quitté le métier et que je lui ai dit : "Tu ne devrais pas partir ! Tu n'as pas le droit ! – J'ai le droit de faire ce que je veux ! – Mais c'est idiot ! Et si tu as envie de revenir ? – Eh bien, je dirai qu'il n'y a que les cons qui ne changent pas d'avis !" [*rire*] En fait, avec Jacques, je m'entendais très bien, et on prenait des rendez-vous, et des rendez-vous importants : par exemple, en Corse, il arrivait en avion et moi en bateau. On se rejoignait le soir quelque part, mais on n'en faisait pas de publicité. »

---

1. Pour mémoire, Jacques Vernon a été secrétaire d'Aznavour, puis directeur-gérant de *Music-Hall*.
2. Olivier Todd, *Jacques Brel – Une vie* (Robert Laffont, 1984).

Un mois à demi à peine après la disparition de Brel, un autre acteur important de la carrière de Charles Aznavour quitte – à sa manière – la partie : Eddie Barclay, son producteur phonographique auquel il sera resté fidèle jusqu'au bout (1983), vend sa maison de disques à la multinationale Polygram. « Brel était mort, la chanson française, un peu comme la nostalgie, n'était plus ce qu'elle était, rappelle M. Eddie [1], avant d'ajouter : Ce n'est pas pour ces raisons que j'ai vendu, malgré tout. J'ai vendu pour vivre autrement. » S'il cogite, comme on l'a vu, des projets de comédies musicales [2], Charles préserve lui aussi de plus en plus sa vie privée : bien que son périple annuel s'appelle Maroc, Afrique noire, Égypte, Allemagne, Italie, Hollande et Israël, il emmène sa petite famille aux États-unis dès la mi-juillet, sa tournée devant durer six semaines. À Georges Renou et Jean-Claude Zana de *Paris-Match* [3], il explique : « Je fais des allers et retours dans le monde entier. Mais je ne resterai pas en tournée pendant trois ou quatre mois, parce que si l'on perd tout le contact familial, les enfants n'ont pas d'éducation, et les promener avec soi serait une mauvaise solution. »

Drôle de poisson, en revanche, le 1er avril 1979 : un autre homme s'en va, qui symbolise particulièrement un pan d'histoire de la chanson et du music-hall – Bruno Coquatrix, auteur, compositeur et chef d'orchestre d'origine, devenu directeur de l'Olympia, celui avec lequel

1. Dans *Que la fête continue*, *op. cit.*

2. Ce printemps 1979 a vu la création de l'opéra rock de Luc Plamondon et Michel Berger, *Starmania*, au Palais des Congrès de Paris. Avec notamment : France Gall, Daniel Balavoine, Fabienne Thibeault, Diane Dufresne, Étienne Chicot, Nanette Workman…

3. N° 1552, du 23 février 1979.

Charles Aznavour s'était brouillé en 1957 avant de revenir brillamment en 1963 dans la salle qu'il dirige. En son honneur, il participera le 11 avril (en compagnie de Claude Nougaro, Susana Rinaldi, Marie-Paule Belle, Jaïro...) au premier de quatre galas réunissant de très nombreux professionnels. Il précise : « Je me suis raccommodé avec lui quand il a eu des ennuis. J'ai envoyé Jean-Louis Marquet pour qu'il sache que, s'il avait besoin de moi, je viendrais. C'est comme cela que l'on s'est retrouvés. Sinon, je ne serais jamais revenu à l'Olympia, qui n'était pas mon music-hall. Mon music-hall, c'était l'Alhambra, et je l'aimais beaucoup ! Maintenant, c'est le Palais des Congrès, parce que je ne fais plus de music-hall. D'ailleurs, le lieu ne s'y prête pas. »

Avant de traverser l'océan pour colporter ses chansons dans dix-sept villes américaines, Charles Aznavour revient une ultime fois à l'Olympia, et pour près de deux mois [1], au printemps 1980. Son nouvel album s'intitule *Autobiographie*, et de la chanson éponyme il dit à Jacqueline Cartier, de *France-Soir* [2] : « C'est la première fois que je parle de moi ! » Comme elle s'étonne et arguë de *Je m'voyais déjà*, il poursuit : « Ce n'était pas moi, c'était un jeune inconnu que j'ai écouté une fois dans un cabaret bruxellois. Il n'avait pas de talent mais ma présence l'avait en quelque sorte galvanisé et j'avais été étonné par la conviction qu'il avait de sa propre valeur. C'est un thème que j'ai déjà utilisé. Il m'est arrivé de refaire la même chanson ; *Je m'voyais déjà* et *J'ai la chance d'être une vedette*, c'est la même. Mais *J'ai la chance d'être une vedette* ("Il y en a qui courent [3] après la vie / Moi la vie me court après"), j'en ai fait par la suite *Et bâiller et dormir*. De

1. Du 9 avril au 1er juin.
2. Du (mardi) 8 avril 1980.
3. Le texte exact est « Certains courent... ».

même, *Je ne peux pas rentrer chez moi* et *J'ai bu*, c'est la même chose. Quand j'ai écrit *J'ai bu*, j'étais très impressionné par Jules Berry. *Le Feutre taupé*, c'est Jules Berry et personne d'autre. Si j'avais à refaire *J'ai bu* aujourd'hui, je changerais les mots. »

D'une façon assez inhabituelle, peut-être parce que le globe-trotter triomphant a été harcelé par l'administration centrale jusqu'à la ruine, mais qu'il a affronté l'épreuve avec une dignité farouche, la presse se montre d'une affabilité rare. La chanson-phare de l'album (graphiquement présenté à la façon d'un livre, ceint d'une bande rouge, tel le nouveau roman d'un écrivain célèbre), *Autobiographie* retient l'attention unanime. De fait, entre son parfum d'histoire, sa densité et sa rigueur, cette chanson [1] constitue l'un des chefs-d'œuvre de Charles Aznavour, sinon *son* chef-d'œuvre. Avec une espèce de parallélisme, d'écho intime – du texte à la musique et aux arrangements de Paul Mauriat, de retour sur plusieurs morceaux de l'album – aux *Deux guitares* gravées vingt ans plus tôt :

On parlait de ceux morts près du Bosphore
Buvait à la vie, buvait aux copains
Les femmes pleuraient, et jusqu'aux aurores
Les hommes chantaient quelques vieux refrains
Qui venaient de loin, du fond d'un folklore
Où vivaient la mort, l'amour et le vin

Autre chanson aussi extraordinaire que méconnue de ce disque en tous points excellent, sur une musique arabisante et endiablée inspirée à Charles par son voyage en Égypte, *L'Amour bon Dieu l'amour* :

1. La plus longue de son auteur (plus de sept minutes).

L'amour en travesti en faux cul et faux seins
L'amour fleur d'oranger qui appelle sa mère
L'amour, viens je te prends sous la porte cochère
L'amour, hurle moins fort, pense un peu aux voisins

On retrouve avec le même bonheur cette verdeur stylistique dans *Allez* vaï *Marseille*, écrit cette fois en vers plus courts :

Tu as pétri mes jours
Et chassé mes complexes
En me jetant tout cru
Dans les bras de tes putes
Qu'ont le cœur et le cul
Comme la porte d'Aix

Outre une immersion sensible au pays des sourds, *Mon émouvant amour* (avec la voix aérienne de Danielle Licari), et *Je fantasme*, une jonglerie lexicale – un tantinet chargée – de l'écrivain humoriste Robert Beauvais, l'autre titre fort, *Mon ami, mon Judas*, découle des problèmes fiscaux du chanteur, pour lesquels il a été visiblement très mal conseillé, et qui lui auront au moins permis d'y voir clair entre ses vrais et ses faux amis :

Cher profiteur et parasite
Lorsque mon temps sera passé
Vends-moi, trahis-moi au plus vite
Et va-t'en compter tes deniers

Ces nouveautés, qu'il intègre dans son spectacle de l'Olympia [1], font donc mouche auprès des journalistes en ce

1. Et dont témoignera la même année un 30 cm live intitulé *Charles Aznavour est à l'Olympia*.

mois d'avril 1980. *Le Matin* titre « Aznavour 80 : un talent qui ne se démode pas », *La Croix* « La maîtrise du métier », *L'Humanité* « La chanson prise au sérieux »... Notant à la fois l'agencement parfait du spectacle et « la façon qu'a le chanteur de prendre ses rengaines, de les envelopper de délicatesse et de tendresse, de simplicité et d'humanité », Claude Fléouter souligne dans *Le Monde* le caractère exceptionnel, en France, d'un tel professionnalisme : « Venant de Charles Aznavour, tout cela est bien connu puisqu'il y a plus de vingt-cinq ans que l'auteur de *Sur ma vie* a explosé. [...] Pourtant, le travail de scène d'Aznavour continue d'étonner, faute de concurrents. » Quant à Jean Macabiès, qui a succédé à Paul Carrière[1] au *Figaro*, il apprécie, mais devant ce style « épuré », il ne peut taire ses regrets : « À l'Olympia qui connut ses folies, il propose un récital bien sage, tout public, tout terrain, qui passerait la rampe aussi bien à Amsterdam qu'à Tokyo. [...] Chaque intonation porte, chaque geste est en place. Du travail qu'on admire... en attendant ce petit autre chose, ce grain de démesure, ce cri incontrôlé, cette outrance, en un mot cet autre Aznavour brûlant de l'intérieur que, depuis vingt ans, nous n'avions pas fini d'aimer. » On en vient à se demander si, à l'image de l'auteur de *Sa Jeunesse* et *Je ne suis pas guéri de mes années d'enfance*, les critiques ne cultivent pas de leur côté une sacrée nostalgie. Aussi vrai qu'on est presque toujours marqué par

---

1. Au cours d'une interview réalisée le 18 décembre 2003 par Jean Théfaine pour *Chorus* n° 47 (printemps 2004), Charles Aznavour regrettera la disparition des critiques qui « apprennent quelque chose » à l'artiste, et racontera le joli dialogue suivant (resté inédit à ce jour) : « Lorsque Carrière a quitté le métier, il est venu un jour à l'Olympia – il habitait la province – et je lui ai demandé : "Vous ne faites pas la critique ? – Non, j'ai raccroché ! – Soyez gentil, quand vous rentrerez chez vous, écrivez la critique et envoyez-la-moi, ça me fera plaisir." Il l'a faite et ça m'a beaucoup plu. »

le moment où l'on a découvert un artiste original, même si, au fil du temps, on croit l'avoir oublié.

Et la presse en question va se montrer beaucoup plus discrète en cette fin 1980, qu'elle ne l'avait été les années précédentes, au sujet des démêlés fiscaux du chanteur. Au lendemain d'un sujet d'une petite minute dans le journal télévisé de 13 heures de TF1, le 1er novembre, des quotidiens comme *Le Monde* et *Le Figaro* publieront une « brève » (donc, non signée) du style « Non-lieu pour Charles Aznavour dans une affaire de fraude fiscale », *Le Figaro* précisant notamment : « C'est l'absence de mauvaise foi de la part de Charles Aznavour, reconnue par le juge Cabovat, chargé du dossier de fraude fiscale ouvert à l'encontre du chanteur, qui est à l'origine du non-lieu prononcé samedi en sa faveur. »

Chapitre 37

Transition

Mi-janvier 1981. Encore auréolé de sa prestation dans *Le Tambour* (de Volker Schlöndorff) aux yeux du monde cinématographique, Charles Aznavour vient, en voisin, des environs de Genève, au festival d'Avoriaz du film fantastique. S'il y a déjà assisté à plusieurs reprises, il fait cette fois partie du jury. Sa présence à cette manifestation lui donne l'occasion d'annoncer son retour imminent devant les caméras du 7e art, et d'abord pour *La Montagne magique* (*Der Zauberberg*), long métrage d'un second réalisateur allemand, Hans Werner Geissendörfer, à partir du roman de Thomas Mann. Ce film ne sortira dans les salles françaises qu'en août 1983, et, d'ici là, le comédien Aznavour aura participé à plusieurs autres longs métrages.

Ainsi apprécie-t-il alors le rôle que lui propose Elie Chouraqui dans *Qu'est-ce qui fait courir David ?* Pour lui, ce personnage à facettes (il est le papa tendre et enfantin de David, interprété par Francis Huster[1]) marque un

1. La distribution comporte un autre chanteur qui va marquer les années quatre-vingt et imposer son originalité : Michel Jonasz.

« tournant »[1], bien qu'il incarne à la même époque un père infiniment plus grave et accablé, témoin d'un meurtre, complice implicite d'un étrangleur (Michel Serrault) dans *Les Fantômes du chapelier*, de Claude Chabrol. La critique apprécie diversement cette adaptation d'un roman de Simenon et estime que Michel Serrault tend à « en faire un peu trop ». Dans *La Croix* du 3 juin, Jean Rochereau suggère : « Que n'a-t-il calqué son jeu sur celui de Charles Aznavour, tailleur d'une rigueur, d'une simplicité, d'une humanité absolument exemplaires. L'un des très grands rôles du petit Charles. » Ces deux films importants seront suivis (en 1983) par une œuvre d'audience beaucoup plus confidentielle, *Une jeunesse*, de Moshe Mizrahi (d'après le roman de Patrick Modiano), où Charles joue un personnage rêveur et désespéré. Et c'est son propre rôle qu'il tient dans le très long *Édith et Marcel*, que Claude Lelouch consacre à l'amour passionné d'Édith Piaf et Marcel Cerdan. Hormis dans *Une Jeunesse*, Aznavour écrit les textes des chansons des films, respectivement avec Michel Legrand, Georges Garvarentz et Francis Lai[2].

Pour ce qui est du cinéma, dans un long entretien de mars 1982 avec Fabienne Pascaud pour l'hebdomadaire *Télérama*, Charles (qui « parle avec enthousiasme d'un projet avec Bogdanovich, d'un autre avec Resnais »... lesquels ne se

---

1. « Jamais je n'ai vu Charles Aznavour aussi chaleureux et décontracté », note Claude Baignières dans *Le Figaro* des 8-9 mai 1982, alors que sous les initiales M. P. (Michel Pérez ?), on peut lire dans *Le Matin* de la veille : « Côté masculin, Aznavour apparaît assez longtemps pour nous faire amèrement regretter de ne pas le voir plus souvent au cinéma... »

2. Michel Legrand lui-même interprète *La Trentaine*, du film *Qu'est-ce qui fait courir David ?*, Jaïro, *Pose ta joue sur mon épaule*, la chanson des *Fantômes du Chapelier*. Et Mama Béa, les nouvelles, écrites par Charles Aznavour et Francis Lai, pour *Édith et Marcel* : *Avant toi*, *La Prière*, *Je n'attendais que toi* (ainsi que *C'est un gars*, une « ancienne », signée Aznavour/Roche).

réaliseront pas) explique ainsi sa « fringale » du moment : « Tout ce que je n'ai pas eu autrefois, j'ai travaillé avec acharnement pour l'avoir aujourd'hui. Si je veux maintenant recommencer à faire l'acteur, c'est seulement pour m'amuser enfin, comme n'importe quel gamin le fait toujours devant sa glace. Moi, je n'ai jamais connu cette insouciance. Dès neuf ans, j'étais obligé de jouer devant un vrai public pour gagner ma vie. Dans le petit restaurant de mes parents, j'ai eu une enfance d'adulte, on se couchait quand on voulait, des fois pas du tout. Je veux prendre ma revanche sur ce temps-là. » Malgré la propension des cinéastes à le confiner dans des rôles de Juifs suicidaires (lui qui rêve de jouer « Gengis Khan, Louis XVI ou Judas »), cela lui permet, note Fabienne Pascaud, « de s'imprégner d'une culture avec ses coutumes, ses rites, sa mémoire : tout ce que, justement, il envie tant. » Et dans *France-Soir* du 30 avril où il confie à Monique Pantel qu'il « ne donnera plus pour le moment de récitals en France » et qu'il a même « demandé à la télé de ne plus passer d'émissions où on le voit chanter [1] », il affirme haut et fort : « Je veux prouver que je suis vraiment un acteur. Alors, je m'arrête de chanter. On va voir si ça va marcher. »

Flash-back. Début 1981, le chanteur, qui commence à se refaire une santé financière, balise déjà le terrain, dans le *Journal du Dimanche* [2] : « Mes cachets n'ont jamais été aussi élevés et je vais pouvoir achever de payer les traites de ma maison. Car si, dans mes affaires fiscales, j'ai enfin bénéficié d'un non-lieu, on

1. Charles précise (à Daniel Pantchenko) : « C'est vrai que j'ai donné alors beaucoup moins de récitals en France, et que j'avais mis un veto à l'INA. Qu'ils ont respecté. Je ne voulais pas qu'ils vendent des extraits… C'est maintenant qu'on en passe un peu, et ça prend moins d'importance. Moi, je trouve qu'on voit trop souvent les artistes, et en plus ils font toujours la même chose : la promotion d'une chanson. »

2. Du 18 janvier 1981.

ne m'a pas rendu mes sous. Fauché, j'ai recommencé à zéro, mais finalement, cela m'a fait du bien. J'ai donné un grand coup de balai en me débarrassant de tous les parasites qui me coûtaient cher. Levé tôt, couché tôt, je vis comme un moine. Mais en famille. [...] Je ne ferai plus que des galas par-ci par-là, pour dire "coucou, je suis toujours là". À Paris, je chanterai par exemple les 8 et 9 mars au Châtelet, avec l'orchestre des concerts Colonne. À l'étranger, je suis encore considéré comme l'ambassadeur numéro un de la chanson française : je reprendrai donc mon bâton de pèlerin, mais pour des voyages beaucoup plus brefs, sauf peut-être en Chine, mais chut, c'est encore secret... » Comme on le voit, le malin n'a pas besoin de service de presse pour se promouvoir, et si, pour la première fois, il se prépare à déserter les salles parisiennes (et françaises) pendant sept ans, le voici reparti de plus belle en « campagnes napoléoniennes » à travers le monde, surtout à partir de 1983-1984 : « On a vécu des moments invraisemblables : on partait du Japon au Mexique... Je me souviens qu'en trois jours, je présentais un tour de chant en français, un en anglais, un en espagnol ! Croyez-moi, ce n'était pas facile. Mais j'avais la mémoire, une mémoire rapide. Aujourd'hui, j'ai une mémoire lente... » Et il ajoute, d'un air entendu : « C'est plus fait pour écrire une biographie que pour se souvenir de chansons. »

À propos de « campagne » et de « septennat », la France traverse à nouveau une période-clé de son histoire, une joute électorale serrée qui va déboucher, le 10 mai 1981, sur l'élection de François Mitterrand à la présidence de la République, avec 52 % des voix, face à Valéry Giscard d'Estaing[1]. La gauche arrive au pouvoir, le gouvernement

1. Marqué par les conséquences des deux premiers chocs pétroliers (de 1973-1974 après la guerre du Kippour et de 1979 après la révolution en Iran), qui ont renchéri considérablement le prix du baril, le septennat de VGE verra aussi l'émergence du chômage de masse. Révélée (par *Le Canard Enchaîné*)

compte quatre ministres communistes, et le portefeuille de la Culture échoit à Jack Lang. Le nouveau chef de l'État dissout immédiatement l'Assemblée nationale, et les 16 et 23 juin, une « vague rose » sans précédent déferle sur le pays : le parti socialiste et le mouvement des radicaux de gauche gagnent 169 sièges et obtiennent la majorité absolue avec 285 députés, leurs alliés communistes du moment n'en ayant plus que 37 au lieu de 41. Partout, dans les rues, les bureaux, les usines, on chante, on danse, on rêve alors de « changer la vie ». Malgré d'incontestables avancées, l'euphorie se révélera de courte durée, et à peine quelques années plus tard, l'un des partis virtuels les plus importants de France sera celui des « déçus du socialisme »...

Peu soucieux de ces contingences politiques intérieures, à la veille de son installation aux États-Unis, Charles Aznavour honore scrupuleusement son contrat avec les disques Barclay et va y enregistrer encore trois albums inédits au rythme d'un par an. Intitulé *Je fais comme si* – au diapason de l'efficace chanson d'ouverture écrite avec Jacques Plante –, celui de 1981 compte trois reprises : deux, toutes récentes, aux noms lapidaires (*Dieu*, *Être*), et une ancienne (*Retiens la nuit*), créée en son temps par Johnny Hallyday. « Vingt ans après, dit Charles, je pense que je ne trahissais pas mon interprète. » Entre deux morceaux très cinématographiques, deux histoires de couples aussi différentes que quotidiennes (*Nous n'avons pas d'enfant*, *La Dispute*), et un implacable coup de rétro à usage universel (*La Mémoire*), il balance un coup de patte inspiré aux quêteurs maladifs de la jeunesse perpétuelle :

quelques semaines après le renversement – le 20 septembre 1979 – de Jean-Bedel Bokassa, le dictateur de Centrafrique, l' « affaire des diamants » (cadeaux de Bokassa à Giscard) pèsera également lourd dans la campagne électorale.

Ce n'est pas une vie
De passer tout son temps
Dans les bains de vapeur
Chez les masseurs sauvages

«Je l'avais déjà écrite sous une autre forme, celle-là, souligne-t-il. Mon ami Ted Lapidus était toujours en train de se regarder dans le miroir et de trouver qu'il y avait une ride de plus par-ci par-là... J'avais écrit *Tu n'as plus*, mais il était jeune... En réalité, on ne fait que réécrire les mêmes idées à un âge différent, avec les réactions de l'âge nouveau... On vieillit, et j'appelle ça l'âge nouveau; c'est bizarre quand même!» [*rire*]

Dans ce disque dont Paul Mauriat et Christian Gaubert se partagent l'essentiel des arrangements (parties plus rythmées pour le premier, plus amples pour le second), le chanteur interprète aussi une espèce de grand standard sentimental mélodiquement griffé Garvarentz, *Une vie d'amour*, dont il gravera dans la foulée une version en russe et un duo avec Mireille Mathieu. Dans l'opus suivant de 1982, c'est encore un morceau slave qu'il enregistre (avec Les Compagnons de la Chanson, cette fois) : *La Légende de Stenka Razine*. Il observe : «Ça, c'est revenir un petit peu sur les chansons que mon père chantait. *Les Deux Guitares*, *Stenka Razine*... Si j'avais pu, j'en aurais repris davantage, mais il y en a... [*il prononce quelques vers en russe*] que je ne sais pas traduire, dont j'ignore le sens. Je connais la chanson, mais je ne sais pas ce qu'elle signifie. *Les Yeux noirs*, *Les Deux Guitares*, je savais. Je n'ai traduit que deux lignes. Tout le reste c'est de moi, et j'ai gardé le refrain parce qu'il n'était pas jouable en français; les mots ne tombaient pas de la même manière pour que ça chante... On m'a dit : "Tu ne vas pas laisser ça en russe?" J'ai répondu : "Mais si! C'est exotique ! Pourquoi seulement le brésilien et l'espagnol, et pas le russe ? C'est une très belle langue, en plus !" »

Introduit par *Une première danse* au parfum rythmique de *Plaisirs démodés*, cet album distille une de ces nostalgies universelles (alexandrins compris) dont Aznavour a le secret :

Je ne suis pas guéri de mes années d'enfance[1]
D'ailleurs je le pourrais que je ne le veux pas
Tant j'aime les yeux clos revenir sur mes pas
Et remonter le cours fou de mon existence
Jusqu'aux années d'enfance

Au fil des autres chansons, de nouveaux auteurs – pas franchement « bouleversifiants » – interviennent (Claude Forestier pour l'adaptation d'*Un été sans toi* et une seconde version de *Je fantasme* avec Robert Beauvais ; Charles Level dans *Un million de fois*), l'autre morceau le plus original de l'ensemble s'intitulant *T'es ma terre, mon pays* :

J'aime le côté sud de ton corps
Mais j'en aime aussi le côté nord
J'admire ton est
Convoite ton ouest
Et de plus j'ai rien contre le reste

Après *Les Amours médicales*, Aznavour passe aux géographiques et il semble presque surpris qu'on s'en étonne : « Je suis un homme carré, moi ! On dit : "Ah ! Il écrit beaucoup de chansons d'amour !" Mais elles sont très différentes : *Tu t'laisses aller* et *Bon anniversaire* sont des chansons d'amour, et si je n'ai pas de problèmes d'écriture,

1. De son côté, Jean Ferrat enregistrera *Nul ne guérit de son enfance*, en 1991.

je me demande toujours dans quelle direction je vais aller. Quelle situation va convenir à la chanson que je vais écrire ? C'est seulement après cela que je peux écrire. »

La chanson vient de connaître alors un de ses mauvais automnes. Trois ans après Brel, celui qui avait déclaré à la mort de celui-ci « Quand on aime les gens, ils meurent, bien sûr, c'est-à-dire qu'ils s'absentent un petit peu[1] », Georges Brassens s'absente à son tour, le jeudi 29 octobre 1981 à 23 h15. Comme Charles Aznavour disant : « C'est un bonhomme à part, un poète. Il n'est pas du métier[2] », le grand écrivain colombien Gabriel Garcia Marquez écrivit quelques jours plus tard (le 11 novembre 1981, dans *Notas de prensa*) un texte magnifique qui commençait ainsi : « Il y a des années, lors d'une conversation littéraire, la question fut posée de savoir quel pouvait être le meilleur poète français vivant et, sans hésitation, je répondis : Georges Brassens. Les gens présents ne connaissaient pas tous ce nom –certains parce que trop avancés en âge, d'autres parce que trop jeunes– et quelqu'un, qui le négligeait en tant qu'auteur de disques et non de livres, assura que mon affirmation relevait de la provocation. Mais les gens de ma génération, ceux qui avaient souffert à Paris durant les années ingrates de la guerre d'Algérie, savaient bien que non seulement je parlais sérieusement, mais que, de surcroît, j'avais raison. » Édité dans un journal italien (*L'Illustrazione italiana*), à l'approche du premier anniversaire de la disparition du Sétois, ce texte, resté inédit en France, fut publié en intégralité en septembre 1996 dans la revue *Chorus (les Cahiers de la chanson)*[3] à

1. Cité par André Tillieu dans *Brassens–Auprès de son arbre* (Julliard, 1983).
2. Idem.
3. *Chorus* n° 17, sous le titre *Un Rabelais féroce et désarmé*, et dans une traduction de Marc Robine.

l'occasion du dossier spécial consacré à Brassens, en accord avec Garcia Marquez. Lequel gardait – entre autres – un souvenir précis : «Je ne le vis personnellement qu'une seule fois, à l'occasion de l'une de ses premières à l'Olympia, et c'est pour moi un souvenir ineffaçable. Il apparut dans les coulisses non comme s'il était l'étoile de la soirée, mais comme un machiniste égaré, avec ses énormes moustaches de Turc, ses cheveux ébouriffés et une paire de pauvres chaussures pareilles à celles que son père utilisait pour coltiner les briques... C'était un ours gentil, avec les yeux les plus tristes que j'aie jamais vus, et un instinct poétique qui ne reculait devant rien. [...] Cette nuit inoubliable, à l'Olympia, il chanta comme jamais, comme consumé par cette peur innée de l'exhibition publique qui était la sienne ; et il nous était presque impossible de savoir si nous pleurions pour la beauté de ses chansons ou la compassion que nous inspirait la solitude de cet homme fait pour d'autres mondes et pour un autre temps [1].»

Charles Aznavour, on l'ignore généralement, entretenait une jolie amitié avec Brassens et avait interprété à la télévision *Je me suis fait tout petit* : «J'adore cette chanson et je l'ai chantée d'une manière tout à fait différente, très émotive, et ça lui a beaucoup plu. Il m'aimait bien, de toutes manières... » La première rencontre eut d'ailleurs lieu à l'initiative de Georges qui vint rendre visite à Charles, juste après son dramatique accident de la route de 1956 : «J'habitais sur la Butte, il est venu, et ce que j'ai trouvé extraordinaire, c'est que, malgré les tableaux accrochés aux murs, il n'a rien regardé ! Il est entré, il est venu directement où j'étais, il m'a parlé pendant une demi-heure ou trois quarts d'heure, il s'est levé et il est parti. Rien, pas un regard

1. *Idem.*

à côté ! J'ai trouvé ça formidable ! Après, j'ai appris à faire pareil et je continue, parce que finalement, quand on va chez quelqu'un, c'est bien pour la personne elle-même... » Et sur ce chapitre qui lui tient visiblement à cœur, il enchaîne : « Il y avait aussi Fred Mella [1], Raymond Devos, Félix Leclerc... mais toutes mes amitiés sont inconnues. J'étais très ami avec Ferré, avec Brel... J'aime beaucoup Béart et Ferrat. Et Nougaro, même si je l'ai moins connu. J'aime les gens de ma famille, quoi ! »

Justement, à propos de famille, en 1982, Charles, Ulla et leur progéniture (Katia, Mischa et Nicolas) quittent la Suisse pour les États-Unis, d'abord à Los Angeles (Californie), puis à Greenwich (Connecticut), à moins d'une heure de New York : « Ce qui ne plaisait pas à ma femme à Los Angeles, c'était la température. Il faisait trop chaud, c'est une fille du Nord. Nous sommes allés dans le Connecticut, mais là, c'est moi qui n'aime pas le froid ! Alors nous sommes revenus en Suisse... Nous étions partis là-bas parce que j'y travaillais beaucoup et je trouvais ridicule de faire des allers-retours tous les huit jours. Car j'ai fait d'énormes tournées aux États-Unis. À peu près toute l'Amérique. On n'est pas nombreux à pouvoir le dire ! Marcel Marceau, Les Compagnons de la Chanson, Varel et Bailly [2] et les Chanteurs de Paris ! (Vous vous souvenez de ça ?) Chevalier, bien sûr ! Et moi. Mais les autres ne sont passés que dans une ou deux grandes villes. Même Édith... qui s'en tenait à New York ! »

---

1. Pour lequel Charles a mis expressément en musique un texte de Georges Brassens : *L'Arc-en-ciel d'un quart d'heure*. D'autre part, Fred Mella annonce pour cette année la parution d'un livre de souvenirs où Charles tiendra une bonne place.

2. Fameux duo des années 1940-1950.

Paradoxalement, c'est dans cette période américaine que Charles Aznavour va mettre la dernière main à l'unique album qu'il ait intégralement consacré à un autre auteur que lui-même : son défunt ami Bernard Dimey.

Chapitre 38

Salut, Bernard !

Quatre mois avant Brassens, Charles Aznavour a perdu un autre de ses amis chers. Le 1er juillet 1981, à quinze jours de ses cinquante ans, Bernard Dimey succombe à un cancer. Malade depuis plus d'un an, il a vu « la Vieille » – comme il appelle la Camarde du père Georges – le serrer de plus en plus près, au point de lui lancer une ultime pique : « Tu as raté ton coup, cette fois-ci, la vieille / Je sais que ta patience est au-dessus de tout / Que tu voles partout comme une grosse abeille / Et tu me piqueras, peut-être au prochain coup… » C'est ce poète à l'allure de clochard céleste et dont l'imposante silhouette reste à jamais attachée à « la Butte » que Charles va saluer de sa façon la meilleure : un album entier, dix chansons, dont neuf inédites.

Né à Nogent-en-Bassigny (Champagne)[1] d'une mère coiffeuse et d'un père coutelier, Bernard Dimey révèle

---

1. Responsable de la Bibliothèque municipale Bernard-Dimey, Philippe Savouret a consacré une remarquable monographie au poète (*Bernard Dimey 1931-1981*, Éditions Guéniot) en 1991, date à laquelle il a initié de

dès l'enfance une fibre artistique multiple : il prend des cours de violon, touche joliment au dessin, et publie ses premiers poèmes à quinze ans dans *Les Cahiers haut-marnais*. Quittant Nogent pour Troyes et son École normale, il y obtient un diplôme d'instituteur, mais renonce vite à cette voie pour la peinture et surtout la littérature. Il entretient d'ailleurs une correspondance avec ses écrivains de prédilection (Jean Giono, Roger Martin du Gard, François Mauriac, Georges Duhamel, Roland Dorgelès...) et a écrit un premier roman, *Le Marchand de soupe*, qui ne sera jamais publié. Dès 1950, il partage son temps entre Troyes et Paris : il s'est inscrit en philo à la Sorbonne, mais pousse volontiers jusqu'à la butte Montmartre où il devient l'un des habitués du Pichet du Tertre, le cabaret d'Attilio, rendez-vous des poètes, chanteurs et musiciens du moment. Peintre, journaliste pigiste, « nègre » occasionnel de l'écrivain Armand Lanoux, auteur de romans, nouvelles, pièces de théâtre globalement refusés par les grands éditeurs parisiens (hormis Seghers, qui publie *Requiem à boire* en 1954), il se lie d'amitié avec un jeune compositeur inconnu qui, le premier, mettra certains de ses textes en musique : Francis Lai.

Une voie s'ouvre, même si un certain dépit l'incitera parfois à écrire : « Je n'ai rien fait, que des chansons... » Après un second recueil de poèmes, *Les Kermesses d'antan* (1956), il part à l'armée et, peu après son retour, finit par s'installer à Paris. Il a vingt-sept ans, et cette expérience militaire lui inspire aussitôt *L'Amour et la Guerre* : « C'est un texte que Bernard a écrit assez jeune, raconte Charles Aznavour. À l'époque, il avait eu envie de me rencontrer ; alors, je l'ai invité à venir passer quelques jours chez

---

premières manifestation dans la ville. En 2000, il lui a dédié une association, qui a débouché sur un festival printanier dès l'année suivante.

moi, autour de quelques bonnes bouteilles. Et c'est comme cela que sont nées nos premières chansons [1]... » En quelques années, plusieurs dizaines d'autres artistes interprèteront du Dimey : Mouloudji, Jean Sablon, Serge Reggiani, Yves Montand, Jean-Claude Pascal, Michel Simon, Zizi Jeanmaire, Jean Ferrat, Les Frères Jacques, Philippe Clay, Juliette Gréco, Bourvil, Henri Salvador... Outre *Syracuse* (1962), sur une musique de ce dernier, ses deux plus grands succès seront *Mon truc en plumes* [2], par Zizi Jeanmaire, et *Mémère* [3], par son grand ami Michel Simon qui lui consacrera un disque entier. En revanche, Yves Montand ne cherchera jamais à rencontrer l'auteur de *Syracuse* : « J'ai même appris plus tard que si Simone Signoret n'avait pas fortement insisté, il ne l'aurait pas chantée [4] », ajoute Yvette Cathiard, peintre et compagne du poète dès 1967...

Et si Bernard Dimey dit lui-même ses textes sur d'importantes scènes (dont celle de Bobino, avant Brassens, en 1969) et touche à diverses formes d'écriture (comédie musicale, film, livres, poèmes...), il subit à la fois la vague yéyé et l'implacable tandem fisc/huissier pour la désastreuse gestion de ses affaires. Malgré l'enregistrement d'une dizaine d'albums de ses poèmes et la participation à plusieurs films de télévision et de cinéma, quelque chose de profond s'est brisé en lui, qu'il va noyer dans l'alcool, le tabac et de grandes bouffes avec des copains. Une fuite en avant à l'issue irrémédiable, qu'Yvette Cathiard résumera

---

1. À Marc Robine, pour *Chorus* n° 7 (*op. cit.*).
2. Musique de Jean Constantin.
3. Musique de Dany White, et dont, note Marc Robine, « Brel disait que c'était la plus belle chanson d'amour jamais écrite, et que c'était elle qui lui avait inspiré *Les Vieux.* » (*Grand Jacques*, *op. cit.*)
4. Sauf indication spécifique, tous les propos d'Yvette Cathiard rapportés dans ce chapitre ont été recueillis par Daniel Pantchenko le 5 avril 2005.

par « Bernard marche sur le fil fragile de la clochardise[1] », dans son très beau livre sur ses années de vie avec Dimey, un poignant cri d'amour, un témoignage sans complaisance entre pudeur et violence : *Dimey, la blessure de l'ogre*[2]. Après une confidence de celui-ci (« Je n'ai jamais fait que des petits pots avec mes chansons »), elle y saisit l'essentiel : « Bernard a le visage chaviré et une secrète blessure forme un pli douloureux sur son front. Je connais ce regret qui n'est plus un tourment, cette sensation qu'il a d'être passé à côté de sa destination, cette promesse que la vie lui avait faite, lorsqu'il était adolescent, de devenir écrivain reconnu et de s'asseoir à la table des plus grands, serment que la vie infidèle n'a pas tenu. Dimey garde une écharde plantée dans le cœur depuis ses vingt ans, l'âge d'airain où avec son ami Jean-Jacques Khim, à Troyes, ils écrivaient ensemble dans leur chambre commune chacun un roman. Le roman de Khim avait été publié. Bernard amoureusement en avait fait les corrections, et puis le sien était resté un manuscrit. C'était la première trahison du destin ; il ne s'en est jamais remis. Il faut faire attention au chagrin d'enfant. » Peu après la mort de Dimey[3], c'est Yvette Cathiard qui va prendre

1. À l'occasion du vingtième anniversaire de la disparition du poète, elle confiait déjà à Daniel Pantchenko (pour *Chorus* n° 35, printemps 2001) : « Ce qui me touche surtout dans ce qu'il a écrit, ce sont les poèmes du *Testament*. Je trouve que là, c'est très grand, très fort, visionnaire. Parce que si tous les poèmes sur les bistrots portaient une douleur – c'était aussi sa réalité –, ceux sur les bordels, etc., étaient une commande, un travail particulier et beaucoup plus un folklore qu'une nostalgie pour lui. Bien sûr, Bernard a entretenu sa légende avec le beaujolais, etc. Je lui disais : "T'es pas marchand de vin !" et il en était un peu navré. D'ailleurs, si j'ai accepté d'écrire un livre sur lui, c'était pour éviter que quelqu'un en fasse encore un pilier de bistrot. Quand on n'éclaire qu'une facette, c'est une trahison ! »

2. Éditions Christian Pirot, 1993.

3. Quatre ans avant son décès, Bernard Dimey s'était découvert une fille de vingt-deux ans, Dominique, née d'un amour éphémère avec une institu-

contact avec Charles Aznavour, lequel l'avait donc connu près de dix ans avant elle…

« Bernard venait chez moi à Galluis, se souvient-il. Il venait, il dormait là, il lui fallait sa bouteille de vin pour écrire. Chose extraordinaire, en même temps qu'il discutait de tel ou tel sujet, il pouvait changer la ligne que je lui avais demandée. Je n'ai connu que deux personnes capables de faire cela : Francis Blanche (qui était capable, en plus, d'écrire des deux mains, tout en dictant autre chose) et Bernard ! Le contact s'est tout de suite établi entre nous. Pour moi, le premier contact, c'est le talent. Quand je sens que quelqu'un a quelque chose dans le ventre, je suis très attiré par ce personnage, automatiquement. Je crois qu'il faut recommencer à confronter les talents : c'est comme l'allumette et le frottoir, ça doit s'enflammer tout de suite ! Et je n'ai pas l'impression que ce soit ce qui se passe aujourd'hui… »

L'enregistrement initial de *L'Amour et la Guerre* – en 1960 –, future chanson du film *Tu ne tueras point,* de Claude Autant-Lara (film, comme on l'a vu, interdit de diffusion en ces temps des « événements » d'Algérie), lui rappelle une anecdote : « Quand on l'a enregistrée, Paul Mauriat est venu me voir, affolé, en me disant : “Autant-Lara vient d'arriver et intervient dans la séance. Il faudrait savoir qui dirige !” J'ai donc demandé à Autant-Lara de laisser le chef d'orchestre travailler. Eh bien, ce monsieur qui était, paraît-il, un emmerdeur, est très gentiment sorti du studio ! »

Comme nous l'avons déjà noté, sur le même super 45 tours de 1960, Charles Aznavour enregistre également

trice de Châteauroux : une rencontre « miraculeuse » qui suscitera un éblouissement réciproque. Dominique Dimey en fera un disque (*Dimey chante Dimey*, Auvidis, 1993), puis un spectacle avec le comédien Bernard Fresson, *Dimey de père en fille*, début 2001.

Monsieur est mort, puis, en 1961, *Le Carillonneur*. Mais, tient-il à rappeler, « quand j'ai connu Bernard, il n'était pas du tout obsédé par la mort». Et, à la fin de cette même année, un court 25 cm [1] intitulé *Chansons cu...rieuses* paraît, avec huit gourmandises inédites du tandem : *Les Amants de ma femme*, *Le Regret des bordels*, *L'Acrobate*, *Une toute jeune fille* (face A) ; *Le Cul de ma sœur*, *Tango*, *Strip*, *La Poule aux œufs d'or* (face B). Seul bémol à l'aventure, ce n'est pas Aznavour qui enregistre ces coquineries, mais le comédien Philippe Nicaud [2], accompagné par Jacques Loussier et son orchestre. Charles reconnaît sans détour : « À l'époque, je m'étais servi du côté rigolo de Dimey, mais je ne l'aurais pas chanté moi-même. D'ailleurs, Barclay ne voulait même pas que son label figure sur le disque : c'était une enveloppe noire [3], et il a été surpris, parce qu'il a quand même vendu 150 000 albums. Et sans rien faire... Aujourd'hui, ce serait différent, je n'aurais pas eu peur de l'enregistrer [4]. »

Bien qu'Yvette Cathiard ait rencontré Dimey six ans plus tard, elle sait que Bernard et Charles se sont bien

1. D'une durée inférieure à dix-huit minutes.

2. Sans conteste meilleur comédien que chanteur, qui trouvera son heure de gloire, quelques mois plus tard, grâce à un feuilleton télévisé : *L'Inspecteur Leclerc enquête*. Pour la radio (dans une série quotidienne diffusée sur France Inter), il interprétera aussi le rôle du commissaire San-Antonio, le héros de Frédéric Dard, complice d'Aznavour pour l'opérette *Monsieur Carnaval*.

3. À propos d'enveloppe noire et de Barclay, pour l'un des anniversaires de celui-ci, Dimey avait écrit et interprété une chanson (*À l'enterrement d'Eddie*) dont le texte a été publié dans le livre d'Eddie Barclay, *Que la fête continue* (*op. cit.*).

4. Jolie coïncidence : au moment où sort ce livre (mai 2006), Jehan réenregistre ces chansons (augmentées de quelques autres, dont il a pour l'essentiel écrit la musique : *Les Locaux de la police judiciaire*, *Le Petit Maquereau*, *C'est dommage...* – et de quatre inédites sur des mélodies de Charles Aznavour : *Ne l'amputez pas*, *Le Roi des cons*, *Le Zizi de Bastien*, *Mon minet mon minou*), dans un disque produit par Tacet Productions et les Éditions Raoul-Breton.

« amusés » à concocter ces chansons, mais elle apprécie particulièrement la curiosité du second par rapport au *Carillonneur* : « Très antérieur à leur rencontre, ce texte est extrait d'un long poème que Bernard a écrit à l'âge de seize ou dix-sept ans, dans un petit recueil d'une vingtaine de textes publiés chez Seghers : *Les Kermesses d'antan* [1]. Il fallait déjà les trouver, ces vers, pour les extraire ! » Sur la rencontre des deux hommes et sur leur amitié, elle ajoute : « Au début, ils se sont pas mal vus sur la Butte, au Pichet du Tertre sans doute, car à l'époque, tout le métier y traînait : Moulou [2], Ferré, Aznavour... Je sais encore que Bernard est allé à Montfort-l'Amaury, qu'il a suivi Charles pendant toute une tournée, que Charles lui donnait cinquante francs pour qu'il les joue au casino, que Bernard n'était pas joueur et les perdait tout de suite... Après, ils ne se voyaient qu'à l'Olympia dès que Charles y passait : il avait un piano dans sa loge, il arrivait en début d'après-midi pour chanter le soir, et Bernard l'y rencontrait presque tous les après-midi. C'est là, par exemple, qu'ils ont écrit *On a toujours le temps* [3]. [...] En fait, Bernard a écrit des chansons à cause de Ferré, qui le fascinait. Il lui a donné l'"impulse"... Bernard s'est dit alors qu'il ne s'agissait pas d'un art mineur. Ils n'ont écrit qu'une chanson ensemble (*Les Petits Hôtels*), mais j'ignore si elle a été enregistrée... »

---

1. En 1956 ; après *Requiem à boire* (1954). Avait précédé : *Poèmes*, de Jean-Gabriel Gigot, Lucien Aber et Bernard Dimey (Éd. Bruillard, Saint-Dizier, 1946). Suivront, côté livres : *Aussi Français que vous* (Calmann-Lévy, 1965), *Les Huit Péchés capitaux* (Éd. A. Roussard, 1973), *Ramani petit pêcheur d'éponge*, *Ramani et les cailloux d'or*, *Ramani et l'oiseau bavard* (Éd. Dujarric, 1977, illustrations d'Yvette Cathiard), *Poèmes voyous* (Éd. Mouloudji, 1978). Et, chez Christian Pirot, *Le Milieu de la nuit* et *Je ne dirai pas tout* (1991), *Sable et cendre* (1992).

2. Mouloudji.

3. Enregistré par Charles Aznavour en 1969.

L'histoire du 30 cm de 1983, *Charles Aznavour chante Bernard Dimey*, commence dans le drame, la douleur extrême : « En 1981, Bernard était mourant, raconte Yvette Cathiard, lorsqu'il m'a dit dans un semi-délire : "Appelle Charles et demande-lui de rechanter *L'Amour et la Guerre* !" Je lui ai donc téléphoné dans sa maison, en Suisse, et il m'a répondu assez froidement, ce qui m'a beaucoup étonnée. Le lendemain, il m'a rappelée en s'excusant : "Je suis désolé de vous avoir répondu ainsi hier, mais j'étais en plein tournage et j'avais cinquante personnes dans la maison. Je suis bouleversé, ne faites rien sans moi." Peu après, nous nous sommes rencontrés et je lui ai donné les inédits de Bernard – enfin, une partie qui traînait dans les couloirs, parce que je ne m'en étais jamais occupée et qu'il est très difficile de partir avec son attaché-case quand une personne qu'on aime vient de mourir. Il y a toujours une période de purgatoire, et, au fond, avec Charles, j'étais très contente de passer le bébé à quelqu'un d'aussi compétent et, surtout, que Bernard adorait. »

À ceci près qu'en 1981, Aznavour n'a plus tout à fait la même aura chez Barclay et dans les médias, qu'il se montre plus soucieux de relancer sa carrière cinématographique et se prépare à partir vivre aux États-Unis. Au bout de deux bonnes années sans nouvelle du projet, Yvette Cathiard décide de s'informer auprès des collaborateurs de Charles : « Je lui avais transmis le souhait de Bernard qu'il rechante *L'Amour et la Guerre*, et Charles m'avait simplement affirmé : "Pour Bernard, je ferai beaucoup plus !" Et puis, plus rien... Là, au bout de quelques jours, il me rappelle et me dit : "J'avais le projet de faire interpréter Bernard par la jeune génération, mais j'ai échoué et vais l'enregistrer moi-même." Là-dessus, nouveau silence pendant quelque temps, jusqu'au jour où je reçois un coup de fil de sa part : "Je suis au studio de la

Concorde, je viens de terminer l'enregistrement du disque, venez signer les contrats de cession !" Et lorsque j'arrive, je me rends compte que, par erreur, je lui ai donné un texte, *Madame la Marquise a dit*[1], déjà mis en musique par Paul Misraki. Tout était orchestré, enregistré, en boîte, et c'est là où j'ai vu la qualité d'un grand bonhomme. Un autre m'aurait insultée ou je ne sais quoi ; lui, m'a réconfortée : "Ce n'est pas grave, ne vous inquiétez pas !" Et comme il n'avait pas mis *L'Amour et la Guerre* et que je lui rappelais la volonté de Bernard, il a conclu : "Bon, on va faire une nouvelle orchestration !" Moi, j'étais très contente : grâce à mon erreur, j'étais parvenue à ce que voulait Bernard. »

L'album (le dernier chez Barclay[2]), sur la pochette duquel un Aznavour en tenue de voyage pose à une table extérieure d'un pittoresque restaurant de la butte Montmartre (« À la mère Catherine »), nappe à petits carreaux rouges et blancs de rigueur, réunit donc neuf chansons inédites et *L'Amour et la Guerre*, l'ensemble orchestré au son du temps par Jean Claudric. Entre personnages perdants ou meurtris (*La Salle et la Terrasse*, *L'Enfant maquillé*), saynète édifiante (*Un bel incendie*, qui venge, avec l'accent du mi-dit), fausse ritournelle enfantine (*Le Trèfle à quatre feuilles*) et réflexions plus ou moins désabusées (*Lorsque mon cœur sera*, *La Planète où mourir*), le propos se révèle plutôt sombre, et la mort omniprésente. « J'ai trouvé le disque fort, mais triste, dit Yvette Cathiard ; pour moi, deux ans après la mort de Bernard, c'était chargé. Mais

1. En fait, ce titre (dont Paul Misraki, le père du célèbre *Tout va très bien, Madame la Marquise*, a composé la musique) avait été « déposé » sous *La Marquise m'a dit* (interprété notamment par Les Frères Jacques et Juliette Gréco), d'où la confusion d'Yvette Cathiard.

2. Monsieur Eddie, l'employé-PDG, étant lui-même sur le point de boucler définitivement ses valises pour un Saint-Tropez meilleur...

c'était lui aussi. » Ce que confirme Charles Aznavour avant d'ajouter, en référence aux ambitions littéraires initiales de Dimey : « De toute manière, il n'a pas eu la vie qu'il voulait. La preuve, il allait quand même dire des poèmes dans des boîtes de quinzième ordre... »

Évidemment, on peut comprendre que, pour remarquables qu'ils soient, une jeune veuve reçoive de plein fouet des vers comme :

Lorsque mon cœur sera comme un vieux fruit d'automne
Et que mes ossements s'en iront à vau-l'eau
Peut-être direz-vous que la récolte est bonne
Les vers pendant ce temps glisseront sous ma peau

Ou bien :

On a traqué le cerf on a traqué la biche
On a traqué les hommes et tout à l'avenant
Vous ne pouvez savoir à quel point je m'en fiche
À l'âge où me voici, je le jure et pourtant
J'avais imaginé d'incroyables voyages
Vers tous les horizons j'étais prêt à partir
Et puis je suis resté, juste un peu de courage
Et le temps de trouver la planète où mourir

Ou encore, cet *Œil du singe* implacablement lucide (troisième prénom de Dimey : Bernard, Georges, Lucide), extrait du *Bestiaire de nulle part* :

L'œil du singe est large et stupide
Aussi triste que l'œil humain
Il reflète des mondes vides
Où vivra l'homme de demain

« Il n'y a pas de choses légères, mais ce sont des textes magnifiques, dit Yvette Cathiard. Charles Aznavour avait aussi l'âge de les chanter, parce que, même plus jeune, Bernard a toujours écrit l'autobiographie d'un homme de cinquante ans revenu un peu de tout. C'est incroyable ! Avec parfois une vraie dimension de visionnaire. [...] Moi, j'adore *L'Enfant maquillé*[1] : c'est une histoire entre Bernard et moi, le texte a été inspiré par l'un de mes tableaux. J'avais créé à l'époque une espèce de personnage de clown blanc, tout maquillé, et Bernard a écrit le poème dans mon dos. Surtout : "Vieillards, l'âge est venu d'avoir peur des enfants", je trouve qu'aujourd'hui on est en plein dedans ; et Aznavour a réussi une musique superbe. À part lui et Salvador, peu de compositeurs y sont parvenus, parce que Bernard utilisait souvent des alexandrins ; mais Charles a su les couper, faire des ponts, des changements de tons. Un vrai boulot... » Un sujet sur lequel l'intéressé est intarissable : « L'alexandrin inquiète les compositeurs parce qu'ils n'ont pas appris à le détruire. Un alexandrin, c'est quoi ? Quatre fois trois vers, ou trois fois quatre, ou deux fois six, ou huit et quatre... Cela peut devenir tout ce que l'on veut, et en plus c'est tellement bien structuré que l'on peut en sortir les musiques les plus diverses. Il faut croire qu'ils n'ont pas d'imagination... »

Pour Charles, sa rencontre avec Bernard Dimey a fonctionné immédiatement grâce à leur différence, à la complémentarité, l'échange entre un boulimique de lecture[2] et un

1. « Je suis l'enfant dressé sur les places publiques / Maquillé par le temps, j'ai cinq siècles et demi / Je connais de la vie, paroles et musiques / Je fais peur quelquefois, mais j'ai beaucoup d'amis. »

2. Outre les verres de rouge qu'ils ont vidés ensemble, c'est cet homme-là qui a fasciné le jeune Jean-Louis Foulquier (de France Inter) débarquant sur la Butte : « On s'assoit face à face. Je l'écoute parler, bougonner et tourner les pages de son encyclopédie de la vie. Je le regarde avec un tel bonheur qu'il

artiste très professionnel : « Dimey écrivait au fil de la plume. Il avait beaucoup de talent, mais il n'était pas discipliné du tout. Moi, j'ai un principe : "Dans l'écriture, il existe deux choses : la discipline et la géométrie." Dans une chanson, il y a une géométrie. La preuve, on prend *Les Djinns*, de Victor Hugo, qui reste pour moi l'exemple type : "Murs, ville / Et port / Asile / De mort / Mer grise / Où brise / La brise / Tout dort"... Cela fait un rond. Dans une chanson : on ne peut pas construire un premier refrain différent du deuxième, car si l'on rompt la géométrie, la musique ne vient pas spontanément au compositeur. Il faut aider celui qui va écrire la musique. » Et, à propos de *Trousse chemise*, Bernard ayant retiré son texte initial (*Un très bel été*) au profit de celui de Jacques Mareuil, que Charles trouve très beau, il précise : « Dimey écrivait très bien, très facilement ; parfois, il écrivait bien très facilement ; et parfois il écrivait facilement. Alors, le "facilement", je n'en voulais pas. »

Certains textes mis en musique par Charles se retrouvèrent interprétés par d'autres, comme *Sainte Sarah* par Théo Sarapo, le dernier compagnon de Piaf : « Théo avait besoin de chansons, explique-t-il, et j'ai pensé qu'on devrait lui en écrire deux, ce qu'on a fait. » Dimey, lui, eût toujours préféré qu'il les chantât lui-même : « Bernard avait à la maison une bande de travail piano-voix de Charles, se souvient Yvette Cathiard ; il se la passait en boucle et il était un peu déçu quand, au final, Charles donnait la chanson à tel ou tel artiste. » Le 2 novembre 1983, au lendemain de l'émission

---

se sent aimé pour la première fois. Je deviens son fils adoptif, sa mascotte montmartroise. Soudain, je n'ai plus honte de mon inculture qui devient une chance. Cette soif d'apprendre et de comprendre bouleverse nos rapports. Désormais je ne peux respirer sans l'ombre de Dimey. C'est un abri, un havre de paix régénérant, un professeur imprévisible. Mon guide, premier de cordée. Ma conscience. » (Jean-Louis Foulquier, *Au large de la nuit*, Denoël, 1990).

Formule 1 (TF1) dans laquelle il a présenté plusieurs chansons de son prochain album à paraître, Charles Aznavour confie à Rodolphe Hassold, de *France-Soir*[1] : « Tout n'était pas évident. D'abord parce que c'était avant tout des poèmes. J'ai dû restaurer certaines choses et les adapter en chansons. [...] J'espère qu'il a été content de voir cette émission. [...] J'ai dit à *Formule 1* que Dimey était un poète méconnu. J'espère qu'aujourd'hui, il l'est moins. Je ne demande pas une médaille. J'ai simplement fait mon devoir d'ami. »

Malheureusement, le disque ne se vendra qu'à une centaine de milliers d'exemplaires, score modeste pour un Charles Aznavour. « Je pense qu'il a été très déçu, dit Yvette Cathiard, et qu'il espérait être le leader d'une redécouverte de Bernard en initiant une synergie à son niveau. En fait, le disque est passé quasiment inaperçu, la promotion a été inexistante... »

Depuis, de jeunes artistes revisitent à leur tour l'œuvre de Bernard Dimey, tel le Toulousain Jehan qui, dès son premier album de 1998 (*Divin Dimey*), a mis en musique de nouveaux poèmes (*Les Petits Amoureux*, *J'aimerais tant savoir*, *Je sens qu'il va falloir...*), s'offrant l'amicale complicité de Claude Nougaro sur une reprise (*Si tu me payes un verre...*) ; et, en 2002, est apparue une jeune femme brune, voix rauque et sensuelle à souhait, Valérie Mischler[2], au sujet

1. On apprend également dans l'article que le ténor Placido Domingo va reprendre une autre chanson de Dimey-Aznavour (en fait, une adaptation anglaise d'un titre antérieur : *Les Bateaux sont partis*).

2. Après un CD de 7 titres en 2002, un album *Valérie Mischler chante Dimey* est sorti en 2004, produit par Paroles de Dimey (11, rue Lepic, 75018 Paris – site web officiel : http://parolesdedimey.free.fr) où, sous la houlette de Michel Célie (grand « pote » de Bernard et fondateur en 1966 des disques Déesse, avec son frère Pierre), sont réédités cinq disques du poète : *La Mer à boire*, *Testament*, *Le Bestiaire de Paris*, *L'Encre d'après minuit*, *Châteaux d'Espagne*, ainsi qu'un *Bernard Dimey chanté par ses amis*.

de laquelle Yvette Cathiard ne tergiverse pas : « Dimey aura attendu des saisons pour trouver une interprète féminine à la hauteur de sa démesure. »

Alors que se préparaient pour 2006 différentes manifestations poétiques et chantantes autour des vingt-cinq ans de la disparition de Dimey, Charles Aznavour annonçait simplement de son côté : « Je ferai encore probablement quelques chansons de lui… »

Chapitre 39

Retours

Rebelote : après *Édith et Marcel*, Charles Aznavour revient devant la caméra de Claude Lelouch pour *Viva la vie* où il s'appelle Édouard Takvorian (encore un nom qui lui colle bien aux racines !), aux côtés de Charlotte Rampling, Michel Piccoli et Jean-Louis Trintignant. Quand le film sort à Paris en avril 1984, l'infatigable voyageur se prépare à « mettre en boîte » un feuilleton télévisuel en six épisodes sous la direction de Denys de La Patellière : *Le Paria*. Près de vingt-cinq ans après *Un taxi pour Tobrouk*, celui-ci offre à son ami Charles un nouveau rôle important – de redresseur de torts caracolant à cheval dans la garrigue provençale – et l'entraîne surtout dans une aventure inédite à travers son premier téléfilm. À la mi-octobre 1985, au début de la diffusion de la série sur FR3, le nouveau « héros » déclare au quotidien *France-Soir*[1] : « Je suis un fanatique de la télévision depuis toujours. Je fus même l'un des premiers acquéreurs de poste. C'est vrai, la télé a changé la vie des gens. Tourner pour le grand ou le petit écran ? Quelle est la différence ? Je

1. Du 18 octobre 1985, à Catherine Delmas.

ne comprends pas le snobisme anti-télé. Aux États-Unis, les grandes vedettes comme Larry Hagman, le J.R. de *Dallas*, n'ont pas honte d'avoir été révélées par la télé.» Et sur le personnage qu'il interprète, celui d'un exilé revenant au pays, il précise avec une excitation palpable : «Il a refait fortune à partir de rien. C'est un survivant, un gagneur, un battant.» Bref, toute ressemblance avec... D'autant que le chanteur, qui vient de donner deux mégaconcerts à l'Hollywood Bowl de Los Angeles (dix-huit mille places) accompagné par un orchestre symphonique d'une centaine d'instrumentistes, et repart illico vers le Canada, annonce lui-même son grand retour sur une scène parisienne – après sept années d'absence – pour 1987.

Réinstallé en Suisse courant 1984, à Cologny près de Genève, Aznavour passe néanmoins souvent en France, en particulier dans sa maison de Saint-Tropez[1]; et quatre ans avant le tragique tremblement de terre en Arménie, il marque déjà de façon active l'attachement qu'il porte au pays de ses origines. Suite à un entretien paru dans *Le Monde aujourd'hui* (daté du 10-11 juin), où il appelle notamment de ses vœux «un dialogue, une ouverture» entre les Arméniens et la Turquie, il est sollicité par deux journalistes turcs : Ragip

1. À la question «Quel est pour vous le principal défaut de Charles?», son ami Fred Mella répond en riant : «Il achète trop de maisons!» Et, en écho indirect, Patrice Dard souligne avec un zeste de gourmandise : «Nous avons toujours été voisins d'Aznavour. C'est assez extraordinaire! En 1949, lorsque mes parents se sont installés aux Mureaux, la maison d'à côté appartenait à la mère d'Évelyne Plessis, sa seconde femme, et Charles venait parfois. Après *Monsieur Carnaval*, ils se voyaient deux ou trois fois par an avec mon père qui s'est installé en 1966 en Suisse où Charles a débarqué quelques années plus tard... dans la rue voisine! Moi-même, quand j'ai déménagé, je me suis installé à Montfort-l'Amaury, près de Galluis. Et récemment encore, j'ai croisé Charles dans un restaurant près de chez moi... C'est un mec qui a un don d'ubiquité!» (Propos recueillis par Daniel Pantchenko).

Duran, correspondant de la BBC à Paris, et Erol Ozkoray, de *Nokta*, un hebdomadaire culturel turc. Durant près de trois heures, la rencontre, courtoise autant que passionnée, a lieu le samedi 16 juin sous une tonnelle de Paradou, dans les Bouches-du-Rhône. Sous l'intitulé *Le Chanteur médiateur*, Michel Castaing résume ainsi l'échange entre les trois hommes et la position de Charles Aznavour dans *Le Monde* du 20 juin : « Se déclarant "contre la violence", mais "comprenant" le désespoir des jeunes activistes arméniens qui militent pour la "reconnaissance des faits historiques", et soulignant que ceux-ci étaient survenus sous l'Empire ottoman et non sous la République turque, il a de nouveau rendu hommage à "l'intelligence" des responsables d'Ankara tout en disant en substance : il faut être intelligent jusqu'au bout et ne pas laisser des "points d'ombre dans la véritable histoire de son pays". [...] Révélant que M. Ara Toranian, leader du Mouvement national arménien (MNA), avait demandé à le rencontrer et qu'il avait accepté de le recevoir prochainement, Charles Aznavour a répété qu'il n'était pas question pour lui de dépasser un rôle consistant "à mettre des gens de bonne volonté autour d'une table". "Je suis d'abord et avant tout un artiste", a-t-il redit. »

Si elle ne suscite aucun effet immédiat, cette rencontre symbolique s'inscrit dans une année 1986 sombrement agitée, pour ce qui concerne son métier autant que pour la politique française et les événements internationaux. Pour mémoire, rappelons qu'elle s'est ouverte le 14 janvier par la disparition du chanteur Daniel Balavoine, tué dans un accident d'hélicoptère, un soir du Paris-Dakar[1], et que le printemps s'est subitement obscurci, le 25 avril,

1. Venu cette année-là, pour mener exclusivement une action humanitaire, il avait accepté l'offre d'un « baptême de l'air » du directeur de la course, Thierry Sabine, décédé avec lui dans l'accident avec trois autres personnes.

avec l'explosion de l'un des quatre réacteurs de la centrale nucléaire de Tchernobyl, au nord de Kiev (Ukraine), causant officiellement la mort de deux personnes et l'hospitalisation de quelque deux cents autres. Comme plusieurs de ses voisins, le gouvernement français minimise alors le danger. Son président – socialiste – de la République s'appelle François Mitterrand, son Premier ministre, Jacques Chirac : leader du RPR allié aux centristes, ce dernier a remporté les élections législatives de la mi-mars et inaugure la première « cohabitation » de la Ve République. En mai, à la surprise générale, la première chaîne de télévision est privatisée au profit du groupe Bouygues ; en septembre, une vague de six attentats terroristes (se réclamant des Comités de solidarité avec les prisonniers politiques arabes et du Proche-Orient) ensanglante Paris. Dès février-mars, des attentats analogues avaient été revendiqués, une bombe provoquant deux décès sur les Champs-Élysées, le 20 mars…

Pour revenir à l'actualité de notre chanteur, M. Eddie ne faisant plus partie de la maison de disques Barclay, Aznavour a racheté son catalogue (trois cent cinquante-huit titres, selon ses propres chiffres) et choisi une firme indépendante française, Tréma[1] – où enregistrent entre autres Michel Sardou et Enrico Macias –, pour distribuer ses rééditions. En 1985-1986, agrémentés d'un graphisme commun, sont ainsi commercialisés neuf albums 30 cm (ou six CD) regroupant plus d'une centaine de chansons dans un désordre chronologique délibéré, avec au moins trois arrangeurs différents par disque, du classique Paul Mauriat au moderne Del Newman. Parallèlement, piano et synthétiseurs à la clé (en sous-sol de la vaste nouvelle

1. Adjoint alors au diptyque RCA-Ariola.

maison qu'il a désormais achetée sur la colline de Cologny, face au lac Léman), Charles prépare son nouvel album, le premier depuis quatre ans avec des textes de son cru. Du coup, le petit écran l'invite sans plus attendre : le 12 mars 1986, sur Antenne 2, à l'occasion d'un *Grand Echiquier* de Jacques Chancel, Charles reçoit ses amis (et même sa fille Seda dans des chansons traditionnelles arméniennes) et s'offre un duo en duplex de Londres avec Liza Minnelli; le 28, sur TF1, c'est Patrick Sabatier qui l'accueille pour *Aznavour de A à Z*.

À la mi-septembre, sans titre réel, si ce n'est *Aznavour* (avec un cœur bien rouge en guise de « o »), paraît l'album du retour dans l'Hexagone, Roger Loubet et Hervé Roy se partageant les arrangements. Peu inspiré dans les chansons purement sentimentales, à commencer par celle d'ouverture (et de promotion) de l'opus, *Embrasse-moi*, Charles Aznavour se rattrape sur des thématiques plus originales (*Une idée*), gentiment drôle (*La Maison hantée*) ou carrément universelles. Ainsi esquisse-t-il sous un angle singulier un de ses personnages récurrents, usé par le temps au point de se ressembler *De moins en moins* :

Au vent qui passe
Que sont mes espoirs devenus depuis
Tout casse et lasse
Ma vérité n'est pas sortie de son puits

À propos de cette chanson qu'il inscrit dans la « tradition aznavourienne », il répond à Pierre Laforêt, du *Figaro-Magazine*[1] : « Moi, maintenant, c'est le cas de le dire, je supporte "de moins en moins" de choses. Je deviens moins patient au bruit, à la vitesse. Je baisse le son de la télé.

1. Du 20 septembre 1986.

L'action ne me pèse pas, mais la réflexion me permet de dominer davantage la situation et de porter des jugements que je révise parfois [...] Naturellement, je possède un fond d'orientalisme qui me permet de rêver. Mais je suis plus distrait que rêveur. Avant, je ne l'étais pas. Je me sentais plus proche des réalités. Plus attiré par le concret... »

Pour autant, en co-écriture avec Jacques Plante, il aborde ici le douloureux problème du couple déchiré à coups d'avocats (*Toi contre moi*) et surtout *Les Émigrants* (*Tous ensemble*) qui, esprit de fresque et rythme à l'appui, n'est pas sans rappeler *L'Émigrant* de 1954 ou *Les Aventuriers* de 1963 :

Comment crois-tu qu'ils ont fini
Ils ont fini
Laissant un peu de leur génie
Dans ce que l'homme a de tout temps
Fait de plus beau, fait de plus grand

Et l'une des quatre chansons dont Georges Garvarentz a composé la musique, *Rouler*, traite sans périphrase des accidents de la route, sujet que Charles connaît bien pour l'avoir – on s'en souvient – dramatiquement vécu dans sa chair :

Rouler les mains crispées sur le volant
Mettre en péril à tous moments
Des vies pour tenir sa moyenne

Une chanson qui passera complètement inaperçue, au grand dam de son auteur : « Je ne sais pas pourquoi, elle n'a jamais "roulé". Elle est pourtant explicite, elle dit des vérités, et elle restera d'actualité tant qu'il y aura des chauffards. Elle n'est passée qu'une fois à la radio, et la Prévention routière aurait dû s'en emparer, mais elle n'a pas bougé ! »

À cette époque, l'ingénieur du son Mick Lanaro[1] travaille depuis bientôt dix ans avec Charles Aznavour. Enthousiasmé par l'efficacité de ce dernier en studio, il confie à Marc Robine[2] : « Charles reste une exception. Dans ma carrière, j'ai travaillé avec quelques très grands, mais je dois dire que c'est le seul à être capable de tout faire en une seule prise, même si je lui en demandais une deuxième par sécurité. En plus du français, je l'ai enregistré en cinq langues (anglais, italien, russe, espagnol, allemand) et, sous une espèce de désordre apparent, tout était très organisé : Charles savait toujours de quel album il s'agissait, de quelle version, pour quel pays... Il parle très bien l'italien et je me souviens qu'un jour du mois d'août nous avions rendez-vous dans le très beau studio de Jacques Loussier, à Miraval (près de Brignoles), pour enregistrer justement un album en italien. Les play-back étaient prêts (c'étaient ceux du disque correspondant en français) et on s'est retrouvés là-bas à midi. Les deux types de la filiale de Barclay en Italie ont commencé à boire du rosé à quatorze heures, alors qu'on entrait en studio, et quatre heures plus tard, lorsqu'ils sont arrivés en demandant : "Quand est-ce qu'on commence à travailler ?", Charles a répondu : "C'est fini !" »

En cette même année 1986, un nouveau film avec Charles Aznavour à l'affiche a investi les salles de cinéma : *Yiddish connection*. S'il y interprète son septième Juif à l'écran, il en a écrit pour la première fois le scénario : l'aventure de quatre Juifs du Marais qui s'acoquinent avec un séminariste expert en coffres-forts pour bidouiller un hold-up qui prendra un

1. Également producteur qui, la même année, a enregistré *Nougayork* aux États-Unis, avec Claude Nougaro.

2. Le 11 juin 1987. Interview inédite.

tour imprévu... sans que l'honneur du clan soit entaché. «J'ai voulu faire une comédie de quartier, évoquer une communauté où chacun a un vrai rôle à jouer, confie l'artiste à Pierre Montaigne, du *Figaro*[1]. On a abusé, ces temps-ci, des films axés sur une ou deux vedettes, alors qu'en France on a la chance d'avoir quantité de comédiens peu connus et pleins de talent. J'ai voulu qu'Ugo Tognazzi ait aussi un vrai rôle à défendre.» Si le film connaît un certain succès public et si l'on rappelle parfois à son sujet *Le Pigeon*[2] de Mario Monicelli (avec Claudia Cardinale, Vittorio Gassman, Renato Salvatori...), la critique se révélera assez réservée. Avec le recul, Charles Aznavour y voit deux raisons majeures : «Malheureusement, ça a été réalisé avec des moyens trop petits et le metteur en scène[3] était séfarade[4] et pas ashkénaze, ce qui marque toute la différence avec mon histoire. La réaction n'étant pas la même, tout se trouvait un petit peu en porte-à-faux. Je n'y ai pas prêté attention au départ, parce que je pensais qu'un Juif, c'était un Juif. Et, par exemple, je ne suis pas persuadé que si demain on demandait à Woody Allen de mettre en scène une histoire comme *Le Grand Pardon*, il ne serait pas en porte-à-faux! Il ne pourrait pas le faire, il ne serait pas crédible!»

Le 14 octobre de cette année 1986, un livre qui le touche de près sort des presses : *Petit Frère*. Écrit par sa sœur Aïda[5], de seize mois son aînée et dont il se plaît à répéter « c'est ma mémoire», il constitue à la fois un témoignage émouvant

1. Du 27 août 1986.

2. Titre original italien : *I soliti ignoti* (1958), avec Claudia Cardinale, Vittorio Gasmann, Renato Salvatori...

3. Paul Boujenah (le frère de Michel).

4. Nom donné aux Juifs originaires des pays méditerranéens, par opposition aux ashkénazes qui viennent d'Europe centrale.

5. Avec la participation du cinéaste Denys de La Patellière (*op. cit.*).

sur l'histoire d'une famille arménienne et l'une des clés de compréhension du parcours humain et artistique de Charles. Comme en atteste cette simple remarque distillée en passant par Aïda : « Dieu sait si chez nous, les Arméniens, les ambitions, quand elles s'y mettent, peuvent être hautes, ce n'est pas Charles qui me contredira. » Lequel avoue alors : « Ce livre m'a ému au point de me faire pleurer. »

Chapitre 40

Premier Palais, « dernière » rentrée

En janvier 1987, le comédien Aznavour persiste et signe sur le petit écran. Après les six épisodes du *Paria* pour France 3, il en tourne autant à l'intention de France 2, via *Le Grand Secret*, adapté d'un roman de René Barjavel[1]. Déplorant volontiers « le manque de rayonnement de la culture française » et « l'envahissement de nos ondes par des séries de sous-culture américaine », il évoque à cette occasion, dans *Télé-Magazine*[2], son rêve d'une Histoire de France en images destinée aux enfants : « Philippe Noiret serait Henri IV et moi je me réserverais le rôle de Louis XI... » En attendant, il effectue le 14 mars un galop de reconnaissance dans l'émission *Champs-Élysées*, de Michel Drucker, avant d'en être l'invité vedette un mois plus tard (le 18 avril), histoire de préparer activement son grand retour sur une scène parisienne. Interrogé par Geneviève Schurer de *France-Soir TV*[3], son ami le cinéaste Henri Verneuil (également d'origine arménienne)

---

1. Réalisation : Jacques Trebouta, avec notamment Maximilien Schell et la Canadienne Louise Marleau.
2. Du 14 au 21 mars 1987 (Isabelle Basset).
3. Du 11 avril.

souligne leur proximité : « En lui comme en moi resurgit immanquablement ce brin de tristesse ancré dans nos gènes. Vous savez, il existe deux sortes d'Arméniens : ceux qui ont oublié leur racines et pour qui l'intégration est assez simple ; et ceux qui ont gardé le culte de la mémoire tout en se coulant dans le moule de leurs nouveaux univers. Ces deniers ont assimilé deux cultures et ont dû vivre en version originale en même temps qu'en version sous-titrée. Pas toujours facile, mais terriblement enrichissant... » Pour Verneuil, Aznavour constitue l'exemple parfait de cette intégration, « sans jamais rien renier de ses origines ». Préparant alors ce qu'il considère comme le film essentiel de sa carrière, la saga d'une famille arménienne, à partir de son roman *Mayrig* (« maman », en arménien) paru l'année précédente, il annonce : « Il est évident que Charles aura dans mon film un grand rôle dramatique. Il ne le sait pas encore. Votre article risque de le surprendre. Pour moi, c'est un immense comédien et, s'il accepte, je me réjouis de le coincer un bon moment sur mon plateau... » Ce projet ne débouchera pourtant pas : le cinéaste réalisera bien *Mayrig*, suivi de *588, rue Paradis*, en 1991, mais sans Charles et avec comme acteurs principaux Omar Sharif, Claudia Cardinale et Richard Berry.

Comme toujours entre deux concerts aux quatre coins du monde, Aznavour réenregistre parallèlement trente chansons de son répertoire en vue de trois albums qui sortiront... deux ans plus tard. Il fréquente pour cela pas moins de quatre studios différents à Montreux, Lausanne, Londres et... Paris où il ne met en boîte « que les instruments français, [...] comme l'accordéon bien de chez nous », et il précise [1] : « J'ai choisi celles [les chansons] qui

1. À Sophie Fontanel et François Gorin, du *Matin* (9 avril 1987).

me surprenaient. Et puis j'ai été surpris par certains textes, comme *Sa Jeunesse*. Ce qui était nouveau et tentant, c'est que le chanteur d'aujourd'hui est différent de celui d'avant. À force de chanter des petites scènes du quotidien, j'ai appris à être très sobre au cinéma, et le cinéma m'a fait trouver des gestes tout petits pour les récitals. » Et l'article s'achève sur une confidence sans doute un peu prématurée, qui va nourrir les quiproquos et les déductions hâtives : « À partir du 29 septembre, je refais de la scène. Cinq ou six semaines. C'est ma dernière rentrée, je n'en ferai plus. Je continuerai à faire des galas de temps en temps, des concerts pour un soir. Je ne quitte pas le métier. J'arrête la locomotive et je prends un fiacre. »

Au fil de multiples entretiens avec la presse, courant septembre, il reviendra beaucoup sur cette annonce, mais, se méfiant sans doute de son appétit, il l'entourera de nuances : « Si l'on en a envie, on fera de "grandes" rentrées, mais plus sur de longues durées. Plus six semaines, plus de tournées comme j'en ai fait[1] », précise-t-il déjà. Ce qui, dans son esprit, n'exclut rien : « Tout est possible. Comme je veux jouer peu de jours, il sera souhaitable de choisir la salle la plus grande possible, parce qu'il ne s'agit pas de pénaliser le public en lui enlevant des places. Si l'on trouve un théâtre de cinquante mille places, je chanterai un seul jour. J'en ai fait d'énormes, aux États-Unis : cinq ou six mille places assises, auxquelles s'ajoutaient tous les gens installés dans l'herbe avec leur couverture, leur pique-nique... c'est-à-dire vingt à vingt-cinq mille personnes. Et ne vous y trompez pas, le rapport est le même : je crois que l'intimité, ça se crée partout. »

1. À Daniel Pantchenko, pour un article paru le 22 septembre 1987 dans *L'Humanité*.

Cela dit, le choix du « Palais » répond alors aussi à des considérations commerciales, ce que Charles Aznavour évoque lui-même dans son livre de 2003, *Le Temps des Avants* : « Les transactions avec Jean-Michel Boris – directeur artistique qui avait pris la relève de Bruno Coquatrix –, de l'Olympia, n'ayant pas abouti, nous avons, Lévon Sayan[1] et moi, choisi de faire ma rentrée au Palais des Congrès. » Bien que ce choix leur ait été déconseillé par de nombreux « amis » du métier, Aznavour y suscitera une ovation inégalée lors de la « première » parisienne.

De fait, si pour la précédente (l'ultime à l'Olympia, en 1980), la presse s'était montrée plutôt clémente à l'égard du chanteur, il y flottait néanmoins des ondes peu amènes, de nombreux spectateurs continuant d'entrer alors qu'il était déjà sur scène : « Les premières ne m'ont jamais été très sympathiques, confirme l'intéressé. Je pense que la première à l'être sera celle de cette année. Parce que, maintenant, que voulez-vous, celui-là même qui voudrait critiquer serait de mauvaise foi ! On ne peut pas critiquer ma carrière. J'en ai fait trop. On ne peut pas dire que le monde entier a tort et qu'une personne a raison. Alors, tout le monde ne sera peut-être pas sincère, mais ce sera ma première rentrée unanime...[2] »

Il enthousiasme en tout cas Jean Macabiès, du *Figaro*[3], qui note : « Aznavour 87 s'est fait refaire le costume noir de la légende dorée ; il a habillé ses anciens succès d'orchestrations nouvelles. Et les voilà qui resurgissent, comme décapés, astiqués par un coup de chiffon, brillant de mille feux intacts. » Après avoir rappelé la frénésie d'antan

1. Manager officiel de Charles Aznavour depuis 1981 (voir entretien en Annexes).
2. À Daniel Pantchenko (22/09/1987).
3. Du 2 octobre 1987.

du chanteur, il ajoute : « Aujourd'hui, avec des moyens totalement différents – une grande économie de gestes et une intériorité plus fouillée –, il parvient au même résultat : cette sorte d'extase silencieuse, cette joie contenue qui nous a fait écouter *Sur ma vie* chanté a cappella devant le rideau refermé. » Le même jour, son confrère Aurélien Ferenczi, du *Quotidien de Paris*, titre « Immuable » son article : « Immuable, Aznavour l'est, sûrement. Ce sont les autres qui changent, bougent, apparaissent ou disparaissent. C'est ce qui frappe le plus lors de ce récital : des artistes de cette trempe, de cette assurance (vocale et scénique), de cette ampleur, il n'y en a pas beaucoup. Car le Palais des Congrès est un navire qui ne se conduit pas aisément : froid, austère, un peu trop grand (surtout si l'on est séparé de la vedette par un parterre de stars endimanchées, de Liza Minnelli à Emmanuelle Béart). Aznavour y paraît aussi à l'aise que s'il était dans son jardin : peut-être cette assurance n'est-elle qu'une apparence, un masque, elle est en tout cas le reflet d'un métier dominé et maîtrisé. Chapeau ! »

Constitué de deux parties, le spectacle[1] reprend beaucoup de succès éprouvés (*Non je n'ai rien oublié*, *Je m'voyais déjà*, *Tu t'laisses aller*, *Comme ils disent*, *La Bohème*, *La Mamma*...), mais s'ouvre sur des chansons des deux derniers albums, et d'abord du tout nouveau. Des onze titres qu'il comporte, l'un des plus savoureux jaillit très vite, prolongeant les confidences distillées aux journalistes : *Je ne ferai pas mes adieux*. Dans un esprit certes différent du *Trompe la mort* de son ami Brassens en 1976 (« C'est pas

1. Objet d'un enregistrement public en deux 33 tours (puis deux CD), commercialisé la même année, et où l'on note la résurgence de deux vénérables pionnières : *Destination inconnue*, sous-titre original de *Départ express* (1948), et *Poker* (1953).

demain la veille, bon dieu / De mes adieux »), il témoigne d'une verve jouissive pour vilipender les collègues par trop égocentriques entre « retraite » médiatiquement anticipée et autres « fausses sorties » (« On compte sur la main ceux qu'ont quitté la scène / Les autres le public leur a repris les clefs »), et se lâche carrément devant tant d'infantilisme :

Avouez que des coups de pied au cul se perdent
Les "je pars", "j'en peux plus", les "coucou c'est re-moi"
Avec un nouveau look, un nouveau son, et merde
Tu restes ou tu t'en vas, mais t'en fais pas un plat

Cela dit, le malin se ménage une porte de sortie. Bien qu'il ait déclaré à Patrick Poivre d'Arvor[1] : « Des adieux publics, il n'y en aura jamais. Quand je suis arrivé, ça n'a pas fait de bruit. Quand je partirai, je le ferai donc sur la pointe des pieds », il termine sa chanson par « À moins que je change avec l'âge ».

Beaucoup plus dense que le disque précédent (phénomène rare, Aznavour a peu écrit entre 1981 et 1987[2]), ce nouvel album comprend trois chansons « dures » : de fibre célinienne, la toute première, *Je bois*, évoque le naufrage d'un couple jusqu'à la haine (« Je bois pour échapper à ma vie insipide / Je bois jusqu'au suicide / Le dégoût la torpeur ») ; d'une tonalité voisine, *Je rentre chez nous* livre l'autoconfession d'un homme infidèle de retour au bercail, le sexe et le cœur en berne (« Ouvertes ou fermées, mes prisons sont en moi / Ma vie n'est pas ma vie, si tu n'en es le centre ») ; de son côté, *L'Aiguille* constate avec une tendresse

1. Pour *Le Journal du Dimanche*, 27 septembre 1987.
2. « Au cours des trois dernières années, j'ai écrit vingt chansons. C'est rien ! Et les trois années d'avant, je n'ai rien écrit du tout. Il faut prendre le temps d'emmagasiner. Si l'on écrit trop, parfois, ce que l'on a emmagasiné ne suffit pas » (À Daniel Pantchenko, interview de 1987 déjà citée).

pudique, impuissante, culpabilisante, l'effet mortel de la drogue et son gâchis humain :

En regardant fleurir
Tes printemps pleins de grâce
Je n'ai pas sous tes rires
Éventé tes angoisses
Peut-être pas non plus assez dit que je t'aime
Ni suffisamment pris le temps d'être avec toi

Autour de ce noyau âpre évoluent plusieurs chansons de la meilleure eau, dont la lyrique adaptation d'un texte de Bernard Dimey (*Les Bateaux sont partis*) et deux reprises fameuses (*Te dire adieu* – ex-*Je veux te dire adieu*, où une musique d'Aznavour remplace désormais celle de Bécaud – et *Les Bons Moments*). À propos du plus convenu *Je t'aime tant*, Georges Garvarentz (qui en a composé la mélodie ainsi que celles de *Je bois*, *L'Aiguille* et la néo-brésilienne *Saudade*) précise dans le quotidien *Libération*[1] en parlant de son beau-frère : « À plus de soixante ans, il se voit mal dire avec des mots simples : "Viens pleurer au creux de mon épaule. » Quand il chantait, il y a plus de trente ans, "Tu passes ta main dans ma chemise entrouverte", c'était osé. Mais, aujourd'hui, il ne veut même pas chanter sur scène la chanson tube du disque, *Je t'aime tant*. [...] Il a tort, parce qu'il est mignon et bien conservé. Sinatra, lui, ça ne le gêne pas... Charles est un être pudique. Trop, je crois. »

Garvarentz révèle encore que s'il apparaît comme coproducteur du disque avec Charles (Roger Loubet ayant « arrangé » six titres, Hervé Roy trois, Bernard Gérard un, ainsi que S. Jeffries), ils assurent en réalité tous deux la direction artistique « depuis très longtemps ». Enfin,

1. Du 29 septembre 1987, à Philippe Conrath et Rémy Kolpa-Kopoul.

amusante coïncidence, la plupart des titres jonglent avec l'écho au présent ou au passé : *Dormir avec vous madame* avec *Quand tu dors près de moi* (musique de Florence Véran, la complice des débuts) ; *Te dire adieu* avec *Je ne ferai pas mes adieux* ; et, curiosité empreinte de récurrence, *Je bois* rappelle un très ancien *J'ai bu* (en attendant le futur *Buvons* de la comédie musicale *Lautrec*), comme *Je t'aime tant* évoque le *Je t'aimais tant* de 1964.

Début 1988, le chanteur se prépare à offrir un bonus scénique aux Parisiens. « Face au succès phénoménal de sa tournée en France, écrit Monique Prévot dans *France-Soir*[1], Charles Aznavour nous redonne un petit tour de valse au Palais des Congrès – du 12 au 17 avril – avant de s'envoler pour l'Argentine, le Brésil, le Japon, l'URSS et Broadway à nouveau dans un an et des poussières… » Lequel Aznavour, conscient d'une certaine ambiguïté flottant dans l'air, lui a précisé : « On a parlé d'adieux à la scène. En fait, ce sont des adieux à une forme de prestation. Des galas, j'en ferai toujours. Ce que je ne veux plus, c'est le côté mécanique de la chose. C'est pourquoi, en tournée, j'espace toujours les dates. J'ai besoin de revoir mes enfants, signer leurs livrets, lire leurs notes de classe. Tout cela fait partie de mon équilibre et de mon bonheur. » Et, à propos de sa tournée hexagonale, il ajoute : « Pour tout vous dire, ce qui m'a le plus enthousiasmé, ce fut de redécouvrir la France profonde. Je parle comme un ministre, mais c'est vrai. Quatorze ans que je n'avais plus goûté ça… »

En cette année 1988 où le socialiste François Mitterrand est réélu président de la République française devant

1. Du 12 avril 1988.

Jacques Chirac[1] (son Premier ministre), la conjoncture internationale annonce déjà un futur chaotique et sanglant. Si l'Armée rouge a entrepris de se retirer d'Afghanistan à la mi-avril, l'Irakien Saddam Hussein a étouffé la rébellion kurde un mois plus tôt à coups de bombardements chimiques sur la ville d'Halabja[2], causant plus de cinq mille morts et contaminant plus de vingt-cinq mille personnes. En novembre, c'est à propos de tueries d'Arméniens, en Azerbaïdjan[3], que Charles Aznavour va donner libre cours à sa « colère » dans un article de *France-Soir*[4] : « Devant ces massacres, nous sommes tous impuissants. Que faire ? Manifester devant les ambassades ? Après ce qui se passe en Azerbaïdjan, on ne pourra plus jamais nier le génocide arménien survenu de 1915 à 1917. [...] Que peuvent faire les Arméniens là-bas en URSS ? Trois millions d'Arméniens en Arménie contre cinquante, soixante millions de musulmans qui les entourent ? C'est la vieille haine contre les chrétiens qui ressort, ce n'est pas une question territoriale. »

1. Jean-Marie Le Pen, du Front national, avoisinant les 15 % de suffrages au premier tour.

2. La guerre Iran-Irak s'achèvera le 20 août. Trois mois plus tard, le 8 novembre 1989, un nouveau président est élu aux États-Unis : George Bush (père)...

3. Région autonome rattachée à l'Azerbaïdjan lors de la soviétisation du Caucase en 1921-1923, le Haut-Karabakh compte 160000 habitants, dont 80% d'Arméniens. Le 11 février 1988, une manifestation a rassemblé à Stepanakert (capitale locale) près de la moitié de cette population pour demander le rattachement du Haut-Karabakh à l'Arménie ; peu après, le soviet, puis le parti communiste de la région le revendiquent à leur tour. Les 25 et 26 février, un million d'Arméniens investissent en soutien les rues d'Erevan. Le 28, en réaction, des milliers « d'Azéris turcophones » manifestent à Sumgaït (Azerbaïdjan) : officiellement, trente-deux Arméniens sont tués ; officieusement, il seraient plus de cinq cents, avec des milliers de blessés. On parle de pogrom... Courant septembre, les manifestations de masse et les troubles interethniques reprennent (source *Encyclopædia Universalis*).

4. Du 28 novembre (par Joseph-J. Jonas).

Outre la gravité de la situation, l'« arménité » de Charles Aznavour est d'autant plus résurgente qu'un disque de sa fille Seda est paru peu de temps auparavant, réunissant l'ensemble de la famille : *Chants traditionnels arméniens made in USA*. Enregistré au Quad-Tack Studio d'Hollywood pour la partie musicale (orchestre d'Armen Aharonyan sur neuf des dix titres harmonisés par Georges Garvarentz et sa femme Aïda productrice pour l'occasion) et au studio Damien de Paris [1] pour les voix, l'album offre deux exceptionnels duos père-fille : celui de Charles et Seda dans *Yes kou rimet'n tchim kidi* (Je ne connais pas tes mérites) ; celui de Mischa et Aïda, dans *Sirerk* (Chant d'amour), seul morceau avec l'orchestre de Bernard Gérard et une harmonisation d'Aïda Aznavour et Kevork Yamberian. Mais l'« arménité » de Charles va trouver une tout autre raison de s'affirmer, dramatique au possible, avec le tremblement de terre qui va endeuiller le pays de ses racines.

1. Le mixage ayant lieu au studio Guillaume Tell (par Roland Guillotel).

VI

UN HOMME DU MONDE

Chapitre 41

Pour l'Arménie

S'il avait – fût-ce confusément – caressé l'idée de ralentir l'allure, le saltimbanque Aznavour va l'oublier très vite, emporté par un autre tourbillon, une autre logique d'essence viscérale. « Charles sera l'honneur du peuple arménien, et une gloire pour la France... », avait prophétisé Missak Manouchian. La terrible catastrophe qui frappe alors l'Arménie va souligner la dimension humaine de l'artiste et lui conférer un statut planétaire unique, lui dessiner une aura définitive d'homme du Monde.

Le mercredi 7 décembre 1988 à 11 h 41, un tremblement de terre d'une puissance phénoménale dévaste le nord de l'Arménie, détruisant presque entièrement la ville de Spitak (50 000 habitants) et en partie celles de Leninakan (30 000) et Kirovakan (200 000). L'étendue des zones sinistrées, la densité de leur population et l'inadaptation technique des bâtiments aux normes sismiques expliquent la gravité du bilan : de source soviétique, on parle de 25 000 morts, mais on avancera plus généralement le chiffre de 30 000 à 55 000, voire 100 000 victimes selon certains. Face à une telle catastrophe, les autorités locales (dont de nombreux responsables administratifs ont été tués) sont largement dépassées et les services publics paralysés. Sur le plan international, la mobilisation s'organise et plus de quatre-vingts avions se rendent sur place, chargés de matériel de secours.

De son côté, Charles Aznavour a immédiatement réagi et fondé un comité « Aznavour pour l'Arménie ». À chaud, il déclare à l'hebdomadaire *Paris-Match*[1] : « Léninakan[2] est le berceau de ma famille, dont je n'ai aucune nouvelle. Dans la situation actuelle, ma famille se compose de tous les Arméniens. Jusqu'ici, je disais toujours : "Je suis français d'origine arménienne." Après le choc, je me suis rendu compte que j'étais vraiment d'origine arménienne. » Et il se fixe un objectif essentiel : « Il y a 25 000 enfants à sauver. Nous souhaitons que les familles déshéritées puissent adopter les enfants. C'est pour cela que nous collectons de l'argent, car il faut que les enfants restent arméniens, la race n'est déjà pas très importante. S'ils étaient adoptés par des familles russes, ils perdraient leur identité. Nous aussi, les Arméniens de la diaspora, nous sommes prêts à en adopter. »

Bien que le numéro un de l'URSS, Mikhaïl Gorbatchev, ait – dès l'issue de sa visite en Arménie[3], le 10 décembre – dénoncé les rumeurs concernant des « déportations » d'enfants arméniens en Russie (« Croyez-vous aussi que nous

1. Du 22 décembre 1988.

2. À Léninakan, un seul des huit établissements scolaires existants est resté debout ; sur deux cent cinquante étudiants de l'Institut d'informatique, seuls cinq ont survécu.

3. Dont la dénomination officielle est alors : la RSS (République socialiste soviétique) d'Arménie.

allons déporter les Arméniens en Sibérie ?... »), les autorités soviétiques arguent de la situation pour décréter le couvre-feu à Erevan et dans la zone du séisme, et arrêter les onze membres du Comité Karabakh. À la tête de ce mouvement né l'année précédente autour de l'idée d'unification du Haut-Karabakh avec l'Arménie, figure Lévon Ter Pétrossian, le premier futur président de l'Arménie indépendante.

Dans ce contexte difficile, pour collecter des fonds et déployer une aide maximale, Charles Aznavour use de son prestige et de ses réseaux de star mondiale : des collectes sont organisées en Argentine, un gala prestigieux est prévu fin janvier 89 à Los Angeles (suivi d'un disque) [1], de nombreux artistes anglais et allemands se mettent à la disposition de Charles... Lequel écrit sans tarder une chanson d'espoir au texte délibérément très simple, *Pour toi Arménie* (« Tes printemps fleuriront encore / Tes beaux jours renaîtront encore / Après l'hiver / Après l'enfer / Poussera l'arbre de vie / Pour toi Arménie »), qu'enregistre un « Band Aid » hexagonal de quatre-vingt-sept artistes (d'Adamo à Zaniboni [2]) le 6 janvier, jour du Noël arménien. Cet hymne humanitaire entre d'emblée en tête du Top 50 et va se vendre à plus d'un million d'exemplaires. Son compositeur, Georges

1. Des concerts ont également lieu en France, dont celui du 18 décembre animé par Jean-Louis Foulquier à l'Olympia (à l'initiative de l'association France-URSS avec de très nombreux artistes : Colette Magny, Francesca Solleville, Michel Legrand, Marcel Amont, Alexandre Lagoya, Guy Béart, Isabelle Aubret...) et celui du 23 décembre salle Pleyel, avec notamment Daniel Barenboïm et Patrice Chéreau.

2. Plus Barbara, qui n'a pas souhaité que son nom apparaisse. Si le panel s'avère très large (Bécaud, Carlos, David et Jonathan, Dorothée, Distel, Drucker, Hallyday, Patricia Kaas, Mireille Mathieu, Renaud, Sardou, Hervé Vilard...), Aznavour ayant quatre ans plus tôt reproché aux « Chanteurs sans frontières » (pour l'Éthiopie) leur sélection « branchée », on constate à l'inverse l'absence de la plupart de ces derniers, à commencer par le couple Berger-Gall, Goldman, Cabrel, Sanson et Le Forestier...

Garvarentz, confiera un peu plus tard[1] : « *Pour toi Arménie* est la chanson que j'ai écrite le plus vite de ma vie. Avec Charles, on l'a bouclée dans la nuit du 23 décembre. Elle est construite comme une montagne, en crescendo. C'est le secret de son succès. Grâce à elle, le monde a posé son regard sur l'Arménie. Elle restera le prolongement de notre mémoire collective. C'est toute la force de la musique. » En bonne logique, c'est le cinéaste et ami Henri Verneuil qui réalise le vidéo-clip.

Le 4 février 1989, Aznavour se rend lui-même en Arménie où il ne peut que constater le désastre et l'ampleur de la tâche à accomplir. Le 6, au cours du journal télévisé de TF1, il déclare : « Je suis arrivé ici avec le statut d'un homme d'État, d'un sauveur ; c'est trop pour un homme comme moi. » Littéralement submergé par la foule, il ajoute : « Ils attendent que je reconstruise, que je m'occupe des orphelins, des prisonniers du Comité Karabakh. Je vais m'en occuper avec les autorités locales. Le fait de les garder trop longtemps emprisonnés en ferait des martyrs[2]. Ce n'est bon pour aucun pays et aucune politique. »

Le lendemain 9 février, c'est le président François Mitterrand qui accueille Charles Aznavour à l'Élysée. À croire que les décennies se suivent et ne se ressemblent pas : la précédente lui avait valu d'être montré du doigt et lourdement sanctionné par la justice fiscale de son pays ; celle-ci l'élève – des mains mêmes du plus haut personnage de l'État – au grade de chevalier de la Légion d'honneur. Distinction que le chanteur apprécie, avec le recul par un de ces jeux de mots qu'il affectionne : « On m'a fait chevalier, moi qui voulais être Aznavour… »

1. Dans *Télé-Poche* du 20 mars 1989.
2. Ils seront libérés fin mai.

Cette année 1989 reste cependant indissolublement marquée, pour lui, par le drame arménien, et, le 9 avril, ce sujet occupe encore une place centrale dans l'émission *Sept sur sept* de TF1, que la journaliste Anne Sinclair consacre d'ordinaire à des hommes politiques. Comme elle insiste sur le fait qu'il se trouve pour la première fois « engagé », il rectifie : « C'est un peu une fausse idée, car chaque fois qu'on a eu besoin de moi pour une œuvre... J'ai été le premier à faire des galas pour Perce-Neige[1]. [...] J'en ai fait pour la myopathie, pour l'Unicef... J'en ai fait à travers le monde, mais disons que, jusqu'ici, je n'étais pas engagé comme président d'une association. Tout à coup, je me suis rendu compte que là, on avait besoin de moi, que j'étais la voix la plus importante de la diaspora arménienne, et que peut-être, justement, ma voix pouvait être utile pour aider le sort malheureux de mes compatriotes. »

Il n'en demeure pas moins vrai que l'« engagement » d'Aznavour prend ici une dimension particulière, puisqu'il va jusqu'à descendre dans la rue (aux côtés d'Henri Verneuil), le 14 octobre 1989, place du Trocadéro, lors d'une manifestation parisienne de soutien aux Arméniens d'URSS pour protester contre le blocus des secours aux sinistrés du séisme. De fait, alors qu'on commémore les deux cents ans de la Révolution française, le monde vit une période historique clé, craque de partout – particulièrement à l'Est – et convoque l'avenir en cette fin d'année : les 9 et 10 novembre, le mur de Berlin tombe ; le 14 décembre, le dictateur chilien Pinochet quitte le pouvoir ; le 25, ses

1. Association loi de 1901 créée en 1966 à l'initiative de l'acteur Lino Ventura. Lui-même père d'une enfant handicapée mentale, il avait fixé deux buts essentiels à cette association : « agir pour que la collectivité prenne en compte ces enfants "pas comme les autres" » [...] et « agir pour changer le regard » que la société porte sur l'ensemble des personnes handicapées.

homologues roumains, Nicolae et Elena Ceaucescu, sont fusillés ; le 29, l'écrivain Vaclav Havel est élu chef de l'État en Tchécoslovaquie. Aznavour, lui, a décidé de passer Noël en Arménie où une équipe d'Antenne 2 l'a suivi [1]. En un an, son association « Aznavour pour l'Arménie » a recueilli près de vingt millions de francs, mais cette somme n'a pas encore été utilisée. À Edmond Bakaloglou, de *France-Soir* [2], il explique : « Je veux bien débloquer l'argent tout de suite, mais ça ne servirait à rien tant qu'on ne peut avoir un accès facile à cette contrée. Je veux une liaison directe par air, ou par route qui nous permette de faire passer l'aide sans pertes. » Dès lors, son voyage prend un tour politique, et il rencontre le ministre arménien de la Culture et un représentant de l'opposition nationaliste [3], ainsi que des chanteurs arméniens qui viennent d'enregistrer sa chanson dans leur langue, vidéo-clip compris.

Mais Charles Aznavour reste avant tout un artiste. S'il ne donne – entre deux pérégrinations planétaires – que quelques concerts en France, il sort en juin 1989 les trois albums de reprises de son répertoire initial que nous avons déjà évoqués. Déclinant une affiche dessinée (de Folliette), par une manière de zoom sur le chanteur en scène, le triptyque passe de *L'Éveil* à *L'Élan*, jusqu'à *L'Envol*, les disques étant respectivement sous-titrés par une de leurs dix chansons : *Sur ma vie*, *Au creux de mon épaule* et *Sa Jeunesse*. Au sujet de ces réenregistrements, Charles Aznavour confie

1. Émission en date du 8 janvier 1990.
2. Du 16 décembre 1989.
3. En février 1990 (peu après que des pogroms anti-arméniens ont eu lieu à Bakou, en Azerbaïdjan, à l'instigation d'Azéris ayant fui l'Arménie, et que l'armée soviétique a dû intervenir), le Mouvement national arménien (MNA) issu du comité Karabakh devient majoritaire au Parlement arménien. En août, Lévon Ter Pétrossian y est élu président.

à Hélène Hazéra, de *Libération*[1] : « Je faisais *Casino Parade*[2], il y a deux ans, et, comme d'habitude, j'avais repris une vieille chanson : *Après l'amour*. Au premier rang, il y avait plein de jeunes : "Vous allez l'enregistrer ?"... Et puis, dans *Coup de sang*, le film avec Piccoli et Sandrine Bonnaire, au début ils récitaient *Parce que*. On m'a dit : "C'est vrai, c'est de vous ?" Alors j'ai décidé de les réenregistrer sans trahison. » Soucieux d'une certaine justification, il ajoute : « Le disque original de *Destination inconnue*, avec Roche et Aznavour, est inaudible ! Avec Polydor, nous n'avions eu droit qu'à une seule prise, l'orchestre a fait des fautes de mesures ! On s'est rattrapés vaille que vaille, et on a quand même vendu des disques, mais je ne peux pas montrer ça avec la voix de Roche, nasillarde ! À l'époque, on faisait des arrangements sur trois harmonies ! J'avais déjà refait ces disques il y a dix-huit ans[3] avec Quincy Jones. Le public a été désarçonné... c'était trop américain. Mais là ! Pour *Vivre avec toi*, on a pris un orchestre de "tanguistes". Je fais *Fraternité* avec un hauboïste classique ! Quant à *Pour faire une jam* et *J'aime Paris au mois de mai*, j'ai jeté trois fois l'orchestration ! »

Néanmoins, les purs amateurs d'Aznavour auront sans doute peu trouvé leur compte dans ce repeignage au goût du jour (sinon du marché) concocté sous la houlette anglaise de S. Jeffries et P. Shart, d'Atlantic Seven Music[4]. Hormis les quelques réussites qu'évoque le chanteur dans l'article de *Libération* (en particulier l'esprit très tango que donne l'accordéoniste Richard Galliano à *Vivre avec toi*, le swing bien senti insufflé par Aldo Franck à *Pour faire une jam*, et

1. Du 20 juin 1989.
2. Émission de RTL.
3. Plutôt vingt-cinq, les trois premiers disques de réenregistrements (où l'on retrouve ces chansons) datant de 1963 et 1964, le quatrième de 1968.
4. Pour Musarm Productions, dirigé par Lévon Sayan.

son sens de l'épure avec le seul pianiste Éric Berchot pour *Sa jeunesse*, le classicisme inspiré de Jean Claudric dans *Fraternité* – sur le poème d'André Salmon), l'ensemble se révèle décevant, malgré la voix impeccable de l'interprète. Symptomatiquement chargés (ou des plus malvenus à la sauce disco pour *Poker* et surtout *Ay mourir pour toi*), les arrangements de S. Jeffries ne réussissent à convaincre qu'à travers l'influx gospel du *Chemin de l'éternité*, ses compatriotes R. Mathews et J. Stringle/N. Sidwell tirant respectivement leur épingle du jeu, côté swing, grâce à *Mon amour* et à *Quand tu vas revenir*. Dommage.

Trois mois plus tard, le soir du réveillon de Noël, Charles est l'invité vedette d'une émission compilatrice, *Les Bons Moments*[1], où il voyage au pays des souvenirs et converse joyeusement dans un train avec Serge Lama, Jean-Claude Brialy, Pierre Mondy et Michel Galabru. Au gré des séquences, on le retrouve dans de très nombreux duos : avec Serge Lama, Annie Cordy, Petula Clark, Nana Mouskouri, Julien Clerc, France Gall, Sylvie Vartan et Sacha Distel, Claude François – en italien –, Mireille Mathieu, Elsa pour le final sur *Les Bons Moments*, carrément avec lui-même dans *Mes emmerdes*, et, instant plus rare, en bras de chemise avec Georges Brassens à la guitare[2] dans *Mimile*[3] (créé par Maurice Chevalier) et *Boum* de Charles Trenet. « Brassens imitait Mariano et faisait des claquettes », glisse alors Aznavour à ses complices de voyage ferroviaire. Et il précise aujourd'hui : « On a enregistré un pot-pourri. Georges ne voulait pas faire ce genre de choses, mais

1. Le 24 décembre 1989 sur FR3.

2. Avec Pierre Nicolas à la contrebasse et Joël Favreau à la seconde guitare.

3. *Mimile* (Un gars d'Ménilmontant), de Jean Boyer et Georges Van Parys, 1936.

comme il m'aimait bien, il a accepté, à une condition : "On ne le fait qu'une fois !" Alors j'ai dit aux cameramen : "Ne vous gourez pas !" Finalement, j'ai rencontré plus souvent Brassens que Brel... »

Chapitre 42

Avec Liza

Au cours de cette période, largement préoccupé par les événements internationaux – à commencer par la situation en Arménie –, Charles Aznavour se détache quelque peu du tour de chant où il ne se sent plus tout à fait lui-même. Le 14 décembre 1990, il déclare à *France-Soir*[1] : « La scène devenait une habitude. Je n'ai plus envie d'en faire. Je chante depuis si longtemps maintenant que, pour reprendre, j'attends de retrouver de vraies sensations. Il faut qu'Aznavour redevienne Aznavour. Et puis, je ne veux pas faire de la surenchère. Quand je branche ma télé et que je vois toujours les mêmes faire leur promotion dans les émissions dites de variétés, je suis effrayé. Je voudrais leur dire : "Arrêtez ! Vous êtes en train de vous brûler !" »

Ces « sensations » ne tarderont guère à revenir, mais il est vrai qu'après une année 1989 déjà dense sur le plan historique, d'autres bouleversements encore plus décisifs vont jalonner les deux années suivantes. En Arménie, le 23 août 1990, le nouveau pouvoir, dominé par le

1. À Edmond Bakaloglou.

MNA, proclame la souveraineté du pays qui devient la République d'Arménie. Les affrontements se multiplient entre Arméniens et milices azéries, l'Armée rouge tente officiellement de les désarmer, mais Mikhaïl Gorbatchev a d'autres chats à fouetter : le 19 août 1991, à Moscou, il essuie une tentative de putsch. Si celui-ci échoue, il va l'écarter à jamais du pouvoir au profit de Boris Eltsine. L'armée soviétique se retire alors du Caucase, laissant les deux camps ennemis face à face : le 23 septembre 1991, l'Arménie devient véritablement indépendante. Et, ahurissant coup de théâtre, l'URSS ne passera pas l'année : le 21 décembre, elle est remplacée par la Confédération des États indépendants (CEI) [1].

Sur ces années de guerre et d'espoir, à la fois douloureuses et fondatrices, où l'Aznavour citoyen du monde a supplanté le chanteur, celui-ci dit avec le recul : « Mon arménité a fait surface. Elle aurait pu le faire avant, mais il n'y avait pas de vraies raisons. Je n'aimais pas le régime soviétique en Arménie, mais ils avaient de quoi vivre. Et puis, après le tremblement de terre et la fin de ce régime, c'est devenu très difficile. À partir de ce moment-là, il a fallu se mobiliser, et quand on se mobilise, on sacrifie quelque chose. Ou il fallait sacrifier l'Arménie, donc un peuple, ou il fallait sacrifier un public. J'ai sacrifié le public. Mais, aujourd'hui, c'est rentré dans l'ordre, ce n'est plus pareil. C'est très difficile d'avoir une association pour l'Arménie (ou tout autre, d'ailleurs), parce qu'il faut aller chercher de l'argent, ce qui est très dur : la plupart du temps, il sort de nos poches, de celles de Sayan

1. Autre événement capital qui conditionne encore la politique mondiale actuelle, le 2 août 1990, l'Irak envahit le Koweït. Le 17 janvier 1991, la guerre du Golfe commence : placées sous commandement américain, les forces occidentales bombardent les deux pays. Le 27 janvier, l'armée irakienne est défaite et Saddam Hussein contraint à accepter les résolutions de l'ONU.

et des miennes. [...] C'est toujours pareil : ou vous faites de la publicité pour une œuvre, ou vous vous y impliquez complètement, et à partir de ce moment-là ça vous coûte votre temps, votre argent, et ce que vous ne gagnez pas. J'ai pensé qu'à mon âge et avec ce que j'avais réussi dans ma vie, je pouvais me le permettre. »

S'il chante peu alors, Charles Aznavour réapparaît sur les écrans. Au cinéma, dans *Mangeclous*, de Moshé Mizrahi (d'après l'œuvre d'Albert Cohen), il incarne en 1988 un ashkénaze de Genève nommé Jérémie dans une nouvelle et savoureuse histoire juive, aux côtés de Pierre Richard, Bernard Blier, Jacques Dufilho, Jean Carmet... L'année suivante, il tourne dans une production belgo-française (qui ne sortira – discrètement – en France qu'en 1992) mise en scène par Marion Hänsel, *Il Maestro*, une affaire d'imposture et de rivalité musicales sur fond de Bach, Schubert et autre Tchaïkovski, où il affronte particulièrement l'acteur britannique Malcolm McDowell. Le comédien Aznavour tient par ailleurs le rôle principal d'une future série télévisée (pour TF1, cette fois) de six épisodes : *Le Chinois*, un retraité d'Interpol repris par le virus de l'enquête, un personnage plutôt « débonnaire » à la Navarro.

En septembre 1991, deux mois avant une rentrée parisienne au parfum bilingue avec Liza Minnelli, le chanteur sort un nouvel album au titre anticipatif : *Aznavour 92*[1]. Confiant volontiers à la presse qu'une certaine paresse du moment l'a incité à solliciter son Garvarentz de beau-frère (à nouveau réalisateur de l'opus) pour les mélodies de six des onze chansons, il reprend au passage deux anciens

1. En décembre 1990, Charles Aznavour a en outre participé à un enregistrement de *Pierre et le Loup* (chez Deutsche Grammophon) dirigé par Claudio Abado.

titres : *Je te regarde* (daté de 1981) et *Vous et tu*, déjà gravé par Philippe Clay (1982) et Jean-Claude Pascal (1983), clin d'œil musical à Offenbach sur allusion vacharde à une « grande artiste » parisienne « de gauche » aussi « divine » que « pasionaria », mais qui se révèle être « dans l'intimité, la plus formidable salope »... Servi par quatre arrangeurs (Roger Loubet, Jean Claudric, Hervé Roy, Bernard Gérard), le disque aborde avec un bonheur inégal les différentes facettes et thématiques chères au chanteur : le lyrisme du sentiment amoureux (*Napoli chante*), les affres du couple dans la tourmente (*Je n'aurais pas cru ça de toi*, *À contre amour*[1]), l'inéluctabilité du temps entre nostalgie (*Chanson souvenir*), tendresse photographique maison (*L'Album de toi*) et regrets (*Dix Ans trop tôt*). Une chanson, douloureuse et tragique, annonce une écriture serrée, de plus en plus présente au fil des albums : *La Marguerite*.

C'était la Marguerite ange de nos seize ans
On l'a trouvée un soir inconsciente au printemps
Violée souillée baignant dans ses larmes et son sang

« Une chanson sur le viol, qui n'a pas vraiment accroché, déplore aujourd'hui Charles Aznavour ; mais j'en écrirai une autre, parce que, vous savez, je suis un obstiné. Peut-être qu'avec *La Marguerite*, je n'ai pas trouvé exactement la manière de le dire. C'est peut-être trop poétique, pas assez direct... » Mais quand on lui dit : « Justement, moi, ça me plaît davantage », on déclenche la réponse et l'amusant dialogue suivants :

« Moi aussi !

1. Musique de Jacques Revaux, compositeur de très nombreux succès de Michel Sardou et cofondateur du label Tréma avec Régis Talar.

– D'ailleurs, chez vous, si j'adore énormément de chansons, certaines, dont j'aime moins le texte, me touchent quand même grâce à la voix, la musique…

– Ouais ! En mettant beaucoup de sucre, on fait passer le mauvais café…

– Ce n'est pas ce que j'ai dit !

– Non ! [*éclat de rire*] Ça, c'est moi qui le dis ! »

À l'exception de *Chanson souvenir*, on retrouve tous les textes de l'album dans un petit livre de 158 pages paru simultanément, *Des mots à l'affiche* (Le Cherche Midi éditeur), dont l'intitulé suggère d'autres maux. Construit en deux parties et un entracte – « comme un spectacle » –, il s'ouvre sur une courte profession de choix de l'auteur :

J'ai la passion des mots
Je hais l'écriture
Dans une chanson chaque phrase se doit
De produire sa propre énergie
Je n'aime pas les images gratuites
J'ai horreur du remplissage
De l'inutile

Y voisinent chansons à venir (tels *Trenetement* de l'album suivant de 1994, ou *Les Souvenirs de second choix* qu'interprétera Lio dans celui de 2006 consacré au spectacle *Lautrec*), poèmes et textes inédits souvent sur le ton de l'humour, et de courts aphorismes et assimilés :

Les poings sur la gueule
Sont aujourd'hui
Plus à la mode
Que sur les i

Ou encore :

La vie est curieusement faite
Ne trouvez-vous pas étonnant
Que l'on y entre par la tête
Pour en sortir les pieds devant

Voire, en sage façon Dimey :

Je n'assisterai pas à mon enterrement
Je n'y tiens pas d'ailleurs cela me rendrait triste
Je n'ai jamais aimé voir s'esquiver l'artiste
Après les applaudissements

Sans oublier un très vif *Il était con* : « Je l'avais écrit en pensant à Marie-Paule Belle qui, à mon sens, pouvait chanter ce genre de choses », se souvient Charles. Et il ajoute à propos des textes épars : « Chez moi, il y a toujours une arrière-pensée de chanson... mais, une fois que c'est fait, ça passe comme le temps. » Avant de conclure, l'œil malicieux : « Le temps ? Un de mes thèmes récurrents, comme dirait l'autre. Ça me récure ! [*rire*] Mais ça ne me rassure pas ! »

Dichotomie due sans doute au duo avec Liza Minnelli, seule une poignée de chansons du nouvel album (*Napoli chante*, *La Marguerite*, *Vous et tu*, *À contre-amour*) figureront dans le spectacle parisien de deux heures et demie que les deux stars donneront durant près d'un mois (du 20 novembre au 15 décembre) au Palais des Congrès[1]. Au programme, trois parties : l'une, ouverte en duo, mais comportant des

1. Intitulé *Aznavour-Minelli*, l'enregistrement intégral du spectacle fera l'objet d'un double album en 1995, quand le chanteur aura signé chez EMI.

chansons d'Aznavour par lui-même (de *Mon émouvant amour* à *Je m'voyais déjà*, en passant par *Sa jeunesse*, *Tu t'laisses aller* ou *Non je n'ai rien oublié*) ; la seconde, également amorcée à deux, mais bientôt pure Liza, essentiellement dans sa langue, et claquettes époustouflantes à la clé ; la troisième en duo bilingue, assorti d'un *medley* de quatorze morceaux en anglais. Bien que les deux artistes se connaissent depuis très longtemps, c'est la première fois qu'ils présentent un spectacle ensemble, si l'on fait exception d'un show télévisé d'une heure (déjà évoqué) en 1973.

Il s'agit donc d'un événement, largement salué par la presse où Liza ne tarit pas d'éloges pour son grand ami. Évoquant leurs premières rencontres, elle explique au journal du soir de TF1 [1] : « Nous avons la même conception de la musique, des mots et de la scène, du contact avec le public qui vient nous voir. [...] Je suis à demi française : ma grand-mère (du côté de mon père) était parisienne. [...] J'ai commencé à chanter des chansons de Charles à dix-sept ans : d'abord *Le Temps*, puis *Tu t'laisses aller*. J'aime raconter des histoires, et les plus belles que j'aie trouvées, ce sont celles que Charles a écrites. »

Malgré un temps de répétition limité (« ce n'est pas un problème, on est du métier », se plaît alors à répéter Charles), le spectacle va se révéler excellent. Dans *Le Figaro* du 22 novembre, sous le titre « Le bonheur en chantant », Jean Macabiès écrit : « Ne conservant que l'épure de son œuvre, élaguant ici et là son interprétation pour ne plus toucher qu'à l'essentiel, l'artiste nous en offre la quintessence même. Magistrale leçon qui, venue du cœur, parle au cœur. [...] Mais, en showman avisé, Aznavour a conçu à la fois sa prestation et... son contraire. Inviter la tornade Liza

1. Du 18 novembre 1991.

Minnelli, c'est faire passer le souffle ravageur du rythme trépidant, du grand cri fouailleur d'entrailles. [...] Leurs duos, empruntés tant aux chansons d'Aznavour qu'au musical américain, sont de petits chefs-d'œuvre de musicalité, de complicité espiègle, d'improvisation soigneusement calculée. Sans oublier l'humour, voire la franche rigolade.» Seule réserve du journaliste : la soirée lui semble quand même un peu longue. Ce qui n'empêche pas son collègue de *France-Soir*[1] de conclure, à chaud : « On n'a pas vu le temps passer.» Ni Gérard Mannoni, du *Quotidien de Paris*[2], d'être totalement fasciné par la « tornade » Liza[3] et touché par ses duos avec Aznavour, au point de conseiller : « Comment résister à l'invitation que nous lancent d'emblée, ensemble, ces deux superprofessionnels du spectacle : "Viens voir les comédiens"? »

1. Du 21 novembre.
2. Du 22 novembre.
3. Serait-ce elle qui aurait « soufflé » aux météorologistes américains l'idée saugrenue de gratifier les tempêtes et autres joyeusetés venteuses de prénoms féminins se terminant par « a »?

Chapitre 43

Ambassadeur et « éditeur »

L'Héritage : ainsi s'intitule le premier des six épisodes de la série *Le Chinois*, que diffuse TF1 le jeudi 23 janvier 1992. Dans *Télé 7 jours*, Charles Aznavour confie[1] : « Depuis longtemps, je rêvais de jouer un policier pas comme les autres. J'admire beaucoup Simenon. Les intrigues policières où la psychologie domine l'action m'attirent. Vu ma stature, il était exclu que je sois un Navarro bis. Charles Cotrel, dit le Chinois, c'est moi qui l'ai dessiné. Cet ancien d'Interpol à la retraite, né en Indochine, je l'ai voulu non violent et imprégné de la culture d'Extrême-Orient où il a si longtemps vécu. J'ai aussi esquissé son entourage. Pour le reste, j'ai fait confiance aux scénaristes. » Le Franco-Arménien de Suisse, qui vient de troquer son appartement de Genève pour une grande maison à Conches « avec grenier et recoins, et un vaste jardin », poursuit : « Aujourd'hui, je suis comédien à 70 % et chanteur à 30 %. Je n'envisage pas un prochain disque avant longtemps. » Sans doute le croit-il alors (dans une période où sa situation éditoriale et discographique

1. À Myriam de Faveaux, le 18 janvier 1992.

s'apprête à changer profondément), mais ce « longtemps » durera en fait à peine deux ans [1].

Il est vrai qu'en salle sort parallèlement (le 22 janvier) l'un des deux films tournés l'année précédente, *Il Maestro*, de la Belge Marion Hansel. Qualifiant de « chaplinesque » le personnage qu'il y incarne, « un timide qui rêve de gloire sans posséder le talent pour parvenir à ses fins [2] », il concède volontiers qu'ayant renoncé à une carrière d'acteur, il peut se permettre d'accepter de jolis rôles, même secondaires. Quelques mois plus tard, à l'occasion de la sortie des *Années campagne*, le premier film de Philippe Leriche [3], où il joue une espèce de papy-gâteau (en compagnie de Benoît Magimel, Clémentine Célarié et Françoise Arnoul), il jette un regard rétroactif sur ses années cinoche. À Fabienne Pascaud, de *Télérama* [4], il dit sans détour : « Il y a une chose dont je suis fier, en tout cas : ma capacité à être crédible dans les rôles de pauvre type fauché – tel le grand-père des *Années campagne* –, alors que je suis actuellement le chanteur le plus payé d'Europe. J'y vois le signe que l'argent ne m'a pas tout à fait corrompu. J'en suis content : je n'ai pas trahi mon enfance. »

Évoquant ses multiples emplois à l'écran, il concède : « Je ne suis pas fier de tout ce que j'ai fait ! Je me suis même égaré dans de sacrés navets ! Dans ma filmographie chaotique, je ne sauve guère aujourd'hui que Duvivier, Franju, Mocky, René Clair, Claude Chabrol et François Truffaut. C'est peu, sur plus de cinquante films... » Curieusement, il explique l'impact du « culte d'un certain communisme »

1. Et même beaucoup moins dans l'absolu, puisqu'à la fin de l'automne 1992 il enregistre en duo avec Liane Foly le thème du dernier long métrage de Walt Disney, *La Belle et la Bête*.

2. À Brigitte Baudin, dans le *Figaroscope* du 29 janvier 1992.

3. Musique de Georges Garvarentz.

4. Du 3 juin 1992.

résistant à l'occupant nazi (l'amitié de sa famille avec les Manouchian) qui, durant des années d'enfance, le conduisit chaque dimanche matin à « voir des films soviétiques au théâtre Pigalle ». Des *Cuirassé Potemkine*, *Octobre* et autres *Ivan le Terrible* qui influencèrent « sûrement » son jeu d'acteur : « J'étais fasciné par la puissance dramatique de ces comédiens-là... Mais, vous savez, j'ai été bercé, tout gamin, par la fameuse méthode de Stanislavski qui a fait les beaux jours de l'Actor's Studio ! La plupart de mes oncles et tantes avaient joué en URSS dans les années 30 ; ils croyaient posséder tous les secrets de ce génial directeur d'acteurs et ont tenté de me les inculquer. C'est pourquoi j'entre dans la peau du "héros" de chaque chanson. J'ai transposé Stanislavski au music-hall. »

Entre-temps, Charles n'a pas oublié l'Arménie où la situation reste préoccupante, tant par le conflit persistant avec l'Azerbaïdjan (le blocus de l'enclave du Haut-Karabakh) que sur le plan politique et économique intérieur. Début mars, au nom de l'association « Aznavour pour l'Arménie », il a inauguré à Hoktemberian (près de la capitale, Erevan) une usine d'aliments pour bébés financée par l'association. Visitant des orphelinats et des camps de réfugiés, saluant des combattants anti-azéris hospitalisés, il est « accueilli comme un président », si l'on en croit le reportage que lui consacre *Télé 7 jours*[1] sous la plume de Danielle Sommer et l'objectif d'Alain Canu. Charles y rencontre aussi bien le Catolicos (chef de l'Église apostolique arménienne) que le président de la République, Lévon Ter Pétrossian, qui le nomme « ambassadeur itinérant »... au lendemain même de l'admission de l'Arménie aux Nations unies.

1. En date du 30 mars 1992.

Le 5 mars, de retour en France, le nouveau promu déclare dès sa descente d'avion au journal télévisé d'Antenne 2 : «La situation est aussi grave en Arménie; il n'y a pas que le Haut-Karabakh. Il n'y a plus rien qui marche, le pays entier est au chômage, il n'y a pas de chauffage. La situation est dramatique... Heureusement, ce que nous avons entrepris avec d'autres organisations humanitaires est bien en place maintenant.» Quelques jours plus tard, Aznavour rencontre son homologue du Quai d'Orsay, la toute nouvelle ambassadrice de France en Arménie, France de Harting. Devant cette diplomate sur le point de rejoindre son poste, il témoigne de ce qu'il a vu et va à l'essentiel : «Il y a urgence!» À travers son association, il espère fondre le plus vite possible l'ensemble des associations d'aide européennes dans un vaste fonds international.

Estimant qu'il n'y a «pas de malheur de première ou de seconde zone», il apporte peu après son soutien à une association lyonnaise de malentendants, L'Oreille d'Or. En outre, le 19 mai 1992, dans l'émission *Faut pas rêver*, de FR3, on le découvre au Cambodge pour témoigner des désastres de la guerre aux côtés d'une équipe d'Action internationale contre la faim. Il était déjà venu dans ce pays deux décennies plus tôt à l'occasion du tournage d'un film; il y revient en «militant pour les enfants», une cause planétaire qui le touche à plein, comme l'attestent les milliers de photographies prises au cours de ses voyages, ceux-ci constituant d'ailleurs l'une des sources vivantes de son inspiration chansonnière.

Côté professionnel, justement, Aznavour frappe un grand coup et «sauvegarde» – d'abord – deux Charles : lui-même et son «maître» Trenet. En juin 1992, avec son ami Gérard Davoust, il rachète au prix fort les Éditions Raoul-Breton quelques semaines après le décès de la veuve de celui-ci : Rachel, dite « La Marquise ». À la journaliste de Radio Canada, Elizabeth Gagnon, il déclare : « Quand on est éditeur, il faut oublier ce que l'on est pour se mettre au service des gens qui sont chez nous ! J'ai bagarré pour avoir cette édition, toutes les grandes sociétés mondiales voulaient l'acheter, donc j'ai été obligé de la surpayer. Je l'ai sauvegardée car je ne voulais pas que ce patrimoine aille dans des mains étrangères qui n'en auraient pas connu "la valeur" et qui n'auraient pas fait le travail qu'il fallait faire. Au bout d'un moment, les textes auraient été mis sur ordinateur et on ne s'en serait pas occupé. Moi, je veux qu'on s'en occupe ! Si je dois laisser un nom dans la chanson, j'aimerais bien que ce nom soit attaché à notre culture... » D'autre part, Charles se prépare à quitter Tréma pour EMI, firme avec laquelle il va pouvoir négocier la quasi-totalité de son catalogue qu'il a récupéré à son départ de chez Barclay.

S'il donne peu de concerts, il retrouve Liza Minnelli le 1er juin pour un show au Carnegie Hall de New York, devant une vingtaine de caméras de télévision ; alors qu'il ouvrait les amabilités dans le spectacle parisien, Liza lui rend ici la politesse, laissant la deuxième partie à son hôte qui va susciter « deux standing ovations après les versions locales de *Je m'voyais déjà* et *Dansons joue contre joue*[1] ». De retour en France, Charles se produit le soir du 14 Juillet, juste avant le feu d'artifice traditionnel, sur l'Esplanade Saint-Jean-d'Acre des Francofolies de La Rochelle, festival créé en 1985 par Jean-Louis Foulquier, l'admirateur et « mascotte montmartroise » de Bernard Dimey.

1. Selon Alain Morel, envoyé spécial du *Parisien*, jeudi 3 juin 1993.

Dans un genre très différent, en fin d'année, il fait l'objet d'un très beau livre à tirage limité intitulé *Daniel Sciora illustre Charles Aznavour* (Éditions De Francony), soixante-douze lithographies originales illustrant vingt-huit chansons choisies par leur auteur, le tout tiré sur grand vélin d'Arches au format 50x35, comportant 152 pages sous jaquette illustrée. De la superbe ouvrage que Daniel Sciora introduit ainsi : « Depuis mon adolescence, ce qui me touche chez Charles Aznavour, c'est cet emploi particulier du langage qui joue sur les rythmes, les sonorités, les images, les histoires des hommes. [...] La grandeur est difficile à cerner par le trait, mais ses mots vous diront tout ce que j'ai voulu dessiner... »

Retour à l'Arménie... Orly, 7 février 1993 : en présence des ministres Roland Dumas et Jack Lang, le chanteur part pour l'Arménie, en guerre depuis cinq ans avec l'Azerbaïdjan. Affrété par le gouvernement français, un avion cargo chargé de trente-six tonnes d'aide humanitaire a quitté Paris en direction d'Erevan. Le 13 mars, le président Lévon Ter Pétrossian confirme à Paris sa décision de l'année précédente : Charles Aznavour est officiellement nommé ambassadeur itinérant de l'Arménie pour l'action humanitaire. Il garde pour autant la tête froide et les pieds sur terre, comme en témoigne sa première déclaration : « L'action humanitaire est devenue le cache-misère de la politique internationale. On ne peut pas laisser l'Arménie en survie humanitaire permanente. » Désireux de rester d'abord un artiste, il confirme néanmoins au journal télévisé d'Antenne 2 son implication croissante de citoyen du monde : « C'est utile. Si je demande une audience à Bill Clinton [1], en tant qu'ambassadeur c'est mieux. »

1. Alors président des États-Unis.

Quelques jours plus tard, le 19, son beau-frère et complice de plus de trente ans, Georges Garvarentz, succombe à une crise cardiaque, à Aubagne. Dans le numéro d'avril de *Notes* (*Le journal de la Sacem/SDRM*), Pierre Achard lui rend hommage en dernière page. Après avoir rappelé le duo fusionnel qu'il constituait avec Charles Aznavour, sa dimension exceptionnelle de compositeur de chansons comme de musiques de films, et l'influence de sa « double culture », il conclut : « Georges Garvarentz avait su toucher, faire vibrer cette part d'exil, de solitude, cette mélancolie quotidienne qui flotte au fond de nous et qui nous inspire parfois les plus belles révoltes. Et il nous laisse des chansons qui sont autant de petits poèmes symphoniques, lui qui, pensant comme Chevalier à “la note qui vient chercher les gens au fond de la salle”, disait volontiers : “Mes succès vont jusqu'au dernier rang.” Une vraie profession de foi. »

Mais *the show must go on*, et l'année 1993 se terminera de façon plus réjouissante : sur les treize duos que comporte le disque de la superstar américaine Frank Sinatra, *Duets* (Capitol Records), Aznavour est le seul artiste français au sein d'un casting exceptionnel, de Barbra Streisand à Aretha Franklin en passant par Julio Iglesias, Liza Minnelli, Bono ou Willie Nelson. Même si l'enregistrement du standard *You make me feel so young* s'est réalisé « à distance ». Aucun problème : les deux hommes se connaissant depuis bien longtemps. « Je l'ai rencontré à l'Olympia, dit Charles, puisque c'est moi qui l'ai présenté la première fois qu'il est venu en France [1]. D'ailleurs, un disque est sorti dernièrement aux États-Unis, où l'on trouve cette annonce. Si j'étais inconnu, elle n'y serait pas ! [*rire*] Pour *Duets*, Sinatra avait

1. En 1962.

choisi des titres de son répertoire, mais j'ai chanté souvent d'autres chansons que les miennes. Je ne l'aurais pas fait il y a vingt ans encore, mais une fois que mon statut d'auteur-compositeur-interprète était établi, tout cela revêtait moins d'importance. »

Chapitre 44

L'apogée définitive

Nouvelle reconnaissance de fait : Charles Aznavour est présent pour la première fois sur le plateau des Enfoirés, le 27 janvier 1994 [1], au Grand Rex parisien. Exit les malentendus d'hier, entre son absence des Chanteurs sans frontières ou celle d'un Jean-Jacques Goldman du disque *Pour toi Arménie*, ledit Goldman voulant des artistes fédérateurs pour le spectacle annuel des Restos du Cœur créés par son ami Coluche. Au milieu de la joyeuse bande de l'année en cours (France Gall, Francis Cabrel, Jane Birkin, Charlotte Gainsbourg, Alain Souchon, Laurent Voulzy, Vanessa Paradis, Florent Pagny, Céline Dion, Paul Personne, Catherine Lara, Jean-Louis Aubert...), Aznavour chante *Hier encore* en duo avec Patrick Bruel. Désormais, sans titres à succès comme ceux des années 60, l'ex-Petit Charles atteint une apogée définitive que les années ne feront que conforter.

Le 21 mars 1994, la revue *Chorus* lui consacre un dossier sous la signature de Marc Robine. C'est à l'évidence à

1. La soirée sera retransmise sur TF1 le samedi 5 février.

cette occasion que celui-ci a entrepris de se lancer dans la biographie que vous lisez ici. Pour preuve : il intitule son texte «Je m'voyais déjà… ou le destin apprivoisé». Le parsemant de titres intercalaires empruntés à des chansons (*Les Plaisirs démodés*, *Les Enfants de la guerre*, *Les Comédiens*, *Non je n'ai rien oublié…*), il écrit en ouverture : «Sous ses airs décidés de cabotin sentimental, façon slave de désarmer pour mieux séduire, Charles Aznavour aime plus que tout jouer au chat et à la souris. Le regard velours – signe distinctif de l'Oriental – est un regard persan; l'œil fatal, celui d'un photographe, tant les pupilles, comme deux chambres noires, savent choper au vol quelques instantanés et flasher sur des petits morceaux de vie exaltés, déboires et bonheurs plus ou moins dérisoires, toujours révélateurs. Monsieur Charles aime mettre à nu les ritournelles, déshabiller les mots, faire dans la dentelle pour parler de l'amour au quotidien.»

Au cours de l'entretien avec l'intéressé, après avoir souligné qu'en matière de «grande» chanson française, on cite «rarement» son nom à côté de ceux de Brassens, Brel et Ferré («Vous voulez dire : jamais!», rétorque Aznavour), Marc Robine demande : «N'avez-vous jamais eu l'impression d'avoir à renoncer à une écriture peut-être plus exigeante, pour faire une chanson plus grand public?» Ce à quoi l'artiste répond : «Non, j'ai écrit ce que je pouvais écrire. Je pense que, vu mon niveau d'études, je suis allé au-delà de mes capacités de départ. Mais je ne pouvais pas aller plus loin; je ne pouvais pas avoir un autre langage que celui qui était le mien, celui de la rue. Je suis donc arrivé avec ce langage et je crois l'avoir sensiblement enrichi en essayant de m'instruire chaque fois que j'en avais la possibilité. Et puis, quand j'ai eu acquis un certain bagage, il était désormais trop tard. Il y avait des choses que je ne pouvais plus me permettre de faire. Cela aurait eu l'air d'une trahison. Une trahison par rapport à moi-même et par rapport au public qui aurait eu l'impression que je cherchais tout d'un coup à imiter les autres.»

S'il apparaît, le 16 avril, sur FR3, dans *Un alibi en or*, un téléfilm de Michèle Ferrand[1], où il incarne (aux côtés de Micheline Presle) «l'Ingénieur», gangster tenté par un ultime hold-up avant de se retirer des affaires, Charles Aznavour va surtout être l'invité de l'ultime *Stars 90* de Michel Drucker, sur TF1, le 13 juin[2], l'animateur se préparant à rejoindre France 2 en septembre. Le chanteur, qui visiblement se soucie peu de ce genre de transfert (il l'assimile aux «turbulences du football»), donne le jour même une longue interview à Maurice Achard dans les colonnes du *Parisien*. Lui qui a fréquemment revendiqué un lieu de formation à l'intention de ses jeunes confrères[3], déclare tout de go vouloir «faire de la télévision» : «Je suis en train de proposer aux chaînes une émission dont je serais le meneur de jeu et dont l'artiste invité serait la vedette de la soirée. Plus exactement, je serais à la fois le meneur de jeu et le partenaire de l'invité, l'Auguste, si vous voulez.» Précisant qu'il souhaiterait mettre en boîte trois émissions par an, il dévoile, à son interlocuteur un rien surpris, quelques

1. Grand prix du festival du film policier de Cognac en 1994; rediffusé sur FR3 le 2 août 1997.

2. Bien que concentré à nouveau sur ses activités de chanteur, à l'aube de la parution d'un nouveau disque et d'un important passage au Palais des Congrès, il poursuit ses activités humanitaires en Arménie où il est retourné à la mi-mai. Mais, dans l'actualité médiatique, un drame chasse l'autre, et celui du massacre de la minorité tutsie par les Hutus, au Rwanda, s'avère des plus horribles : près d'un million de personnes vont «tomber» en trois mois. Là aussi, comme pour l'Arménie, on emploie le mot «génocide»...

3. À l'instar de ces propos recueillis le 20 novembre 1991 dans *VSD* par Isabelle Morini-Bosc : «Je rêve d'un lieu où les jeunes chanteurs pourraient venir construire une carrière durable. Je suis prêt à m'investir, mais il faut une subvention.»

idées maison. Avec Johnny Hallyday il proposerait ainsi du «jamais vu» : «Un numéro de tourlourou.» Et il précise : «Vous savez que Fernandel, Raimu, tous ces gens-là ont commencé en tourlourou, c'est-à-dire en militaire de 1870, avec le nez rouge, etc. Johnny est grand, il a ce côté double-patte-et-patachon. Je le vois bien avec les pommettes rouges et la casquette de travers. Et chanter *Avec l'ami bidasse*. Il en serait ainsi pour chaque artiste. Je proposerais à chacun quelque chose de différent.» Malgré les contacts amorcés, aucune chaîne ne s'engagera finalement dans cette aventure. Autre projet annoncé dans *Le Parisien*, et qui n'a toujours pas vu le jour : «J'ai décidé d'enregistrer tout ce que j'ai écrit pour les autres et jamais chanté moi-même. Pour le plaisir. *Un Mexicain basané*..., des choses comme ça. Ça va représenter une centaine de chansons.»

En attendant, Aznavour met la dernière main à son nouveau disque qui sort deux mois plus tard, éminemment sentimental, à l'image de sa chanson éponyme : *Toi et moi*. Ce véritable hymne à l'amour placé en ouverture est composé par Jacques Revaux et Jean-Pierre Bourtayre – tout comme *Aimer*, d'esprit tango, qui clôt l'ensemble –, deux complices musicaux de Sardou, donc de la firme Tréma que Charles vient de quitter. Autre collaborateur sur deux titres, arrangements compris, Michel Legrand a composé de «grandes envolées» extrêmement difficiles à chanter dans l'amusant *Un concerto déconcertant* («Vous modulez les yeux mi-clos / Changez le genre et la cadence / Que chaque note en nos cœurs dansent / Sur mes désirs en crescendo») et une mélodie plus mélancolique pour *Va-t'en*, qui évoque les physiques «griffes du temps» dans le couple.

En fait, outre *Un concerto déconcertant*, ce disque fleure l'exercice de style, qu'il s'agisse des considérations tendrement orthographiques de *Je t'aime A.I.M.E.* [1], de la nostalgie jolie des *Années campagne* (du film du même nom), de l'hommage *Trenetement* à l'éternel fou chantant (vers vifs et pirouette définitive à la fin : « Dès lors je sombre / Dans la folie / Et je dis adieu à la vie / Dans la pénombre / Sans oraison / Je me fais un trou dans le front ») mis en musique par Trenet lui-même [2]; jusqu'à l'explicite *À ma manière* (inspiré sur une autre mélodie du texte anglais du *My way*, de Paul Anka, titre lui-même adapté du *Comme d'habitude* de Claude François), ainsi crédité sur la pochette : « version de Charles Aznavour ». Ce disque, auquel ont œuvré pas moins de quatre arrangeurs (Roger Loubet, Bernard Gérard, Hervé Roy et donc Michel Legrand) voit la signature de Pierre Delanoë pour un *Inoubliable* qui ne l'est pas vraiment, et comporte surtout la dernière composition de Georges Garvarentz : *Ton doux visage*.

Le 7 octobre 1994, Charles est l'invité de *Taratata*, sur France 2, l'une des rares émissions où l'on puisse chanter dans les conditions du direct à la télévision [3]. Il y interprète seul *Je m'voyais déjà*, *Toi et moi* et *Un concerto déconcertant*, avant de participer à deux duos : *L'Amour c'est comme un jour*, avec Native (les sœurs Chris et Laura Mayne, qu'on retrouvera ensuite dans *Emmenez-moi*), et *Une enfant,* avec Tonton David. Deux semaines plus tard, Aznavour revient au Palais des Congrès, à Paris, mais pour six semaines cette

1. Cousines de celles du Gainsbourg d'*En relisant ta lettre* (« C'est toi que j'aime / Ne prend qu'un M ») en 1961. Gainsbourg, disparu trois ans plus tôt, le 2 mars 1991.

2. « Il a fait la musique, dit Aznavour en riant, et après, dans mon tour de chant, c'était sa chanson préférée. Ça, ça m'a beaucoup amusé ! »

3. Son animateur, Nagui, l'invitera à nouveau le 10 septembre de l'année suivante : Aznavour y reprendra *Emmenez-moi*, *Après l'amour*, *Le Temps*, et présentera encore deux chansons en duo : *Heureux avec des riens* avec Enzo Enzo et *For me formidable* avec Michel Fugain.

fois.[1] « Rien de particulier » pour ce spectacle, confie-t-il à Bertrand Dicale dans *Le Figaro* du 21 octobre : « Pas de lumières, pas de fumées, pas de danseuses. Rien que des chansons. » Huit jours plus tard[2], Véronique Mortaigne, sa consœur du *Monde*, titre son article : « Éloge de la simplicité ». Après avoir constaté : « Aznavour au Palais des Congrès : ce n'est pas une redite, c'est un plaisir renouvelé », elle écrit : « Star de l'intime, il ne se départit jamais du sens de l'économie. Droit dans un costume anthracite, il dévale un grand escalier noir pour rejoindre au plus vite le devant de la scène, laissant en arrière ses seize musiciens (dirigés par un chef, l'arrangeur Hervé Roy). Un micro argenté, de la couleur de ses cheveux, une chaise de bar : c'est le seul décor du petit théâtre d'Aznavour. Tout y est stylisé, les distances sont abolies. »

Après avoir attaqué par l'inaltérable *Hier encore*, celui-ci annonce : « Comme je l'ai toujours fait par le passé, je vais commencer par vous chanter les chansons nouvelles. Les chansons nouvelles, vous savez, sont celles qui vous font dire : "Celles de la dernière fois étaient meilleures !" [*rire général*] Mais, comme vous avez dit ça depuis que j'ai débuté, j'en ai pris l'habitude ; je sais que par la suite vous changez parfois d'avis – souvent d'avis, je dirais –, ce qui fait que je ne me fais absolument pas de bile. Ensuite, je vous chanterai quelques chansons d'hier, et comme j'en ai aujourd'hui atteint l'âge, je vous chanterai des chansons d'avant avant-hier. » De *L'Âge d'aimer* à *Toi et moi*, Charles enchaîne donc sept « nouvelles », ménageant une présentation particulière pour la troisième : « Pendant près de trois décennies, nous avons écrit, avec Georges Garvarentz, mon beau-frère, mon complice, mon ami, nombre de chansons que vous avez entendues et qui ont souvent été des suc-

1. Du 19 octobre au 26 novembre.
2. Le 29 octobre 1994.

cès. Georges Garvarentz nous a quittés, mais, à l'époque où il était à l'hôpital, je lui ai fait porter un piano ; parce que je sais que les compositeurs sont comme les poètes, ils aiment s'exprimer jusqu'à leur dernier souffle. Je lui ai aussi laissé un texte sur lequel il a composé une musique, comme d'habitude, bien sûr. C'est la dernière chanson que nous avons écrite avec Georges. Je l'ai intitulée *Ton doux visage.* »

À l'occasion de ce spectacle débute une choriste bien connue de Charles : sa fille Katia. Penserait-elle devenir chanteuse elle aussi ? « Non, répond-il. Elle voulait faire les chœurs. Je lui ai dit : "Ce n'est pas difficile, tu vas voir le chef d'orchestre, tu passes une audition." Et j'ai dit au chef d'orchestre : "À égalité avec une autre, je veux bien. Si elle est moins bien, vous ne la prenez pas." Cela n'a pas du tout été une décision préférentielle, parce que, sur scène, les gens voient si ce n'est pas bien… Je n'ai jamais favorisé mes enfants. Je laisse ce défaut aux autres… Minnelli, elle s'est battue pour faire son métier : ni son père ni sa mère ne l'ont aidée. » En même temps, c'est un projet que caressait depuis longtemps la blonde Katia. Elle raconte[1] : « À 9 ou 10 ans, j'ai chanté avec Les Compagnons de la Chanson, au théâtre, à Genève. Je chantais *Chante-la, ta chanson*[2] et tous les Compagnons reprenaient avec moi : ils faisaient la réponse. Après le théâtre à Genève, je voulais partir en tournée avec, mais mon père ne m'a pas laissée y aller… Ou peut-être ma mère, je ne me rappelle plus. [*rire*] En fait, j'ai toujours voulu chanter, mais derrière : le métier comme mon père, c'est trop dur, trop difficile psychologiquement. »

Juste avant Noël, Charles Aznavour et Placido Domingo donneront ensemble à Vienne (Autriche) un concert mêlant

1. À Daniel Pantchenko.
2. De Marcel Lefevbre et Jean Lapointe.

airs populaires, morceaux classiques et chansons de Charles. Cette soirée fera l'objet d'un disque *Placido Domingo & Charles Aznavour chantent Noël* (Sony, octobre 95), avec la cantatrice norvégienne Sissel Kyrkjebo.

Chapitre 45

Intégralement vôtre

L'année 1995 va prolonger la précédente d'impressionnante façon. Oubliées les velléités de freiner la cadence ! Le 3 octobre, Charles Aznavour déclare au mensuel *Platine*[1] : « Après le Palais des Congrès, j'ai fait une tournée française de 103 dates, ce que je n'avais pas fait depuis longtemps. [...] Moi, je ne suis jamais épuisé... Après la tournée en France, on a tourné pendant un mois et demi aux États-Unis, puis au Canada où on a refusé du monde. Pourtant, je fais de très grandes salles. » Précisant que, succès oblige, il doit revenir au Canada, il ajoute : « Ensuite ce sera le Brésil, le Maroc, et puis je vais tourner un film aux Indes. Après quoi, je rentrerai en France pour enregistrer en janvier. » Quand on lui fait remarquer aujourd'hui que c'est quand même un calendrier énorme... et très contradictoire avec ses déclarations antérieures, il lance dans un éclat de rire qui ne trompe personne (surtout pas lui) : « Mais justement ! C'est la dernière tournée ! C'est pour ça qu'elle est si longue ! »

1. Propos recueillis par Jean-Pierre Pasqualini parus dans le n° 26 (décembre 1995).

En fait, avant d'évoquer le début de sa tournée française, au cours du magazine quotidien *Studio Gabriel*, de Michel Drucker, le 31 mars, sur France 2, Charles est devenu le héros d'une série télévisée sur la même chaîne en incarnant Baldipata, un clochard pittoresque et sympathique. Dans ce téléfilm d'une heure quarante [1] réalisé par Michel Lang, il a pour partenaire principale Annie Cordy. « C'est mon "bougon préféré", explique-t-elle. Il bougonne tout le temps, mais on prend des crises de fou rire. Je le considère comme mon frère : on a la même approche de la vie et de ce métier. Il faut être artiste avant tout. Nous, on fait ce métier, mais on n'y vit pas, on ne connaît pas le *star system*. Notre vie de famille reste primordiale, ce qui nous permet de préserver un équilibre formidable. Je suis très amie avec Ulla, la femme de Charles, et il y a une anecdote qui me fait beaucoup rire : lorsqu'il compose dans une pièce et qu'elle passe devant, elle lui dit : "Charles, s'il te plaît, ferme ta porte !" [...] On s'amuse beaucoup, lui et moi, car on a la même culture musicale : Charles connaît tous les standards américains et les chansons françaises, de Milton, Chevalier, Trenet... Alors quand on tourne, comme les préparations sont toujours très longues, on a un jeu : je commence une chanson américaine, et s'il ne peut pas la terminer, il a un gage, un pot à boire ou quelque chose comme ça. Vraiment, on rigole tous les deux [2] ! »

Toujours sur France 2, on retrouve l'Aznavour comédien, le 17 avril, dans *Le Jockey de l'Arc de Triomphe* où il campe un ancien entraîneur hippique, et l'Aznavour chantant

1. Cinq autres épisodes, réalisés par Claude d'Anna (puis Michel Mees pour le dernier) suivront jusqu'en mai 2000.

2. À Daniel Pantchenko. Annie Cordy rappelle aussi que sa mère flamande n'a jamais su prononcer le nom d'Aznavour (« Nini, cet Astambourg, il chante bien ! »), et Charles s'est bien gardé de la détromper...

Ménilmontant, le 25, dans la retransmission du spectacle *Joyeux anniversaire, Monsieur Trenet*, enregistré pour les quatre-vingts ans de celui-ci, le 19 mai 1993, à l'Opéra-Bastille.

Sur le plan discographique, l'année va se révéler extrêmement dense pour Charles, désormais chez EMI, la firme qui a racheté trente-cinq ans plus tôt la société Ducretet-Thomson où il avait d'abord enregistré. Dans *Platine*[1], il explique encore : « Je n'étais qu'en distribution chez Tréma. Même si, en studio, j'ai beaucoup travaillé avec Jacques Revaux, c'est moi qui payais ma production et, donc, ça m'appartenait, tout comme l'époque Barclay. J'avais racheté ce catalogue, car quand Eddie a vendu sa maison de disques à Polygram, la nouvelle firme Barclay ne s'est plus intéressée à l'export. Aujourd'hui, j'ai revendu l'ensemble de mon catalogue phonographique à EMI, car ce sont les seuls en France à me proposer de sortir mes disques dans le monde entier. »

Deux premiers CD, doubles de surcroît, correspondant aux spectacles du Palais des Congrès de 1991 et 1994, sortent au cours de la saison. Sous-titré « Intégrale du spectacle » (ce qui n'est pas tout à fait exact, un titre interprété en scène comme *À contre amour* n'y figurant pas), *Aznavour-Minnelli* offre deux heures et demie de chansons, *Palais des Congrès 1994* en contenant deux heures quinze, dont plus de la moitié de succès. Le 18 septembre 1995, date officielle de sortie des dix premiers CD d'une intégrale, *Charles Aznavour l'authentique*, celui-ci enregistre sur France Inter une émission animée par Alain Poulanges, mêlant documents d'archives et propos de l'invité : *Le Temps*

1. Article déjà cité.

d'une chanson. Diffusée chaque jour ouvrable de 14 heures à 15 heures pendant deux semaines [1], elle fera l'objet, pour sa partie entretien, d'un bonus d'une heure et quart dans l'*Intégrale.*

À la question initiale d'Alain Poulanges : « Charles Aznavour, vous êtes en train de devenir un monument... ? », le chanteur répond : « Je suis conscient qu'il se passe quelque chose de particulier dans ma vie à l'heure actuelle. On est en train un petit peu de me statufier, ce que je ne veux pas. [...] Ça empêche les gens de s'adresser à vous comme ils le faisaient auparavant, de manière plus populaire. » Affirmant qu'il n'a jamais été un « revanchard », eu égard aux injustices de ses débuts, il confie plus tard : « Par contre, j'ai toujours pensé une chose particulière, moi qui ne suis pas tellement *destin* (pas du tout, même) : j'ai toujours pensé que notre peuple avait besoin d'une voix à une époque où les voix arméniennes s'étaient toutes éteintes. Je suis assez croyant. Pas superstitieux, mais croyant. Plus ou moins. Pas fanatique, mais je pense qu'une force divine a apporté une voix à ce peuple et que j'ai eu la chance que ce soit tombé sur moi. » C'est la version aznavourienne du « Aide-toi, le Ciel t'aidera ! », comme quoi un grand artiste n'en est pas moins un homme, avec ses fulgurances et ses contradictions.

Dans cet entretien au ton posé, mais dense de contenu, Charles précise : « Je ne suis pas prétentieux, je ne suis pas arriviste, mais je suis très orgueilleux. » Avant d'indiquer deux phrases à « retenir » : « Si vous voulez gagner bien votre vie, faites-en gagner aux autres [2] » ; « La confiance n'exclut pas le contrôle ». Et à son interlocuteur qui s'enquiert : « Aujourd'hui, vous travaillez toujours autant ? », il répond : « Oui, mais j'ai décidé la semaine dernière [*léger rire du*

1. Du 9 au 20 octobre.
2. De l'argent, évidemment.

journaliste] que j'allais prendre un peu plus de temps[1]. Je vais descendre un peu plus souvent dans le Midi où je me suis fait construire enfin la maison de mes rêves. [...] J'ai quitté Saint-Tropez ; je suis dans les Alpilles. »

Copieux complément sonore de l'intégrale des textes (*Un homme et ses chansons*, établie par l'auteur Pierre Saka) publiée l'année précédente aux Editions n° 1[2], l'intégrale d'Aznavour ci-dessus évoquée démarre par la sortie de dix CD couvrant la période la plus populaire du chanteur (1960-1972), grosso modo la première partie des années Barclay, de *Je m'voyais déjà* à *Comme ils disent*. Dans *Chorus* de mars 1996, Marc Robine note qu'il s'agit d'une *Intégrale* « qui, à raison d'une moyenne de dix-huit titres par disque, nous offrira donc près de quatre cents chansons d'un auteur-compositeur-interprète parmi les plus prolifiques et talentueux de son époque ». Après avoir précisé que l'on y retrouve pour l'essentiel les pochettes d'origine (à ceci près, que de capacité très supérieure aux vinyles, les CD ont été « complétés » par des titres de 45 tours jamais repris en album), Marc Robine salue avec enthousiasme l'esprit de ces rééditions : « Des versions originales magnifiques, car jamais peut-être Aznavour n'a aussi bien chanté – ce qui n'est pas peu dire – qu'à cette époque où il navigue dans les eaux de la quarantaine, jamais ses orchestrations (souvent signées Paul Mauriat) n'ont aussi bien collé à son univers détaché de toutes formes de mode, et jamais non plus il

1. Peut-être ne le sait-il pas encore, mais le 1er octobre 1995, il va être nommé très officiellement ambassadeur délégué permanent de l'Arménie auprès de l'Unesco, l'organisation des Nations unies pour l'Éducation, la Science et la Culture.

2. Puis en 1996 au Livre de Poche où subsistent quelques oublis notoires (*Boule de gomme, Les Chercheurs d'or, Les Petits matins, Je ne suis pas guéri de mes années d'enfance...*).

n'a écrit autant d'aussi grandes chansons à un rythme aussi soutenu.»

En juin, dans le numéro suivant de la revue [1], Marc Robine commente la parution des douze autres CD de l'*Intégrale*, une édition augmentée «sous la forme d'une mini-colonne Morris contenant 30 CD» étant curieusement annoncée pour 1997. Ici, sept CD parachèvent les années Barclay (dont un entièrement consacré à Bernard Dimey, avec la version totale, en trois parties, de *L'Amour et la Guerre*), mais, comme le souligne Robine, «pour l'amateur, les morceaux de choix de cette série de rééditions se trouvent évidemment dans les quatre ou cinq CD [2] consacrés aux toutes premières années de la carrière de l'artiste. [...] Ainsi retrouve-t-on avec un plaisir intact le Charles Aznavour des années Ducretet-Thomson : ces années 50 où il lui fallut s'imposer à l'arraché, de toute la force de son talent rageur...»

Un nouveau double CD *live* sortira en 1996, *Charles Aznavour au Carnegie Hall*, enregistré à New York les deux derniers des trois jours (15 et 16 juin 1995) où il obtint un véritable triomphe. Ouvrant son récital sur une version revisitée du *Temps* (tempo ralenti), il interpréta plus de la moitié de ses propres chansons en anglais (*And I in my chair–Et moi dans mon coin*; *Take me along–Emmenez-moi*; *It will be my day–Je m'voyais déjà*; *You've got to learn–Il faut savoir*; *Yesterday when I was young–Hier encore...*), d'autres en espagnol (*Quien–Qui*; *Venecia sin ti–Que c'est triste Venise*), et une douzaine en français, souvent introduites par de succinctes et amusantes présentations.

1. *Chorus* n° 16, été 1996.

2. L'un d'entre eux ressuscite les *Bravos du music-hall*, fameux concours remporté par Aznavour en 1957.

Au printemps 1996, à travers *Et bâiller et dormir*, Aznavour participe aux côtés de treize autres artistes (Cabrel, Jonasz, Le Forestier, Mitchell, Nougaro...) à un disque de Jean-Jacques Milteau, *Merci d'être venus*, célébrant le centenaire de l'harmonica « Marine Band », premier spécimen industriel du genre. Autre collaboration : en septembre, le chanteur cosigne avec son ex-chargé de presse Richard Balducci un court roman gentillet au parfum d'Alpilles [1], *La Balade espagnole* (Le Cherche Midi Éditeur). Le 21 du même mois, retour à la case Arménie à l'occasion du cinquième anniversaire de son indépendance : Charles chante à l'opéra d'Erevan [2] et n'oublie pas que la situation reste préoccupante dans ce pays où, le lendemain même, le président Lévon Ter Pétrossian va être réélu dans des conditions contestées par l'opposition.

Le Québec marquera également Charles en cette année 1996, mais en deux circonstances sensiblement différentes. En juillet, au 30e Festival de jazz de Montreux (Suisse), lors d'une soirée d'hommage à Charles Trenet, celui-ci découvre – en compagnie de ses amis et éditeurs Gérard Davoust et Charles Aznavour – une jeune Québécoise qui reprend l'une de ses chansons et présente une composition personnelle : *La Visite*. Riant aux éclats et applaudissant à tout rompre comme le public, les trois hommes se précipiteront dès l'entracte pour complimenter l'inconnue. On connaît la suite : Davoust déploiera son talent d'éditeur pour la faire connaître en France, Aznavour jouant les attachés de presse

1. Où il vient donc de se faire construire une maison.

2. Le DVD du concert ne paraîtra qu'en 2001, mais une équipe de France 2 suit le chanteur : mêlant interview de Mireille Dumas, images inédites et archives, l'émission *Charles Aznavour en Arménie* sera diffusée le 23 novembre 1996.

de luxe. Au point d'écrire, pour présenter son disque, un texte élogieux commençant ainsi : « Lynda Lemay[1], avec ses deux "L", fait partie des oiseaux rares. »

En revanche, revenant au Canada du 6 au 11 novembre (deux concerts à Québec, deux à Montréal, un à Toronto, un à Ottawa) après avoir chanté quatre fois à guichet complet aux Francofolies montréalaises de l'année précédente, Charles Aznavour va se faire sévèrement « chahuter à cause de l'anglais », comme le titre *La Presse* du samedi 9 novembre sous la plume de Jean Beaunoyer : « Charles Aznavour, qui a entrepris sa carrière à Montréal, il y a cinquante ans, dans la première boîte typiquement française, Le Faisan doré, tentait de présenter un spectacle bilingue, hier, au Centre Moison, devant une salle comble. [...] Cet ambassadeur de la langue française [...] a été chahuté en première partie alors qu'il présentait la plupart de ses chansons en anglais. "Je présente mes chansons en anglais et je les chante en français", a-t-il proposé aux gens des balcons d'en haut. C'est alors qu'on a répété : "En français, en français..." Quelque peu secoué, Aznavour a répliqué : "Votre Céline a fait reculer les frontières du Québec et elle chante en anglais. Un peu de subtilité, en haut !..." [...] Après l'entracte, il a remplacé *I did'nt see time go by* par *À Paris au mois d'août*, a esquivé *She* et n'a pas dit ni chanté un seul mot d'anglais. » Bien que « fans » avoués du chanteur, la plupart des journalistes du cru prirent alors le parti du public, le chroniqueur du *Soleil*[2] résumant : « Charles Aznavour a pu ressentir en direct, vendredi, la tension linguistique qui imbibe la vie quotidienne au Québec. » Le « chahut » se reproduira le lundi 11 à Ottawa, poussant le Premier

1. Voir en Annexes, le *Surtout vous* qu'elle lui a spécialement dédié, pour cet ouvrage.

2. Du 11 novembre.

ministre, Jean Chrétien, à venir dans la loge du chanteur présenter ses excuses « au nom du peuple canadien » !

Le 28 décembre, évoquant la consécration américaine du chanteur, Bertrand Dicale, du *Figaro,* lui demandait : « N'êtes-vous pas blasé de la gloire ? » Ce à quoi celui-ci répondit : « Je ne suis pas blasé de ce qui m'arrive. La reconnaissance n'a rien à voir avec la gloire – la gloire, je m'en fous, on peut l'avoir sans être reconnu, ou le contraire. Ce que j'aime, c'est être reconnu pour ce que j'ai fait. » Concernant la perte de « prestige » de la chanson française à l'étranger, il ne mâchait pas ses mots : « Tout s'est perdu parce qu'aucun ministre de la Culture [1] ne s'est penché sur la chanson française. On n'a jamais admis que c'était un véhicule extraordinaire de la culture française, que ce n'est pas en envoyant un conférencier à l'Alliance française et un chargé d'ambassade qu'on touchera les gens. On les touche avec quelque chose qui passe à la radio, à la télévision, qui rentre dans l'oreille, dans la mémoire, puis dans le cœur. » L'article annonçait parallèlement la sortie d'un énorme cadeau potentiel de fin d'année, le troisième étage de la fusée Aznavour : l'*Intégrale* de trente CD, « une colonne Morris haute de 80 centimètres, qui pèse huit kilos ».

1. À l'époque, il s'appelle Philippe Douste-Blazy. Il a succédé à Jacques Toubon, le 17 mai, dans le gouvernement Juppé constitué après l'élection de Jacques Chirac à la présidence de la République, le 7 mai.

Chapitre 46

Plus bleu…

Déjà récompensé par un « César d'honneur » le 8 février 1997, Charles Aznavour préside deux jours plus tard les 12e Victoires de la Musique aux côtés de Michel Drucker. En ouverture, il déclare : « Ce sont les jeunes qui ont besoin d'une reconnaissance, parce que ce sont eux qui ont besoin qu'on leur ouvre des portes. Si j'obtiens quelque chose, ça me fera plaisir, mais ça ne me rendra pas heureux. » Élu « Artiste masculin de l'année », les autres nommés étant Pascal Obispo et Florent Pagny (Barbara étant honorée, de son côté, face à Zazie et Ophélie Winter !), il enfonce le clou dans *Le Parisien* du lendemain : « Franchement, ce n'est pas à moi qu'il fallait remettre cette Victoire. Ou alors une "victoire d'honneur", comme cela s'est passé aux Césars. C'est tout à fait ridicule de faire concourir des artistes consacrés depuis des années et qui font salles pleines. Il aurait mieux valu faire place aux jeunes. Barbara et moi, nous aurions préféré recevoir ce type de récompense à nos débuts [1]. » D'autant que le scandale de l'année précédente (où Stephend, chanteuse inconnue, liée

1. À Alain Morel, le 11 février.

à l'un des producteurs de la manifestation, avait été primée) reste alors présent dans toutes les mémoires, et que, depuis des semaines, les problèmes d'assurance-chômage des intermittents du spectacle marquent déjà l'actualité.

Le 24 mars, le nouveau « césarisé » retrouve Michel Drucker sur le plateau de son émission, *Studio Gabriel*, mais à propos de son rôle dans le film *Pondichéry, le dernier comptoir des Indes*, de Bernard Favre. S'il y interprète un vieux Juif allemand exilé en ces derniers jours de 1954 où l'Inde indépendante va se réapproprier le comptoir français, il avoue sans détour qu'il a accepté ce rôle pour deux raisons : l'Inde, pays qu'il ne connaissait pas, et Richard Bohringer avec lequel il avait envie de jouer. À la veille de Noël, c'est en revanche à un comédien de ses amis qu'il donnera la réplique au cinéma : Michel Serrault dans *Le Comédien*, de Christian de Chalonge – un film qui, plus encore que le précédent, restera confidentiel.

Ce ne sera pas le cas de l'album paru en mai, *Plus bleu...*, dont le titre découle de la première chanson, *Plus bleu que tes yeux*. Initialement enregistrée par Piaf en 1951, puis par Charles l'année suivante, celle-ci fait l'objet d'une prouesse technique (que certains vont considérer comme un « coup » commercial) : un duo virtuel[1] à près d'un demi-siècle de distance ! « Avec Piaf, on en a fait beaucoup, des duos !

1. Quelques semaines auparavant, Aznavour avait enregistré un « vrai » duo sur *La Mamma*, avec France Gall, fille de l'auteur du texte, Robert Gall : « Je l'ai chantée deux fois avec elle, précise le chanteur, et finalement on a fait le disque. Ça l'a touchée, c'est normal. Je connaissais bien son père. Un fou de rugby et de football. C'est pour ça qu'il l'avait appelée France au lieu de garder son vrai prénom, Isabelle. France Gall, ça lui plaisait bien, et ça a été payant ! C'est un nom formidable, et on a oublié France-Galles pour se souvenir de la chanteuse ! »

rappelle Charles[1]. On en faisait sur scène ou à la télé, mais, à l'époque, les images étaient détruites au bout de quelques années, de sorte que je n'ai jamais retrouvé ces duos. Je le regrette bien, ç'aurait été amusant... L'idée de celui-ci, je l'ai trouvée aux États-Unis, Natalie Cole l'avait fait avec son père[2] et je me suis dit : "Pourquoi pas nous ?" D'autant qu'elle n'avait jamais chanté avec son père, alors que moi j'avais chanté avec Piaf ! »

Au-delà de cette singularité, le disque se révèle surtout remarquable par la qualité de l'ensemble des chansons. Parmi les quatorze autres, on remarque encore deux reprises de belle facture aux textes labellisés Jacques Plante : *Les Caraïbes*, un reggae façon Aznavour, et *Nous nous reverrons un jour ou l'autre*, chansons créées respectivement par Les Compagnons de la Chanson et Thierry Le Luron. Si, comme à son habitude, Aznavour a opté pour la diversité (la notion de disque-concept l'ennuie), il a ménagé une place particulière aux femmes. D'abord il a réussi une nouvelle fois à renouveler le « t'aime » (*Dis-moi que tu m'aimes*, *De déraison en déraison...*), ce qui ne semble pas un vrai problème pour lui : « En amour, c'est comme dans tout, il suffit de choisir un angle. J'ai été influencé très jeune par un film qui s'appelait *Rashomon*[3] : l'histoire y était re-racontée par chacun des protagonistes et ça me fortifiait dans l'idée que c'est pareil dans la chanson. Il ne faut pas toujours regarder une chose sous un seul angle[4]. » Ainsi, avec *Amour amer*, servi par une mélodie et des arrangements au goût de drame (direction d'orchestre : Bernard Gérard), a-t-il aussi pointé son objectif sur la plaie moderne de l'amour, le sida :

1. À Daniel Pantchenko pour le n° 39 de *Chorus* (printemps 2002).
2. Nat King Cole, en 1991, sur la chanson *Unforgettable*.
3. Du cinéaste japonais Akira Kurosawa, en 1950.
4. À Daniel Pantchenko, pour *Chorus* n° 39.

« Amour amer / Amants à mort / Âmes aux enfers / Feux dans le corps... »

Sur un plan différent, l'album esquisse deux portraits de femmes : l'une sensuelle et fatale, flamenca aux « cheveux noirs et regard de braise », *Gitana, gitana* ; l'autre, sécurisante et toute amour, *La Yiddishe Mamma*, adaptation française réalisée par Charles Aznavour[1] quatre ans plus tôt à la demande de Régine, qui finalement ne l'a pas chantée. Il l'a donc enregistrée lui-même, tout comme *Le Droit des femmes*, manière d'hymne un peu didactique que diverses chanteuses – dont Sylvie Vartan – ont décliné, mais qu'on devrait diffuser aujourd'hui alors qu'on évoque enfin la possibilité, dix ans après cette chanson, d'élire une femme à la présidence de la République :

Aujourd'hui le monde a changé
Tout passe et casse
La femme dans la société
A pris sa place
Pilote, écrivain, PDG
Et puis j'en passe
Comme finir à l'Élysée
Un jour de grâce

Cette chanson trouve une symétrie dans *Les Enfants* (« Ils referont, le monde les enfants »[2], texte de Pierre Delanoë) où figurent les Petits Chanteurs à la Croix de Bois. Et trois autres titres, très différents, soulignent la fameuse multiplicité d'angles de l'artiste : *Au piano-bar*, superbe

1. Il appréciait surtout la version en yiddish de l'Américaine Sophie Tucker, décédée en 1966.

2. Charles Aznavour a par ailleurs prêté sa voix (de commentateur) à un film de l'Unicef relatif aux problèmes de santé, d'alimentation et d'éducation des enfants en Afrique.

moment jazzystique et suite implicite à *Ce sacré piano*; *Ce métier*, créé en ouverture des Victoires de la Musique (« On a beau s'en défendre, il nous tient et nous hante / Que l'on soit comédien, danseur ou que l'on chante »); *Les Images de la vie*, long panoramique existentiel où, sans avoir l'air d'y toucher, au fil d'une mélodie maison, Aznavour balance deux ou trois coups de patte, tel ce petit quatrain plus que jamais d'actualité, intégrismes religieux aidant :

L'homme n'est qu'un fauve
Égoïste et pieux
Sa morale est sauve
Il s'adresse aux cieux

Nouvelle distinction : après les Césars et les Victoires de la Musique, le samedi 12 juillet, carte blanche est offerte à Charles Aznavour pour ses cinquante ans de chansons au 29e Festival de jazz de Montreux, en Suisse. Il succède ainsi à son ami Trenet, fêté en 1996. « L'affaire démarre sur les chapeaux de roues, raconte Francis Marmande. À l'ancienne : ouverture de grand orchestre dans le style des music-halls d'avant, ou comme à Las Vegas. Ça claque et ça sonne. […] Sitôt l'intro en fanfare, entre le petit Charles qui plaisante sur sa taille en raison de l'emplacement du micro. Lequel doit être, on imagine, placé trop haut par contrat [1]. » Parmi les intervenants, Rachelle Ferrell, Patti Austin, Manu Dibango, Mino Cinelu, Lambert Wilson, Effel Jones (la fille de Quincy)… Et, conclut Francis Marmande : « Ajoutez la "Montreux Touch", la part de bœuf sans laquelle il n'est pas de pot-au-feu lémanien. Bobby McFerrin qui passait par là en *guest star* de luxe, le tout plutôt réussi dans le genre.

1. *Le Monde* du 15 juillet.

Aznavour revient pour une version soufflante de *Emmenez-moi*. C'est lui le patron. C'est clair. »

Deux mois plus tard, le 11 septembre, dans une ambiance plus feutrée, ultime hommage de cette année faste en la matière : au palais de l'Élysée, Charles Aznavour reçoit la rosette d'officier de la Légion d'honneur des mains du président de la République, Jacques Chirac... Position de principe du chanteur : « Les honneurs, je les accepte par défi. Longtemps on ne m'a rien donné. On ne m'a rien apporté. Regardez bien à quelle date j'ai eu le prix du disque (que je ne suis pas allé chercher, c'était trop tard), tout le monde l'avait eu, et la plupart avaient disparu après. Moi, je ne l'avais toujours pas et je vendais du disque en croyant écrire de bonnes chansons. Et je me souviens que lorsqu'on m'a dit : "Mais vous n'avez pas de prix !", j'ai répondu : "On m'apportera tout ça quand je serai vieux, sur un coussin de velours rouge !" Alors, aujourd'hui, les décorations, je les accepte toutes. [...] La Légion d'honneur, je l'ai eue la première fois par Mitterrand, et j'avais prévenu : "Je ne l'accepterai que remise par le président de la République ! Mon président. Qu'il soit de gauche ou de droite, je m'en fous, c'est mon président et celui de tous les Français. Ensuite, ça a été Chirac. Deux fois [1]... »

Au fond, sur la durée, plus que pour tout autre artiste francophone de la chanson, la récompense suprême de Charles, c'est l'accueil que lui réserve le public. Dès le 4 novembre et pour neuf semaines, il va afficher à nouveau complet au Palais des Congrès. Costume d'inspiration Mao et gilet marron, Aznavour montre qu'à soixante-treize ans, il reste en pleine forme : « Le rideau se lève sur un jeune Charles Aznavour aux côtés d'Édith Piaf. Les première notes

1. Le 14 mai 2004, Charles Aznavour a reçu la cravate de commandeur de la Légion d'honneur.

de *Plus bleu…* retentissent, émotion dans la salle. Puis c'est un brusque retour à l'actualité avec des nouvelles chansons de son dernier album. De magnifiques textes sur l'amour, dont son émouvant titre sur le sida, *Amour amer*. Que les nostalgiques se rassurent, les grands standards de Charles Aznavour composent les deux tiers du spectacle [1].» Après le deuxième morceau, saluant le public, il reprend l'une de ses chansons « oubliées », *Un par un* (il lui adjoindra un peu plus tard *Mais c'était hier*), puis, évoquant ses huit années de duo avec Pierre Roche, il revisite le savoureux *Feutre taupé*. En seconde partie, pour *Les Enfants* et l'*Ave Maria* (composé par Georges Garvarentz), les Petits Chanteurs à la Croix de Bois le rejoindront sur scène…

Pour ceux qui en douteraient peu ou prou, le 4 décembre, dans un article du *Figaro* sous-titré «Je ne suis pas près d'arrêter ! », Aznavour précise à Guillemette de Sairigné : « Des adieux, pourquoi ? Encore faudrait-il que je sois sûr du moment où j'aurai envie d'arrêter. Un jour viendra, peut-être, où je n'aurai plus l'énergie pour tenir deux heures et quart sur scène. Mais ça n'est pas encore le cas. »

1. Elisabeth Baudourian, *Nouvelles d'Arménie* n° 28, décembre 1997. Le mensuel consacre en outre cinq pages et sa couverture au « personal manager » de Charles : Lévon Sayan.

Chapitre 47

Fin de siècle

Début 1998, à peine Charles Aznavour termine-t-il son marathon au Palais des Congrès, qu'il se prépare à promener son récital en France pendant huit mois, puis sur des scènes internationales. Préalablement, le 4 janvier, dans la grande salle parisienne, il donne un concert exceptionnel en faveur de l'Arménie, en présence des deux présidents de la République, Jacques Chirac et Lévon Ter Pétrossian. En Arménie, justement, où Aznavour va impulser dès juillet de nouveaux objectifs liés à l'enfance (restaurer et reconstruire des écoles), la situation politique reste très agitée. Le 2 février, le même Ter Pétrossian est conduit à démissionner ; le 30 mars, après avoir assuré l'intérim, l'ancien président du Haut-Karabakh, Robert Kotcharian, est élu président de la République avec près de 60 % des suffrages [1]. Cela ne change rien pour Charles Aznavour qui poursuit son action avec son association, s'efforçant de développer les partenariats et les soutiens au plus haut niveau : « J'ai rencontré les deux

1. Devant Karen Demirdjian, ancien dirigeant du parti communiste de l'Arménie soviétique.

présidents arméniens, et des gens qui ne sont pas d'accord avec tel ou tel me l'ont reproché. Il faut qu'ils comprennent une chose : ce n'est pas le président qui compte pour moi, c'est ce qu'il fait pour le pays. Et tant que le pays l'a élu, il est “le” président. Je crois que dans ma position, dans mon action pour l'Arménie, la pire des choses serait que je prenne des positions politiques. Sauf si l'on tombait sur un dictateur. Mais qu'un président de ces ex-pays soviétiques soit plus dur que les présidents que nous avons, nous, je dirai qu'il le faut. Car ils sont complètement indisciplinés et ç'aurait pu être la gabegie totale. [...] Il faut voir s'il y a des changements concrets, et ils sont énormes, malgré tous les défauts et les problèmes existants. Bien sûr, la diaspora existe (comme en Israël), et c'est un bienfait : nos parents ont eu des difficultés, des emmerdements, mais les enfants aident. C'est cela qui est important ! »

Pour revenir à la chanson, le 29 mai est commercialisé un exceptionnel *long box* de Léo Ferré : *La Vie d'artiste*. Il réunit la totalité des enregistrements réalisés par celui-ci pour Le Chant du Monde lors des séances des 26 juin et 20 novembre 1950, ainsi que des 27, 31 octobre et 17 novembre 1953 ; l'ensemble étant complété par des inédits issus des archives de l'INA (l'Institut national de l'audiovisuel) ou d'archives personnelles de l'artiste. Dans le passionnant livret qui accompagne les deux CD, Robert Belleret [1] consacre deux paragraphes à *L'Opéra du ciel*, titre « dont on n'espérait plus retrouver une place sonore, mais dont on s'expliquait mal que Ferré ne l'ait jamais enregistré ». Soulignant « la réelle importance » que le chanteur accordait à cet *Opéra*

1. Journaliste au quotidien *Le Monde* et auteur de *Léo Ferré, Une vie d'artiste* (1996, Actes Sud). Rappelons que Léo Ferré nous a quittés le 14 juillet 1993, à l'âge de 76 ans.

du ciel « qu'il aurait d'ailleurs souhaité voir interpréter par Édith Piaf », Belleret poursuit : « Il l'avait mis à son propre répertoire lorsque, en montant à Paris, il se produisit au Bœuf sur le toit, en novembre 1945. Charles Aznavour qui, avec Pierre Roche, était à la même affiche que Ferré, fut tellement séduit qu'il reprit *L'Opéra du ciel* et *L'Inconnue de Londres* sur différentes scènes afin de "faire connaître le jeune poète" avec lequel il avait vivement sympathisé. "*Si j'avais les mains du bon Dieu / Je giflerais la bourgeoisie...* – c'était peut-être un peu pompeux, mais c'était magnifique !" a observé devant nous un Charles Aznavour encore ému par ce souvenir. »

S'il est contraint, fin juillet et début août 1998, dans le sud de la France, d'annuler deux concerts de sa tournée [1] pour raisons de santé, Aznavour ne s'arrête guère pour autant. Un an après avoir décroché la une du prestigieux *Billboard* américain, il occupe à New York l'affiche du Marquis Theater. Annoncé pour deux semaines, il devra prolonger d'autant, succès oblige. Deux événements au sujet desquels la presse française se montrera plutôt discrète, ce qui – quoiqu'il s'en défende – ne le laisse pas indifférent : « Je suis le Français le plus ignoré des médias français, celui qui réalise le plus de choses à l'étranger dont on ne parle jamais. Je m'en fous. Le principal, c'est de le faire, pas de le faire savoir. Mais quand je vois que pour un pipi à Central Park, Untel décroche quatre pages dans un magazine, ça me fait rigoler. Cela pourrait me donner de l'amertume, mais je ne suis ni jaloux ni amer. Je suis aimé du public, du peuple français, et c'est ça le plus important ! Pas les journaux. Quand je me produis dans une salle, elle est pleine et les

1. Ponctuée d'une « croisière-récital » sur l'ex-paquebot *France*, rebaptisé *Norway*, du 28 juin au 4 juillet.

gens sont debout à la fin du spectacle sans qu'on les ait forcés à se lever comme on le voit à la télévision. »

À l'occasion de son passage au Marquis Theater, l'envoyé spécial du *Monde*[1], Stéphane Davet, rappelle cependant : « Aucun autre chanteur français en exercice ne pourrait sans doute se donner en spectacle à New York aussi longtemps[2]. Dans son édition du 18 octobre, le *New York Times* ne titrait-il pas : "Aznavour, the Last Chanteur ?" À soixante-quatorze ans, le "petit Charles" a gardé une cote qui confine à la légende. Un récent sondage, paru dans le magazine *Time*, l'a élu "Entertainer of the Century" – rien de moins qu'"artiste de music-hall du siècle" – devant Elvis Presley... » À propos de son spectacle proprement dit, où Aznavour attaque par son duo virtuel avec Piaf et chante en quatre langues (français, anglais, mais aussi espagnol et italien), Davet écrit : « Aznavour paraît en costume noir, avec la nonchalance et la précision des princes de Broadway. [...] Sûreté de la voix, économie du geste, conviction du comédien, [...] Charles assure. À l'aise sur toutes les scènes du monde, il badine avec encore plus de décontraction devant le public américain. » Courant novembre, Aznavour ira ensuite chanter plusieurs jours à Los Angeles avant de s'envoler pour Moscou et Saint-Pétersbourg.

Dans le même temps, alors qu'il met la dernière main à une comédie musicale autour du peintre Toulouse-Lautrec

1. Numéro des dimanche 1er et lundi 2 novembre 1998.

2. Aznavour précise aujourd'hui : « Le Marquis, c'est l'un des théâtres de Times Square, et il ne faut pas oublier que très peu d'artistes américains peuvent se produire à Broadway. Ils donnent des galas à droite ou à gauche : Las Vegas, Atlantic-City, Reno... Moi, c'était la cinquième fois que je passais à Broadway et la première fois qu'on en parlait. J'ai prolongé de deux semaines, j'aurais pu en faire dix ! On a été obligés de reporter certains concerts programmés dans différentes villes... »

(elle doit être créée à Londres), est paru un nouvel album[1] : *Jazznavour*. Initié par André Manoukian (piano) qui se partage les arrangements avec Pierre Drevet (trompettes), il réunit la crème des musiciens de jazz français (des pianistes Jacky Terrasson et Michel Petrucciani au batteur André Ceccarelli, en passant par l'organiste Eddy Louiss, l'accordéoniste Richard Galliano ou le bassiste Rémy Vignolo), l'excellente Diane Reeves interprétant deux titres en duo avec Charles : *J'aime Paris au mois de mai* (moitié en anglais, moitié en français) et *Yesterday, when I was young* (*Hier encore*). Délibérément, Aznavour n'a pas enregistré en direct avec tout ce beau monde : « Je voulais qu'ils fassent leur travail en dehors de moi. Si j'avais été là, ç'aurait peut-être été moins bon, il y aurait eu un compromis. Les musiciens auraient manqué de liberté en voulant me faire plaisir. Ce que je voulais, c'est qu'ils se fassent plaisir à eux-mêmes et que je rentre comme un instrument de musique – comme un sax[2]. » Résultat : un album aux petits oignons où le chant donne du temps au tempo, « un authentique collier de perles à l'élégance sereine, du jazz haute couture au service de chansons intemporelles qu'on redécouvre avec gourmandise[3]... »

Des duos, Charles (il se plaît à répéter qu'il est le chanteur qui en a fait le plus) va en accrocher encore de nombreux au cours de l'année 1999. Le 13 février, sur France 2, il revient participer à la grande fête annuelle des Restos du Cœur qui présentent en l'occurrence leur *Dernière édition*

1. En cette même année, les Éditions Atlas ont publié un album, *Ils chantent Aznavour*, où, de Juliette Gréco (*La Bohème*) à Serge Reggiani (*Sa jeunesse*), en passant par Michel Delpech (*Sur ma vie*), Catherine Lara (*Que c'est triste Venise*) ou Jean Guidoni (*Comme ils disent*), douze artistes rendent hommage au chanteur.

2. À Bertrand Dicale, *Le Figaro*, 26 décembre 1998.

3. Jean Théfaine, *Chorus* n° 26 (hiver 1998-1999).

avant l'an 2000. C'est Khaled qui amorce les réjouissances avec *Emmenez-moi*[1], bientôt rejoint par Patrick Bruel, Liane Foly, Pascal Obispo, Charles Aznavour lui-même, Mimie Mathy, Serge Lama, Zazie, Richard Berry, Muriel Robin... Avec cette dernière, Charles reprendra peu après *La Bohème.*

Fin avril, nouveau partenaire : avec le fameux « papy cubain » Compay Segundo, inoubliable icône du film *Buena Vista Social Club* de Wim Wenders[2], il enregistre *Morir de amor*, version espagnole de *Mourir d'aimer*, qui va paraître sur l'album *Calle Salud* du chanteur cubain, puis sur sa compilation *Duets* de 2002. À propos de ce « grand monsieur », Charles raconte : « C'est lui qui m'avait demandé, pour ce duo. Alors autant le faire avec des grands messieurs qu'avec des petits ! [*rire*] On l'a fait cigare au bec ! » Peu après, c'est avec les trois sœurs du Trio Esperança qu'il enregistrera *La Bohème* dans une version franco-brésilienne (*Uma bela história*) sur leur disque *Nosso Mundo.* « J'aimais bien leur trio, et un ou deux ans après avoir participé à leur disque, c'est moi qui les ai invitées dans une émission de télévision[3], et j'ai ajouté à la chanson *Entre nous* un refrain qui n'existait pas (et qui n'existera plus), pour que le trio puisse chanter avec moi. »

1. Qui fera l'objet d'un CD deux titres des Enfoirés, avec *La Chanson des restos* (BMG).

2. Réalisé l'année précédente, sous le même nom que l'album produit par Ry Cooder en 1997, le film n'est en fait sorti sur les écrans français que le 16 juin 1999, mais les musiciens cubains triomphaient déjà dans une tournée internationale, passant notamment par le Printemps de Bourges 1998, suivi de l'Olympia les 23 et 24 avril.

3. Une « soirée spéciale », *Charles Aznavour : joyeux anniversaire*, le 19 mai 2001 sur TF1, où c'est avec Maurane qu'il interprètera *Mourir d'aimer*, d'autres duos ayant lieu avec : Jean-Jacques Goldman (*Il faut savoir*), Laurent Gerra (*Mes emmerdes*), Vanessa Paradis (*Retiens la nuit*), Patrick Timsit (*Comme ils disent*), Lætitia Casta (*Les Plaisirs démodés*)...

À l'automne, alors que sort son double CD *Live, Palais des Congrès 97/98* (ainsi qu'un double DVD réunissant les concerts enregistrés à l'Olympia en 1968, 1972, 1978 et 1980, accompagné d'une interview exclusive de 75 minutes par Maurice Achard), la rubrique faits-divers lui vaut soudain les honneurs de la presse. Le jeudi 14 octobre, les *Dernières Nouvelles d'Alsace* lui consacrent ainsi une «brève» : «Charles Aznavour, 75 ans, a été légèrement blessé hier lors d'un accident de la route. Le chanteur, auteur-compositeur et comédien, circulait peu avant midi sur l'autoroute A6 Paris-Lyon à hauteur de Sevrey (Saône-et-Loire). Au cours d'un dépassement, il aurait heurté au volant de sa puissante voiture allemande l'arrière d'un camion. Souffrant des cervicales, il a été hospitalisé mais s'en tire finalement avec quelques égratignures. Le chanteur, resté conscient, s'est surtout inquiété du sort de son labrador qui l'accompagnait. "Merci de vous occuper de lui, et n'oubliez pas les croquettes à midi", a-t-il déclaré aux gendarmes venus le secourir. Il a ensuite été conduit au centre hospitalier de Chalon-sur-Saône qu'il a pu quitter une heure plus tard.» Cela ne l'empêchera pas, trois semaines plus tard (les 4 et 6 novembre), d'enthousiasmer les spectateurs du Grand Théâtre de Québec. Du reste, quand on lui rappelle cet accident automobile, il dit : «Je suis un récidiviste ! Là, c'était de la tôle froissée. Moi, j'adore conduire, et, avec ma femme, on se dispute le volant. On ne se dispute pas, nous, mais le volant... »

La tempête est ailleurs. Dès le lendemain de Noël, deux jours durant, des rafales de vent de plus de 200 km/h dévastent la France. Premier bilan : quatre-vingt-huit morts et des forêts entières détruites. Le nouveau millénaire s'annonce agité. Contre toute attente, les ordinateurs franchissent sans excessif pataquès la fatidique frontière temporelle. Du côté des hommes, la vie reste plus que jamais à gagner. Charles Aznavour, lui, arrive au terme d'un important projet qui aura pris quatre ans : la comédie musicale *Lautrec*. D'abord sollicité par une production américaine pour concevoir un spectacle autour du Moulin Rouge, le Français a décliné l'offre avant de proposer un sujet sur le peintre Toulouse-Lautrec. Fin mars, après un cancan d'essai à Plymouth, la création au Shaftesbury Theater de Londres a été accueillie pour le moins fraîchement par la critique. « En fait, dit Aznavour, le public a aimé [1], mais tout ce qui est français a subi une cabale énorme en Angleterre : *Notre-Dame de Paris*, la pièce qu'a jouée Alain Delon (*Variations énigmatiques* [2]), et un *Napoléon* écrit par des Anglais du Canada. Ils ont tout tué. Ils ont tout cassé. Et, là-bas, il y a encore des gens qui demandent : "Est-ce qu'on peut trouver le disque ?" Pour ce qui est du spectacle, je l'ai vu en Hongrie, il va se jouer en Allemagne, le Canada anglais l'a demandé, mais on va commencer par le français. C'est pour cela que je viens d'enregistrer un album de dix-neuf chansons de *Lautrec* [3]. »

Malgré l'affront médiatique Lautrecicide de la perfide Albion, pour Charles Aznavour, l'essentiel de la première saison du siècle naissant sera sa nouvelle rentrée au Palais des Congrès (du 24 octobre au 17 décembre), disque inédit en bandoulière : *Aznavour 2000*. Avec, à la direction d'orchestre et aux arrangements très swingants, le jeune Yvan Cassar (déjà complice de Johnny Hallyday et de Claude

1. Le spectacle (avec, dans le rôle-titre, Sevan Stephan, comédien d'origine arménienne) a tenu un mois et demi à l'affiche, mais il devait y rester beaucoup plus longtemps.

2. Plus précisément, Alain Delon a joué (avec Francis Huster) cette pièce d'Éric-Emmanuel Schmitt en 1996 au Théâtre Marigny. Elle a été ensuite reprise avec Donald Sutherland dans différentes capitales, dont Londres.

3. *Insolitement vôtre*, paru en octobre 2005.

Nougaro), c'est – fait plutôt rare – quatorze chansons paroles et musiques d'Aznavour qu'il propose, dont une reprise fondatrice : *Après l'amour*. Deux titres proviennent de la comédie musicale *Lautrec* (*Quand tu m'aimes* et *Je danse avec l'amour*), mais pas *Je ne savais pas*, comme l'indique à tort la pochette. Outre ce constat d'échec conjugal masculin, mouillé d'amertume et d'autodérision, l'humour proprement dit offre trois spécimens dans l'album : *Elle a le swing au corps* (« La garce... »), *Habillez-vous* (qui termine par « Déshabille-toi ! ») et *La Formule un* (« Ma môme est carrossée comme une formule un / De la ligne des jambes à la pointe des seins »), facétie au sujet de laquelle, amateur invétéré de calembours, son auteur se plaît à répéter : « C'est symbolique... ou plutôt cinq bolides ! »

Ce disque, qui poursuit l'exploration des grands thèmes aznavouriens, à commencer par l'amour (*Dans tes bras*, *J'ai peur*), le temps passé et les souvenirs (*Qu'avons-nous fait de nos vingt ans ?*), ou la spirale d'un échec individuel (*Nos avocats*, *On m'a donné*), mêle un certain sentiment de sérénité à une multiplicité rythmique dont la chanson d'ouverture, *Le Jazz est revenu*, donne explicitement le ton. Y figure enfin *De la scène à la Seine*, « en hommage à Dalida », ce que Charles tient à nuancer : « J'ai associé ce titre à Dalida, je ne l'ai pas écrit pour cela. Je l'ai associé parce que j'aimais beaucoup Dalida et qu'automatiquement on est touché par ce qui arrive à ses amis, et qu'il en reste quelque chose. Alors les gens vous disent : "Oui, mais elle ne s'est pas noyée !" Quand même, je n'allais pas écrire *La Noyée assassinée* ! Je l'avais déjà fait [1]. »

Parallèlement à cette jazzystique rentrée, Charles Aznavour marque un intérêt croissant pour le rap. À la

1. Au masculin, bien sûr : *Le Noyé assassiné*, 1952.

mi-octobre, invité vedette d'une émission de RTL, *Ça cartonne pour eux*, il invite Stomy Bugsy, et, quelques jours plus tard, il apparaît à la une de l'hebdomadaire *VSD* sous l'intitulé : « Les rappeurs l'appellent Aznav' ». Pour lui, rien de plus logique : « Si l'on veut fouiller dans les annales, on trouvera que j'avais écrit une chanson qui se rapprochait terriblement du rap : *Poker*. Ensuite, à une époque où les textes des chansons ne m'intéressent pas vraiment, où l'on a l'impression que l'on a mis des notes sur des mots, ou l'inverse, voilà des gens qui écrivent des vrais textes. On peut ne pas aimer tel ou tel sujet, mais on ne peut pas discréditer l'auteur pour son écriture. C'est la raison pour laquelle j'aime bien le rap, et surtout le travail des rappeurs ! Ce qui n'est pas du tout la même chose. Il y a un flux, un rythme, des rimes intérieures... et un bon français ! »

Ces années où paraissent deux livres très différents [1], plusieurs organes de presse se font l'écho d'un désir du chanteur de changer de rythme. Dès le 31 juillet, à Alain Laville, pour *Nice Matin*, il confie : « Je veux me retirer petit à petit. Je ne suis pas l'homme des adieux. » Et à Benjamin Cuq, de *Télé Star* magazine, le 11 octobre : « C'est la dernière fois que je pars sur les routes. » Ce qui ne signifie pas qu'il s'arrête, comme il le précise dans le *Télérama* du 22 novembre lorsque Jean-Claude Raspiengeas lui demande : « Alors, cette tournée, c'est vraiment la der des ders ? – Oui, c'est bien la dernière. Je ne fais pas mes adieux pour autant.

---

1. *Charles Aznavour, Les Années Paris*, par Pierre Ionoff, court ouvrage (126 pages) qui restitue le décor d'un Paris disparu (Éditions Rodéo, 1999), et *Aznavour, Le Roi de cœur*, par Annie et Bernard Réval (France-Empire, 2000). En outre, les Éditions Christian Pirot publient *Charles Aznavour, Mes chansons préférées*, recueil de textes assortis d'illustrations de Daniel Sciora (2000).

Je continuerai à chanter ponctuellement, de-ci de-là, mais je ne me lancerai plus dans de longs voyages à travers le monde, pour plusieurs mois. Aujourd'hui, quand je sors de scène, je me sens fatigué. Je ne le laisse jamais paraître, mais je le suis. Je ne veux pas me retrouver, un soir, en mauvaise posture… »

Cette fatigue, il l'oubliera particulièrement, le 14 décembre, pour réserver une soirée exceptionnelle à l'Arménie en présence des présidents Chirac et Kotcharian…

Chapitre 48

Une « dernière » qui dure

Pour Charles Aznavour, l'année 2001 s'amorce simultanément dans la joie et le chagrin. Le 18 janvier, décision historique, l'Assemblée nationale française adopte à l'unanimité la proposition de loi sur la reconnaissance publique par la France du génocide arménien [1] ; le lundi 29, elle devient loi d'État, promulguée par le président de la République, Jacques Chirac. Coïncidence funeste : victime d'un cancer, Pierre Roche, le complice duettiste des débuts, disparaît le même jour à l'âge de quatre-vingt-un ans. Et moins d'un mois plus tard, le lundi 19 février, la nouvelle tombe sèchement : « Charles Trenet est mort. » Le 23, un hommage national lui est rendu en l'église de la Madeleine, à Paris. Au micro d'Europe 1, son ami Aznavour déclare : « Un géant disparaît, quelqu'un qui a tout apporté à la chanson française. [...] Brassens, Brel, Gainsbourg ou moi [2]..., ce que

1. Une proposition de loi identique (qui ne nommait pas non plus la Turquie) avait été adoptée par l'Assemblée nationale le 29 mai 1998.

2. Dans le double CD *Entre-deux* de Patrick Bruel, colossal succès de l'année suivante, il reprendra *Ménilmontant* en duo avec son hôte.

nous sommes devenus, nous le devons à Trenet qui a encore des enfants parmi les gens plus jeunes que nous, comme Higelin... »

Présent ainsi, malgré lui, dans l'actualité, Charles apparaît en outre régulièrement sur le petit écran comme comédien, France 2 ayant décidé de lancer une « collection Aznavour » au rythme de deux films par an. Pas de série, pas de héros récurrent façon Baldipata, l'artiste lui-même est suffisamment « fédérateur ». À l'occasion de la diffusion de *Judicaël* (de Claude d'Anna), le 3 février, où il tient le rôle d'un « vieux célibataire grognon mais généreux », Hélène Marzoff conclut dans *Télérama* : « France 2 lui signe un bail de superpapy pour fictions familiales. [...] Dans le prochain "opus" avec Annie Cordy, il incarnera un grand-père aux prises avec son petit-fils qui refuse de passer le bac... Le créateur iconoclaste *d'Après l'amour* et *Comme ils disent* serait-il en train de se transformer en bon Samaritain du PAF ? » Ce à quoi son interlocuteur répond notamment : « Ça ne me dérangerait pas de jouer un escroc à la Jules Berry... »

Car l'adjectif « dernière » ne signifie, pour lui, ni « adieux » ni « retraite ». Le 2 avril, à une semaine de la fin supposée de sa tournée 2001, le chanteur lance à Bertrand Dicale, pour *Le Figaro* : « C'est ma grande plaisanterie ; maintenant, je ne travaille plus qu'à mi-temps, douze heures par jour. » Il est vrai que l'adaptation américaine de *Lautrec* et des tournages de films (dont *Ararat*) sont dans l'air, et que viennent de sortir le double CD du spectacle de Charles au Palais des Congrès en 2000, ainsi que la réédition au format digipack de son *Intégrale* de 1996, réactualisée pour comporter désormais 29 CD au lieu de 22 sous l'intitulé : *D'un siècle à l'autre*. En juin, c'est comme auteur de *Viens Habibi* qu'il figure sur le disque du chanteur de raï Cheb Mami.

Le 25 septembre, l'Arménie honore Aznavour : une place du centre de la capitale, Erevan, porte désormais son nom. Présent dans ce pays pour assister aux célébrations du 1700e anniversaire de sa christianisation, il a rencontré le pape Jean-Paul II, lequel s'est rendu au pied du monument érigé en hommage aux victimes du génocide, mot qu'il n'a cependant pas employé. Très ému, Charles a interprété devant lui son *Ave Maria*... Deux mois plus tard, par un hasard des plus irrévérencieux, dans une ambiance où le vin préside à de tout autres messes, Charles Aznavour est sacré « pape de la chanson française » en présence de pairs nommés Enrico Macias, Patrick Bruel, Pascal Obispo, Faudel... Initiée par le château pape Clément, l'un des plus fameux grands crus de Graves, cette cérémonie annuelle consacre une personnalité qui excelle dans son domaine [1].

Entre-temps, Charles avait encore été honoré, mais de deux manières très différentes. Le 8 octobre, le président Chirac l'élevait (ainsi qu'Henri Salvador) au grade de commandeur dans l'ordre national du Mérite, au cours d'une cérémonie placée « sous le signe d'une certaine gravité », car, ajoutait-il « la lutte contre le terrorisme nous concerne tous [2] ». Trois semaines plus tard, du 28 octobre au 3 novembre, le chanteur était l'invité vedette des Nuits de Champagne, festival de Troyes (labellisé en l'occurrence *Swings de Bohème*) où la chanson est reine et dont le point d'orgue s'appelle le Grand Choral, chœur de huit cents personnes issues des pays francophones et venues suivre un

1. L'avaient ainsi précédé : Paul Bocuse, Jean-Paul Guerlain, Bernard Buffet, Peter Ustinov, le commandant Cousteau...

2. La veille, l'armée américaine et ses alliés britanniques avaient commencé à bombarder l'Afghanistan en riposte aux attentats terroristes du 11 septembre contre les tours jumelles du World Trade Center et l'immeuble du Pentagone.

stage intensif de huit jours autour de son répertoire, avant de rencontrer le chanteur[1] et de donner deux représentations en sa présence. Lequel venait reprendre avec eux *Emmenez-moi* et *La Mamma*, avant de confier au public ravi : « D'ici, la sensation est tout à fait différente. Je me disais : j'ai fait tout ça, moi, dans ma vie ! J'ai écrit tous ces mots-là ! Et j'étais très ému, et – n'ayons pas peur de dire les choses – un petit peu fier de ce que j'ai fait ! » De son séjour à Troyes l'auteur Aznavour aura ramené plusieurs chansons (dont *Un mort vivant*) : « Oui, j'ai beaucoup écrit là-bas. Parce que je vivais tout d'un coup dans un monde de musique et de chansons. On n'a pas l'habitude, on vit chacun chez soi. Et là, des gens viennent du monde entier pour chanter. C'est ça que je trouve émouvant ! »

Malheureusement, Charles allait boucler son année 2001 par le nouveau deuil d'un ami. Le 18 décembre, Gilbert Bécaud, dont il s'était beaucoup rapproché depuis qu'il le savait malade, disparaissait à l'âge de 74 ans[2].

Et la « dernière tournée » se poursuit. Après la France, la Suisse et la Belgique, une dépêche de l'AFP du 28 janvier 2002 indique qu'elle « mènera Charles Aznavour en avril à Ottawa, Montréal, Toronto et Québec, avant une tournée américaine en juin dans une quinzaine de villes dont New York, Los Angeles, Miami, San Francisco et Chicago, avec un petit détour par Vancouver, sur la côte pacifique canadienne ». Dans une France qui se prépare fébrilement à l'élection présidentielle d'avril sans en imaginer le choc à venir[3], Aznavour apparaît le 27 février dans un nouveau

1. Un attachant échange animé par Serge Le Vaillant, de France Inter.
2. Puis le 11 janvier 2002, le cinéaste Henri Verneuil.
3. Le 21 avril, coup de tonnerre : avec 17,02 % des suffrages, Jean-Marie Le Pen devance d'un point le Premier ministre socialiste Lionel Jospin et

téléfilm, *Angelina* (où il joue un personnage un peu ronchon qui aide une jeune sans-papiers africaine), et il annonce qu'il planche sur un livre de mémoires. À la même époque, il pense aussi monter l'année suivante son *Lautrec* à l'Opéra-Comique dans une mise en scène de son directeur : Jérôme Savary.

Le 3 mai, Charles Aznavour est désigné « citoyen d'honneur » de la ville de Montréal par son maire, Gérald Tremblay. Mais, ce même mois, c'est Cannes et son mythique festival du cinéma qui vont marquer sa saison avec la présentation hors compétition du long métrage d'Atom Egoyan, *Ararat*. Dans celui-ci, qui retrace de façon dramatique (trop, et trop spectaculaire, selon certains critiques) le génocide arménien, Charles se nomme Édouard Saroyan – comme dans *Tirez sur le pianiste*, de Truffaut, en 1960 – et incarne précisément un cinéaste arménien qui réalise un film sur le génocide. Et qui affiche une intransigeance que ne cultive pas l'acteur-chanteur. À Thomas Sotinel, du *Monde*[1], il déclare : « Je suis un cas particulier, je suis modéré totalement, j'attends un dialogue et je crois au dialogue. » Concernant la reconnaissance du génocide par la Turquie elle-même, il ajoute : « Elle a tout à y gagner. La jeune génération turque ne peut porter indéfiniment cette tache, il faudra bien la laver. Je fonde beaucoup d'espoir dans la jeunesse. Peut-être qu'elle se lèvera comme la jeunesse de France s'est levée entre les deux tours de la présidentielle contre le vote de ses parents. » Rappelant qu'il séjournait outre-Atlantique

---

l'élimine au second tour. Le 1er mai, sursaut populaire monstre : quelque trois millions de personnes défilent dans les rues pour appeler à « faire barrage » au Front national en votant pour Jacques Chirac. Le 5 mai, celui-ci est réélu avec plus de 82 % des voix.

1. Du mercredi 22 mai 2002.

le soir du 21 avril et qu'il a été lui aussi surpris, il tient à souligner : « Je ne suis pas contre Le Pen, je suis contre son programme. Si je le rencontre et qu'il me tend la main, je ne lui crache pas à la figure. Mais si on discute deux minutes, je lui dis que je ne suis pas d'accord avec sa manière de voir. Au Canada, quand on m'a posé la question, j'ai répondu que si Le Pen avait existé quand mes parents sont venus en France, je ne serais pas français aujourd'hui. »

Ovationné le soir de sa projection à Cannes, mais objet d'une critique plus réservée, *Ararat* sera violemment attaqué par la presse turque. Et Charles Aznavour reconnaît aujourd'hui : « Si le rôle n'avait pas compté pour la communauté et s'il n'y avait pas eu Atom Egoyan avec lequel j'avais envie de tourner, je n'aurais pas dépensé quatorze jours de ma vie – plus les voyages – pour aller à Toronto jouer dans un film. Je n'aurais même pas lu le scénario. » Courant septembre, lors de sa sortie en salle, *Ararat* ne connaîtra pas le succès espéré. Mais Charles Aznavour est déjà reparti au Québec où, succès aidant, des concerts ont été rajoutés. Et où l'on parle beaucoup d' « adieux », terme qui a encore – en 2005 – le don d'irriter le chanteur : « Attendez ! Je n'ai jamais parlé de tournée d'adieu. J'ai dit "ma dernière tournée" ! Alors, est-ce qu'on parle français, ou pas ? Pour moi, une tournée, c'est quand on part au début de l'année et qu'on tourne jusqu'en décembre... Quand on chante deux soirs à Moscou, qu'on revient dix jours après donner un gala à Dijon, ce n'est pas une tournée, ce sont trois galas ! »

En 2003 [1], il va donc poursuivre sur ce rythme de croisière, et même demander à tout un chacun de « lever le pied »,

1. Le 15 janvier est sorti en France le film de Jonathan Demme, *The Truth about Charlie*. On y entend *Quand tu m'aimes*, et Charles Aznavour y interprète son propre rôle.

puisqu'en mars[1] il fait rééditer (sur un CD deux titres) sa chanson *Rouler* de 1986 à l'intention de la prévention routière, qui décidément n'en a cure. Tant pis ! Il a d'autres chats à fouetter. L'Arménie, par exemple, pour laquelle il mène son action depuis déjà quinze ans. Le 24 avril, date historique du début du génocide de 1915, il assiste à l'inauguration à Paris d'une statue en hommage aux victimes de ce génocide, par Bertrand Delanoë, maire de la capitale. Quatre semaines plus tard, le 22 mai, il fête ses 79 ans en Arménie où il est l'invité spécial du président Kotcharian, et visite les sites culturels et artistiques les plus remarquables du pays. À un journaliste arménien qui lui demande pourquoi il est venu célébrer son anniversaire en Arménie, l'incorrigible répond : « C'est un coup d'essai pour le 100e anniversaire ! » Autre latitude, autre manière de fête : sur Radio Canada, l'animatrice Monique Giroux déploie les grands moyens ; intitulée *Sur ma vie*, une série de dix émissions dont chacune porte un nom de chanson de Charles (*Hier encore*, *Sa Jeunesse*, *Je m'voyais déjà…*) est diffusée le samedi matin, du 14 juin au 16 août, mêlant entrevues avec l'artiste, documents d'archives et témoignages. Une somme. Et, par un de ces hasards toujours un peu troublants, l'émission du 19 juillet porte pour titre *Les Comédiens*, chanson dont le texte est de Jacques Plante… décédé trois jours plus tôt.

L'automne va se montrer chargé pour Charles Aznavour, omniprésent dès le mois d'octobre sur les radios et les écrans de télévision, comme à chaque fois qu'il sort un disque ou prépare une rentrée sur scène. Là, non seulement un spectacle est annoncé pour le printemps 2004, c'est-à-dire pour les 80 ans de l'artiste, mais celui-ci fait déjà

1. Il vient alors d'acquérir une maison à Marrakech, au Maroc.

coup double, entre une autobiographie [1] très attendue et un nouvel album. Le 11 octobre, sur France 2, il coprésente ainsi avec Michel Drucker un hommage à Piaf, *L'Hymne à la Môme* [2]; le 16, au journal de la mi-journée de la même chaîne, il confie : «J'étais une sorte de complice de Piaf, parce qu'on avait énormément de choses en commun. Et d'abord, la rue! Pas de la même manière : elle, c'était la rue de la misère; moi, c'était la rue de l'émigrant.» Le 20, sur France 3, Marc-Olivier Fogiel consacre à Charles une émission entière d'*On ne peut pas plaire à tout le monde*, comme il l'avait fait pour Alain Delon et Brigitte Bardot. Prétexte et objet central de l'émission, les «Mémoires» que l'artiste publie «enfin» : *Le Temps des avants* [3].

En vérité, il a mis un temps certain à s'y résoudre (vingt ans, affirme-t-il), sous l'amicale pression de Gérard Davoust, son associé des Éditions Raoul-Breton, car il n'est pas un auteur de prose, et ce genre d'exercice lui a demandé beaucoup d'opiniâtreté. À Jean Théfaine [4], il précise même : «Deux ans, sans me presser. En gommant et en raturant énormément, car ce sont les mamelles du métier. Sur la forme, j'ai essayé d'éviter le côté "J'ai réussi, j'ai fait telle ville, j'ai rencontré untel", parce que je pense que cela n'intéresse personne. J'ai préféré me raconter comme j'ai l'habitude de le faire quand je suis en compagnie d'amis : une anecdote qui surgit et, tout

1. L'été précédent était paru *Aznavour, confidences d'un enfant de bohème* (Éd. Christian Pirot), par Richard Balducci et, en février 2003, le périodique *Je chante!* consacrait à Charles Aznavour un très documenté hors série de 118 pages.

2. Un CD du même nom vient de sortir avec les artistes participant à l'émission (Charles Aznavour, Florent Pagny, Jean-Louis Aubert...) et pour ce 40e anniversaire de la disparition de Piaf (le 11 octobre 1963), EMI commercialise une intégrale de 20 CD, réunissant 413 titres.

3. *Op. cit.*

4. Pour *Chorus* n° 47 (printemps 2004).

d'un coup, ça part. [*rire*] J'ai tellement corrigé ce livre que je ne sais plus ce qu'il y a dedans ! Tout est mélangé dans ma tête. »

Dans la foulée, le 25 novembre arrive dans les bacs un nouvel album, *Je voyage*, du nom de la chanson que Charles interprète avec Katia, sa choriste de fille : « Depuis longtemps, je voulais chanter en duo avec mon père, mais il n'y tenait pas trop, confie-t-elle [1]. Il ne savait pas vraiment quoi choisir, il était pudique, il ne voulait pas que ce soit une chanson d'amour. Mais Lévon [2] trouvait que c'était une super idée, et il y poussait. Jusqu'à ce que mon père imagine ce dialogue d'une fille et d'un homme âgé... Ça n'a rien à voir avec un *Voyage-voyage...* » [*rire*] Tout en pudeur, sur une ample mélodie de Jean-Pierre Bourtayre, la chanson prend même une tonalité poético-philosophique lorsque Katia chante « Je vais au-devant du comprendre et savoir / Voir la vie de l'envers des miroirs », son interlocuteur se chargeant en contrepoint de la re-situer dans le réel : « Tu es l'enfant d'entre les guerres / D'un monde cru au désarroi / D'hommes et de femmes de misère / Sous le joug du chacun pour soi. [3] » D'ailleurs, cette chanson d'envol initiatique est immédiatement suivie de la plus dure, la plus crue de l'album, *Un mort vivant (« Délit d'opinion »)* (musique d'Yves Gilbert) qu'on croirait presque sortie (contenu, s'entend) d'un rapport d'Amnesty International :

> *De prisons en prisons de cellules en cellules*
> *Pour avoir informé preuves à l'appui pourtant*
> *Je ne suis plus un nom, pas même un matricule*

1. À Daniel Pantchenko.
2. Lévon Sayan.
3. Le 20 mars de cette même année, les bombardements américains se sont abattus sur l'Irak. Le monde, l'Europe s'en retrouvent plus que jamais déchirés.

[…]
On m'a pissé dessus, craché à la figure
Sur mes parties intimes on a mis le courant
[…]
Pour délit d'opinion je suis un mort-vivant

Parmi les dix autres chansons de l'album, intégralement écrites par Charles à textes serrés et musiques aussi variées qu'inventives (de l'arrachement à la ville aimée, *Lisboa*, au plongeon final entre Dieu et diable du savoureux *Des amis des deux côtés*), deux abordent des thèmes très particuliers : *Je n'entends rien* brosse un dramatique portrait de clown devenu sourd ; *La Critique* balance un coup de patte finalement pas si vachard en regard de ce qui a été écrit sur Charles, lequel se venge *in fine* par l'un des lieux communs les plus commodes du « métier » : « En fin de compte, seul le public a raison. » D'autre part, cet opus – où, pour une fois, tous les musiciens sont cités dans le livret (Yvan Cassar occupant à nouveau le rôle principal tant à la direction d'orchestre qu'aux arrangements) – comporte, sans que cela soit indiqué, deux extraits de la comédie musicale *Lautrec* : *Orphelin de toi* et *On s'éveille à la vie*.

Chapitre 49

La preuve par 80

En 1968, Maurice Chevalier publiait *80 berges*[1]. À quelques mois de ce cap vénérable, Charles Aznavour attaque l'année 2004 sur le plateau télévisé de Thierry Ardisson[2] qui, humour d'outre-tombe à l'appui, le gratifie d'une interview « Funérailles nationales ». À la question : « Vous êtes mort comment ? », le chanteur répond : « Je suis mort de vieillesse », et à « C'était quoi, votre dernier mot avant de mourir ? », il prévient : « Je reviendrai ! » D'ailleurs il revient presque – pourrait-on dire – avant d'être parti, puisque qu'à la mi-mars il entre au musée Grévin, à deux pas des sires Depardieu et Delon. Surtout, il opère un époustouflant retour sur scène.

Du 17 avril au 22 mai, il repique en effet au Palais des Congrès de Paris. À Annie Grandjanin, du *Figaroscope*[3], qui lui rappelle : « Il y a trois ans, vous affirmiez qu'on ne vous

1. Éditions Julliard. Actualisation du *75 berges* de 1963, titre inspiré d'un succès du chanteur : *À soixante-quinze berges*.
2. *Tout le monde en parle*, sur France 2, le 3 janvier 2004.
3. Du 7 avril 2004.

reprendrait plus à assurer plusieurs semaines de concerts parisiens ? », il rétorque avec une bonne foi de nourrisson : « C'est vrai, puisqu'il y aura deux ou trois jours de relâche par semaine ! » En tout cas, dans son costume anthracite, sous les projecteurs, il « assure », en compagnie d'une trentaine de musiciens, dont des cordes féminines et sa fille Katia aux chœurs, avec laquelle il chante *Je voyage*. Comme à son habitude, après avoir interprété *Autobiographie*, il enchaîne avec deux titres de son nouvel album (ici *La Critique* et *Lisboa*), lesquels sont suivis peu après par *Je n'entends rien* et *Un mort vivant*, les anciens morceaux étant plutôt réservés à la seconde partie. Ouverte par *Ils sont tombés*, close par *Nous nous reverrons un jour ou l'autre*, celle-ci ne comportera aucun rappel (« Je n'ai jamais vu un public demander qu'on rejoue une pièce de théâtre », se plaît à répéter Aznavour), l'artiste revenant seulement saluer, rideau fermé.

Le 22 mai, jour des 80 ans du chanteur, une soirée intitulée *Bon anniversaire, Charles*, et donnée au profit de l'Institut national du cancer, fera l'objet d'une émission de TF1 et de nombreux duos entre différents artistes, l'hôte s'y exerçant en spécialiste avec notamment Johnny Hallyday (*Sur ma vie*), Laurent Gerra (*Mes emmerdes*), Patricia Kaas (*Que c'est triste Venise*), Vanessa Paradis (*Au creux de mon épaule*), Roberto Alagna (*La Mamma*), Liza Minnelli (*The Sound of your name*), Nana Mouskouri (*Si tu m'aimes*), Faudel (*Nous nous reverrons un jour ou l'autre*)...

Présent à la soirée, le président de la République, Jacques Chirac, avait de nouveau décoré Charles Aznavour, huit jours plus tôt, de la cravate de commandeur de la Légion d'honneur. Le 27 mai, c'est son homologue arménien, Robert Kotcharian, qui lui décernait le titre de « héros national » en raison des « services exceptionnels » rendus dans « la représentation de l'Arménie dans le monde ». En contraste total avec ces distinctions pour lesquelles bien des académiciens de tous ordres se seraient damnés, le Français d'origine arménienne s'était préalablement vacciné (le 28 avril) contre tout syndrome de « grosse tête » grâce à une rencontre simple et chaleureuse avec les élèves du lycée professionnel Bartholdi de Saint-Denis, dans le fameux 9.3 [1]. Accueilli par une centaine de jeunes reprenant *Emmenez-moi*, puis par une lettre ouverte empruntant astucieusement différents extraits des succès du chanteur, celui-ci allait répondre pendant près de deux heures à toutes sortes de questions sur son manque d'études, sur le métier, l'écriture, ses racines arméniennes... Et, leur précisant que *Sa jeunesse* restait la chanson dont il était « le plus fier », il ajoutait à ce sujet : « Il faut imposer son style, pas imiter les autres. [...] Moi, je ne sors pas de ma génération, je ne saute pas dans un wagon en marche. Ceux qui veulent faire jeune à vos yeux, vous vous foutez de leur gueule et vous n'avez peut-être pas tort ! »

Ironie du sort, le corps ayant ses raisons que l'âge ne saurait ignorer, une affaire de « bronchite aiguë et un blocage de vertèbres » le contraindront à annuler les trois premières représentations de ses huit concerts supplémentaires prévus début septembre au Palais des Congrès [2]. Mais, histoire de terminer monumentalement cette année historique, le chanteur se rattrape aux premiers jours de l'automne avec la parution d'une nouvelle *Intégrale* ainsi présentée : « L'intégrale des albums de Charles Aznavour enfin réunis

1. À l'occasion de l'opération « Zebrock au bahut », visant depuis plus d'une décennie à sensibiliser à la chanson française les jeunes des collèges et lycées professionnels du département.

2. Une broutille, en cette année marquée par la disparition successive et brutale de trois figures de la chanson : Claude Nougaro, le 4 mars ; Sacha Distel, le 22 juillet ; Serge Reggiani, quelques heures plus tard, dans la nuit...

dans un magnifique coffret Arc de Triomphe». Au total, 44 CD réunissant 32 albums (dont *Je voyage*), les 5 CD des Olympia (avec en inédit l'enregistrement de 1976, *Pleins feux sur Aznavour*), les 6 CD des Palais des Congrès et le CD d'entretien avec Alain Poulanges, déjà inclus dans l'Intégrale de 1996.

Alors qu'il a vendu, nous dit-on, 260 000 exemplaires de *Je voyage*[1], Charles Aznavour apparaît sous des traits beaucoup moins conquérants, le lundi 21 février 2005, sur France 2, dans *Le Père Goriot*, adapté par Jean-Claude Carrière de l'œuvre d'Honoré de Balzac. Si la réalisation de Jean-Daniel Verhaeghe reçoit un accueil critique contrasté, la prestation de l'acteur Aznavour suscite l'enthousiasme. Se référant à l'image de Goriot répandue par Daumier, celle d'un homme «assis, courbé, aux cheveux tristes, à l'œil morne», Emmanuelle Bouchez écrit dans *Télérama*[2] : «Quand, dans le téléfilm, Charles Aznavour, recroquevillé à la table de la misérable pension Vauquer, relève pour la première fois le nez de son assiette, il change d'emblée la donne. Le visage est sculpté par le temps, le cheveu gris en bataille et la mine de chien battu trahissent l'acceptation de toutes les humiliations. Mais l'œil vibre. Le feu y rayonne. C'est celui de la passion folle. Celui qui lui fait tout accepter de ses deux pimbêches de filles. [...] Donner le rôle à Charles Aznavour était la bonne idée. Et cette idée fut peut-être d'abord la sienne ! Depuis qu'il a lu le roman à 18 ou 20 ans, l'autodidacte complexé – qui se faisait faire des listes de lecture par Cocteau – n'a jamais oublié ce père-pélican sacrifiant fortune et santé pour sa progéniture. "À mes filles, j'ai dit que ça n'était pas un rôle de composition !" s'exclame-t-il en père farceur. "J'ai

1. Et 60 000 DVD de *Bon anniversaire Charles !*
2. N° 2875, du 19 février 2005.

vu le personnage interprété par Charles Vanel [1972] et Pierre Larquey [1944]. Je dois être entre les deux : ni dur ni larmoyant… car je pense que Goriot était un malin." »

De passage au Québec en février, puis en Belgique en vue de prochains spectacles (tous deux avec des orchestres symphoniques), il n'oublie pas son action internationale en faveur de l'Arménie. Le 22 mars, répondant aux questions de journalistes liégeois, il indique sans détour sa position à l'égard de la Turquie : « Tant que la Turquie n'aura pas reconnu son implication dans le génocide des Arméniens, je ne serai pas vraiment favorable à son entrée dans l'Union européenne. Je suis d'ailleurs aussi très déçu de l'attitude des Allemands… » Le 31 mars, dans une interview accordée à l'hebdomadaire d'outre-Rhin *Die Zeit*, il enfonce le clou : « L'Allemagne porte une responsabilité. Non pas parce que ses hommes politiques ont ordonné l'extermination d'Arméniens, mais parce qu'ils en ont été les spectateurs. Parce qu'ils ont dit à leurs alliés d'alors : "Faites ce que bon vous semble !" Si les Allemands reconnaissaient ce génocide, ce serait un grand pas. Alors leurs alliés se verraient aussi forcés de le faire. »

Bien que l'année se montre moins nécrophage que la précédente pour Aznavour, le 13 mai il apprend la mort d'Eddie Barclay, décédé dans la nuit à l'âge de 84 ans. À chaud, l'émotion dans la voix, Charles lâche au micro de France Info : « On va me parler du producteur, du personnage, je vous dirai simplement que je viens de perdre un ami cher, de longue date, avec lequel nous avons eu des décennies d'entente et de travail heureux. […] Il est venu me chercher tard, mais il m'a donné la liberté de faire ce que j'avais envie de faire chez lui, et ce, sans compter ni l'argent, ni l'effort, en me donnant tout ce qu'il fallait pour que je fasse un bon travail. »

Mais la vie et le spectacle continuent. Au Québec, pays symbolique entre tous pour Charles, un joli moment se prépare côté scène et côté disque. « J'ai énormément de mémoire quand il s'agit de mes débuts à Montréal, au Québec, parce que j'étais très jeune et que cette époque m'a marqué. Ç'a été une époque très heureuse pour nous [1], parce que, pour la première fois, nous connaissions le succès. » Cette confidence à Monique Giroux, la « Madame Chanson » de Radio Canada, figure dans le livret de l'*Hommage à Aznavour* (un CD plus un DVD de *making of*) sous-titré « Aujourd'hui encore... », paru le 3 mai chez Trilogie Musique. Au générique, quatorze reprises de l'auteur d'*En revenant de Québec* (seule réédition de l'opus, par Jacques Normand [2]), que revisite de façon diverse la fine fleur chansonnière de la Belle Province actuelle : *Le Feutre taupé* (Yann Perreau), *Hier encore* (Michel Rivard), *Je te réchaufferai* (Stefie Shock), *Les Deux Pigeons* (Jorane), *De t'avoir aimé* (Diane Dufresne), *Les Plaisirs démodés* (Pierre Lapointe), *Trousse chemise* (Lynda Lemay)... Et, un mois plus tard, le 5 juin, Aznavour investit lui-même le Colisée de Québec (plus de 4 500 places) en compagnie des quatre-vingts musiciens de l'Orchestre métropolitain de Montréal – ville où se dérouleront huit autres concerts [3] – sous la direction de Simon Leclerc, qui signe les arrangements [4]. Beau moment d'émotion : un « tour de chant particulier »

1. Avec Pierre Roche.

2. Animateur de radio et de télévision, grand ami québécois de Charles, il est décédé le 7 juillet 1998.

3. Du 8 au 11 juin et du 15 au 18 juin, malgré la défection pour cause de grève de l'Orchestre symphonique de Montréal, initialement prévu.

4. Quelques mois plus tard, du 22 au 28 novembre, ce même musicien dirigera l'Orchestre symphonique de Poznan (Pologne), lors des concerts que Charles Aznavour donnera à Anvers, Luxembourg, Charleroi, Liège et Bruxelles.

profitant du support de l'orchestre symphonique pour privilégier les chansons mélodiques sur les morceaux plus rythmés…

Autre moment d'émotion, et sans prétention, en guise d'apéritif à une rentrée ponctuée par la sortie quasi simultanée d'un « beau livre » et d'un disque, Charles apparaît brièvement dans son propre rôle en apothéose d'un film dont il est l'idole vivante du personnage principal, un paumé incarné par Gérard Darmon qui pousse la note aznavourienne à plusieurs reprises. La sortie en salle de cette « petite comédie sympa[1] » (réalisée par le scénariste Edmond Bensimon) a servi de prétexte à France Culture pour consacrer cinq entretiens[2] à Charles Aznavour dans le cadre de l'émission *À voix nue*. Loin des lieux communs et des approximations habituelles, Hélène Hazéra a su retracer avec l'artiste les grandes lignes de son parcours exceptionnel, des tribulations de l'enfance au statut unique qu'il s'est construit aujourd'hui.

Un parcours qui constitue la trame essentielle du superbe livre publié début novembre : *Aznavour – Images de ma vie*[3]. Autour du texte assez court mais dense, très soigneusement écrit, résumant quatre-vingts ans d'une existence d'homme et d'artiste, figurent d'émouvantes photographies en noir et blanc où Charles, sa sœur Aïda et leurs parents occupent la première place. Y voisinent également des portraits d'autres d'artistes (Édith Piaf, Jean Cocteau, Charles Trenet, Georges Brassens, Liza Minnelli…) croisés au fil du temps, et, bien sûr, des clichés plus récents en couleurs de toute la famille Aznavour actuelle. Mais on y trouve aussi de multiples instantanés (en particulier de visages d'enfants)

1. Pierre Murat, *Télérama* du 16 juillet 2005.
2. Du 18 au 22 juillet.
3. Éditions Flammarion, format 25x32 cm, 158 pages.

saisis par le chanteur-photographe au gré de ses voyages aux quatre coins du monde. Si le résultat final « plaît beaucoup » à ce passionné de photo qu'est Charles depuis ses premiers clics à l'âge du certif', il reconnaît que l'idée ne vient pas de lui : « Je devais donner à l'éditeur un recueil de nouvelles, mais je ne l'avais pas terminé. On ne se rend pas compte de combien il en faut lorsqu'on écrit. Alors, comme ils savaient que je prenais des photos, ils m'ont proposé de faire un livre avec. »

Pour le disque sorti quelques jours auparavant, *Insolitement vôtre*, l'affaire s'est révélée plus simple, puisqu'il s'agit d'une partie des chansons (dix-neuf, tout de même) de la comédie musicale *Lautrec*, quelques-unes ayant été – comme on l'a vu – déjà glissées dans des disques précédents. Ici, l'originalité vient d'une part de plusieurs duos du chanteur (avec Isabelle Boulay dans *Quand tu m'aimes*, Serge Lama dans *Cancan* et *Sans limite*, ou Hélène Ségara dans *On s'éveille à la vie*), et, d'autre part, de la carte blanche laissée par Charles Aznavour à trois femmes : sa fille Katia pour le tendre *Est-ce l'amour ?*, Lio et Annie Cordy[1] respectivement pour *Souvenirs de second choix* et *J'ai souvent envie de le faire*, aux préoccupations un tantinet plus coquines. Amateur d'Offenbach, Aznavour s'est attaché à écrire un « spectacle traditionnel avec des rôles bien définis et beaucoup de dialogues », où, en contrepoint de la peinture (*Et peindre*), l'alcool tient un rôle-clé, de *Désintoxication* à *Buvons*. Pour son auteur, à l'exception de ce dernier titre au rythme étourdissant dans l'esprit des *Deux Guitares* de 1960, l'ensemble n'est guère voué à un succès populaire.

1. Elle avait déjà repris notamment *For me formidable*, mais, en dépit de leur longue amitié, Charles Aznavour a peu écrit pour elle, si ce n'est une version féminine de *Tu t'laisses aller*, *Oh Lady Bigoudi*, et surtout *En scène* (1998).

Quant à la production de *Lautrec* en France, il observe : « S'il s'agissait d'un grand spectacle musical dans le genre de ceux qu'on a vus, sans dialogues, etc., ce serait autre chose ! Là, ils visent d'abord le tube, sur un disque constitué de morceaux essentiellement faciles. Mais *Lautrec*, ce n'est pas facile [1]. »

---

1. De fait, le 24 février 2006, Agnès Gaudet, du *Journal de Montréal*, écrivait : « L'équipe Spectra abandonne le projet de comédie musicale *Lautrec* de Charles Aznavour. Trop coûteux, trop risqué. Après plus de deux ans de négociations, Charles Joron, le producteur de spectacles des Productions Libretto, une division du Groupe Spectra, a mis une croix sur ce projet de plus d'un million de dollars, qui semblait prometteur. [...] Selon Charles Joron, il a été impossible de réunir le financement nécessaire à monter ce spectacle d'envergure qui devait réunir sur scène 22 artistes et un orchestre, soit 60 personnes au total. »

Chapitre 50

« On va être surpris… »

Charles Aznavour aime à surprendre. Surprendre le public, comme se surprendre lui-même. Alors, à l'image de sa « dernière tournée » qui se déroule encore et encore, ce dernier chapitre se veut surtout riche de pages blanches, de disques, de livres, de spectacles et de voyages… à venir !

Ainsi, avant d'aller donner une poignée de concerts en Allemagne, Charles coprésente sur France 2, aux côtés de Michel Drucker, un savoureux *Samedi soir avec… Charles Trenet*, le 4 février 2006, cinq ans après la disparition de celui-ci. D'emblée il y rappelle l'importance fondatrice du Fou chantant : « C'est lui qui a crevé la toile. C'est grâce à lui que l'on a vu d'autres auteurs, par la suite, qui ont pensé que la qualité pouvait aller de pair avec la chanson populaire. » Accompagnés par « la base de son orchestre » dirigé par Gérard Daguerre (avec Claude Lombard et Katia Aznavour aux chœurs), se succèdent alors notamment : Patrick Bruel (*Fidèle*), Serge Lama (*Revoir Paris*), Bénabar (*La Mer*), Sanseverino (*Nationale 7*), Agnès Bihl (*Le Jardin extraordinaire*), Jacques Higelin (*Sur le fil*), Doc Gynéco et

Brigitte Fontaine (*Boum*) – cette dernière fredonnant en prime à un Aznavour très surpris, *La Salle et la Terrasse*, chanson qu'il avait écrite avec Bernard Dimey...

Quoi d'autre, à présent ?... Charles l'a dit en public avec son humour de grand gamin : « J'ai essayé la retraite. C'est pas marrant du tout. » Lorsqu'on l'interroge sur son actualité, il botte en touche dans un ton voisin : « Je n'ai plus d'actualité, j'ai un suivi, maintenant ! [*rire*] Les projets, c'est à vingt ans, pas à quatre-vingts ! » À ceci près qu'il subodore volontiers qu'en vérité il a « quatre fois vingt ans ! » Bref, on sait qu'il planche sur un livre de nouvelles et ne cesse d'écrire des chansons, que des films ou des téléfilms vont sortir, qu'il a entrepris un album de duos pour lequel il prend son temps... et n'oublie pas le contact direct avec son public, mais peut-être en innovant, comme il l'a laissé entendre à Marc Legras pour la revue *Chorus (les Cahiers de la chanson)*[1] : « On me reverra sur scène... Je me suis rendu compte que je n'avais besoin d'aucune publicité. Il suffit d'une affiche, de l'annonce que je passe au Palais des Congrès – 4 000 places – pour que les gens viennent. C'est la plus belle des récompenses. J'ai demandé à Lévon Sayan de me préparer une tournée de quelques jours pour tenter quelque chose de particulier avec des chansons que je n'ai jamais interprétées ou qui n'ont pas été remarquées dans mes disques. Je voudrais faire ça sans entracte, en une seule grande partie qui finirait par ce que j'appelle ma "descente aux enfers", avec tous les titres attendus par le public, pour qu'on n'en ait pas un seul à me réclamer... »

Vous l'avez compris, ouvrez grands les yeux et les oreilles ! Toujours entre deux voyages, entre deux tournages, entre

1. N° 55, printemps 2006.

deux chansons, Charles n'a tellement pas dit son dernier mot qu'il vaut mieux lui laisser la parole en guise d'épilogue ouvert à ce livre : « Il y a deux choses, dans mon métier : celles que l'on prépare pour moi, et je ne m'en préoccupe absolument pas (je fais mon travail quand il faut y aller), et celles que, moi, je prépare. C'est tout à fait différent. Actuellement, je suis en train d'écrire un bouquin de nouvelles. Et des chansons, bien sûr. J'en ai déjà douze ou quatorze [1], mais pour qu'un disque ait une tenue, une unité, il faut en écrire une vingtaine. Avant, j'écrivais une chanson d'un jet, d'un trait, et je n'y revenais pas. Souvent, je pense que j'avais tort, mais peut-être que non, puisque c'est ce qui a fait mon succès. Aujourd'hui, je remets constamment mon ouvrage sur le métier. Quand c'est terminé, je dors mal pour une ligne, un mot qui ne sont pas exactement ce qu'ils devraient être. J'écris toujours une chanson d'un jet, mais sa correction prend énormément de temps. Hier, j'écrivais des chansons pour faire du succès ; à présent, je les écris pour fortifier mon œuvre. Je n'ai pas dit mon chef-d'œuvre ! [*rire*] Mais on va être surpris ! Parce qu'un auteur qui réussit une révolution, c'est formidable ! Deux, ça paraît vraiment extraordinaire ! Moi, je peux dire que j'en suis déjà à trois. Mon rêve, c'est d'en atteindre une quatrième : la révolution des écrivains ! Vous savez, quand après quarante ans d'écriture, un écrivain de quatre-vingt-dix ans (ou de soixante ans, c'est pareil) publie tout d'un coup un livre formidable, devant lequel tout le monde s'écrie "Ah ! Ah !"... eh bien, c'est justement ce bouquin-là que je vais préférer. Et tous ces "Ah !" me ravissent... »

1. Au 31 janvier 2006...

ANNEXES

Fidèles, fidèles...

Dans l'ombre immédiate de Charles Aznavour depuis des décennies, deux personnes gèrent l'ensemble de sa carrière et de son œuvre : Lévon Sayan, son *personal manager*[1], et Gérard Davoust, son associé dans les Éditions Raoul-Breton.

LÉVON SAYAN

Natif d'Aix-en-Provence et d'origine arménienne, Lévon Sayan s'installe à New York dès septembre 1956. En 1964, Charles Aznavour qui, paraît-il, lui ressemble beaucoup physiquement, chante dans la ville. Poussé par la curiosité, Lévon Sayan achète une place : « Il chantait dans un théâtre de Broadway, Les Ambassadeurs. À la fin du spectacle, je suis allé le voir dans sa loge, et à ma grande surprise, après avoir signé des autographes, il m'a proposé de venir dîner avec lui et son pianiste. De cette première rencontre j'ai conservé une photo prise avec un Polaroid. »

Alors barman dans un restaurant français, Lévon Sayan se retrouve à jouer les interprètes pour suppléer le régisseur de Charles qui ne parle pas un mot d'anglais : « Cela a duré deux ans. Quand Charles venait aux États-Unis, il

1. Il est également celui de Roberto Alagna, a collaboré avec Placido Domingo et représenté en Europe Liza Minnelli, Frank Sinatra et Sammy Davis Jr.

m'appelait, et j'intervenais comme ça, de façon totalement amicale ; jusqu'au jour où il m'a demandé si je voulais travailler avec lui, à la place de ce régisseur dont il s'était séparé. Je lui ai dit : "Je n'ai jamais fait ce métier !" Et il m'a répondu : "Je ne vous demande pas si vous savez le faire, mais si vous voulez le faire ! Moi aussi, avec Piaf, je ne le connaissais pas, et je l'ai appris !" Comme j'étais attiré par le milieu de la musique, je lui ai dit oui. »

Au bout d'un certain temps, Sayan rentre en France, et, en 1971, il participe à son premier Olympia comme régisseur, c'est-à-dire également sonorisateur et éclairagiste : « À l'époque, l'imprésario de Charles s'appelait Jean-Louis Marquet, et j'ai assez vite sympathisé avec lui. Comme il était pris par son bureau parisien, il m'a confié en plus la responsabilité de l'administration. Quand il ne venait pas en tournée, je partais avec les contrats et je les encaissais. Cela a duré environ jusqu'à 1974, époque à laquelle Charles a cessé de travailler avec lui. Et c'est moi qui ai conclu le dernier contrat avec Bruno Coquatrix pour l'Olympia de 1976. »

Désormais surtout en charge du *management* d'Aznavour, Lévon Sayan lui annonce soudain sa décision de le quitter pour satisfaire un « vieux démon » : tenter une carrière de ténor d'opéra. Bien qu'il ait déjà enregistré trois disques en amateur, il va surtout se consacrer au redressement du magazine *Opéra* qu'il a acheté et rebaptisé *Opéra international*. Néanmoins, les deux hommes continuent de se voir amicalement durant cette période on ne peut plus difficile pour le chanteur.

En 1981, sollicité avec insistance par Aznavour (insatisfait de son *management* d'Angleterre), Lévon Sayan accepte de revenir : « J'ai recommencé, mais en tant que manager et à condition de pouvoir m'occuper de tout. En 1980, Charles a resigné pour trois ans chez Barclay, par amitié pour Eddie Barclay, lequel n'est plus le patron puisqu'il a vendu sa société à Polygram [1]. Dans les transactions de reprise, il y a le contrat d'Aznavour, mais je constate qu'il ne se passe plus rien et qu'à leurs yeux, il est un peu devenu le *has been* de la maison. Là, j'entrevois une faille. Je propose aux responsables de l'époque de racheter le catalogue, car je connais leurs difficultés et leur besoin d'argent frais. Après de nombreuses discussions, on tombe d'accord sur un prix et ils vendent le catalogue. »

Le temps de la transition, de 1984 à 1985, Charles Aznavour se retrouve dans une situation ubuesque : « Comme Barclay avait aussi lâché le "back catalogue", il n'y avait plus rien sur le marché, explique Lévon Sayan. Pendant presque deux ans, j'ai cherché une maison de disques pour Charles. Mais pas une multinationale, des gens qui soient mordus d'Aznavour et qui s'acharnent. Au bout du compte, j'ai opté pour Tréma. En 1985, on a signé un accord en licence [2] (pour la France, pas pour le monde entier où je savais leurs limites), et c'est de là que tout est reparti, ils ont accompli un travail extraordinaire. On est restés en contrat avec eux officiellement jusqu'en 1990 [3]. »

Parallèlement, dès son retour comme manager, Lévon Sayan a suggéré à Charles Aznavour « une stratégie » :

---

1. En novembre 1978, s'il en est toujours le PDG, Eddie Barclay a cédé 80 % de sa société à deux groupes puissants : 40 % à Polygram-France et 40 % à la Société Générale.

2. Dans un contrat « en licence », l'artiste ou une société, propriétaire de son propre catalogue (ses enregistrements), concède un droit d'exploitation d'une durée déterminée à la maison de disques ; en revanche, dans un contrat d'artiste, c'est la maison de disques qui est propriétaire des enregistrements.

3. Sans trop entrer dans les détails, précisons que c'est à une société anglaise (Rakoon Film Productions) que Barclay avait vendu le catalogue d'Aznavour, Tréma n'en disposant qu'en licence. Rakoon négociera à son tour le catalogue à une homologue américaine, Premier Artiste Service (représentant Frank Sinatra, Liza Minnelli, Sammy Davis Jr...), laquelle le placera en licence chez EMI avant de le leur vendre en 1995. Cette même année, Charles Aznavour signera cette fois directement un contrat d'artiste avec EMI.

« D'abord, nous sommes restés hors de France pendant six ans, jusqu'au Palais des Congrès de 1987 ; notre théorie a porté ses fruits, puisqu'on n'a pas arrêté de travailler, et rien qu'à l'étranger. D'autre part, il s'agissait de chanter moins et de gagner davantage. Je pensais qu'on perdrait pas mal de monde, mais qu'à la longue ce serait bénéfique. » Il est vrai que le *personal manager* de Monsieur Aznavour jouit d'une réputation d'homme d'affaires « costaud »... qu'il assume d'un humour laconique : « J'essaye ! »

Concernant le quiproquo sur la « dernière » tournée de Charles Aznavour, qu'il impute en grande partie aux journalistes, il souligne : « Après chaque rentrée parisienne au Palais des Congrès, on a prolongé par une tournée de quatre-vingts ou cent concerts. La seule fois qu'on a annoncé "la dernière tournée", c'est en 2000. Charles m'a dit : "Je ne veux plus chanter que dans les grandes villes, je ne veux plus de tournées comme on a l'a fait depuis dix ans !" Le problème, c'est que notre annonce a été interprétée comme une tournée d'adieu, malgré les interviews où Charles a essayé de rectifier le tir. »

Lévon Sayan conclut cependant : « Le jour où monsieur Aznavour le décidera – et il n'est pas impossible qu'il le décide très vite –, on annoncera vraiment la tournée des adieux. C'est déjà un miracle qu'à son âge il garde une voix intacte, et qu'il puisse assurer physiquement un tel tour de chant ! Il ne parle jamais d'adieu ni de se retirer, mais comme il connaît très bien son métier et qu'il est très intelligent, je suis sûr qu'il n'hésitera pas à s'arrêter, le moment venu. »

Gérard Davoust

Entré en 1965 chez Philips, où il va s'occuper de différents secteurs, du *business affair* jusqu'à la direction de la production (pendant trois ans, avec douze directeurs artistiques sous ses ordres), Gérard Davoust rencontre Georges Garvarentz à l'occasion de nombreuses musiques de films que celui-ci est amené à composer. Amitié aidant, Davoust croise à plusieurs reprises Charles Aznavour, son beau-frère.

En 1968-1969, Chappell (édition internationale de tout premier plan) acquiert la moitié des éditions du tandem familial – éditions Charles Aznavour et French Music – en fondant une nouvelle société, Chappell/Aznavour, où Georges et Charles se partagent l'autre moitié des droits. En 1972, Gérard Davoust devient président de Chappell et se retrouve directement en charge de la gestion des œuvres du chanteur : « J'étais fan de la première heure de Charles. À dix-sept ans, *Parce que* m'enchantait ! Ensuite, à l'époque de mon service militaire et du départ en Algérie, il y a eu *Sa Jeunesse*. Et tout ce qu'il chantait me plaisait. Sa version de *Je t'attends*, par exemple, était très différente de celle de Bécaud. Un jour, je l'ai dit à Charles : "Quand Gilbert chante *Je t'attends*, dès le début on sait qu'elle va venir, et c'est joyeux. Vous, vous l'attaquez différemment (avec un autre arrangement, bien sûr), et on sait déjà qu'elle ne viendra pas." C'est la même chose pour *La Ville* où, à mes yeux, la version de Charles est incomparable ! »

C'est notoire, à leurs débuts et pendant pas mal d'années, Aznavour et Bécaud ont eu leurs aficionados respectifs. Gérard Davoust n'entretient évidemment pas ce clivage : « Pour moi, il n'existait pas de rivalité particulière entre eux, sauf que l'un ne faisait que des musiques et que l'autre écrivait en plus et surtout des paroles. Des paroles dont certaines ont contribué à la carrière de Bécaud, en complément des textes formidables que lui taillaient sur mesure Vidalin, Amade et Delanoë. Et Charles reconnaît lui-même qu'au début, il ne décollait pas, alors que Gilbert a démarré tout de suite... »

À partir de 1972, Gérard Davoust travaille effectivement avec Charles Aznavour : « Les éditions sont là, et même si je côtoie davantage Georges que Charles qui est souvent en tournée, il s'est passé avec lui un phénomène d'adoption : à un moment donné, il vous adopte et ça change tout dans les rapports... J'étais ami de Raymond Devos depuis très longtemps et, un jour, Charles me dit (il ne savait pas que je le connaissais bien) : "Je vais assister au spectacle de Devos, ce soir ! Vous voulez venir avec moi ?" J'étais déjà allé voir Raymond, mais j'ai répondu : "Avec plaisir !" C'était la première fois que j'accompagnais Charles à un spectacle, et je ne l'ai jamais oublié. »

Cette complicité ne fera que se renforcer au fil des années, jalonnée d'autres souvenirs indélébiles : « Il chantait à Athènes, l'été, dans une espèce de festival international, seul au milieu d'un immense stade olympique, raconte Davoust. On arrive vers onze heures ou midi, et l'on voit cette espèce d'ovale avec une estrade, un grand parterre de chaises de bistrot pour les VIP's, et les gradins de pierre, loin, loin... Charles regarde tout cela et me dit : "J'ai compris. Pas la peine de répéter ! Je vais juste changer l'ordre du tour." Là-dessus, il s'isole, modifie la liste des chansons et revient : "Allez, on part à la plage !" Du coup, j'annule des rendez-vous que j'avais pris et on passe une très agréable journée. Le soir, Charles ne me lâche pas (alors que j'avais des copains invités, comme Hubert Giraud et Eddy Marnay, que je n'avais pas pu voir !) et me parle jusqu'au dernier moment où on monte l'escalier pour accéder à l'estrade. Là, il me dit : "Bon, il va falloir que j'y aille !" Moi, je descends à fond de cale pour ne pas rater son entrée, et j'ai vu arriver une balle de tennis, un boulet de canon, d'une densité et d'une énergie que je n'ai jamais rencontrées chez un autre. C'était extraordinaire ! Un boxeur ! Il a enchaîné des chansons sur un tempo très fort, sans jamais permettre le moindre applaudissement. On était tous cloués sur nos sièges. Bien sûr, à la fin du tour, il y a eu une ovation totale. Et quand j'ai couru le féliciter, il m'a simplement remercié en ajoutant : "Mais je ne le referai pas tous les jours, celui-là ! Allez, maintenant, on va manger !" »

Lorsque l'on suggère à Gérard Davoust que le succès définitif de Charles Aznavour s'est amorcé après son retour en France de 1987 (au Palais des Congrès) et son implication en faveur de l'Arménie, l'année suivante, il nuance : « Pour moi, la remontée s'est produite plus tôt. J'ai un indice précis. Dans les années 78/82, il avait un peu perdu le public jeune. Et en 1983, alors que nous nous promenions, Charles et moi, dans une rue de Cannes, deux gamins de quatorze ans se sont approchés : "C'est bien Charles Aznavour ? – Oui, bien sûr ! – On peut lui demander un autographe ?" Ce retour-là était assez stupéfiant, et je me souviens que de telles situations se sont multipliées assez rapidement, ce qui n'était pas le cas en 1980. »

En 1994, une anecdote d'une autre nature confortera cette redécouverte d'Aznavour par un nouveau public. « Nous revenions d'un *Taratata* [1], se souvient Gérard Davoust, et Charles était lui-même étonné de son accueil par le public jeune de cette émission. Comparant sa carrière à celle d'autres artistes de sa génération, il m'avait dit : "Quelle

1. Célèbre émission de télévision (produite et animée par Nagui), réalisée dans les conditions du direct.

chance, quel miracle ! pourquoi suis-je encore là ?" Charles avait chanté avec un rappeur qui était venu répéter au bureau et qui s'était écrié : « Oh ! Ils ne vont pas me croire, les copains ! Je répète avec Aznav' ! Quand je vais leur dire, au quartier… !" Et donc, au retour de ce *Taratata* où il avait obtenu un triomphe, Charles m'a regardé : "C'est quand même incroyable ! J'entame une troisième carrière ! À quoi ça tient ?" Et je lui ai répondu : « Je vois une seule raison : c'est la qualité de l'homme qui fait durer l'artiste !" »

Cela se passait deux ans après que les deux hommes eurent racheté les éditions Raoul-Breton. Une date depuis laquelle, par une logique et une fidélité naturelles, Charles Aznavour vient souvent travailler au bureau. Comme dans les années 50. Enfin, presque...

Témoignages

Georges Garvarentz

Décédé à Aubagne le 19 mars 1993 à l'âge de 60 ans, Georges Garvarentz (Diran de son vrai prénom) a été pendant plus de trente ans le compositeur attitré de Charles Aznavour, devenu son beau-frère en septembre 1965. Leur collaboration et leur amitié ont débouché sur un nombre impressionnant de succès. Au début de l'été 1987, Marc Robine l'avait rencontré en vue d'un article important sur Aznavour, qui devait « faire la une » du n° 73 de *Paroles et Musique* d'octobre – numéro qui ne vit jamais le jour, le mensuel annulant sa parution de ce mois-là pour lancer une nouvelle formule en novembre. Au printemps 1994, seul un court extrait de son témoignage fut publié dans le n° 7 de *Chorus*, à l'occasion du dossier consacré à Charles Aznavour. Il amorce ici ce long entretien, demeuré inédit à ce jour, où l'on constate que Georges Garvarentz faisait preuve d'un franc-parler total :

– *Marc Robine : Quelle a été votre formation musicale ?*

– Georges Garvarentz : J'ai fait mes études secondaires à Venise, même si c'est finalement à Paris que j'ai passé mon bac. Bien que né [1] dans une famille de musiciens (et alors que ma sœur suivait les cours de piano du Conservatoire de

1. À Athènes, le 1er avril 1932.

Vienne), je ne me suis pas du tout intéressé à la musique avant l'âge de quatorze ans. Ensuite, j'ai assez vite rattrapé le temps perdu puisque, deux ans plus tard, j'ai proposé une de mes premières compositions à Arthur Briggs – le chef d'orchestre noir américain –, qui l'a enregistrée et en a fait un succès commercial. Si bien que des éditeurs de musique ont commencé à téléphoner au collège où j'étais encore élève, pour me demander des morceaux.

– *Comment s'appelait celui-là ?*

– Vous allez rire... C'était la grande époque de la samba et ça s'appelait *Banania de Costa Rica.*

– *Le succès est donc venu assez rapidement vers vous ?*

– Pas tout de suite, car j'ai commencé des études de médecine tout en jouant le soir dans les boîtes. Jusqu'au jour où j'ai réalisé qu'un de mes copains, un guitariste, gagnait beaucoup plus d'argent que mes professeurs de faculté. J'ai donc laissé tombé la médecine et là, oui, ça a démarré assez vite. Je n'ai pas connu de transition : mon premier gros succès a été *Daniéla*, pour les Chaussettes Noires, et puis après, *Rendez-vous à Brasilia*, pour Charles, qui reste un cas unique, parce que j'en ai écrit les paroles avec mon ami Clément Nicolas. Charles, qui avait composé cette musique au Brésil, la disait "imparolable"... Et c'est parti tout d'un coup, dès le début des années 60 : moi qui étais dans la dèche, je me suis retrouvé avec de quoi acheter une maison.

– *Comment avez-vous rencontré Charles Aznavour ?*

– Charles était le fils de Knar, qui avait été l'élève de mon père [1] à Istanbul, et ses parents appartenaient à la

1. Kevork Garvarentz, poète et musicien, auteur de l'hymne révolutionnaire arménien d'avant le génocide.

troupe du Théâtre arménien. Un jour, ils ont eu besoin d'un personnage jeune, pour une pièce, et ils sont venus me chercher. J'ai donc joué avec les parents de Charles à l'époque où il chantait avec Roche ; mais si l'on parle aujourd'hui de Roche et Aznavour, c'est bien sûr grâce à la renommée de Charles. A l'époque, nous, on les adorait parce qu'ils swinguaient, mais leur duo ne représentait pas grand-chose : quelques levers de rideau, quelques attractions dans les cinémas. Il ne faut pas oublier que c'était le temps des belles voix : Dassary, Guétary, Mariano, André Claveau... et l'autre, il se pointe avec sa voix cassée !

J'ai rencontré Charles, la première fois, chez Raoul Breton. Je lui ai joué des musiques et il m'a dit : « C'est très bien, mais je fais mes chansons moi-même. J'écris aussi de la musique et quand j'ai besoin d'un autre musicien, je travaille avec Bécaud. Continuez comme ça et venez me montrer de temps en temps vos compositions. Je veux vous suivre ! » Sans doute avait-il ressenti quelque chose, même si je n'étais pas prêt...

– *Vous n'avez donc pas travaillé tout de suite ensemble ?*

– Vous savez, je suis très pudique, je ne sais pas insister. Je ne suis pas de ceux qui téléphonent vingt fois par jour. Je n'ai jamais embêté Charles. Simplement, je passais le voir chez Breton. Un jour, je lui ai dit : « On devrait écrire des chansons ensemble ! » Il m'a répondu : « Ecoute, Georges, avant de travailler avec moi, il faudrait que tu obtiennes un succès ! » J'avais pris ça assez mal, en pensant : « Il veut bosser avec moi au lieu de m'aider. » Après *Daniéla*, il m'a appelé : « Maintenant, on va travailler ensemble ! » J'ai alors compris : il croyait tellement en moi qu'il ne voulait pas me bouffer ! Si on avait eu un succès ensemble avant que je sois reconnu par le métier, on aurait toujours dit : « C'est une chanson d'Aznavour » ! Après ce succès de *Daniéla*, on devenait un tandem et on pouvait parler « d'une chanson d'Aznavour/ Garvarentz ». Charles m'a donné cette envie de décrocher un succès pour me prouver à moi-même que je pouvais y arriver, et pour qu'après on puisse travailler d'égal à égal.

– *Vous avez aussi écrit pour Johnny Hallyday...*

– Après *Daniéla* et *Rendez-vous à Brasilia*, il y a eu *Taxi pour Tobrouk*, puis d'autres films autour de chanteurs de rock'n'roll : *Comment réussir en amour*, *Cherchez l'idole...* C'est à cette période que j'ai connu Johnny. Il avait un succès, *Souvenirs, souvenirs*, mais il n'était pas encore accepté par le grand public. Pour plaire à tout le monde, il faut plaire aussi aux parents. J'ai dit à Johnny qu'il lui fallait une ballade. Moi, j'avais eu la chance d'aller aux États-Unis, je connaissais l'esprit rock'n'roll, la façon de l'écrire, de l'harmoniser, alors qu'en France les compositeurs en étaient loin. J'avais déjà une formation de jazz et j'ai découvert là-bas que le rock'n'roll était basé notamment sur les harmonies du blues, dans une forme assez élémentaire, un peu comme le folklore. Donc, j'ai cherché à composer une jolie ballade avec des harmonies simples et, avec Charles, on a écrit *Retiens la nuit*[1].

– *Qu'est-ce qui vous plaisait surtout chez Charles ?*

– Aznavour a pris sa place petit à petit avec ses textes. Moi, j'ai craqué le jour où il a adapté *Jezebel :* « Les souvenirs que l'on croit fanés / Sont des êtres vivants avec des yeux de morts... » D'un seul coup, ça rejoignait presque la poésie ! Avec Bécaud ils avaient sorti *Je veux te dire adieu* : une

1. Pour être précis, *Retiens la nuit*, qui date de 1961, est extraite du film *Les Parisiennes*, sorti en France le 19 janvier 1962. Johnny Hallyday y donne la réplique à Catherine Deneuve dans le sketch *Sophie*, réalisé par Marc Allégret.

chanson d'amour où, au lieu de susurrer « Je t'attends sous ton balcon », Charles parle de plumard ! Ça allait déjà très loin, et Aznavour a commencé à exploser...

– Il est vrai qu'il est l'un des premiers à avoir quasiment parlé de sexualité...

– Je me souviens d'être allé l'écouter à Metz ; quand il chantait *Après l'amour* (« Tu glisses tes doigts / Par ma chemise entrouverte... »), les gens gueulaient dans la salle comme pour les Beatles ! Alors que la chanson était interdite à la radio... Une vraie hystérie ! J'ai un document sur Sinatra en 1942, où il provoque la même hystérie quand il arrive sur scène. C'est un document extraordinaire monté par les Américains, avec un concert des Beatles et un de Sinatra : à vingt ans d'écart, le public de l'un réagit comme le public de l'autre, avec le même engouement, la même idolâtrie. Eh bien, Aznavour a connu ça ! Et sa force, c'est qu'il continue avec une honnêteté totale vis-à-vis de son métier, tout en ayant conscience de son âge, de sa valeur... Il faut être conscient, dans la vie. Et rester humble. Le secret de la longévité d'un artiste tient dans ce mot. Tous les prétentieux que j'ai connus ont disparu...

– Charles Aznavour n'a-t-il pas apporté, finalement, un certain classicisme ?

– C'est sa victoire ! Parce qu'il y a un quart de siècle, certains prédisaient : « Un jour, le public se rendra compte que c'est un auteur pornographique. Il ne sait pas écrire, il n'écrit pas en français, c'est de la poésie orientale... » Et c'est vrai qu'Aznavour a quelque chose d'Omar Khayam [1]... Mais, à propos de classicisme, le texte d'Aznavour, pour moi,

1. Mathématicien, astronome, philosophe et poète persan aux quatrains renommés (1150-1123 après J.-C.).

c'est exactement le jazz dans la musique. Lorsque, en 1930-35, le jazz a commencé en France, ç'a été une révolution. En 1940, mes parents s'indignaient : "Comment pouvez-vous aimer cette musique de sauvages ?" Aujourd'hui, la même personne, ma mère, me dit quand elle entend de la musique pop : "Où est le bon temps de Count Basie et Glenn Miller ?" Ils sont devenus classiques : c'est la victoire du jazz.

Aznavour, c'est pareil. Et il n'est pas seulement émouvant par son écrit, mais aussi par sa pensée. C'est un auteur complet. Pour être auteur de chansons, on peut être parolier. Comme Jacques Plante qui constitue, je crois, le summum des paroliers français. Il peut écrire *La Bohème*, *Domino* ou une opérette pour Francis Lopez... Pour cela, on n'a pas besoin d'être poète : il faut avoir l'œil comme un objectif photographique, capter les choses avant les autres, cerner une vérité, inciter un peu au rêve. Aznavour, lui, il écrit deux lignes en haut, quatre lignes en bas et laisse sept lignes vides au milieu : il sait ce qu'il veut exprimer, mais pas encore exactement les mots qu'il doit utiliser... Il bâtit comme un poète, doublé d'un parolier de chansons. Si bien que les textes d'Aznavour, au final, sont aussi accessibles que ceux de Jacques Plante, tout en ayant autant de poésie que ceux de Charles Trenet. C'est de là que vient le succès d'Aznavour, sans quoi il n'aurait pas existé, ni avec sa voix, ni avec son physique.

– Il a aussi composé de formidables musiques, souvent d'ailleurs sur des textes qui ne sont pas de lui. Comme La Bohème, *en effet...*

– *La Bohème* a été adaptée, en ce sens qu'il a composé la musique d'abord, puis Plante a écrit les paroles. En fait, il y a eu une période Aznavour auteur-compositeur (à l'époque où j'étais encore au collège), avec *Sur ma vie*, *Viens pleurer au creux de mon épaule*, *On ne sait jamais*... C'est l'âge d'or d'Aznavour ! Il compose des musiques directes, inspirées, pleines de jeunesse, et d'une invention totale. *Viens pleurer au creux de mon épaule*, personne n'a écrit ça avant Charles. Il crée un style que les autres commencent à copier. Après, vient une autre époque où Charles, ayant fait le plein de ce qu'il a à dire (en tout cas au plan musical), se met à chercher des compositeurs à droite, à gauche (comme Gaby Wageinhem), mais qui écrivent toujours dans son style. Lui, s'il retombe parfois dans ce qu'il a fait, cherche un autre genre de musique. Et, d'un seul coup, il devient un compositeur superbe, et il signe *La Bohème*. Même si *Sa Jeunesse* est également une chanson superbe (on dirait du Chopin !), musicalement *La Bohème* va beaucoup plus loin ! Là, Charles devient un grand compositeur. De ce point de vue, je pense que notre rencontre a été très importante pour tous les deux ; nous nous sommes influencés mutuellement. Et je pense lui avoir donné le goût de l'harmonie.

– *Surtout sur des textes d'autres auteurs, j'ai l'impression !*

– Sur ces textes, il devient un compositeur génial. Parce qu'il est libéré. Il a quelque chose à dire et il ne dispose que de la musique pour s'exprimer, alors que sur ses propres paroles il tend plutôt à composer une musique qui les accompagne.

– *À partir d'une certaine époque, vous devenez pratiquement son compositeur attitré. Et il cesse alors de travailler avec d'autres...*

– Ce n'est pas pour se faire plaisir, mais vous savez : quand on est bien chez soi, pourquoi chercher ailleurs ? Un homme heureux avec sa femme ne va pas baisouiller de droite et de gauche ! Charles et moi, on se trouve bien, on se complète, et non seulement on écrit ensemble, mais on s'intéresse chacun à ce que fait l'autre par ailleurs. Il existe une véritable communion entre Charles et moi. Ensemble on a réussi des chansons comme *Les Plaisirs démodés – The Old Fashioned Way* en version anglaise – qui a vendu vingt-deux millions de disques rien qu'aux États-Unis à travers trois cent cinquante versions différentes...

– Vingt-deux millions !

– Oui, pas avec Charles uniquement ! Avec tout le monde : d'Andy Williams à Fred Astaire ! C'est quasiment une chanson américaine : on les bat sur leur propre terrain...

– Et Hier encore *?... qui est, je crois, la chanson d'Aznavour que je préfère...*

– La musique est de lui. *Hier encore*, c'est le résumé de beaucoup de chansons de Charles. *Yesterday when I was Young* est aussi devenu un énorme succès aux États-Unis avec environ deux cents versions, de Lena Horn à Shirley Bassey. Le jour et la nuit !

– Charles Aznavour est donc vraiment célèbre en Amérique ?

– Aujourd'hui, c'est le seul artiste français de scène qui le soit (Montand est connu, mais parce qu'il a tourné beaucoup de films avec les plus grandes stars), le *French Singer*, comme on dit là-bas. En 1962, lorsque Chevalier m'a emmené en Amérique (j'ai fait un film avec lui qui s'appelait *Panic Button*, avec Jayne Mansfield et un débutant d'origine arménienne, Mike Connors, le futur Mannix, avec qui je suis devenu très copain et qui m'a appelé plus tard à la Paramount [1] pour des arrangements), il m'a dit :

1. En 1987, à l'époque de cet entretien, Georges Garvarentz habite Hollywood et compose essentiellement des musiques de films.

« Mon petit, la seule personne qui prendra ma relève aux États-Unis, ce sera Aznavour ! » À l'époque, j'ai pensé : « Vraiment, Maurice commence à être gâteux ! » Parce que Chevalier, jeune, c'était un beau mec, genre prince charmant, grand, etc. Mais il savait très bien qu'un homme lui ressemblant ne pourrait pas prendre sa place. Quand je lui ai cité Montand, il m'a répondu : « Non, il est trop près de mon style, il faut quelqu'un de différent ; les générations ont changé, ce sera Aznavour. »

Et vous savez, j'ai assisté à des scènes extraordinaires avec Charles. Dans le Texas, dans des petits patelins, des villes où même les grands noms américains ne vont pas, lui, il a eu le culot d'aller chanter. Les gens ignoraient tout de lui, et pourtant, le soir, c'était bourré. « Plus ça va, plus c'est la folie ! » m'a dit son pianiste Aldo Franck, qui m'a raconté aussi qu'au Brésil, quand Charles est arrivé sur scène, il n'a pas pu chanter pendant un quart d'heure : « On a l'impression qu'il n'en a plus besoin, qu'il a juste à apparaître pour qu'on l'applaudisse ! » Et, à propos de Radio City, à New York, devant 6 500 personnes, Aldo m'a confié : « Entre chaque chanson, on avait le temps d'aller manger un sandwich et de revenir... »

C'est ça, Aznavour, aujourd'hui ! Une institution. Et je pense que cela ne vient ni de ses chansons, ni de son talent de chanteur ou d'auteur, mais d'abord du fluide qui passe. De l'homme. De l'être humain.

PATACHOU

Coïncidence amusante, toute jeune, la future Patachou fut secrétaire des Éditions Raoul-Breton, celles-là mêmes où Charles Aznavour la rencontra en 1952, quarante ans avant de les acquérir avec Gérard Davoust, leur actuel PDG. Née le 10 juin 1918 à Paris, la petite dactylo s'appelle d'abord Henriette Ragon. Après la guerre, en 1948, elle ouvre à Montmartre un cabaret-restaurant qui va devenir Chez Patachou, un lieu très prisé, une pépinière de talents nommés Devos, Aznavour, Brel, Brassens... Parallèlement, elle se lance dans le tour de chant. En 1952, année où elle enregistre un 25 cm avec *Plus bleu que tes yeux* (d'Aznavour), elle compte déjà au moins deux succès à son actif : *Bal, petit bal* de Francis Lemarque, et *Le Gamin de Paris* de Mick Micheyl et Adrien Marès. Dix ans avant Charles, en 1953 – l'année d'un 78 tours comportant *Parce que* –, elle amorce une carrière internationale qui la propulsera sur la scène du Carnegie Hall, à New York, ainsi que sur celles de très nombreuses villes des États-Unis. Essentiellement comédienne depuis la fin des années 80, elle garde aujourd'hui une vigueur de propos et une vitalité enthousiasmantes.

– Daniel Pantchenko : Comment avez-vous rencontré Charles Aznavour ?

– Patachou : Breton, qui gardait un souvenir ému et amical des moments que j'avais passés chez lui, m'appelle un jour : "J'ai à l'édition, aujourd'hui, un homme qui rentre du Canada et se trouve un peu paumé. Ne pourriez-vous pas lui donner un coup de main ?" Ils savaient tous que je disais : "Entrez donc, les enfants ! Je vais vous trouver une petite place. Toi, tu chantes deux chansons, toi, tu en chantes trois…" Donc, j'arrive chez Breton et je vois ce garçon. Petit. Timide… Timide, mais pas à genoux du tout : bien élevé. Et je l'invite : "Monsieur, voulez-vous venir chanter dans ma maison ?" Il vient, il chante, et là se pose le problème de cette voix qu'il a, depuis, beaucoup travaillée. Certes, la Providence l'a un jour gâté, mais il est allé au-devant, parce qu'à l'époque, tant physiquement que vocalement, il n'était pas tellement armé pour la bagarre.

– *Il ne correspondait pas aux canons du moment !*

– Ce sont les hommes qui pensaient ça ! Parce qu'aussi petit qu'il fût (il mettait des talonnettes et on les a balancées : il n'en avait pas besoin) et à cent lieues de ces prétendus canons, lorsqu'il montait sur scène, bien des bonnes femmes de mon public l'auraient pris sur leurs genoux pour un câlin ! Et lui proposer un gentil week-end. Il plaisait énormément aux dames, Charles. Bien davantage que Brel dont aucune n'était amie, alors que Charles était prêt à l'amitié, à la tendresse... et au reste, bien sûr ! [*rire*] Il a d'ailleurs séduit beaucoup de très jolies dames, et il en a refusé pas mal !

– *Revenons à sa drôle de voix !*

– Il n'en avait pas, surtout ! Alors, certains abrutis (des journalistes, entre autres) voulaient me donner des conseils ; ce qui s'est reproduit avec Brassens : « Il faut lui couper les cheveux ! » Et je répondais : « Foutez-leur la paix ! Écoutez ce qu'ils chantent, ce qu'ils écrivent ! » Au sujet de Charles, je garde le souvenir d'une salle archi-pleine, d'une grande table d'habitués, des gros marchands de tissus (dont je tairai le nom, parce qu'ils doivent faire partie de ceux qui répètent : « Moi, j'étais là quand Aznavour a débuté ! »), qui discutaient bruyamment pendant que Charles chantait.

Je déteste ça et ce jour-là je lui ai fait signe d'arrêter. Charles s'arrête, j'appelle la dame des vestiaires et je lui lance : « Isabelle, portez s'il vous plaît tous les manteaux et pardessus à la table de M. Untel, là-bas ! » Elle arrive, chargée des vêtements, devant les clients interloqués : « Mais Pat (ils m'appelaient tous Pat !), nous n'avons rien demandé ! – Je le sais, mon cher ! Et vous ne paierez pas d'addition non plus ! Vous êtes tous mes invités. Et comme vous êtes mes invités, je vous prie de quitter ma maison parce que vous dérangez Monsieur, qui chante ! » J'ai donc foutu dehors ma tablée de douze personnes, puis je me suis tournée vers Aznavour : « À présent, Charles, nous sommes entre nous. Voulez-vous bien reprendre, s'il vous plaît ? » J'aimais bien m'offrir des trucs de ce genre ! [*rire*]

– *Quand vous avez rencontré Charles, vous lui avez demandé d'arrêter de fumer à cause de sa voix...*

– Là, il s'est un peu planté dans son livre de souvenirs [1]... À l'époque, je rentre de tournée, je l'entends chanter et je réalise que je l'aime décidément beaucoup, qu'il est promis à un grand avenir, mais qu'il devient urgent de s'occuper de sa voix. Je suggère à Charles : « Il faudrait que vous arrêtiez de fumer ! – Vous croyez ? – Je ne le crois pas, j'en suis sûre ! » Quinze jours ou trois semaines plus tard, quand je reviens, je constate que sa voix ne s'est pas du tout améliorée. Dès que Charles sort de scène, il s'approche de moi et me demande : « Alors ? – C'est toujours aussi bien, mais les cigarettes... – J'ai arrêté ! – Vous avez arrêté !? – Absolument ! » Dépitée, je renonce et j'appelle Isabelle : « Donnez, s'il vous plaît, des cigarettes à M. Aznavour ! C'est devenu pire ! » [*rire*]

1. *Le Temps des avants*, *op. cit.*

– *Jolie anecdote, assez inoubliable, en effet !*

– Cela dit, j'ignore si Charles a fait comme moi, mais je n'ai rien gardé. Pas le moindre press-book : pas plus de l'Amérique que de Hong Kong. Pour moi, rien n'est plus vieux que les nouvelles de la veille ! Ce qui compte, c'est ce qui va se produire tout à l'heure ou demain.

– *En cela, vous vous ressemblez, avec Charles. Il marmonne « J'ai moins envie », et l'on apprend qu'il part pour Moscou, sort un bouquin, prépare un disque...*

– Il a du mérite, même s'il est mon cadet de quelques années ; à nos âges, ça ne compte plus. Parce qu'on est un peu cassés, tous les deux. La dernière fois que je l'ai vu, c'était à un enterrement. Celui de Jacques Plante[1]. Pour que cela se sache, j'ai téléphoné à la presse et j'ai cherché à joindre Charles. Par les éditions, j'ai appris qu'il était à Saint-Tropez et j'ai réussi à l'avoir en ligne : « Jacques est mort ! – Oui, mais là, je suis sur un bateau... – Eh bien, un bateau, ça rentre au port ! – Bon, d'accord. J'arrive. » Et l'on s'est retrouvés devant la petite chapelle du Père Lachaise. Au moment de monter les quelques marches pour y accéder, je me penche vers Charles : « Tu sais, il va falloir que je m'appuie sur toi, parce que parfois mes jambes foutent le camp ! – D'accord, mais il faut que je m'appuie aussi, les miennes ne valent pas mieux. – Attends, on va trouver quelqu'un. » J'ai vu une cousine de Jacques et je lui ai expliqué : « Tu nous prends chacun d'un côté, et ça devrait aller ! »

– *À cette occasion, vous avez dû égrener quelques souvenirs ?*

– Nous avons, en effet, beaucoup parlé. Il m'a dit : « Je continue à travailler parce que j'aime ça. » Et il a ajouté en

1. Décédé le 16 juillet 2003.

toute humilité : « Et aussi parce qu'on me le demande... » Sur ce point, oui, on se ressemble : modestie jamais, humilité toujours ! On est aussi d'accord sur l'essentiel. « Ce qui compte pour moi, m'a-t-il répété, c'est ma famille. Je croise beaucoup de gens, tout va bien, mais, en réalité, je sors de mon terrier [il me semble qu'il a employé cette expression] de temps en temps... » J'ai même trouvé un peu désenchanté cet homme qui a connu tous les succès professionnels, toutes les joies s'y rapportant. Son sens des valeurs passe par sa famille ; le reste lui semble bien agréable, mais il peut s'en dispenser, il en est convaincu. Le jour où il cessera de travailler – quel qu'en soit le motif –, il verra combien c'est difficile. Les gens comme nous s'en remettent mal. Alors, parce que je l'aime, je voudrais le prévenir : « Tu t'en sortiras, mais tu vas ramer, Pépère ! »

– *Pour quelle raison essentielle l'aimez-vous ainsi ?*

– Avant d'être l'auteur remarquable que l'on connaît, il reste d'une honnêteté scrupuleuse. Un monsieur qui fait son boulot sans frime, et ça en emmerde plus d'un, il faut bien le dire. Il existe un chanteur de jazz en France, il s'appelle Aznavour et il a 80 berges ! Arpenter la scène jusqu'au micro, qui sait encore ? Lui, parce qu'en plus il est acteur...

– *Dernière question, plus légère, mais qui s'impose :* Chez Patachou, *avez-vous coupé la cravate de Charles ?*

– Jamais ! Je ne coupais pas la cravate de n'importe qui ! Ou plutôt, si ! Je coupais celles des connards ! Ceux qui venaient exprès et repartaient tout contents dans Paris avec leur cravate coupée, preuve qu'ils retenaient une table chez moi ! C'est pourquoi, à un moment donné, l'envie m'a prise de boucler ma valise et de partir apprendre mon métier...

PATRICK BRUEL

Aznavour, Bruel. Deux générations. Deux chanteurs emblématiques qui entretiennent un rapport affectif constant. Le second a chanté plusieurs fois le premier (*Je m'voyais déjà* avec Julien Clerc, *Mes emmerdes* avec Florent Pagny, *La Bohème* avec Axelle Red, *Les Plaisirs démodés* avec Chimène Badi...) à la télévision ou lors de galas des Enfoirés, manifestation où il a tenu à inviter son aîné dès 1994, au Grand Rex, pour interpréter *Hier encore* en duo avec lui. Initiative qu'il a renouvelée pour son album *Entre-deux*, de 2002, où ils ont repris *Ménilmontant*, de Charles Trenet.

« Je ne me rappelle pas quelle chanson m'a fait découvrir Aznavour, constate Patrick Bruel. Charles accompagne la vie des gens depuis toujours, et par périodes, certaines chansons m'ont ému. Surtout *Non je n'ai rien oublié*, par ce qu'elle raconte et par sa forme : c'est un vrai film, une construction comme je les aime, avec une montée dramatique, une émotion, sur une musique magnifique de Georges Garvarentz. »

Au second couplet de cette chanson, Aznavour lui a d'ailleurs réservé une surprise du chef, le jour de son 41e anniversaire, le 14 mai 2000 sur la scène du Zénith, à Paris. Déjà touché par les différents artistes qui l'avaient rejoint sur scène au fil du spectacle (de Vincent Lindon à Régine en passant par Khaled ou Muriel Robin), Bruel n'en a pas cru ses oreilles lorsqu'il a entendu la voix de Charles se mêler à la sienne :

« Je savais qu'il y aurait des surprises, mais je ne pensais pas qu'Aznavour me ferait cet honneur. J'ai commencé à chanter et il est arrivé derrière moi. J'étais bouleversé, mais lui-même s'est retrouvé tellement ému qu'il n'a pas fini la chanson ; à la fois très heureux de me réserver cette surprise, mais pris soudain par une émotion inattendue pour lui, qui d'habitude contrôle tout. »

Il est vrai qu'il existe une certaine filiation entre les deux hommes, venus à la chanson par le théâtre :

« Nous avons beaucoup de points communs; nous sommes tous les deux issus d'un déracinement, moi de l'Algérie, lui de l'Arménie, et nous restons très attachés à nos racines, à nos cultures, à des valeurs essentielles. Je comprends ce qui m'a attiré affectivement chez lui, et je suis touché qu'il m'ait rendu cette affection en étant toujours très présent. C'est pour cela que je l'avais invité sur l'album *Entre-deux*. »

Pour Patrick Bruel la carrière d'Aznavour prend valeur d'exemple :

« C'est un bosseur. Un homme qui a su qu'il lui faudrait se battre pour exister. Pour imposer son physique, sa taille, sa voix. Sa culture. Sa nature. Rien n'est tombé du ciel, et c'est encore plus beau pour cela. Sa trajectoire est phénoménale : dans notre métier, qu'y a-t-il de plus important que la durée ? »

Évoquant le répertoire de Charles, il remarque :

« Passer par le biais de la chanson d'amour n'empêche pas d'aborder les grands thèmes. *Comme ils disent* en est une merveilleuse, en même temps qu'un appel au secours et au droit à la différence. Charles possède un spectre très large dans l'écriture ; il a apporté beaucoup, socialement et culturellement. »

En guise de conclusion, Patrick Bruel revient sur l'essentiel :

« À mes yeux, Charles Aznavour signifie le respect. Pour la trajectoire, la ligne, les valeurs, l'exemple qu'il peut donner à de jeunes artistes. L'envie qu'il a pu susciter chez tout le monde. L'espoir et la chaleur qu'il a transmis aux gens, parce qu'il y a une fibre chez Aznavour, dont la force d'identification n'existe chez personne d'autre. Ses chansons parlent du quotidien, on a forcément rencontré cette situation un jour et eu envie de l'exprimer comme il l'exprime. C'est cela, la force d'une grande chanson. Et seul un être qui a vécu une situation un peu plus difficile peut y parvenir. Pour que les gens se retrouvent autant en Charles Aznavour, c'est qu'ils l'ont compris. Et qu'il les a compris... »

Paroles de musiciens

Au cours de sa carrière, Charles Aznavour a travaillé avec de très nombreux musiciens, en scène comme en studio, sur des périodes plus ou moins longues. Si les relations ont été forcément différentes (question d'époque, d'instrument, de génération...), tous ont été impressionnés par le professionnalisme et la force de caractère du chanteur.

ALDO FRANCK, pianiste (1973-1975 et 1982-1994)

«J'ai d'abord été pianiste de Charles pendant quelques mois, puis il m'a emmené aux États-Unis comme directeur musical-chef d'orchestre, et il m'a demandé de réaliser les arrangements avec des musiciens sur place. J'ai travaillé avec lui durant deux ou trois ans, mais il voyageait beaucoup, on passait notre temps dans les avions et j'ai arrêté de le suivre. Cela ne m'a pas empêché de participer à plusieurs de ses émissions de télévision (celles des Carpentier, à cette époque) et même d'enregistrer trois de ses 30 cm.

«J'ai particulièrement apprécié Charles pour la confiance qu'il accorde dans le travail. Tout de suite il m'a donné son tour de chant à remanier. Comme il a des succès incontournables qu'il chantera toujours, son grand truc, c'est de les revisiter en changeant les arrangements. On en discutait un peu avant, il suggérait parfois quelques directions, mais ajoutait : "Je vous dis ça, mais si vous avez une autre idée..." En fait, sans savoir précisément ce qu'il veut, Charles sait très bien ce qu'il ne veut pas. Je n'ai jamais rencontré de problème à ce sujet, parce que je pressentais ce qui n'allait pas vraiment lui plaire. Surtout, il ne voulait pas être obligé de modifier sa façon de chanter à cause d'un arrangement. On pouvait transformer une chanson de variétés en jazz, bossa ou samba, à condition de ne pas empiéter sur son expression et ses phrases. Il fallait rester conscient de cette contrainte. Pour cette raison, certains ont collaboré très peu de temps avec lui, alors qu'entre nous s'est effectuée une alchimie intéressante qui m'a permis, par exemple, d'imaginer trois ou quatre arrangements différents de chansons comme *Il faut savoir* et *Hier encore*. Je le répète, il faisait confiance ; et il savait probablement qu'il ne serait pas déçu à la fin. »

TONY BONFILS, bassiste (depuis 1992)

« Depuis quinze ans que je l'accompagne en scène, il me fait toujours dresser les poils... Et je l'ai vu rattraper des situations incroyables. Je me souviens d'un concert dans un théâtre italien, à San Remo, où tout d'un coup la lumière s'est éteinte. Charles avait dans son répertoire une chanson, *Isabelle*, qu'il interprétait dans le noir. Comme la panne d'électricité s'est produite juste avant, il a chanté *Isabelle*, il a enchaîné sans se démonter avec une deuxième chanson, et il en a commencé une troisième. Là, la lumière s'est rallumée.

Évidemment, pendant la panne, seuls le piano et la guitare acoustique avaient pu continuer. Mais, si nécessaire, je suis sûr qu'il aurait pu chanter a cappella. A la fin du concert, il nous a quand même avoué : "Pour la chanson suivante, qui a une intro au synthétiseur, je me demandais comment j'allais m'en sortir !"

« Charles aime bien raconter des anecdotes, et comme je suis un passionné de chanson française, je le questionne souvent, en coulisses, sur tel ou tel artiste qu'il a croisé. Pas de problème : il suffit d'appuyer sur le bouton, et c'est parti ! Il est ainsi : très professionnel, il vouvoie ses collaborateurs et marque un peu la distance, mais il aime bien rigoler. Amateurs de jeux de mots tous les deux, on est souvent en train de discuter juste avant d'entrer en scène où il débouche, très à l'aise, de plain-pied avec le public, naturellement concentré. D'ailleurs, il déteste répéter et garde toute son énergie pour le concert. Je n'avais pas mesuré la force qu'il déploie à ce moment-là, jusqu'à ce que je regarde la vidéo enregistrée lors du Palais des Congrès de 1994. Quelle volonté sur son visage, dans sa physionomie, ses mimiques ! C'est là qu'il arrive à toucher les gens. »

THIERRY GARCIA,
guitariste (1988-1994)

« Quand je suis arrivé dans l'équipe, au cours de l'été 1988, je n'avais même pas trente ans. Les musiciens m'ont réservé un accueil très chaleureux, mais, en revanche, peut-être pour une question de génération, je n'ai jamais réussi à entretenir des relations un peu privilégiées avec Charles Aznavour. Bien que j'éprouve un immense respect artistique pour lui, il me semblait parfois un peu déconnecté des réalités quotidiennes. Cela dit, un jour, il m'a littéralement soufflé. On donnait un concert privé à Genève pour une grande marque de montres qui "s'offrait" Aznavour pour le mariage de la fille du patron. On nageait en pleine Jet Set, dans un incroyable déferlement de fric. On démarre le concert avec Charles et, visiblement, l'assistance n'en avait rien à foutre. Ça, il ne l'a pas supporté et il a pris les choses en main. Il a parlé aux gens, ils ont quitté leur table, apporté leur chaise et il a assuré un concert privé pour quatre cents personnes avec une telle hargne artistique qu'à la fin, le public était debout !

« C'est un type vraiment étonnant. Lors d'un voyage au Brésil, on se couchait à deux heures du matin, on se levait à cinq pour prendre l'avion, on attendait douze heures à l'aéroport, et lui, à plus de soixante-dix ans, il était nickel en train d'acheter des babioles au *duty free* ! Une autre fois, au cours d'une tournée française où l'on a dû jouer pendant trente-cinq jours d'affilée, avec peut-être un soir de relâche, il a emporté des partitions et il a dit à Aldo : "Ce soir, on ne chante pas ça, mais plutôt ça ou ça !" Et le lendemain, il en a proposé d'autres. Sur le mois, il a dû chanter quarante chansons différentes, sans s'en tenir à son tour ordinaire. Ça, c'est la vieille école ! Et moi, j'étais stupéfait... »

Claude Lombard,
choriste (depuis 1984)

C'est Aldo Franck qui m'a appelée, en 1984 ou 1985, pour remplacer une choriste : "On part en croisière dans huit jours sur le *Queen Elizabeth*, je t'apporte les partitions et on répètera sur place !" Le plus drôle, c'est qu'il y a eu une tempête : à part Charles et moi, tout le monde était malade pendant la balance où le micro partait dans tous les sens, tellement le bateau tanguait. Depuis, j'ai pratiquement suivi Charles partout. J'ai appris énormément de choses, même en le regardant de dos. Sur le professionnalisme. La manière de répéter tout en ayant l'air de ne pas le faire ; il ne chante jamais à fond pendant les balances : il place les choses, il évalue la dimension de la scène, il prend ses marques comme un danseur.

« Par ailleurs, il est très drôle et adore les calembours. Aujourd'hui encore, quand il arrive avec un nouveau qu'on ne connaît pas, il a vraiment le regard d'un enfant. Cela me rappelle une anecdote : il y a quatre ou cinq ans, alors que nous étions en tournée dans le Midi, une fille a jeté une culotte sur scène à la fin du concert ! [*rire*] Charles l'a ramassée, très surpris et pas mal amusé, au fond. À la sortie de scène, Katia lui a lancé : "Papa, donne-la-moi, je vais la rapporter à maman !" [*rire*] En 1994, c'est avec moi qu'elle a travaillé avant d'auditionner pour devenir choriste, et nous avons tout de suite sympathisé. Elle possède une jolie voix et un timbre très personnel, pas stéréotypé comme celui des star-académiciennes qui nous soûlent à la télé. Nous avons des projets de chansons pour enfants, ensemble... »

For me, formidable

Serge Lama

Monsieur Aznavour

Ce qu'il y a d'unique chez Monsieur Aznavour, c'est son nom qui fut longtemps imprononçable et qui porte les deux lettres opposées de l'alphabet, le A et le Z.

Ce qu'il y a d'unique chez Monsieur Aznavour, c'est sa voix qui, au temps des ténors et des chanteurs de charme, était inécoutable et qui a ouvert la voie à cent autres qui le restent.

Ce qu'il y a d'unique chez Monsieur Aznavour, c'est son physique ingrat à une époque où même son acolyte Gilbert Bécaud en avait un de jeune premier.

Il était sorti disjoint d'un accident de voiture et des incohérences de son corps traumatisé, il fit son idiosyncrasie.

Sa face qui n'était qu'un nez, sous la magie du scalpel se métamorphosa pour ne donner place qu'à son regard... Un nez aussi long aspirait sans doute trop d'oxygène pour un corps si frêle.

Son nom, sa voix, sa gestuelle, son visage, si l'on ajoute à ça qu'il est issu d'un peuple massacré, humilié, dispersé, réenraciné, cela fait de lui, avant la lettre, le parangon de ce qu'on appelle aujourd'hui, d'une formule un peu absconse, la « discrimination positive ».

Monsieur Aznavour, dont le corps avait juste la place pour contenir un cœur, ploie aujourd'hui sous les médailles honorifiques.

Français de partout, et habitant de nulle part, il était urgent qu'il ait un passeport diplomatique... C'est fait.

Unique, vous dis-je, ce Monsieur Aznavour.

Post-scriptum : il est unique...

LYNDA LEMAY

Surtout vous

Il y a des poètes
Qui torturent les mots
Qui menacent les lettres
Du bout de leurs mégots

Des griffonneux, des cancres
Des fraudeurs de la prose
Qui bavent de toute leur encre
Pour ne pas dire grand-chose

Et il y a vous !!!

Oui, il n'y a que vous
Ignorant ceux qui trichent
Écrivant avec goût
Rimant on ne peut plus riche

Faisant autant de jaloux
Que de gens qui vous récitent
Qui quand ils vous imitent
Ne vous arrivent pas aux genoux

Oui, il n'y a que vous
Maîtrisant le crayon
Et devenant du coup
Plus grand que l'émotion

Plus grand que les pays
Qui plantent vos refrains
Au creux de leurs jardins
Qui embaument l'esprit

Il y a des chanteurs
Qui souillent des coins de scène
Quand les semelles qu'ils traînent
Lancinent en mineur

Ils cachent leurs yeux vides
Se tordent et puis se plaignent
D'une sourde voix qui saigne
De longs couplets liquides

Et il y a vous !!!

Oui, il n'y a que vous
La voix comme un récif
L'esprit au garde-à-vous
Le sourcil expressif

Vous tendez vos yeux pleins
Aux foules qui se pâment
Et vous avez soudain
La taille de votre âme

Vous êtes plus grand que vous
Vous trônez comme un roi
Les mots sont des bijoux
Qui vous tombent des doigts

Et on les porte en nous
Ce qui fait que, voilà
Quand vous rentrez chez vous
Vous ne nous quittez pas...

Puis... il y a des hommes
Des hommes par millions
Qui tristement plafonnent
Dans leur évolution

FOR ME, FORMIDABLE

Et il y a vous !!!
Vous si intemporel
Si grand mais si fragile
Penché comme un bon ciel
Au-dessus de votre famille

Il y a surtout vous
Ruisselant sous vos cils
Quand vous frôlez la joue
De votre petite-fille

Il y a surtout vous
Lucide comme une sagesse
Gagnée par petits bouts
Par petites faiblesses
Par excès d'une jeunesse
Que vous avez décrite
Avec tant de justesse
Que ça rend nostalgique

Il y a surtout vous
Vingt ans et tant de poussières
Que vos cheveux, du coup
Sont tout de blanc couverts

Il y a surtout vous
Qui m'ouvrez votre cœur
Il y a surtout vous
Pour mon plus grand bonheur !

LYNDA LEMAY, 18 janvier 2006
(chanson écrite spécialement pour ce livre)

Comme il dit...

(propos tenus à Daniel Pantchenko)

Secondaire self-made man

« On pense toujours que j'ai dû nourrir un certain complexe de mon illettrisme et de mon côté primaire. Pas du tout ! Je suis au contraire très fier d'avoir été un primaire à la base : je n'ai pas appris grand-chose chez moi (on ne parlait pas la même langue et c'était difficile), j'ai quitté la classe à dix ans ou dix ans et demi, mais j'ai voulu aller plus loin, et je suis devenu une sorte de secondaire *self-made man*. Ça, j'y tiens beaucoup ! Et je dis à des jeunes d'aujourd'hui : “Vous n'avez pas suivi d'études, mais maintenant que vous comprenez mieux et que vous risquez d'aimer ce que vous n'auriez pas aimé avant, c'est le moment de vous parfaire !” C'est cela qui est important. »

Rencontres constructives

« Toutes les rencontres que j'ai faites ont été importantes ; c'est ce qui m'a le mieux construit. Partout où je suis allé, j'ai rencontré des gens et je m'y suis intéressé. Cela ne représente pas grand-chose, mais celui-ci ajouté à celui-là, ajouté à tel événement, cela donne une existence et une tête beaucoup plus riches. »

Le rossignol

Le 27 janvier 1958, Charles Aznavour chante *Le Rossignol* en s'accompagnant à la guitare dans *La Joie de vivre*, émission de télévision où son père et sa sœur interprètent une chanson : « À l'époque, je jouais trois accords... La musique du *Rossignol* est du père de Robert Hossein. Je l'ai reprise dernièrement a cappella dans une émission sur Robert. Son père adorait la façon de chanter de ma sœur, il lui apprenait des chansons et venait l'accompagner au piano, à la maison. Il était très ami avec mon père et nous habitions une rue voisine. »

En colère

« Un artiste doit être toute sa vie un homme en colère. Contre des choses, beaucoup plus que contre des gens. Par exemple, à la télévision, quand j'entends commettre des fautes grossières, quand un artiste cède à la vulgarité, ça me met vraiment en colère. Et doublement si l'artiste a du talent. Pour moi, les artistes, les poètes, les musiciens, les acteurs, les metteurs en scène, les écrivains... ont vocation d'élever le peuple, non de l'abaisser. C'est un acquis que l'on ne peut pas dénier au communisme : en URSS, les pianistes, les danseurs, les acteurs, les musiciens sont merveilleux. On y a compris l'importance de la culture. Pas cette culture de la télévision qui rabaisse tout. Si l'on souhaite créer une égalité, il faut la maintenir à une certaine hauteur, pas la tirer tout en bas. Moi, je me suis fait tout seul, et je pense que chacun peut y arriver, parce que je ne suis pas plus intelligent que les autres. C'est vrai que j'ai bénéficié de trois listes de lectures : celles de Cocteau, d'André Le Gall (qui était un comédien) et du Chanteur Sans Nom. C'est amusant, mais, dernièrement, Dany Brillant, qui l'avait appris, m'a demandé de lui en constituer une et je l'ai fait. »

N'IMPORTE QUOI

« De Denise Glaser (au temps de *Discorama*) à Anne Sinclair et Christine Ockrent, j'ai eu des interviews intéressantes à la télévision... mais quand on me demande cent fois la même chose, je réponds n'importe quoi, cela n'a aucune importance ! Le nombre de conneries qu'il faut aligner pour paraître intelligent, c'est incommensurable ! Et je suis comme tout le monde, j'en déballe des kilomètres ! Pourquoi un chanteur devrait-il tout savoir et répondre à des questions sur la politique, l'humanitaire, etc. ? Même s'il n'est pas plus bête qu'une autre personne... »

FIDÈLE ET « INFIDÈLES »

« Je ne suis pas un grand croyant : je doute un jour, je crois l'autre, et je ne pratique pas. Je reste fidèle à l'Église de mes racines, et je le resterais même si j'étais athée. Parce que les religions me semblent des organismes importants ; les vraies religions, pas celles issues de sectes. Aujourd'hui, on vit en plein fanatisme, mais n'oublions pas que, de tous temps, la plupart des religieux ont été des fanatiques. Il suffit de se rappeler ce qui s'est passé en Amérique du Sud avec les Espagnols, ou la Saint-Barthélemy en France ! Je suis resté très proche de ma culture enfantine, en fait ; ensuite, la culture française a pris le dessus, et de très loin.

« J'en ai marre du mot "infidèles" ! Nous sommes les infidèles de gens qui sont peut-être nos infidèles ! Pourquoi nous, et pas eux ? Pourquoi Allah et pas Dieu ? N'est-ce pas le même, après tout ? J'ai l'âge pour poser ce genre de questions. Personne ne m'en voudra de suggérer que les "infidèles", ce sont peut-être eux ! Ça devrait inciter à réfléchir dans les deux sens, bien qu'il y existe beaucoup de sectarisme... »

Le temps ne fait rien à l'affaire

« C'est vrai que la notion du temps revient toujours dans mes chansons. C'est normal pour quelqu'un qui a peur de la mort. Je la chante pourtant moins que Brassens... En réalité, je me demande si ce n'est pas plutôt le *comment* qui me travaille. De quelle façon vais-je mourir ? En souffrant ou sans souffrance ? Voilà la vérité ! La pire des choses étant de fermer les yeux à jamais. Quoiqu'un aveugle m'ait dit qu'il aimait mieux être aveugle que sourd. Parce que le sourd se trouve complètement isolé du monde. Après mon accident, j'ai eu un masseur aveugle, et moi je suis intéressé par les difficultés des gens : les non-entendants, les non-voyants... Je n'ai pas écrit sur les non-voyants, je n'ai pas encore trouvé la forme qui convient. Il ne s'agit pas seulement d'écrire, de trouver une idée ; il faut imaginer une forme qui ne gênera et ne vexera personne. Par exemple, dans *Mon émouvant amour*, je n'ai pas vexé du tout les malentendants ni, dans *Comme ils disent*, les gays qui, au contraire, l'ont adopté.

Ceci étant, on ne devrait plus dire “les cons” mais les non-intelligents ! » [*rire*]

Pour mais contre

D’abord opposé aux quotas de chansons françaises à la radio, Charles Aznavour s’est finalement associé à leur défense : « Je suis contre les quotas ; mais, face à la montée en puissance de l’argent américain (il faut bien dire la vérité) et à l’absence de notion culturelle chez eux, on a été obligés de réagir. J’ai pris position contre mes idées, mais pas contre la France. Néanmoins, les quotas ne devraient pas exister. »

Folie sous roche

« Je suis incapable de folie sur une scène. Je l’ai fait jadis avec Roche. Pas après. Du temps de Roche, tchock !, je sautais sur le piano droit, et très facilement, après un bond formidable. Ensuite, je faisais bouger le piano. On présentait un numéro très amusant et on s’y est follement amusés ! On a quand même travaillé huit ans ensemble. Sans une dispute. Moi qui ai beaucoup délégué dans ma vie, il m’avait tout laissé sur le dos : les femmes prenaient une telle importance pour lui qu’il fallait bien que quelqu’un s’occupe du reste. Ça ne m’empêchait pas de m’occuper d’elles aussi, mais beaucoup moins que lui ! »

Chefs d’État

De Gaulle : « Il m’a reçu comme des centaines d’autres artistes. Il est peut-être resté un peu plus longtemps à me parler, parce que Mme de Gaulle appréciait beaucoup une de mes chansons : *Il te suffisait que je t'aime.* C'est lui qui me l'a appris. »

Le roi de Suède : « J'ai une phrase célèbre, avec lui. Je lui ai présenté Ulla : "My wife", et à elle, j'ai dit : "Ton Roi !" Lui aussi se prénomme Charles. Enfin, Carl. »

Mise au point sur quelques figures

Claude Figus : « Je l'ai connu avec Piaf. Il a joué un petit peu l'homme à tout faire. Il savait ouvrir la porte… mais il n'a jamais répondu à une lettre ! »

Dany Brunet : « Il occupait une position tout à fait différente. Beaucoup plus sérieuse ! Il était régisseur, il s'occupait des voyages, etc. »

Jacques Vernon : « Il était professeur de claquettes, et les a apprises à des gens comme Jean-Pierre Cassel. Un jour, alors que mes affaires ne marchaient pas fort, Jacques m'a proposé : "Si tu veux, je vais te chercher des contrats dans les cabarets !" Il m'en a trouvé, et progressivement, il a pris de l'importance, jusqu'au moment où c'est devenu trop lourd pour lui : il avait d'autres activités et pas vraiment la mentalité adéquate. Jean-Louis Marquet a alors pris la relève, et Vernon a fait office de secrétaire. C'était un homme éminemment honnête, que j'ai beaucoup aimé. On a voyagé ensemble dans le monde entier. »

Roland Ribet : « Il n'a jamais été mon imprésario, mais simplement partenaire de Marquet. Roland parlait beaucoup. À l'en croire, il a toujours tout fait ! Je l'ai laissé écrire ce qu'il a voulu dans son livre. Cela m'importait peu… »

FERRÉ AND CO

« J'adore Ferré ! Qu'il m'ait lancé une pique dans *Les Temps difficiles*, ce n'est pas grave ! Je ne lui en ai même jamais parlé. Vous savez, la France est un pays de pamphlétaires où tout le monde craint le moindre petit mot. Moi, j'y reste très ouvert ! À l'époque où Bedos allumait à peu près tout le monde, il m'épinglait sur scène avec *La Mamma* ! Comme on l'aimait bien, nous sommes allés voir son spectacle avec ma femme. Mais d'autres étaient vexés, comme d'autres aujourd'hui ne supportent pas Laurent Gerra... Mais où est la liberté de parole ? l'humour français ? le plaisir du pamphlétaire ? »

LA BELGE, L'AMÉRICAIN ET LES AUTRES

Annie Cordy : « C'est l'authenticité. Pour moi, ce n'est pas une Belge, c'est une fille du Nord. Nuance ! Elle recèle quand même quelque chose de méridional : elle a dû naître dans le sud de Bruxelles ! Voilà encore une bagarreuse, et douée de tous les talents. On l'ignore généralement, elle est capable de travailler en allemand, en flamand, en français et en anglais. Peut-être même en italien... »

Eddie Constantine : « Quand je l'ai rencontré, il était chanteur d'orchestre. J'ai perçu autre chose chez lui. D'abord un charisme, malgré son visage tout grêlé. Puis une très belle voix. Au début, il chantait seulement en anglais. Piaf l'a un peu amené à se constituer un répertoire français. Je lui ai écrit des chansons. C'était l'Américain qu'il nous fallait, comme Petula Clark a été notre Anglaise, ou Guétary notre Grec... qui sont devenus des Français, finalement. Et Annie aussi. Heureusement que la France compte autant de gens venus d'ailleurs. Il suffit d'observer les noms et de chercher un peu à en connaître la racine pour réaliser combien le racisme et la xénophobie sont ridicules. La France possède cette vertu d'avoir adopté des gens qui lui ont apporté leur richesse. Ce que je reprocherais à mon pays, c'est d'accepter uniquement ceux qui réussissent. Il faut également accueillir les autres, qui ont peut-être, malgré tout, des chances. Même quand ils ne sont que manœuvres, ils représentent une réussite, et une aide fantastique pour un pays. »

Richard Marsan

« C'était un ami des débuts. On s'est retrouvés dans des spectacles, puis on en a monté un ensemble avec Florence Véran : *Les Trois Notes*. Quand les imitations n'ont plus eu la cote, comme il avait du goût, un talent particulier et qu'il aimait la chanson, je l'ai fait entrer chez Barclay en tant que directeur artistique. Il y a mené une belle carrière, avec Léo Ferré et Bernard Lavilliers. Avec moi, à part sa profession, rien n'a changé, on a continué à se voir tout le temps... »

En japonais

« Au Japon, j'ai toujours travaillé avec un traducteur, Sétomé Koma (moi, je l'appelais "Cet homme est dangereux" !). Il traduisait toutes les trois chansons. J'arrêtais. La lumière s'éteignait sur moi, s'allumait sur lui, et il passait aux trois chansons suivantes. La prochaine fois, c'est encore lui qui officiera. Il possède une boîte, là-bas, qui s'appelle Boum, où sa fille et lui reprennent des chansons françaises. Il en a traduit quelques-unes, d'ailleurs. C'est le seul pays où l'on procède ainsi. Partout ailleurs il n'y a pas de traduction. Les Japonais ont besoin de savoir en détail. Ils sont beaucoup plus précis. »

Arménie toujours

En 1988, après le tremblement de terre en Arménie, on lit dans la presse que Charles Aznavour a adopté un petit Arménien : « Moi ? Absolument pas. Nous nous sommes occupés de mettre en place des orphelinats d'un mode un peu différent de ceux que l'on connaît : deux normaux et un pour des enfants handicapés. Les Arméniens n'aiment pas l'adoption : lorsqu'il reste un membre quelconque de la famille d'un enfant, ce parent le prend en charge. On place l'enfant dans un orphelinat quand il n'a vraiment plus personne. C'est la raison pour laquelle il y a moins d'orphelinats qu'ailleurs. Nous avons également construit une maison de retraite, car il n'en existait pas dans ce pays. Comme nous ne pouvons pas nous en charger, nous l'avons confiée à l'Église de New York qui continue à s'en occuper, et nous suivons l'affaire pour vérifier que tout soit parfait. »

Dialogue citoyen final

Daniel Pantchenko : Pourquoi ne voit-on pas, souvent, le nom des musiciens sur les pochettes de vos disques ?

Charles Aznavour : Ce sont les mêmes avec lesquels je travaille depuis longtemps. Et les listes de musiciens, je me demande si les gens les lisent. C'est comme au cinéma : qui attend la fin du film pour voir le générique ? J'avoue que je vais jusqu'au bout, parce que je suis du métier. Mais les spectateurs, la plupart d'entre eux quittent leur fauteuil. Vous vous rendez compte, ça dure parfois sept, huit minutes...

– J'en ai vu un de quatorze minutes...

– Ouais. Il y avait des gens inutiles ! [*rire*] C'est comme au gouvernement ! Il se trouve des tas de gens inutiles, qu'on paie pour rien.

– Des noms !

– Justement, ces gens n'ont pas de noms, mais ils ont un poste. Et le poste est inutile ! On le sait...

– Sans doute, mais bien que chaque gouvernement annonce moins de postes, au bout du compte on en recense toujours plus...

– Bientôt il n'y aura plus que des postes !

– Et il n'y aura plus de Poste !

– Regardez, Besancenot, il appartient à la Poste ! [*rire*] Mais celui-là il est sympa, et il connaît bien ses dossiers. Mieux que les autres ! Lui, il les a étudiés. Il arrive souvent devant des gens qui en savent quinze fois moins que lui. Alors, automatiquement, il est le plus fort. Et je pense que s'il continue à pratiquer la politique comme cela, les autres vont être obligés de lire leurs rapports ! Ça va les bouger un brin. Ils viennent avec une espèce de mémo de leur sujet, mais ils ne peuvent pas en dévier. Tandis que lui, il est au courant de tout. Je l'ai rencontré plusieurs fois. C'est un charmant jeune homme. Je ne suis pas de son bord, mais est-on obligé d'être du bord de quelqu'un pour éprouver une certaine admiration ? Moi, j'admire des gens d'un bord différent, mais des gens bien. J'ignore qui a raison, mais il ne faut pas croire qu'on a la science infuse. Moi, je ne sais pas tout. J'ai quand même été très communisant dans ma jeunesse, et je n'ai pas eu vraiment raison. D'un autre côté, je ne condamne pas les communistes. Sous prétexte que les gouvernements communistes ont joué la déviation et se sont pris pour des dictateurs ou des Césars, je ne vais pas cracher sur un mouvement que je trouvais alors intéressant. Et que beaucoup de jeunes, je pense, trouvent intéressant à leur tour. La démocratie, c'est ça : il faut accepter les autres comme les autres vous acceptent.

Discographie

Aussi exhaustive que possible, la discographie suivante se limite cependant aux seuls enregistrements originaux (en studio et en public) de Charles Aznavour sortis en France. Elle ne comprend donc ni les compilations en tous genres ni les réenregistrements d'anciennes chansons (sauf exceptions). De la même façon, elle n'indique pas les différentes « intégrales » CD (qui sont commentées dans le corps de l'ouvrage, la dernière en date, forte de 44 volumes, étant parue en 2004 chez EMI dans un coffret en forme d'arc de triomphe), s'agissant en fait de compilations améliorées. En revanche, elle fait mention des différents enregistrements originaux des chansons de Charles Aznavour adaptées en langues étrangères, et interprétées par lui, qui ont été distribués en France. Notons enfin que les références discographiques indiquées sont celles d'origine.

• Roche et Aznavour

1948

Voyez, c'est le printemps – J'ai bu.
(78 tours Polydor 560 071)

Départ express (Destination inconnue) – Le Feutre taupé.
(78 tours Polydor 560 072)

Tant de monnaie – Je n'ai qu'un sou.
(78 tours Polydor 560 077)

Je suis amoureux – Boule de gomme.
(78 tours Polydor 560 078)

1949/50

Les Cris de ma ville – Retour.
(78 tours London 25013, Canada ; puis Polydor 560 084)

En revenant de Québec – Il pleut.
(78 tours London 25016, Canada ; puis Polydor 560 085)

NB. Ces huit 78 tours ont fait l'objet d'une compilation CD parue en 1996 sous le titre *Pierre Roche – Charles Aznavour* (EMI Music 853 239).

• Charles Aznavour en solo

1952

Jézébel – Poker.
(78 tours Ducretet-Thomson Selmer Y8400)

Oublie Loulou – Plus bleu que tes yeux.
(78 tours Ducretet-Thomson Selmer Y8444)

Quand elle chante – Si j'avais un piano.
(78 tours Ducretet-Thomson Selmer Y8445)

1953

Mé qué, mé qué – Viens.
(78 tours Ducretet-Thomson Selmer Y8746)

Et bâiller et dormir – Intoxiqué.
(78 tours Ducretet-Thomson Selmer Y8826)

Couchés dans le foin – À propos de pommier*.
(78 tours Ducretet-Thomson Selmer Y8828)

NB. Ces six 78 tours (excepté le titre marqué d'un astérisque*) ont fait l'objet en 1953 d'une compilation 33 tours 25 cm intitulée *Chante… Charles Aznavour* (Ducretet-Thomson 260V002).

1954

Heureux avec des riens – Quelque part dans la nuit.
(78 tours Ducretet-Thomson 790V009)

Monsieur Jonas – Les Chercheurs d'or. [Il existe un autre 78 tours sous la même référence où ce dernier titre est remplacé par "Ah !"*]
(78 tours Ducretet-Thomson 790V010)

Moi j'fais mon rond* – Parce que*.
(78 tours Ducretet-Thomson 790V063)

Les Chercheurs d'or – L'Émigrant.
(78 tours Ducretet-Thomson 709V079)

Viens aux creux de mon épaule* – Je veux te dire adieu.
(78 tours Ducretet-Thomson 790V102)

NB. Les chansons* ci-dessus ont été regroupées dans le 45 tours EP Ducretet-Thomson 460V013, sous le titre *1*.

Je t'aime comme ça – À t'regarder.
(78 tours Ducretet-Thomson 790V199)

La Bagarre !... – Je voudrais.
(78 tours Ducretet-Thomson 790V214)

1955

CHANTE CHARLES AZNAVOUR – VOLUME 2
Ça°** – Parce que – Heureux avec des riens – Viens au creux de mon épaule – L'Émigrant* – Je t'aime comme ça° – Les Chercheurs d'or* – Je veux te dire adieu – Toi°** – À t'regarder°.

(25 cm reprenant certains titres des 78 tours ci-dessus, dont 2 réenregistrés*, ainsi que 2 titres** inédits, Ducretet Thomson 260V039)

NB. Les quatre chansons marquées° sont parues la même année sur le 45 tours EP Ducretet-Thomson 460V043, sous le titre *2*.

Sur ma vie – Le Palais de nos chimères.
(78 tours Ducretet-Thomson 790V237)

3 : Terre nouvelle* – Le Palais de nos chimères – Sur ma vie – Après l'amour*.
(45 tours Ducretet-Thomson 460V110, 2 titres inédits)*

Prends garde – Je cherche mon amour.
(78 tours Ducretet-Thomson 790V240)

Rentre chez toi et pleure – Je cherche mon amour.
(45 tours Ducretet-Thomson 500V147)

Le Chemin de l'éternité – Je cherche mon amour.
(45 tours Ducretet-Thomson 500V177)

Prends garde – Une enfant.
(45 tours Ducretet-Thomson 500V178)

NB. Les chansons des deux 45 tours ci-dessus ont été regroupées en 1956 sur le 45 tours EP Ducretet-Thomson 460V154, sous le titre *4*)

1956

5 : On ne sait jamais – J'entends ta voix – Vivre avec toi – J'aime Paris au mois de mai.
(45 tours Ducretet-Thomson 460V171)

INTERDIT AUX MOINS DE 16 ANS : Après l'amour – Je veux te dire adieu – Prends garde – L'Amour à fleur de cœur*.
(45 tours Ducretet-Thomson 460V172, titre inédit)*

ÉDITION SPÉCIALE : Merci mon Dieu – L'Amour a fait de moi – Sa jeunesse – Sur la table.
(45 tours Ducretet-Thomson 460V260)

Générique (chanson extraite de la B.O.F. *Pourquoi viens-tu si tard ?*).
(45 tours Ducretet-Thomson 450V173)

Mon amour protège-moi (chanson extraite de la B.O.F. *La Nuit des traqués*).
(45 tours Ducretet-Thomson 450V200)

NB. Les deux chansons inédites du 45 tours *3* et celles des 45 tours *4* et *5* ont été regroupées sur le 25 cm Ducretet-Thomson 260V056, sous le titre *Chante Charles Aznavour – vol. 3.*

1957

BRAVOS DU MUSIC-HALL
Ay ! mourir pour toi* – Pour faire une jam* – Il y avait* – À propos de pommier – Merci mon Dieu – Sa jeunesse – L'Amour a fait de moi – Bal du faubourg* – Sur la table – J'ai appris alors*.

(25 cm reprenant des chansons de 1953 et 1956, plus cinq inédites, Ducretet-Thomson 260V090)*

A t'regarder – Bal du faubourg.
(45 tours Ducretet-Thomson 500V265)

Ay! mourir pour toi – Perdu – Pour faire une jam – Il y avait trois jeunes garçons.
(45 tours Ducretet-Thomson 460V348)

CHARLES DANS LA VILLE : La Ville – Si je n'avais plus – C'est merveilleux l'amour.
(45 tours Ducretet-Thomson 460V349)

Merci mon cœur – L'Amour à fleur de cœur.
(45 tours Ducretet-Thomson 500V210)

1958

À TOI MON AMOUR : Quand tu viens chez moi, mon cœur – Mon amour – Ton beau visage – Je hais les dimanches.
(45 tours Ducretet-Thomson 460V366)

Couchés dans le foin – Je hais les dimanches.
(45 tours Ducretet-Thomson 500V332)

MON CŒUR À NU : Je te donnerai – Ce sacré piano – Je ne peux pas rentrer chez moi – C'est ça.
(45 tours Ducretet-Thomson 460V424)

SPÉCIAL 59 : De ville en ville – Ma main a besoin de ta main – À tout jamais – Donne, donne-moi.
(45 tours Ducretet-Thomson 460V428)

NB. Sont également parus deux 25 cm : *Believe in me*, composé de 2 reprises en français et 6 adaptations en anglais (Ducretet-Thomson 255V074) ; *C'est ça*, reprenant des chansons de 45 tours parus en 1957 et 1958 (Ducretet-Thomson 260V106) ; ainsi qu'un 45 tours de 4 titres adaptés en espagnol (Ducretet-Thomson 460V382).

1959

J'en déduis que je t'aime – Mon amour protège-moi – Gosse de Paris – Tant que l'on s'aimera.
(45 tours Ducretet-Thomson 460V457)

J'ai besoin de ton amour – Frida – Attention monsieur Dubois – Nadia (chansons extraites de la B.O.F. *Le Cercle vicieux*).
(45 tours Pathé Marconi 45EA312)

1960
Quand tu vas revenir –Dis-moi – Tu étais trop jolie – Liberté.
(45 tours Ducretet-Thomson 460V470)

NB. Le premier 33 tours 30 cm de Charles Aznavour, intitulé *Les Meilleures Chansons de…* (Ducretet-Thomson 310V028), rassemblent des titres parus entre 1954 et 1960.

Les Deux Guitares* – Ce jour tant attendu* – Fraternité – J'ai des millions de rien du tout – J'ai perdu la tête* – Tu t'laisses aller* – Rendez-vous à Brasilia* – La Nuit* – C'n'est pas nécessairement ça – Plus heureux que moi*.
(25 cm Barclay 80120)

L'Amour et la Guerre* – Prends le chorus – L'Enfant prodigue – Monsieur est mort*.
(45 tours Barclay 70342)

Je m'voyais déjà* – Quand tu m'embrasses* – Comme des étrangers* – Tu vis ta vie mon cœur.
(45 tours Barclay 70357)

NB. Les 8 chansons des deux 45 tours ci-dessus ont été regroupées sur le 25 cm Barclay 80135. Ont également été rassemblées sur le 30 cm Barclay CBLP2001 douze chansons* parues cette même année.

1961
Il faut savoir – Ne crois surtout pas – Avec ces yeux-là – Le Carillonneur – J'ai tort – Lucie – Voilà que ça recommence – La Marche des anges.
(25 cm Barclay 80161)

NOËL : Noël des mages – Douce nuit – Noël-carillon – Dors ma colombe.
(45 tours Barclay 70415)

1962

Alléluia – L'Amour c'est comme un jour – Notre amour nous ressemble – Au rythme de mon cœur – Esperanza – Les Comédiens – Trousse chemise – Tu n'as plus – Dolorès – Les Petits Matins.
(25 cm Barclay 80180)

NB. Est également paru le 30 cm Barclay 80325 regroupant 12 chansons parues entre 1960 et 1962.

1963

QUI ?

For me... formidable – Au clair de mon âme – Dors – Qui – Ô toi ! la vie – Trop tard – Donne tes seize ans – Tu exagères – Jolies mômes de mon quartier – Bon anniversaire – Les Deux Pigeons – Il viendra ce jour.
(30 cm Barclay 80191)

Sylvie – Les Aventuriers – La Mamma – Ne dis rien*.
(45 tours Barclay 70791, titre inédit)*

La Mamma – Si tu m'emportes – Je t'attends – Sylvie – Et pourtant – Les Aventuriers – Tu veux – Le Temps des caresses.
(25 cm Barclay 80211)

1964

Que c'est triste Venise – Je t'aimais tant – À ma fille – Tu t'amuses – Le Jour se lève – Il te suffisait que je t'aime – Le Temps – Hier encore – Chaque fois que j'aime – Avec – Toi et tes yeux d'enfant – Quand j'en aurai assez.
(30 cm Barclay 80241)

NB. Est également paru le 45 tours Barclay 70645 de 4 titres adaptés en italien.

1965

AZNAVOUR 65

Le Toréador – Je te réchaufferai – Reste – Que Dieu me garde – Isabelle – Le Monde est sous nos pas – Je ne crois pas – Les Filles

d'aujourd'hui – C'est fini – Le Repos de la guerrière – Au printemps tu reviendras – Sophie.
(30 cm Barclay 80255)

Le Crocodile majuscule (chanson extraite de la B.O.F. éponyme).
(45 tours Barclay 70895)

1966
La Bohème* – Parce que tu crois – Ça vient sans qu'on y pense* – La Route – Il fallait bien – Paris au mois d'août – Sur le chemin du retour – Sarah – Aime-moi* – Quelque chose ou quelqu'un*.
(30 cm Barclay 80296, dont quatre titres de l'opérette* Monsieur Carnaval *déjà sortis en 1965 sur le 45 tours Barclay 70862)*

DE T'AVOIR AIMÉE
Et moi dans mon coin – Plus rien – Je reviendrai de loin – Pour essayer de faire une chanson – Ma mie – Les Enfants de la guerre – De t'avoir aimée – Que Dieu me garde – Les Bons Moments – Je l'aimerai toujours.
(30 cm Barclay 80335)

1967
ENTRE DEUX RÊVES
Emmenez-moi – Éteins la lumière – Adieu – Un jour – Les Vertes Années – Je reviens Fanny –Yerushalaïm – Entre nous – J'aimerai – Il te faudra bien revenir – Au voleur – Tout s'en va.
(30 cm Barclay 80355)

1968
FACE AU PUBLIC...
J'aimerai – Tout s'en va – Ma mie – Caroline – Comme une maladie – Emmenez-moi – De t'avoir aimée – Et moi dans mon coin – Le Cabotin – Sa jeunesse-Hier encore – Les Enfants de la guerre – Paris au mois d'août – Il faut savoir.
(30 cm Barclay 80361)

Caroline (chanson extraite de la B.O.F. *Caroline chérie*).
(30 cm Barclay 820169)

1969

DÉSORMAIS

Désormais – Au nom de la jeunesse – La Lumière – S'il y avait une autre toi – Marie l'orpheline – Quand et puis pourquoi – Je n'oublierai jamais – Comme l'eau, le feu, le vent – On a toujours le temps – L'Amour.
(30 cm Barclay 80398)

Non identifié – Les Faux – Alors je dérive – Y avait donc pas de quoi.
(45 tours Barclay 71389)

NB. Est également paru le 30 cm *Sings Aznavour* Barclay 80415 de 11 titres adaptés en anglais et 1 reprise en français.

1970

Les Jours heureux – Le Temps des loups – Avec toi.
(45 tours Barclay 71418)

NB. Est également paru le 30 cm (vol. 2) *Sings Aznavour* Barclay 80418 de 12 titres adaptés en anglais.

1971

NON, JE N'AI RIEN OUBLIÉ

Non, je n'ai rien oublié – Un par un – Ma vie, ô ma vie – Comme des roses – Mourir d'aimer – L'Instant présent – Partir – J'ai vécu – Je ne veux plus parler d'amour.
(30 cm Barclay 80422)

1972

IDIOTE JE T'AIME...

Idiote je t'aime – À ma femme – Ton nom – Les Plaisirs démodés – Comme ils disent – L'Indifférence – Je t'aime – On se réveillera – Me voilà seul.
(30 cm Barclay 80458)

Les Galets d'Etretat (chanson extraite de la B.O.F. éponyme).
(30 cm Barclay 920381)

NB. Sont également parus le 30 cm *Canta italiano* Barclay 80466 de

10 titres adaptés en italien, le 30 cm (vol. 3) *Sings Aznavour* Barclay 80472 de 10 titres adaptés en anglais, ainsi que le 30 cm *Portrait eines stars* Barclay 80480 de 10 titres adaptés en allemand et 2 reprises en français.

1973

CHEZ LUI, À PARIS

Je reviens – Idiote je t'aime – On se réveillera – Les Jours heureux – Comme des roses – Un par un – À ma femme – Désormais – Me voilà seul – Mourir d'aimer – Les Plaisirs démodés / Les Enfants de la guerre* – Quien* – Reste – Comme ils disent – J'ai vécu – Non, je n'ai rien oublié – Le Cabotin – Emmenez-moi – Que c'est triste Venise.
*(2 x 30 cm à l'*Olympia, *Barclay 80475/76, *avec Los Machucambos)*

Nous irons à Vérone – Un jour ou l'autre.
(45 tours Barclay 61775)

On n'a plus quinze ans – Mon amour on se retrouvera.
(45 tours Barclay 61892)

CE SOIR-LÀ... SON PASSÉ... AU PRÉSENT

Introduction orchestre : Viens, viens – Viens au creux de mon épaule – Le Palais de nos chimères – Je n'peux pas rentrer chez moi – Après l'amour – Poker – Sa jeunesse entre ses mains – Si je n'avais plus – Pour faire une jam / Sur ma vie – Ay ! mourir pour toi (Vivre avec toi) – Le Chemin de l'éternité – J'aime Paris au mois de mai – J'en déduis que je t'aime – Je m'voyais déjà – Tant de monnaie* / Départ express* – Le Feutre taupé* – Les Deux Guitares – Parce que – Il faut savoir – Tu t'laisses aller – Final orchestre : Les Plaisirs démodés.
*(3 x 30 cm à l'*Olympia, *Barclay 920435/36/37, *avec Pierre Roche)*

RACONTÉ AUX ENFANTS

Le Géant égoïste (première partie) – Le Géant égoïste (deuxième partie).
(30 cm Barclay 80510)

1974

VISAGES DE L'AMOUR

Un enfant de toi pour Noël – Un jour ou l'autre – De t'avoir aimée – Nous irons à Vérone – La Baraka – Tous les visages de

l'amour (She) – On n'a plus quinze ans – Le Temps – Je meurs de toi – Hosannah.
(30 cm Barclay 90010)

NB. Sont également parus en 1974 le 30 cm *A Tapesty of Dreams* Barclay 90003 et en 1975 le 30 cm *I sing for... you* Barclay 90029, respectivement de 10 et 11 titres adaptés en anglais.

1976

VOILÀ QUE TU REVIENS
Voilà que tu reviens – Par gourmandise – Ciao mon cœur – Marie quand tu t'en vas – Merci madame la vie – Mes emmerdes – Mais c'était hier – Ils sont tombés – Slowly – Tes yeux, mes yeux (Our love, my love).
(30 cm Barclay 90053)

PLEIN FEU SUR AZNAVOUR
Le Temps – Marie quand tu t'en vas – Si tu m'emportes – Mais c'était hier – Par gourmandise – Ils sont tombés – Voilà que tu reviens – Me voilà seul – Mourir d'aimer – Hier encore – La Mamma – Tu t'laisses aller – Je m'voyais déjà.
*(30 cm à l'*Olympia, *Barclay 90054)*

1978

JE N'AI PAS VU LE TEMPS PASSER...
Avant la guerre – Je n'ai pas vu le temps passer – J'ai vu Paris – Ne t'en fais pas – La Chanson du faubourg – Dans ta chambre il y a – Camarade – Les Amours médicales – Un corps – Je ne connais que toi (You).
(30 cm Barclay 90055)

Dieu – Retiens la nuit.
(45 tours Barclay 62368)

GUICHETS FERMÉS
La Chanson du faubourg – Ne t'en fais pas – Par gourmandise – Ils sont tombés – Les Amours médicales – Dieu – Je n'oublierai jamais – Avant la guerre – Mes emmerdes – Un corps – Les Deux Guitares / On ne sait jamais – Je n'ai pas vu le temps passer – La Bohème – Dans

ta chambre il y a – Camarade – J'ai vu Paris – Et moi dans mon coin – Comme ils disent – Bon anniversaire – Les Plaisirs démodés.
*(2 x 30 cm à l'*Olympia, *Barclay 96011/12)*

UN ENFANT EST NÉ
Ave Maria – Un enfant est né... – Je ne comprends pas – Noël d'autrefois – Papa Calypso – Comment c'est fait la neige – Noël à Paris – Un enfant de toi pour Noël – Noël au saloon – Hosannah – Ave Maria (instr.).
(30 cm Barclay 91022)

1979
Être – Rien moins que t'aimer.
(45 tours Barclay 62603)

1980
AUTOBIOGRAPHIE
Ça passe – Mon ami, mon Judas – Mon émouvant amour* – Autobiographie – L'amour, bon Dieu l'amour – Allez ! vaï Marseille ! – Je fantasme – Le Souvenir de toi.
*(30 cm Barclay 96108, *avec Danielle Licari)*

1980... CHARLES AZNAVOUR EST À L'OLYMPIA
Je n'ai pas vu le temps passer – Allez ! vaï Marseille ! – Le Souvenir de toi – Mon ami, mon Judas – Être – J'ai vu Paris – Mon émouvant amour* – Ça passe – Ave Maria – L'amour, bon Dieu l'amour / Autobiographie – Mes emmerdes – Hier encore – La Bohème – Parce que – Éteins la lumière – Trousse chemise – Et pourtant – Mourir d'aimer – Les Plaisirs démodés / Comme ils disent – Les Deux Guitares – Sur ma vie – Les Deux Pigeons – La Mamma – Tu t'laisses aller – Ils sont tombés.
*(3 x 30 cm Barclay 92073/75, *avec Danielle Licari)*

Une vie d'amour – Vetchnai lioubov/version russe (chansons extraites de la B.O.F. *Téhéran 43*).
(45 tours Barclay 62713)

1981

JE FAIS COMME SI…

Je fais comme si… – Ma mémoire – Ce n'est pas une vie – Retiens la nuit – Quand Venise s'éveille – Nous n'avons pas d'enfants – La Dispute – Être – Une vie d'amour – Dieu.

(30 cm Barclay 200294)

1982

UNE PREMIÈRE DANSE

Une première danse – Je ne suis pas guéri des mes années d'enfance – Un été sans toi (Somewhere out of town) – Comme nous – Je fantasme – La Légende de Stenka Razine* – T'es ma terre, mon pays – L'Amour nous emporte – Un million de fois – Une première danse (enregistrement L.A.).

*(30 cm Barclay 200421, *avec Les Compagnons de la Chanson)*

1983

CHARLES CHANTE AZNAVOUR ET DIMEY

La Salle et la Terrasse – L'Enfant maquillé – Une maison – Lorsque mon cœur sera – L'Amour et la Guerre – La Mer à boire – Trèfle à quatre feuilles – La Planète où mourir – Un bel incendie – L'Œil du singe.

(30 cm Barclay 815844-1, puis CD 815844-2 © 1984)

NB. Est également paru le 30 cm *I'll be there* Barclay 811505 de 10 titres adaptés en anglais.

1986

Embrasse-moi – Une idée – Les Émigrants (Tous ensemble) – De moins en moins – Belle, belle dis – Rouler – Toi contre moi – La Maison hantée – Déjà – Tu nages en plein délire – Je me raccroche à toi.

(30 cm Tréma 310226 et CD 710226)

1987

Je bois – Je t'aime tant – Dormir avec vous, madame – Te dire adieu – Les Bateaux sont partis – Je ne ferai pas mes adieux –

L'Aiguille – Quand tu dors près de moi – Je rentre chez nous – La Saudade – Les Bons Moments.
(30 cm Tréma 310244 et CD 710244)

ENREGISTREMENT PUBLIC
Je rentre chez nous – Je me raccroche à toi – Je ne ferai pas mes adieux – Toi contre moi – Quand tu dors près de moi – Les Émigrants – Te dire adieu – L'Aiguille – Embrasse-moi – Non je n'ai rien oublié – Je bois – Ave Maria – Mon émouvant amour – Je m'voyais déjà – Destination inconnue – Après l'amour – Poker – Parce que – For me formidable – Il faut savoir – Tu t'laisses aller – Comme ils disent – La Bohème – Les Plaisirs démodés – Les Bons Moments – La Mamma – Que c'est triste Venise.
(2x30 cm Tréma 310245/246 et 2 CD 710245)

NB. Est également paru en 1988 le CD *Italiano – La Mamma* (New Enigma NG 04), de 12 titres adaptés en italien.

1991
AZNAVOUR 92
Napoli chante – La Marguerite – Vous et tu – Je n'aurais pas cru ça de toi – Je te regarde – Chanson souvenir – À contre amour – L'Album de toi – On ne veut plus de nous ici – L'Amiral – Dix ans trop tôt.
(CD Musarm/Tréma 710358)

1994
TOI ET MOI

Toi et moi – Un concerto déconcertant – Ton doux visage – Je t'aime A.I.M.E. – Un amour en transit – Les Années campagne – Va-t'en – À ma manière – L'Âge d'aimer – Trenetement – Inoubliable – Aimer.
(CD Musarm MU-700021)

1995
AZNAVOUR – MINNELLI : PARIS, PALAIS DES CONGRÈS
The sound of your name** – Mon émouvant amour** – Les Comédiens** – Sa jeunesse – Napoli chante – Vous et tu – La Marguerite – Tu t'laisses aller – Non je n'ai rien oublié – Je bois

– Comme ils disent – Les Plaisirs démodés – La Bohème – Je m'voyais déjà – Pour faire une jam** (medley** : Pour faire une jam, Destination inconnue, J'aime Paris au mois de mai, Pour faire une jam) – Bonjour Paris* – God bless the child* – Old friend* – Liza with a Z* – Sailor boys* – Some people* – J'ai deux amours* – Stepping out* – Losing my mind* – I love a piano* – Cabaret* – New York New York* – Medley** (Our love is here to stay, The song is you, Old devil moon, How high in the sky, Let's fall in love, I've got you under my skin, Dream, Unforgettable, I've grown accustomed to her face, These foolish things, Just a dream ago, How high in the moon, Just in time, Le Temps).
*(2 CD EMI 832426-2 ; titres** chantés en duo, titres* chantés par Liza Minnelli)*

PALAIS DES CONGRÈS 1994
Hier encore – L'Âge d'aimer – À ma manière – Ton doux visage – Trenetement – Inoubliable – Je t'aime A.I.M.E. – Toi et moi – Vous et tu – Qui ? – Je bois – Non je n'ai rien oublié – Emmenez-moi – Mon émouvant amour – Je m'voyais déjà – Le Temps – Va-t'en – Paris au mois d'août – Tu t'laisses aller – Il faut savoir – Sa jeunesse – Ave Maria – Comme ils disent –Les Deux Guitares – La Bohème – Les Plaisirs démodés – Que c'est triste Venise – Sur ma vie – La Mamma – Les Bons Moments.
(2 CD EMI/Pathé Marconi 835365-2)

NB. Sont également parus en 1995 le CD *You and me* (Angel/EMI 833473-2) avec 14 titres adaptés en anglais et trois reprises en français, et en 1996 *Au Carnegie Hall* (2 CD Pathé Marconi 854437-2) avec 27 titres en anglais et en français.

1997

PLUS BLEU...
Plus bleu que tes yeux* – Gitana gitana – Dis-moi que tu m'aimes – Le Droit des femmes – Avant de t'aimer – Les Caraïbes – Amour Amer – Au piano bar – Les Images de la vie – La Yiddishe Mamma – De déraison en déraison – Ma dernière chanson pour toi – Les Enfants** – Nous nous reverrons un jour ou l'autre – Ce

métier.
*(CD EMI Music 857528-2, *avec Édith Piaf, **avec Les Petits Chanteurs à la Croix de Bois)*

1999

LIVE – PALAIS DE CONGRÈS 97/98

Plus bleu que tes yeux* – Les Images de la vie – Salut au public (texte) – Un par un – Gitana gitana – Présentation Pierre Roche (texte) – Le Feutre taupé – Amour amer – Mes emmerdes – Dis-moi que tu m'aimes – Le Métier – J'en déduis que je t'aime – Le Droit des femmes – Mais c'était hier – Hier encore – Je m'voyais déjà – Comme ils disent – Emmenez-moi – Je te réchaufferai – Viens au creux de mon épaule – Tout s'en va – Il faut savoir – Pour faire une jam – Je t'aime A.I.M.E. – Présentation auteurs compositeurs (texte) – Me voilà seul – Tu t'laisses aller – Les Enfants – Ave Maria – Les Plaisirs démodés – Non je n'ai rien oublié – Les Deux Guitares – Mon émouvant amour – La Bohème – Nous nous reverrons un jour ou l'autre.
*(2 CD EMI Music 522415-2, *avec la voix d'Édith Piaf, **avec Les Petits Chanteurs à la Croix de Bois)*

2000

AZNAVOUR 2000

Le Jazz est revenu – Qu'avons-nous fait de nos vingt ans – Dans tes bras – Elle a le swing au corps – Quand tu m'aimes* – Je ne savais pas* – J'ai peur – Habillez-vous – On m'a donné – La Formule un – Après l'amour – De la scène à la Seine – Nos avocats – Je danse avec l'amour.
*(CD EMI 529056-2, *extraits de la comédie musicale* Lautrec*)*

2001

PALAIS DES CONGRÈS 2000

Les Émigrants – Quand tu m'aimes – De la scène à la Seine – Qu'avons-nous fait de nos vingt ans – Dans tes bras – Que c'est triste Venise – Et pourtant – Après l'amour – La Mamma – Bon anniversaire – Reste – Trousse chemise – Et moi dans mon coin – Les Deux Guitares – Mon émouvant amour – Je m'voyais déjà / J'aime

Paris au mois de mai – Être – Tu t'laisses aller – Mourir d'aimer – Je t'aime A.I.M.E. – A ma fille – Il faut savoir – Sa jeunesse – Hier encore – Mes emmerdes – Non je n'ai rien oublié – Ave Maria – Les Plaisirs démodés – Comme ils disent – La Bohème – Emmenez-moi – Les Bons Moments.
(2 CD EMI Music 532020-2)

2003
JE VOYAGE
Lisboa – Je n'entends rien – Quelqu'un de différent – Des mots – La Critique – Je voyage – Un mort vivant (Délit d'opinion) – Orphelin de toi – Il y a des trains – On s'éveille à la vie – Des amis des deux côtés – Dans le feu de mon âme.
*(CD Capitol/EMI 596018-2, *avec Katia Aznavour)*

2005
INSOLITEMENT VÔTRE
Vive la vie – Quand tu m'aimes (avec Isabelle Boulay) – Désintoxication – Cancan (avec Serge Lama) – Est-ce l'amour ? (par Katia Aznavour) – Moi – Un monde à nous – Souvenirs de second choix (par Lio) – On s'éveille à la vie (avec Hélène Ségara) – Oh douce et tendre mère – L'Amour fait mal – J'ai souvent envie de le faire (par Annie Cordy) – Et peindre – Buvons – Je danse avec l'amour (avec Mayra Andrade) – Le Souffle de ma vie – Orphelin de toi – Sans limite (avec Serge Lama) – Laissez-le vivre.
(CD EMI 0946 336943-2)

Filmographie

Cette filmographie comprend tous les films (courts et longs métrages) et téléfilms auxquels Charles Aznavour a participé en tant qu'acteur, compositeur de la musique, auteur du scénario ou des dialogues. L'année indiquée est (en principe) celle de la sortie du film.

1938
Les Disparus de Saint-Agil, de Christian-Jaque.

1945
Adieu chérie, de Raymond Bernard.

1947
Il était trois chansons, court métrage de Claude Lalande.

1949
Dans la vie tout s'arrange, de Marcel Cravenne.

1956
Une gosse sensass, de Robert Bibal.

1957
C'est arrivé à "Trente-six chandelles", d'Henri Diamant-Berger.
Paris music-hall, de Stany Cordier.

1958
Oh ! Qué mambo !, de John Berry.
Pourquoi viens-tu si tard ?, d'Henri Decoin.
La Tête contre les murs, de Georges Franju.

1959
Les Dragueurs, de Jean-Pierre Mocky.
Le Testament d'Orphée, de Jean Cocteau.
Tirez sur le pianiste, de François Truffaut.

1960
Le Passage du Rhin, d'André Cayatte.
Un taxi pour Tobrouk, de Denys de La Patellière.
Gosse de Paris, court métrage de Marcel Martin.

1961
Horace 62, d'André Versini.
Les Lions sont lâchés, d'Henri Verneuil.

1962
Le Diable et les Dix Commandements, sketch *Homicide point ne seras*, de Julien Duvivier.
Tempo di Roma, de Denys de La Patellière.
Les Vierges, de Jean-Pierre Mocky.
Le Rat d'Amérique, de Jean-Gabriel Albicocco.
Pourquoi Paris ?, de Denys de La Patellière.
Les Quatre vérités, sketch *Les Deux pigeons*, de René Clair.

1963
Cherchez l'idole, de Michel Boisrond.
Haute infidélité, sketch *Péché dans l'après-midi*, d'Elio Petri.

1964
Le Crocodile majuscule, court métrage d'Eddy Ryssack.

1965
La Métamorphose des cloportes, de Pierre Granier-Deferre.

Paris au mois d'août, de Pierre Granier-Deferre.
Thomas l'imposteur, de Georges Franju.
Le Faiseur de rires, court métrage de Jean-Claude Hechinger.

1966
Le Facteur s'en va-t'en guerre, de Claude Bernard-Aubert.
Banbuck, court métrage d'Adolphe Dhrey et Jean Kargayan.

1967
Caroline chérie, de Denys de La Patellière.
Candy, de Christian Marquand.

1968
L'Amour, de Richard Balducci.

1969
Le Temps des loups, de Sergio Gobbi.
The Games, de Michael Winner.
Les Derniers Aventuriers (*The Adventurers*), de Lewis Gilbert.

1970
Un beau monstre, de Sergio Gobbi.

1971
Les Intrus, de Sergio Gobbi.
La Part des lions, de Jean Larriaga.

1973
The Blockhouse, de Clive Rees.

1974
Dix Petits Nègres, de Peter Collinson.

1975
Intervention Delta (*Sky Riders*), de Douglas Hickox.

1976
Folies bourgeoises, de Claude Chabrol.

1978
Claude François, le film de sa vie, de Samy Pavel.

1979
Le Tambour (*Die Blechtrommel*), de Volker Schlöndorff.
Ciao les mecs !, de Sergio Gobbi.

1981
Qu'est-ce qui fait courir David ?, d'Élie Chouraqui.

1982
La Montagne magique (*Der Zauberberg*), de Hans W. Geissendörfer.
Les Fantômes du chapelier, de Claude Chabrol.

1983
Édith et Marcel, de Claude Lelouch.
Une jeunesse, de Moshé Mizrahi.
Viva la vie !, de Claude Lelouch.

1985
Paolino, la juste cause et une bonne raison, téléfilm de François Reichenbach.
Le Paria, téléfilm de Denys de La Patellière.

1986
Yiddish Connection, de Paul Boujenah.

1988
Mangeclous, de Moshe Mizrahi.

1989
Laura, téléfilm de Jeannot Szwarc.

1991
Les Années campagne, de Philippe Leriche.
Il ritorno di Robot, téléfilm de Pino Passalacqua.
Le Jockey de l'Arc de Triomphe, téléfilm de Pino Passalacqua.
Le Chinois, série de téléfilms de Gérard Marx et Roberto Bodegas [*La*

Lumière noire, L'Héritage, Le Pachyderme, Les Somnambules, Un tour de passe-passe].

1992
Il Maestro, de Marion Hänsel.

1993
Un alibi en or, téléfilm de Michèle Ferrand.

1995
Baldipata, téléfilm de Michel Lang.
Le Chinois [*L'Ange déchu*], téléfilm de Roberto Bodegas.

1996
Le Comédien, de Christian de Chalonge.

1997
Pondichéry, dernier comptoir des Indes, de Bernard Favre.
Baldi et les petits riches, téléfilm de Claude d'Anna.
Baldi et la voleuse d'amour, téléfilm de Claude d'Anna.
Sans cérémonie, téléfilm de Michel Lang.

1998
Le Serment de Baldi, téléfilm de Claude d'Anna.
Baldi et radio-trottoir, téléfilm de Claude d'Anna.

2000
Laguna, de Dennis Berry.
Les Mômes, téléfilm de Patrick Volson.
Baldi et Tini, téléfilm de Michel Mees.

2001
Ararat, de Atom Egoyan.
La Vérité sur Charlie (*The Truth about Charlie*), de Jonathan Demme.
Judicaël, téléfilm de Claude d'Anna.

2002
Angélina, téléfilm de Claude d'Anna.

Le Passage du bac, téléfilm d'Olivier Langlois.

2004
Emmenez-moi, d'Edmond Bensimon.

2005
Le Père Goriot, téléfilm de Jean-Daniel Verhaeghe.

2006
Ennemis publics, de Karim Abbou et Kader Ayd.

• Films dont Charles Aznavour a composé la musique

1956 : *Une gosse sensass*, de Robert Bibal – **1957 :** *Ces dames préfèrent le mambo*, de Bernard Borderie – **1958 :** *L'Île du bout du monde*, d'Edmond T. Gréville ; *Pêcheur d'Islande*, de Pierre Schoendoerffer ; *Soupe au lait*, de Pierre Chevalier ; *Pourquoi viens-tu si tard ?*, d'Henri Decoin – **1959 :** *Le Cercle vicieux*, de Max Pecas ; *La Nuit des traqués*, de Bernard-Roland – **1960 :** *Tu ne tueras point*, de Claude Autant-Lara ; *Gosse de Paris*, court métrage de Marcel Martin – **1961 :** *De quoi tu t'mêles, Daniela !*, de Max Pecas ; *Douce violence*, de Max Pecas ; *Les Petits Matins*, de Jacqueline Audry – **1962 :** *C'est pas moi, c'est l'autre*, de Jean Boyer ; *Pourquoi Paris ?*, de Denys de La Patellière ; *Les Quatre Vérités*, de René Clair – **1970 :** *Sapho ou la fureur d'aimer*, de Georges Farrel – **1981 :** *Qu'est-ce qui fait courir David ?*, d'Elie Chouraqui – **1982 :** *Édith et Marcel*, de Claude Lelouch ; *Les Fantômes du chapelier*, de Claude Chabrol.

• Films dont Charles Aznavour a écrit le scénario

1986 : *Yiddish Connection*, de Paul Boujenah ; *Genève*, court métrage de François Reichenbach.

• Film dont Charles Aznavour a écrit les dialogues

1971 : *Les Intrus*, de Sergio Gobbi.

Bibliographie

À l'exception de celui que sa sœur lui a consacré, cette bibliographie recense les seuls livres publiés par Charles Aznavour lui-même et ceux proposant un florilège ou l'intégrale de ses textes de chansons.

Aznavour par Aznavour (Charles Aznavour, Fayard, 1970).

Des mots à l'affiche (Charles Aznavour, Le Cherche-Midi, 1991).

Charles Aznavour, un homme et ses chansons, l'Intégrale (établie par Pierre Saka, éditions Numéro 1, 1994 ; puis Le Livre de Poche, 1996).

La Balade espagnole (Charles Aznavour et Richard Balducci, Le Cherche-Midi, 1996).

Mes chansons préférées (Charles Aznavour, Christian Pirot Éditeur, 2000).

Le Temps des avants (Charles Aznavour, Flammarion, 2003 ; puis J'ai lu, 2005).

Images de ma vie (Charles Aznavour, Flammarion, 2005).

Petit Frère (Aïda Aznavour-Garvarentz, Robert Laffont, 1986).

Sites Internet

Outre le site officiel (bilingue) de Charles Aznavour, il faut signaler deux des principaux sites consacrés à l'artiste, le premier couvrant l'ensemble de sa carrière ainsi que son actualité, le second reconstituant sa discographie avec reproduction de la plupart de ses pochettes d'origine :

http://www.c-aznavour.com : site officiel.

http://fan.aznavour.free.fr/

http://pages.videotron.com/patof/aznavour/index.htm

Index des principaux noms cités

Les noms cités dans ce livre étant innombrables et concernant tous les domaines (histoire, politique, société, religion, sports, arts et loisirs...), seuls figurent dans cet index (outre ceux de journalistes qui ont rencontré Aznavour ou dont les écrits ont été partiellement repris dans cet ouvrage) les noms principaux des personnes ayant (eu) trait de près ou de loin à la vie de Charles Aznavour, au plan exclusivement professionnel.

A

Abbado, Claudio : 442
Achard, Maurice : 163, 204, 247, 458, 486
Achard, Pierre : 454
Adamo : 318, 433
Aglaé : 146, 186
Albicocco, Jean-Gabriel : 257, 258, 584
Amade, Louis : 216, 227, 228, 520
Amont, Marcel : 117, 226, 265, 433
Angeli, Claude : 299
Anka, Paul : 460
Aragon, Louis : 53, 94, 95, 96, 206
Arletty : 256
Arnoul, Françoise : 449
Asso, Raymond : 127, 128
Aubret, Isabelle : 433
Audran, Stéphane : 363
Autant-Lara, Claude : 218, 246, 266, 399
Avellis, Roland : 180
Aznavour, Aïda : 24, 32-36, 37, 42-44, 54, 57, 59, 64, 67, 73, 79, 80, 97-100, 102, 106, 146, 147, 181, 190, 200, 208, 254, 281, 299, 300, 303, 308, 309, 314, 339,416, 417, 427, 507, 589
Aznavourian, Mischa : 25, 30-33, 37-40, 44, 53, 55, 56-58, 61, 62, 64, 100, 103, 104, 107, 107, 109, 146, 186, 239, 307, 340, 393, 427
Aznavourian, Missak : 25, 30

B
Bakaloglou, Edmond : 436, 440
Balducci, Richard : 173, 272, 283, 330, 470, 498, 585, 589
Barbara : 225, 433, 473
Barbry, François-Régis : 229
Barclay, Eddie : 81, 82, 177, 225, 229, 230, 231, 232, 234, 235, 236, 237, 238, 239, 240, 245, 246, 247, 261, 271, 283, 290, 292, 301, 304, 338, 339, 362, 378, 388, 400, 402, 403, 412, 415, 452, 466, 468, 469, 505, 516, 517, 560, 570, 571, 572, 573, 574, 575, 576, 577
Barlatier, Pierre : 173
Barrault, Marie-Christine : 331
Barrier, Louis : 128, 139, 160, 161
Baselli, Joss : 179
Bauchet, Jean : 183
Baudourian, Elisabeth : 479
Béart, Guy : 112, 224, 225, 323, 345, 393, 433
Beaunoyer, Jean : 471
Bécaud, Gilbert : 117, 120, 165, 167, 174, 176, 177, 188, 189, 190, 191, 193, 200, 201, 209, 212, 213, 216, 225, 228, 263, 268, 269, 274, 277, 278, 281, 297, 305, 328, 355, 358, 375, 424, 433, 494, 519, 520, 525, 526, 547
Belleret, Robert : 481, 482
Berchot, Eric : 438
Berger, Helmut : 331
Berger, Nicole : 219, 222
Bérimont, Luc : 223
Bernard, Raymond : 115, 209
Biraud, Maurice : 254, 295, 321
Blain, Estella : 211, 212, 219
Blain, Gérard : 257
Blanche, Francis : 80, 81, 83, 126, 254, 257, 304
Blier, Bernard : 254, 442
Bohringer, Richard : 474
Boisrond, Michel : 283, 584
Bonfils, Tony : 542
Bonnaire, Sandrine : 437
Bontempelli, Guy : 346, 374
Boris, Jean-Michel : 253, 267, 349, 421, 597
Borly, Clyde : 311
Boujenah, Paul : 416, 586, 588
Bourgeois, Gérard : 336
Bourtayre, Jean-Pierre : 459, 499
Brassens, Georges : 9, 10, 112, 190, 206, 225, 249, 255, 256, 265, 270, 289, 290, 315, 325, 328, 336, 337, 391, 392, 393, 395, 397, 422, 438, 439, 457, 491, 507, 532, 533, 556
Brasseur, Pierre : 210, 225, 295, 323
Brel, Jacques : 10, 112, 225, 232, 237, 238, 265, 270, 289, 290, 292, 297, 306, 307, 315, 321, 322, 325, 339, 376, 377, 378, 391, 393, 397, 433, 439, 456, 457, 470, 491, 532, 533
Breton, André : 20
Breton, Raoul : 11, 88, 125, 134, 139, 169, 171, 172, 173, 175, 176, 177, 180, 182, 190, 201, 227, 228, 229, 233, 234, 235, 270, 290, 400, 452, 498, 515, 522, 525, 532, 598, 599
Brialy, Jean-Claude : 254, 438
Brincourt, Christian : 229
Bruel, Patrick : 273, 456, 485, 491, 493, 510, 537, 538
Brunet, Dany : 272, 558
Bugsy Stomy : 489
Bussières, Raymond : 225

C
Canetti, Jacques : 112, 113, 127, 142, 145
Cannavo, Richard : 175, 176
Carmet, Jean : 442
Carné, Marcel : 46, 74, 147, 276
Carrel, Dany : 219, 225

Carrière, Paul : 204, 249, 250, 268, 269, 280, 297, 305, 315, 322, 333, 343, 346, 348, 350, 363, 382
Cartier, Jacqueline : 172, 247, 368, 379
Cassar, Yvan : 487, 500
Caussimon, Jean-Roger : 225, 283
Cayatte, André : 46, 223, 224, 247, 336, 584
Cazenave, Jean : 69, 71
Ceccarelli, André : 484
Chabrol, Claude : 363, 385, 449, 585, 586, 588
Chalonge, Christian de : 474, 587
Chancel, Jacques : 413
Charlebois, Robert : 141
Chaussettes Noires (Les) : 271, 283, 524
Chazal, Robert : 219
Chevalier, Maurice : 21, 66, 117, 125, 176, 179, 204, 276, 303, 306, 323, 342, 393, 438, 454, 465, 501, 530, 531
Chouraqui, Elie : 384, 586, 588
Christian-Jaque : 45, 46, 583
Clarens, Léo : 179, 311
Clark, Petula : 314, 438, 559
Claudric, Jean : 403, 438, 443
Clay, Philippe : 112, 117, 157, 173, 194, 226, 254, 397, 443
Cocteau, Jean : 204, 247, 278, 289, 504, 507, 555, 584
Cohen, Albert : 442
Compagnons de la Chanson (Les) : 111, 117, 127, 128, 129, 133, 173, 204, 264, 265, 389, 393, 462, 475, 577
Conrath, Philippe : 424
Constantin, Jean : 188, 397
Constantine, Eddie : 117, 128, 160, 163, 168, 194, 230, 254, 559
Coquatrix, Bruno : 189, 190, 192, 194, 203, 229, 253, 266, 267, 269, 306, 308, 309, 332, 378, 421, 516
Coquatrix, Paulette : 266, 269
Cordier, Stany : 202, 583
Cordy, Annie : 173, 369, 438, 465, 492, 508, 559, 581, 597
Cowl, Darry :81, 126
Cuq, Benjamin : 489

D

Dalida : 203, 224, 226, 231, 237, 247, 267, 346, 488
Dard, Frédéric : 300, 301, 400
Dard, Patrice : 302, 410
Daroy, Jacques : 45
Dasté, Jean : 41, 74, 75
Davet, Stéphane : 483
Davis, Jeff : 160, 167, 187, 188, 230, 286, 294, 319
Davis, Jr Samy : 298, 314, 515, 517
Davoust, Gérard : 11, 185, 233, 452, 470, 498, 515, 519, 520, 521, 532
Debout, Jean-Jacques : 284
Decoin, Henri : 236, 584, 588
Decroux, Etienne : 74, 75
Delanoë, Pierre : 216, 311, 460, 476, 520
Demme, Jonathan : 496, 587
Denjean, Claude : 328
Devos, Raymond : 237, 393, 520, 532
Diamant-Berger, Henri : 583
Dicale, Bertrand : 461, 472, 484, 492
Dillaz, Serge : 222, 223, 325, 344, 598
Dimey, Bernard : 217, 218, 246, 261, 327, 394, 395, 397, 398, 401, 402, 405, 407, 424, 452, 469, 511
Distel, Sacha : 219, 226, 236, 433, 438, 503
Dorin, Françoise : 285, 294
Dréjac, Jean : 374
Drevet, Pierre : 484
Drucker, Michel : 226, 375, 418, 433, 458, 465, 473, 474, 498, 510

Dubois, Marie : 221, 222, 570
Dufilho, Jacques : 442
Dumas, Mireille : 470
Dumont, Charles : 128
Duvivier, Julien : 255, 449, 584

E
Emer, Michel : 176

F
Fabre, Jacqueline : 219
Fallet, René : 255, 295
Faveaux, Myriam de : 448
Favre, Bernard : 474, 587
Ferenczi, Aurélien : 422
Ferrand, Michèle : 458, 587
Ferré, Léo : 95, 112, 133, 157, 169, 225, 283, 289, 322, 325, 372, 481, 560
Figus, Claude : 198, 558
Fléouter, Claude : 354, 382
Flon, Suzanne : 218
Fogiel, Marc-Olivier : 498
Folliette : 436
Forestier, Claude : 390
Foulquier, Jean-Louis : 405, 406, 433, 452
Franju, Georges : 209, 210, 218, 224, 331, 449, 584, 585
Franck, Aldo : 437, 531, 541, 544, 597
François, Jacqueline : 113, 189, 194, 201, 202, 204, 369

G
Gabriello, Suzanne : 285
Gagnon, Elizabeth : 452, 597
Gall, Robert : 277, 474
Galliano, Richard : 437, 484
Garcia, Thierry : 543, 597
Garvarentz, Georges : 23, 28, 40, 43, 57, 90, 91, 100, 158, 181, 200, 238, 242, 254, 255, 258, 260, 271, 276, 278, 283, 286, 295, 299, 300, 305, 306, 308, 309, 311, 314, 319, 327, 330, 335, 346, 347, 353, 354, 359, 361, 365, 374, 385, 389, 414, 424, 427, 434, 442, 449, 454, 460, 461, 462, 479, 519, 523, 526, 530, 537, 589
Garvarentz, Kevork : 26, 524
Gaubert, Christian : 319, 326, 328, 389
Genès, Henri : 124
Gérard, Bernard : 424, 427, 443, 460, 475
Gilles et Julien : 110
Giroux, Monique : 148, 497, 506
Glaser, Denise : 238, 555
Gobbi, Sergio : 331, 376, 585, 586, 588
Goraguer, Alain : 326
Gorin, François : 419
Gougaud, Henri : 325
Gréco, Juliette : 113, 117, 129, 156, 173, 208, 254, 346, 397, 403, 484
Guétary, Georges : 117, 201, 301, 302, 525, 559

H
Hallyday, Johnny : 117, 190, 237, 238, 265, 267, 271, 283, 293, 337, 388, 433, 459, 487, 502, 526
Hassold, Rodolphe : 407
Hazéra, Hélène : 363, 437, 507
Hess, Johnny : 76, 87
Heyral, Marc : 188
Higelin, Jacques : 113, 492, 510
Hossein, Robert : 331, 554
Hovivian, René : 285
Humble, Pierre : 41

J
Jaubert, Jean-Louis : 127, 128
Jones, Quincy : 437
Jullien : Yvan : 311

K
Khaled : 485, 537
Kolpa-Kopoul, Rémy : 424
Koma, Setome : 560
Krüger, Hardy : 224, 255

L
Laforêt, Marie : 257
Laforêt, Pierre : 413
Lai, Francis : 385, 396
Laine, Frankie : 192, 194, 204, 205
Lama, Serge : 325, 438, 485, 508, 50, 547, 581
Lang, Michel : 465, 587
La Patellière, Denys de : 224, 247, 254, 256, 330, 409, 416, 584, 585, 586, 588
Lapidus, Ted : 186, 389
Lapointe, Boby : 222, 223, 248, 249
Larriaga, Jean : 331, 585
Laville, Alain : 489
Le Luron, Thierry : 364, 369, 475
Lecca, Henri : 113
Leccia, Jean : 166, 186, 190, 196, 198, 199, 235
Legrand, Michel : 113, 261, 317, 385, 433, 459, 460
Lehner, Gehrard : 231, 291
Lelouch, Claude : 385, 409, 586, 588
Lemaire, Norbert : 333
Lemay, Lynda : 471, 506, 549
Leriche, Philippe : 449, 586
Lescure, Pierre : 366
Level, Charles : 390
Lombard, Claude : 510, 544
Loubet, Roger : 413, 424, 443, 460
Louiss, Eddy : 484
Loussier, Jacques : 400, 415
Lubin, Jacques : 291, 292

M
Mabille, Bernard : 364
Macabiès, Jean : 333, 382, 421 , 446
Machucambos (Los) : 349, 574
Magimel, Benoît : 449
Mallat, Robert : 370
Mama, Béa (Tekielski) : 385
Mannoni, Gérard : 447
Manouchian, Missak : 52, 56, 60, 93-99, 109, 431, 450
Manoukian, André : 484
Mareuil, Jacques : 263, 406
Marleau, Louise : 418
Marly (les frères) : 183
Marmande, Francis : 477
Marquet, Jean-Louis : 80, 83, 90, 157, 158, 168, 271, 272, 379, 516, 558
Marsan, Richard : 157, 158, 169, 183, 186, 323, 377, 560
Marten, Félix : 128, 207
Martin, Edmond : 143, 144
Martin, Emile : 261
Martin, Marcel : 254, 584
Marzoff, Hélène : 492
Masseboeuf, Jacques : 223
Mathieu, Mireille : 346, 389, 433, 438
Maurane : 485
Mauriat, Paul : 165, 239, 245, 246, 255, 258, 261, 264, 286, 291, 292, 311, 380, 389, 399, 412, 468
Mees, Michel : 465, 587
Mella, Fred : 132, 133, 393, 410
Mercouri, Melina : 267, 317
Meurisse, Paul : 128
Micheyl, Mick : 201, 202, 532
Milteau, Jean-Jacques : 470
Minnelli, Liza : 305, 355, 357, 413, 422, 442, 445, 447, 452, 454, 462, 466, 502, 507, 515, 517, 578
Mireille : 168, 174, 175, 177
Misraki, Paul : 49, 176, 403
Mizrahi, Moshe : 385, 442, 586
Mocky, Jean-Pierre : 209, 210, 218, 219, 256, 257, 449, 584
Monicelli, Mario : 416

Monnot, Marguerite : 163
Montand, Yves : 111, 113, 128, 194, 204, 121, 213, 254, 325, 349, 397, 530, 531
Morel, Alain : 452, 473
Morgan, Virginie : 166
Morini-Bosc, Isabelle : 458
Morisse, Lucien : 231, 237
Mortaigne, Véronique : 461
Mouloudji, Marcel : 46, 113, 189, 201, 397, 401
Moustaki, Georges : 128, 322
N
Nagui : 460, 521
Native (Mayne, Chris et Laura) : 460
Nicaud, Philippe : 304, 400
Nicolas, Clément : 242, 524
Nohain, Jean : 126, 168, 174, 175, 177
Normand, Jacques : 145, 506

O
Ockrent, Christine : 555

P
Pantel, Monique : 355, 386
Pascaud, Fabienne : 385, 386, 449
Pasqualini, Jean-Pierre : 360, 464
Patachou : 173, 179, 269, 532-536
Pavel, Samy : 375, 586
Perez, Michel : 268, 295, 296, 385,
Petrucciani, Michel : 484
Philippe-Gérard : 118
Piaf, Édith : 83, 112-139, 143, 148, 149, 150, 155-193, 173, 177-180, 188, 191, 196, 204, 207-212, 236, 238, 265, 266, 270, 278, 279, 296, 302, 303, 338, 349, 385, 406, 474, 475, 478, 482, 483, 498, 507, 516, 558, 559, 580
Pills, Jacques : 76, 110, 164, 165, 168, 180
Plante, Jacques : 72, 123, 186, 246, 261, 263, 264, 265, 274, 278, 287, 301, 304, 364, 371373, 374, 388, 414, 475, 497, 528, 535
Plessis, Évelyne : 180, 195, 239, 340, 410
Poiret, Jean : 254, 257, 345
Poivre d'Arvor, Patrick : 423
Poulanges, Alain : 466, 467, 504
Pourcel, Franck : 165, 288, 300
Prévert, Jacques : 45
Prévot, Monique : 425
Prior, Pierre : 42-45, 69

Q
Quaglio, José : 73

R
Raspiengeas, Jean-Claude : 489
Raynaud, Fernand : 178
Renou, Georges : 378
Revaux, Jacques : 443, 459, 464
Richard, Pierre : 442
Rivgauche, Michel : 270
Robin, Muriel : 485, 537
Roche, Pierre : 76-151, 156, 157, 161, 166, 167, 179, 180, 186, 187, 196, 202, 204, 209, 217, 246, 349, 350, 385, 437, 479, 482, 491, 506, 525, 557, 565, 566, 574, 580
Rodriguez, Amalia : 204, 208
Roger-Pierre : 192, 198, 283

S
Sabatier, Patrick : 413
Sairigné, Guillemette de : 479
Saint-Laurent, Cécil : 330
Saka, Pierre : 80, 468, 589
Salgues, Yves : 11, 12, 282, 284, 285, 289, 292
Salmon, André : 241, 438
San-Antonio : 300, 302, 400
Sanseverino : 183, 510

Santer, François de : 247
Sarapo, Théo : 128, 265, 266, 278, 406
Sarraute, Claude : 248, 290, 296, 333, 349
Sauvage, Yvan : 213
Saval, Dany : 226, 283
Savary, Jérôme : 495
Sayan, Lévon : 421, 437, 441, 479, 499, 511, 515-518
Schlöndorff, Volker : 375, 384, 586
Schurer, Geneviève : 418
Segundo, Compay : 485
Serrault, Michel : 254, 345, 385, 474
Signoret, Simone : 204, 397
Silva, Guy : 321
Simon, Michel : 45, 397
Sinatra, Frank : 125, 253, 280, 298, 310, 322, 334, 364, 424, 454, 515, 517, 527
Sinclair, Anne : 435, 555
Sommer, Danielle : 450
Sommer, Elke : 363
Sotinel, Thomas : 495
Souplex, Perette : 285
Stéphane, Yves : 263
Streisand, Barbra : 454

T

Tabet, Georges : 76, 110, 165, 168
Terrasson, Jacky : 484
Tessier, Carmen : 313
Théfaine, Jean : 382, 484, 498
Thibault, Jean-Marc : 192, 198, 283
Tonton David : 460
Trebouta, Jacques : 418
Tremblay, Gérald : 495
Trenet, Charles : 83, 87, 88, 112, 113, 125, 126, 146, 168, 173-177, 189, 194, 198-200, 204, 213, 237, 247, 249, 269, 323, 345, 349, 438, 451, 460, 465, 466, 470, 477, 491, 492, 507, 510, 528, 537
Trintignant, Jean-Louis : 255, 409
Trio Esperança : 485
Tristan, Béa : 321, 322
Trois Horaces (Les) : 248, 255
Truffaut, François : 210, 220-224, 236, 247, 258, 259, 267, 268, 273, 331, 449, 495, 584

V

Varna, Henri : 45, 354
Ventura, Lino : 49, 254, 255, 256, 295, 435
Véran, Florence : 156, 157, 158, 169, 183, 186, 189, 425, 560
Vergano, Serena : 256
Verneuil, Henri : 223, 224, 2554, 295, 418, 419, 434, 435, 494, 584
Vernon, Jacques : 272, 283, 377, 558
Versini, André : 255, 584
Vidalin, Maurice : 217, 235, 520
Vigneault, Gilles : 141
Vignolo, Rémy : 484
Vitry, Félix : 173, 269

W

Wagenheim, Gaby : 168, 187, 235
Wakhevitch, Georges : 354

Z

Zana, Jean-Claude : 378
Zatopek, Emil : 331
Zipper, Jean-Philippe : 349

Remerciements

Daniel Pantchenko tient à remercier chaleureusement les personnes qui ont apporté leur pierre à l'édifice de cet ouvrage, et tout spécialement :

Pour leur participation précieuse : Jean-Michel Boris, Yvette Cathiard, Patrice Dard, Gerhard Lehner, Jacques Lubin, Jean-Philippe Mahé. Pour l'amitié chantante qu'ils témoignent à Charles Aznavour : Patrick Bruel, Annie Cordy, Michel Fugain, Fred Mella, Patachou. Pour leur partition originale : Katia Aznavour, Tony Bonfils, Aldo Franck, Thierry Garcia, Claude Lombard, Paul Mauriat. Pour leur souffle québécois : François Blain, Élizabeth Gagnon, Robert Thérien.

Pour leur aide et soutiens divers : Bertrand Bonnieux (du Département de l'Audiovisuel de la BNF), Pierre-Marie Castel (mécénat et Pressoir), Michel Célie (Dimey toujours), Sébastien Fresneau et Marie-Agnès Boquien (amitié intégrale), Laurent Gharibian (suggestion patronymique inspirée), Jofroi (transporteur de luxe), Yann Morvan (précision olympique), Virginie Pasdeloup (recul pertinent), Jean-Louis Rancurel (documents introuvables).

Parce que je les aime : Claudie Pantchenko (ma première

lectrice, au crayon et au clavier efficients), mon frère Serge Pantchenko (Truffaut à la lettre) ; mes potes de *Chorus* impliqués : Serge Dillaz (pistes et conseils judicieux), Jean Théfaine (contre pépites perso), Francis Vernhet (à qui je n'ai pas toujours facilité l'objectif), Albert Weber (coupures alsaciennes).

Merci à Marie Danielle des Éditions Raoul-Breton, à Claire Aisenmann et au service Documentation de *Télérama*, à Sylvie Thibault de la Mairie de Vierzon, ainsi qu'au personnel (disponible et efficace) de la Bibliothèque nationale de France et de son Inathèque.

Merci et bravos particuliers aux deux fines plumes qui m'ont donné le moins de travail dans cet ouvrage : Lynda Lemay et Serge Lama.

Merci à Lévon Sayan, entre autres pour la photo historique.

Merci et merci encore à Gérard Davoust, enthousiaste dès les premières pages lues, et à qui ce livre doit beaucoup.

À Marc Robine, bien sûr, dont je me suis efforcé de prolonger dignement le pas ; à Mauricette et Fred Hidalgo, promoteurs de cette aventure, avec lesquels j'ai toujours le même plaisir à travailler, le même sentiment d'apprendre et d'apprendre...

Avec enfin, toute ma reconnaissance à Charles Aznavour, pour sa confiance, sa disponibilité, et sa bonne humeur communicative.

D'autre part, Chorus et Fayard remercient tout particulièrement les Éditions Raoul-Breton et les Éditions Musicales Djanik (69 rue Ampère, 75017 Paris) pour leur aimable autorisation de reproduction dans cet ouvrage des extraits de textes des chansons suivantes de Charles Aznavour, dont elles conservent l'entier copyright.

Éditions Raoul-Breton : *À ma fille, À propos de pommier, Après l'amour, C'est ça, C'est un gars, Ce jour tant attendu, Le Chemin de l'éternité, De ville en ville, Les Deux Guitares, Fraternité, Je cherche mon amour, Je m'voyais déjà, Je veux te dire adieu, Mé qué mé qué, Merci mon Dieu, Moi, j'fais mon rond, Ô toi ! la vie, Oublie Loulou, Parce que, Plus heureux que moi, Pour faire une jam, Retour, Sa jeunesse, Sur ma vie, Tu n'as plus, Tu t'laisses aller, Viens au creux de mon épaule, La Ville, Vivre avec toi.*

Éditions Musicales Djanik : *À ma femme, À ma manière, L'Aiguille, Alleluia, Allez vaï Marseille, L'Amour à fleur de cœur, Amour amer, L'Amour bon Dieu l'amour, L'Amour et la guerre, L'Amour nous emporte, Les Amours médicales, Au nom de la jeunesse, Autobiographie, Avant la guerre, Avec, Les Aventuriers, La Bohème, Bon anniversaire, Le Cabotin, Camarade, Le Carillonneur, Ce métier, Ce n'est pas une vie, Les Champignons hallucinogènes, La Chanson du faubourg, Chaque fois que j'aime, Les Chercheurs d'or, Comme des étrangers, De moins en moins, Départ express (destination inconnue), Dieu, Dix ans trop tôt, Donne tes seize ans, Dors, Le Droit des femmes, L'Émigrant, Les Émigrants, Emmenez-moi, L'Enfant prodigue, Les Enfants, Les Enfants de la guerre, Et pourtant, Les Faux, Les Filles d'aujourd'hui, For me, formidable, Gitana gitana, Heureux avec des riens, Hier encore, Il faut savoir, Il te suffisait que je t'aime, Ils sont tombés, Les Images de la vie, L'Instant présent, J'ai vécu, J'ai vu Paris, Je bois, Je n'ai pas vu le temps passer..., Je n'oublierai jamais, Je ne ferai pas mes adieux, Je ne suis pas guéri de mes années d'enfance, Je rentre chez nous, Je t'attends, Je te réchaufferai, Lucie, Ma mie, Mais c'était hier, La Mamma, La Marche des Anges, La Marguerite, Noël d'autrefois, Les Nuits de Montmartre, Merci Madame la vie, Mes emmerdes, Mon ami, mon*

Judas, Noël d'autrefois, Les Nuits de Montmartre, On a toujours le temps, Partir, Pas guéri de mes années d'enfance, Les Petits Matins, Pour essayer de faire une chanson, Pour toi Arménie, Rouler, S'il y avait une autre toi, Sarah, T'es ma terre, mon pays, Le Temps, Toi et moi, Le Toréador, Trenetement, Tu exagères, Tu t'amuses, Tu veux, Un concerto déconcertant, Un jour ou l'autre, Voilà que tu reviens, Y avait donc pas de quoi, Yerushalaïm.

Merci, de même, aux Nouvelles Éditions Meridian pour *À t'regarder* ; S.E.M.I. pour *Je suis amoureux* ; S.E.M.I./Peer pour *Boule de gomme ;* Patricia/S.E.M.I. pour *Je t'aime comme ça* ; Melodium Music SA pour *La Critique, Je voyage, Un mort vivant* ; Paroles de Dimey pour *L'Enfant maquillé, Lorsque mon cœur sera, L'Œil du singe, La Planète où mourir, La Vieille* ; Si Do Music pour *Le Feutre taupé, Tant de monnaie* ; Hortensia pour *Il pleut*; Lido Melodie pour *Oui, mais la nuit*; French Music pour *Je t'aime.*

Merci, enfin, aux Éditions suivantes pour les citations d'extraits de chansons dont Charles Aznavour n'est ni l'auteur, ni le compositeur : les Productions Alleluia pour *Au printemps de quoi rêvais-tu ?, Camarade, Un jour futur* ; les Éditions Musicales 57 pour *Trompe la mort* ; les éditions Flammarion pour *Il n'y a pas d'amour heureux* et *L'Affiche rouge.*

Table des matières

AVANT-PROPOS
par Daniel Pantchenko 9

I. ENFANTS D'APATRIDES

Chapitre premier
En cette année 1924 17
Chapitre 2
Ils sont tombés 24
Chapitre 3
Naissances 30
Chapitre 4
Des apprentis artistes qui déménagement 37
Chapitre 5
La « drôle de guerre » 48
Chapitre 6
Paris occupé 55
Chapitre 7
L'étoffe d'un acteur 69

II. ROCHE ET AZNAVOUR

Chapitre 8
Le duo du Club de la chanson 79

Chapitre 9
Roche et Aznavour : le contraste 86
Chapitre 10
L'Affiche rouge 92
Chapitre 11
Paris libéré 102
Chapitre 12
Libération… et feu de paille 110
Chapitre 13
Sous l'aile de Piaf 122
Chapitre 14
L'Amérique… par le Québec 131
Chapitre 15
Un duo s'achève 141

III. À LA FORCE DU COUPLET

Chapitre 16
Chez Piaf 155
Chapitre 17
En solo 163
Chapitre 18
Un éditeur nommé Breton 172
Chapitre 19
Le temps des premiers 182
Chapitre 20
Coups de théâtre 195
Chapitre 21
De la scène à l'écran 206
Chapitre 22
Une première apogée 215
Chapitre 23
De Raoul à Eddie 227

IV. AU SOMMET

Chapitre 24
L'effet « Je m'voyais déjà » 245
Chapitre 25
Comme Frankie 253
Chapitre 26
L'Olympe, de Paris à New York 265
Chapitre 27
Conquistador à 40 ans 280
Chapitre 28
Polémiques 289
Chapitre 29
Départs 303
Chapitre 30
De Vegas à Jérusalem 313
Chapitre 31
Au nom de la jeunesse 320
Chapitre 32
Mystère et bouilles de gosses 330
Chapitre 33
Comme ils disent 342

V. LES CHEMINS DE L'EXIL

Chapitre 34
Retours aux sources 353
Chapitre 35
Années sombres 362
Chapitre 36
La fin d'un cycle 370
Chapitre 37
Transition 384

Chapitre 38
Salut Bernard ! 395
Chapitre 39
Retours 409
Chapitre 40
Premier Palais, « dernière » rentrée 418

VI. UN HOMME DU MONDE

Chapitre 41
Pour l'Arménie 431
Chapitre 42
Avec Liza 440
Chapitre 43
Ambassadeur et « éditeur » 448
Chapitre 44
L'apogée définitive 456
Chapitre 45
Intégralement vôtre 464
Chapitre 46
Plus bleu… 473
Chapitre 47
Fin de siècle 480
Chapitre 48
Une « dernière » qui dure 491
Chapitre 49
La preuve par 80 501
Chapitre 50
« On va être surpris… » 510

ANNEXES

Fidèles, fidèles... 515
Témoignages 523
Paroles de musiciens 541
For me, formidable 547
Comme il dit... 553

Discographie 565
Filmographie 583
Bibliographie 589
Index des principaux noms cités 591
Remerciements 599

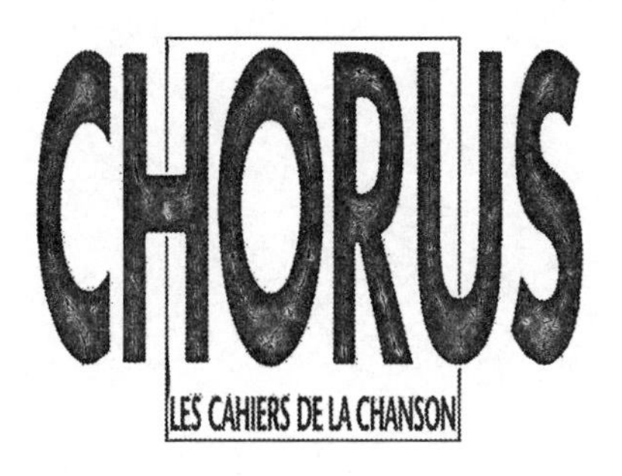
CHORUS
LES CAHIERS DE LA CHANSON